D1086378

EL CINE ESPAÑOL DESPUÉS DE FRANCO
1973-1988

Temas de nuestro tiempo

JOHN HOPEWELL

El cine español después de Franco 1973-1988

Traducción de Carlos Laguna

Diseño de cubierta: Raíz de dos
Ilustración de cubierta: Fernando Fernán Gómez en
Maravillas de Manuel Gutiérrez Aragón, 1980

Josefa Valcárcel, 27. 28027-Madrid
Depósito legal: M. 43.854-1989
ISBN: 84-86902-06-1
Printed in Spain
Impreso en Lavel
Los Llanos, nave 6. Humanes (Madrid)

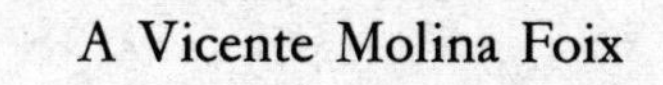

A Vicente Molina Foix

Nota preliminar

Este libro es una versión española de **Out of the Past,** *publicado por el British Film Institute de Londres en 1986.* **Out of the Past** *fue escrito para lectores de habla inglesa que supieran algo de cine, pero lamentablemente poco de España.* **El cine español después de Franco** *está escrito para lectores de habla española que saben de España, pero, quizá, menos de su cine.*

Los dos primeros capítulos históricos de **Out of the Past** *se han convertido en una Introducción. He ampliado «Los primeros signos de un cine posfranquista», «Más porras que porros», «Las películas liberales», «¿El fin de la censura?» y las secciones sobre Querejeta, la nueva comedia española, el cine de derechas y del desencanto, Trueba y Almodóvar. «Del sexo de los ángeles a sexos angélicos», «El despliegue de la transición cinematográfica (II)», «Un nuevo cine europeo», y el Epílogo son sustancialmente nuevos; el resto del material es más o menos el mismo.*

J. H., Madrid, 1989.

Introducción

En los años 70, España dio una idea genial para una película. Tal como aconsejaba Sam Goldwyn, el argumento comienza con un verdadero terremoto:

> Primeras horas de la mañana del 20 de diciembre de 1973, Madrid. El almirante Carrero Blanco acaba de salir de misa. Primer ministro y el más estrecho colaborador de Franco durante treinta y dos años, es la única figura del Gobierno con voluntad y carisma suficientes para continuar el franquismo cuando se desmorone el vetusto dictador. Una potente carga explosiva se halla oculta en el camino por el que ha de pasar. Se produce una gran explosión. El Dodge blindado del almirante salta por los aires hasta una altura de casi quince metros, pasa por encima de un muro de la iglesia de San Francisco de Borja y cae en un patio. Carrero Blanco llega ya muerto al hospital. Otra vez se plantea el gran interrogante: y después de Franco, ¿qué?

Los personajes están bien definidos, aunque no exentos de cierta ambigüedad:

> Esperando suceder a Franco en la jefatura del Estado se encuentra el príncipe Juan Carlos de Borbón. Fornido y varonil, se le ha relegado al papel de comparsa, y en los actos oficiales aparece siempre tras la figura rechoncha del caudillo, como si fuera un gigante amansado. Juan Carlos ha jurado fidelidad a los principios del Movimiento. En los ambientes políticos se piensa que no durará mucho después de que Franco muera. Su reinado se recordará como el de «Juan el Breve».

Hay una clara progresión cronológica:

> El sucesor de Carrero Blanco es Arias Navarro. Partidario de implantar una tímida liberalización, una «apertura», se debate entre el más absoluto inmovilismo y una reforma superficial. Totalmente falto de inspiración, permanece sentado en su despacho como una «esfinge sin secreto»[1]. Franco muere de peritonitis el 20 de noviembre de 1975. En Barcelona, los productores de cava hacen su agosto. Se respira un ambiente de putrefacción política. Los conciliábulos de la oposición aumentan. La prensa más radical propugna una ruptura total con el pasado. Los españoles políticamente apáticos adquieren de pronto cierta *mystique de gauche*.

Los acontecimientos alcanzan un clímax:

> La muerte de Franco es un ocaso que se ha confundido con el amanecer. Arias Navarro ha resultado ser un «continuador estricto del franquismo»[2]. Su sucesor, Adolfo Suárez, posee juventud, mucho encanto y un grado similar de ambición; pero no tiene credenciales democráticas en absoluto y, así como el rey Juan Carlos necesita la democracia para legitimar su trono, él la necesita para legitimar su poder. Tiene que persuadir a las Cortes franquistas para que aprueben una ley de reforma política que reinstaure la democracia en España. Dos días de conversaciones en los pasillos...

Y hay un final feliz a gusto de todos, en el que intervienen incluso los actores secundarios:

> Los parlamentarios «oportunistas» no quieren aceptar la pesada responsabilidad de decir no a una ley que el rey, la Iglesia, la mayoría del pueblo español y las naciones democráticas del mundo desean. En un acto de calculado altruismo, las Cortes votan su propia disolución... El 15 de junio de 1977 se celebran elecciones democráticas por primera vez en cuarenta años. La Unión de Centro Democrático de Suárez obtiene una importante victoria. Las elecciones son un triun-

[1] David Gilmour, *The Transformation of Spain,* Londres, Quartet, 1985, página 141.

[2] *Ibíd.*, pág. 148.

fo de entusiasmo y moderación, dos factores que brillaban por su ausencia en el pasado. El 79 por 100 del electorado acude a las urnas. España es, *grosso modo,* una democracia.

Así acaba el melodrama español «De la dictadura a la democracia».

En España todo ocurre de improviso. Cuando Alfonso XIII abandonó el trono en 1931, tomó a todo el mundo por sorpresa. «La caída de la monarquía, escribió el profesor de polo del rey, fue para mí un golpe mayor que el que hubiera recibido cayéndome del caballo»[3]. La disolución del franquismo fue aún más repentina y definitiva. Hubo un intento de dar un final distinto al proceso de transición: el 23 de febrero de 1981, el teniente coronel Tejero asaltó el palacio de las Cortes. No obstante, su intentona golpista fracasó y fue condenado a treinta años de prisión, los cuales inició estudiando la carrera de Napoleón en un lujoso apartamento de las afueras de Madrid. Los socialistas obtuvieron un triunfo electoral aplastante en octubre de 1982. Se ha implantado «el cambio».

Como señaló Oscar Wilde, «en los momentos más dramáticos, no importa la verdad, sino el estilo». Algunas películas españolas han tratado con gran agudeza la transición, planteándola seriamente como *representación,* como un acontecimiento cuyas líneas maestras, tal como el público en general ha tendido a interpretarlas, se ajustan más a las estructuras y los clichés de la ficción narrativa popular que a la compleja, accidentada, accidental y aleatoria verdad histórica.

Pero una cosa es la transición vista por el cine y otra muy distinta la transición de éste[4]. En los años 40 ya se hacía de vez en

[3] Raymond Carr, *Modern Spain, 1875-1980,* Oxford, Oxford University Press, 1980, pág. 116.

[4] Sobre el nacimiento del cine español y su lento desarrollo hasta 1929, véanse Fernando Méndez-Leite, *Historia del cine español,* Madrid, Rialp, 1965; Juan Antonio Cabero, *Historia de la Cinematografía Española, 1896-1949,* Madrid, Gráficas Cinema, 1949, y el muy estudiado capítulo de Julio Pérez Perucha sobre este periodo de la edición de bolsillo de *El Cine Español, 1896-1983,* Madrid, Ministerio de Cultura, 1986. Para cualquier estudio serio del cine español bajo Franco es esencial consultar la ejemplar obra de Félix Fanés, *Cifesa, la antorcha de los éxitos,* Valencia, Institución Alfonso el Magnánimo, 1982; así como las notas

cuando en España un cine de sugerencias democráticas, como prueba el delicioso *La vida en un hilo* (1945), de Edgar Neville[5]. Y a comienzos de los años 50, al dar una subvención de tercera categoría a *Una cubana en España* (Bayón Herrera, 1951), un elemento de la facción más progresista del régimen, García Escudero —director general de Cinematografía, de septiembre de 1951 a febrero de 1952—, tomó una decisión administrativa que puso fin al exagerado nacionalismo y grandiosidad de Cifesa[6].

Pero la oposición cinematográfica a Franco alentada por el propio Gobierno se manifestó por primera vez de manera clara con la película de Juan Antonio Bardem *Muerte de un ciclista* (1955), y se institucionalizó con el «nuevo cine español», patrocinado por el régimen a partir de 1962, cuando Manuel Fraga se puso al frente del Ministerio de Información y Turismo.

Tales hechos muestran claramente que el cine español se hallaba ya en un proceso de transición hacia un mayor liberalismo. No obstante, en los años 60, la oposición cinematográfica liberal seguía siendo un fenómeno para minorías, pues, al estar limitada a los *ghettos* culturales de las salas de Arte y Ensayo creadas en enero de 1967, apenas tenía impacto social. En ese momento, las películas calificadas de «interés especial» solían ser, cualesquiera que fuesen sus valores artísticos, fracasos colosales. La desafortunada *Tinto con amor* (Francisco Montoliu, 1968) recaudó un total de 10.350 pesetas. Sólo una de las producciones del «nuevo cine

---

de los programas de la Filmoteca Española redactadas por Julio Pérez Perucha, 1982-1983, y los estudios (desgraciadamente, no publicados) sobre Cifesa y sobre Edgar Neville y Luis Marquina que se leyeron en los festivales de cine de Valencia (1981) y Valladolid (1982, 1983), respectivamente.

[5] En *La vida en un hilo,* la protagonista sale de una floristería un día de lluvia y dos hombres se ofrecen a llevarla a casa. Acepta a uno por puro impulso y acaba casándose con él, para llevar una vida provinciana y aburrida. Un día le echan la buena ventura y descubre cómo hubiera vivido si hubiese aceptado el taxi del otro hombre, que es un escultor bohemio y extravagante. Asimismo, se le muestra a su aburrido marido felizmente casado con otra mujer tan sosa como él. «Todo el mundo», concluye la película, «lleva dentro de su alma la felicidad de otro» una clara sugerencia de un pluralismo social y, por implicación política.

[6] El *follie de grandeur* de Cifesa, del que es una clara muestra el hollywoodiano sueldo de Aurora Bautista, estaba precipitando ya la bancarrota de la productora. Cfr. Fanés, *op. cit.,* cap. VI.

español», *Fortunata y Jacinta* (Angelino Fons, 1969) figuró entre las 100 películas nacionales más exhibidas entre 1965 y 1969[7].

La principal transición cinematográfica española ocurrida entre 1950 y 1976 se manifestó más claramente cuando el cine liberal de oposición se convirtió en la tendencia general, es decir, en una opción comercial para los cineastas del país, del mismo modo que el apoyo a la democratización se convirtió en una opción política mayoritaria a mediados de los años 70. El catalizador de este cambio repentino que se produjo en el mercado cinematográfico fue el descenso cada vez más acusado del índice de asistencia al cine iniciado en 1966, cuando los aparatos de televisión se propagaron por los pueblos de España rompiendo para siempre el silencio sepulcral de la siesta.

Con el erotismo en pleno auge en el extranjero, a finales de los años 60, los cineastas españoles no podían competir en el mercado internacional. Los directores, ya fuesen liberales o comerciales, hicieron causa común para pedir que disminuyese la censura, lo cual era tanto una necesidad comercial como un derecho político. Así mismo, la politización y el descenso de los niveles de asistencia al cine hicieron que cobrara gran importancia desde el punto de vista comercial un tipo de espectador que hasta entonces había sido minoritario, pero hacia el que ahora se dirigían las películas cada vez con más frecuencia. «Liberal, consciente», escribe Francisco Llinás, este espectador estaba muy lejos de aquel «que iba al cine sistemáticamente y que ahora se encandilaba con el televisor. La asistencia a determinados títulos era un acto —tímido quizá, pero inequívoco— de resistencia a un régimen que multiplicaba consejos de guerra, tribunales especiales y una sistemática represión de las más elementales libertades»[8].

El escándalo que más claramente confirma la popularidad de

---

[7] Cfr. Augusto M. Torres, *Cine español, años sesenta,* Barcelona, Anagrama, 1973. Torres observa que, en la lista de las 1843 películas españolas exhibidas entre 1965 y 1969, *Cada vez que...,* la más popular de las producciones de la Escuela de Barcelona, ocupa el puesto 921.

[8] Francisco Llinás, «Los vientos y las tempestades», *El cine y la transición política española,* Valencia, Generalitat Valenciana, 1986, pág. 3. Un importante, aunque breve, ensayo.

la opción cinematográfica liberal y democrática es la acogida que tuvo en 1974 *La prima Angélica,* de Saura. Una escena atrajo especialmente la atención: el tío del protagonista vuelve herido de la guerra civil, vestido con el uniforme de la Falange y con el brazo escayolado como si estuviera haciendo el saludo fascista. La película había sido aprobada en una reunión de seis ministros del régimen que la vieron junto con *Jesucristo Superstar.* Cuando se estrenó, la izquierda se deshizo en alabanzas; la derecha, en vituperios. A finales de 1974 había recaudado ya casi sesenta y tres millones de pesetas. El cine posfranquista tuvo, por tanto, claros precedentes políticos y comerciales. Fue un cine de gratificación ideológica, un cine de cambio, desarrollado en el cambio y a favor o en contra del cambio, y que se jactaba (a veces con hipocresía) de la franqueza con que consideraba los tabús del pasado, ya fuese para refrenar los intentos de liberalización declarando que ésta siempre conduciría al libertinaje o para propugnar la reforma liberal como único modo de superar los estrechos límites impuestos por el franquismo.

Si transición no significaba otra cosa que cambio general, entonces la más clara transición del cine español se produjo entre 1976 y 1977. Cumplida la primera condición necesaria para desarrollar una cinematografía liberal, es decir, garantizada la libertad de creación, el cine político desplegó, en esos años, un abanico de posturas que, aunque a menudo liberales, cabe identificar con los nuevos partidos políticos del país; se produjo una eclosión de cines nacionales y de enfoques radicales y —a veces— rupturistas, e incluso en las películas comerciales, tales como las dirigidas por Mariano Ozores, surgió un espíritu reformista que iba mucho más allá del simple destape.

Aparte de la *volte-face* de Ozores, ninguno de estos hechos era realmente nuevo. Cualquier progreso repentino en una liberalización de larga gestación conducirá no tanto a la aparición de movimientos desconocidos hasta entonces como a acrecentar la popularidad de las tendencias establecidas anteriormente. De ahí que figuras *underground* de finales de los años 60, como Jaime Chávarri y Ricardo Franco, hicieran películas con el productor Elías Querejeta en los 70, que figuraron entre las más populares del momento (*El desencanto* y *Pascual Duarte,* filmes radicales, ambos, que se estrenaron en 1976). Y, en 1977, la *mayoría* de las películas españolas comerciales propugnaban un tímido reformismo.

Buñuel describió así la exagerada confianza en sí mismo típica del carácter español: «Tengo miedo del infierno, pero soy lo bastante bueno como para permitirme escupir a Dios.» La censura se abolió en España por Real decreto el 11 de noviembre de 1977. El legendario individualismo de los españoles se combinó entonces con las libertades recién conquistadas y preparó el terreno a un cine posfranquista en el que los directores iban a actuar como *auteurs,* dotando a sus películas, quizá inconscientemente, de una personalidad reconocible, haciendo de ellas una variación constante sobre una serie de distinguibles, aunque recónditos, motivos susceptibles de análisis estructural.

No obstante, el cine posfranquista es un acto de equilibrio. La fuerza centrífuga que ejercen la diversidad de influencias y la absorción radical en uno mismo queda contrarrestada, contenida, incluso frustrada, por la urgencia de las necesidades inmediatas y la atracción del pasado. Más que capitanes de su destino artístico, los directores españoles con frecuencia han parecido meros marineros regidos por las circunstancias. «Para los griegos, lo implacable era el Destino, mientras que para nosotros es la Historia», señala Gutiérrez Aragón, refiriéndose al joven fascista de *Camada negra* (1977), cuyo intento de desentenderse del pasado le convierte, a los ojos del director, en un héroe[9].

Pero lo que distingue —en cantidad, no en cualidad— al cine español es la enorme influencia que ejerce en él su singular historia. Muy pocos directores han sido capaces de, por ejemplo, volver completamente la espalda a la transición. Ésta planteó temas que no tuvieron más remedio que tratar; en un momento en que la opinión de los intelectuales desempeñaba un papel esencial en el debate de los problemas que arrastraba el país, les obligó a adoptar una postura —por moderada que fuese. ¡No hables del sexo de los ángeles! ¡Aclárate, macho!, le gritaron algunos críticos a Saura cuando, después de la picazón política de *La pri-*

[9] Juan Hernández Les y Miguel Gato, *El cine de autor en España,* Madrid, Castellote, 1978, pág. 284. Gutiérrez-Aragón, dicho sea de paso, recela de los héroes.

ma Angélica, hizo un estudio intimista de la infancia, *Cría cuervos* (1975).

En el caso del cine español moderno, la historia se ha concretado fundamentalmente en la guerra civil. Refiriéndose a los voluntarios que vinieron a España para luchar en las Brigadas Internacionales, Pietro Nenni observó que, aunque sin ser conscientes de ello, habían «vivido una Ilíada»[10]. A los españoles, la guerra tuvo que parecerles el acontecimiento decisivo de su vida, el único que quizá tuviera una importancia fundamental indudable. Muchos, quizá la mayoría, de los principales cineastas españoles actuales nacieron en los años 30 ó 40 y vivieron el acontecimiento más formativo de la historia reciente de España —o las secuelas del mismo— durante la etapa más crucial de su formación. En Saura se advierten con especial claridad los efectos de esta experiencia. «La infancia», señaló en cierta ocasión, «es un periodo particularmente inseguro..., lleno de miedos y de todo tipo de deficiencias. Deja una huella profunda e indeleble en el individuo, sobre todo si se vive en un ambiente hostil». Al decir esto, lo hizo sobre la base de su propia experiencia: pasó parte de la guerra en Madrid, muy cerca de las líneas enemigas. Desde *La caza,* Saura siempre se ha tildado de *auteur.* «Trato de asegurarme», comentó a Enrique Brasó a principios de los años 70, «de que los temas, la historia y la narración sean míos»[11]. Por consiguiente, en Saura la guerra civil tiene una inmensa importancia, no sólo en su vida, sino también en sus películas. Tal vez sea la influencia «indeleble» ejercida en el presente por un pasado conflictivo lo que proporciona a éstas el tema y la estructura: la disolución gradual de las diferencias existentes entre dos contrarios iniciales. La inseguridad que sentía Saura de niño podría explicar su actual vulnerabilidad a la crítica. Y los «miedos» y «necesidades» de su infancia darían razón también de la importancia que adquiere en su ficción la figura de los padres, en especial la de la madre.

La guerra civil predeterminó treinta y cinco años de posgue-

---

[10] Hugh Thomas, *The Spanish Civil War,* Harmondsworth, Penguin, 1977, página 262.

[11] Enrique Brasó, *Carlos Saura,* Madrid, Taller de Ediciones JB, 1974. Este trabajo sigue siendo un estudio modelo que cubre la carrera de Saura hasta *Ana y los lobros* (1972).

rra, durante los cuales una nueva generación de españoles sufrió las consecuencias de acontecimientos que nunca habían vivido y que, por ser ya historia, no podían cambiar. Los intentos predestinados de escapar del presente, de refugiarse en la infancia, de volver a escribir el pasado, han sido temas clave del cine posfranquista. Como lo es también el de la causalidad, que ha fascinado a muchos directores y ha dado lugar a los modelos de infortunio con argumento cómico de *Habla, mudita* (1973, Manuel Gutiérrez Aragón), y a la invitación a considerar las causas remotas de estados psíquicos actuales que, con claras connotaciones políticas, se halla incrustada en el aparato freudiano de muchas de las películas de Saura (por ejemplo, en *Peppermint frappé*).

Según Gabriel Jackson, desde julio de 1936 hasta que acabaron las ejecuciones en masa en 1944, los nacionales fusilaron de 300.000 a 400.000 españoles. Estas muertes han dotado a cierto cine español de una psicología particular y de un silencio muy significativo. La contienda «desató instintos que no se habían manifestado en Europa desde la guerra de los Treinta Años», señala Hugh Thomas en *The Spanish Civil War*[12]. Las explicaciones que se han dado a las atrocidades cometidas entonces no han conseguido eliminar cierto sentimiento de culpabilidad. Los cineastas han recurrido una y otra vez a la brutalidad de los españoles, al residuo animal de su conducta, y hacen especial hincapié en una metáfora —la de las relaciones humanas como caza—, que, utilizada ya por Saura en *La caza,* está presente también en *Furtivos* (José Luis Borau, 1975), *La escopeta nacional* (Luis Berlanga, 1977) y *Dedicatoria* (Jaime Chávarri, 1980).

En 1985, durante la proyección de *Pascual Duarte* en el National Film Theatre de Londres, muchos espectadores abandonaron la sala, incapaces de soportar una escena en la que el protagonista mata a puñaladas a una mula. La violencia de las películas españolas puede parecer de mal gusto. Sin embargo, está justificada. Al carecer de distribución internacional, el cine español raras veces se ha acomodado a los gustos extranjeros. «Quienes

[12] Thomas, *The Spanish Civil War,* pág. 262. Thomas añade: «Ocurrieran o no del modo en que se las ha descrito, no cabe duda de que tales atrocidades estuvieron a la orden del día en la España nacional.»

no recuerden el pasado están condenados a volver a vivirlo», escribió George Santayana. A lo que, en el fondo, hace referencia toda esta violencia manifiesta en la pantalla es a la crueldad fratricida de la guerra civil. Pero la caza tiene también claras connotaciones políticas, ya que era el deporte *sangriento* favorito de Franco y de muchos de sus ministros. Además, las monterías que se organizaban para los banqueros, hombres de negocios, aristócratas y ministros eran uno de los principales escenarios de la lucha por el poder del *establishment*.

Pero el legado psicológico de aquellos asesinatos va mucho más allá de la mera insistencia en la violencia. Después de la guerra, muchos españoles especialmente sensibles intentaron descubrir las razones del conflicto y de sus acciones en él. Su experiencia personal les había dejado un regusto de inquietud. Lo ermético de muchas películas españolas (planteado conscientemente en algunas de las dirigidas por Saura o producidas por Elías Querejeta) podría derivarse, entre otras cosas, de la convicción, reforzada por la guerra civil, de que los motivos humanos son densos, difíciles, opuestos y oscuros. La contienda no supuso la división inmediata en dos bandos. Como señala Juan Benet, tuvo que haber muchos españoles que atrancaron la puerta, echaron las cortinas, se refugiaron en la habitación más interior de la casa, pusieron la radio y trataron de decidir «no la clase de tormenta que amenazaba al país, sino la clase de hombres que ellos son»[13]. La guerra dio a los españoles una alternativa existencial perfectamente clara, pero les privó en gran medida de la libertad, serenidad o sutileza necesarias para elegir. El miedo a ser ejecutados, el hecho de hallarse atrapados en una zona enemiga y la confusa mezcla de lealtades presente en ambos bandos constituyen factores, debido a los cuales muchos españoles se adhirieron a causas con las que no se identificaban y se vieron definidos por acciones que no siempre podían reconocer como propias.

Por consiguiente, la locura de las represalias fue una lección inolvidable sobre la inescrutabilidad de las acciones humanas. Los directores españoles tratan este tema, en especial en situa-

---

[13] Juan Benet, *Volverás a Región,* Madrid, Alianza Editorial, 1974, pág. 172. La novela es una brillante descripción de los legados emocionales de la guerra civil.

ciones de violencia potencial, con demasiada frecuencia como para pensar que se trata de una mera coincidencia. Uno de los personajes de *Cría cuervos,* Ana, no consigue explicarse por qué quería matar a su padre de pequeña. En *Demonios en el jardín* (Manuel Gutiérrez Aragón, 1982) hay un toro que corre suelto por el pueblo. Cabe preguntarse si es un símbolo de pasiones desenfrenadas o de la virilidad española; pero el director insiste en que no se trata de ninguna de las dos cosas. «No sé explicarlo», asegura, y las explicaciones simbólicas de esta película «me dan arcadas»[14].

Por otro lado, en muchas películas españolas los personajes parecen actuar sin motivos suficientes. Las razones de la violencia, en particular, resultan demasiado endebles para justificar completamente sus consecuencias. *Deprisa, deprisa* (1980), de Saura, es un claro ejemplo de esta actitud. Hay una escena en la que los cuatro delincuentes que protagonizan la película asaltan una furgoneta de seguridad y escapan en un coche robado. El guardia les dispara al azar, pero se queda sin balas y echa a correr. La chica se baja entonces del coche, le apunta, dispara, falla, vuelve a disparar y le alcanza en la espalda. Como les ocurriera a tantos miles de personas décadas antes, el guardia muere en un campo solitario de España. Detrás de las ejecuciones de la guerra civil se ocultaba un intenso rencor que cualquier incidente sin importancia capaz de justificar un castigo podía sacar a la luz con sangrientas consecuencias. En las películas españolas, la motivación parece a veces igualmente insignificante; la fuerza que dicta la conducta se halla fuera de la pantalla, en la propia historia de España. De ahí que el ambiente y los personajes secundarios sean sumamente importantes. Muchas veces son ellos los que explican la conducta del protagonista, pues el papel de éste no es más que un mero ejemplo cinematográfico de una situación colectiva, mientras que los demás personajes inscriben esa situación en un contexto histórico más amplio y esclarecedor.

Esta predilección del cine español por la violencia apenas se podía relacionar de manera explícita con la guerra civil durante

[14] Augusto M. Torres, *Conversaciones con Manuel Gutiérrez Aragón,* Madrid, Editorial Fundamentos, 1985, págs. 165-166. Se trata de una reveladora y humorística serie de entrevistas.

el régimen de Franco. Incluso después de la muerte de éste, las películas sugieren la idea de impulsos incontrolables, de pasiones ocultas, recurriendo insistentemente al motivo del incesto. El último legado psicológico de las matanzas de la guerra civil quizá sea una especie de conciencia de lo tabú, de las oscuras fuerzas ocultas subyacentes al carácter y a la historia españoles. Este sentimiento es uno de los temas dominantes del cine posfranquista y se refleja en el alineamiento de la violencia y el deseo incestuoso con claras referencias históricas. Tal alineamiento está presente en un considerable número de películas españolas clave: *Furtivos, Pascual Duarte, A un dios desconocido* (Jaime Chávarri, 1977), *El corazón del bosque* (Manuel Gutiérrez Aragón, 1978) y *Dedicatoria,* donde las barreras impuestas a la revelación de verdades históricas y personales están imbricadas en la textura formal de la película.

Aunque inevitablemente vago, el legado mental de la guerra civil parece ser muy vasto. Contrastando significativamente con esto, la influencia de la denominada cinematografía «franquista» en el cine de después de Franco es muy limitada, lo cual se explica por una razón muy sencilla. La mayoría de los cineastas actuales no pueden reaccionar en contra de las películas que se hicieron durante el régimen franquista, porque apenas han visto alguna (al menos hasta que, en 1984, Fernando Méndez-Leite inició en TVE la inmensa retrospectiva cinematográfica *La noche del cine español).*

«¿Se hacían comedias en los años 40, 50 y principios de los 60?», se pregunta el productor José Luis Dibildos. «Evidentemente, muy pocas», afirma rotundamente[15]; pero se equivoca de cabo a rabo, porque los datos expuestos por Félix Fanes en su excelente *Cifesa, la antorcha de los éxitos* indican que el 80 por 100 de las películas realizadas a comienzos de la década de 1940 por la mayor productora española eran, precisamente, comedias.

A este respecto, cabe señalar el caso de Edgar Neville. A Fernán-Gómez le causó tanta impresión este personaje, que hizo un *remake* de una de sus películas —*El malvado Carabel* (Neville, 1935; Fernán-Gómez, 1955)—, e incluso se hizo cargo de su mayordomo cuando Neville murió en 1966. Neville fue un di-

[15] *La comedia en el cine español,* Madrid, Imagfic 86, pág. 48.

La vida en un hilo, Edgar Neville, 1945. Aristocrático *savant,* Neville legó, se dice, su mayordomo a Fernando Fernán Gómez. El resto de su herencia cinematográfica ha quedado amnésicamente olvidada

rector que no se puede pasar por alto. Diplomático, aristócrata, *bon vivant* adinerado, fue un claro representante de la disidencia cinematográfica bajo el régimen de Franco. Tal era su encanto, el refinamiento de su sangre, sus modales y espíritu elegantes, que uno de sus íntimos, Charles Chaplin, le describió como el mejor *raconteur* que había conocido nunca, y cuando le preguntaban cuál era la película de la que mejores recuerdos guardaba, restringía su respuesta a un solo título: *La traviesa molinera,* cuyo guión fue escrito por Neville y Harry d'Abbadie d'Arrast[16]. Sin embargo, Gutiérrez Aragón, uno de los cineastas españoles más cultos, admitió hace tan sólo unos años que no había visto ni una sola película de Neville.

Los directores españoles tampoco pueden reaccionar contra el «cine franquista», porque éste nunca existió, en el sentido de constituir un cuerpo dominante y homogéneo de producción para o pro gubernamental.

Raza podría haber sido la piedra de toque de un cine verdaderamente franquista. Financiada por el para-gubernamental Consejo Hispánico; dirigida por José Luis Sáenz de Heredia, primo de José Antonio Primo de Rivera, y basada en una novela escrita por el propio Franco, esta película está inspirada, sin embargo, no tanto en una ideología política como en una neurosis personal, lo cual ha demostrado con gran sentido del humor Gonzalo Herralde en *Raza, el espíritu de Franco* (1978). Apodado «Franquito» en la Academia Militar de Toledo, y objeto de las burlas de sus compañeros por su baja estatura y su voz atiplada, Franco se creó un *alter ego* ficticio en el esbelto y fornido José Churruca, interpretado en *Raza* por el atractivo rompecorazones de los años 40, Alfredo Mayo. Avergonzado de que su padre no

---

[16] Sobre Neville, véanse el modélico estudio de Julio Pérez Perucha, *El cine de Edgar Neville* y el encantador ensayo, no publicado, de Emilio Sanz de Soto «Edgar Neville: un cineasta de la generación del "27"», leído en el Festival de Cine de Valladolid de 1982. Tal era el cariño que tenía Charles Chaplin a Neville, que después de la muerte de éste en 1967, durante varios años, cada vez que Carlos Saura y Geraldine Chaplin iban a casa del primero le daban recuerdos de su amigo, como si estuviera todavía vivo. Un guión de Neville, *Quince años,* fue adaptado por Berlanga para hacer *Novio a la vista,* completando así como señala Perucha el puente que empezó a tender Neville entre la generación de Buñuel y la de Berlanga.

fuera más que un habilitado con el rango de teniente y tan calavera que incluso abandonó a su esposa para poder flirtear libremente con las fulanas de Madrid, el caudillo dotó a los antepasados de su personaje de una hoja de servicios llena de actos heroicos —el almirante Damián Churruca, por ejemplo, cayó en Trafalgar combatiendo con nada menos que cinco naves inglesas. A *Raza* le falta el sentido de la expansión imperial, la ética del «hombre nuevo» y el «gusto por lo monumental y por la reverencia de las masas al héroe»[17] que caracterizan el cine fascista. Asimismo, evita exponer una tesis racial bien definida. Las fuerzas nacionales de la guerra civil se perfilan como una especie de «Equipo A» (los almogáveres, «guerreros elegidos, los más representativos de la raza española», bla, bla, bla.)[18].

«El cine español, desde el punto de vista falangista, o que sirva al punto de vista de nuestro Movimiento Nacional Sindicalista, está todavía por hacer», escribió, desilusionado, el falangista Fernando Fernández de Córdoba en agosto de 1942, es decir, después del estreno de *Raza*[19]. En la práctica, el régimen de Franco nunca tuvo el dinero, la convicción (*Rojo y negro,* de Carlos Arévalo, fue aprobada por la censura, pero se prohibió justo antes del estreno porque en el argumento había una chica falangista que se enamoraba de un miliciano) ni la competencia necesarios para hacer un cine estatal, y clara prueba de ello es la chapucera intervención de la marina española en el rodaje de *El crucero,* que Luis Lucia retrata así:

> ... saben ustedes que montaron la proa del «Baleares». La montaron sobre su submarino, y el submarino se hundía, y se hundía el «Baleares». Pero calcularon mal el peso que le habían echado al submarino, y al momento de hundirse se fue

[17] Susan Sontag, «Fascinating Fascism», *Movies and Methods,* ed. Bill Nichols, páginas 40 y 43.

[18] *Raza* no podía ser una película fascista, porque, como señala David Gilmour (*The Transformation of Spain,* pág. 7), «Franco sería cualquier cosa, pero no fascista». Pocos historiadores rigurosos pondrían en tela de juicio esta afirmación. Franco adoptaba la retórica falangista cuando le convenía, y en cierta ocasión le dijo a un embajador que la utilizaba a manera de clac.

[19] Citado en *Fotogramas,* núm. 191, 13 de mayo de 1977, pág. 8.

para abajo tan de prisa, que quedaron flotando los cañones, y la gente se agarraba a los cañones y los cañones flotanto[20]...

¡Harka! (Carlos Arévalo, 1941) y *¡A mí la legión!* (Juan de Orduña, 1942) son claros ecos de la exótica aventura africana de Augusto Genina, *Squadrone bianco* (1936). Tras la derrota alemana de 1943 en Stalingrado, el cine basado en los modelos cinematográficos de las potencias del Eje se hizo internacionalmente inadmisible. Pero antes de producirse este acontecimiento, tales películas eran ya muy poco viables porque, en los años 40 y 50, en España, no sólo la cinematografía, sino también la afición al cine eran, en cierto modo, actividades antifranquistas *por naturaleza*. El factor clave, el punto esencial de la historia del cine español, es el retraso con que se produjo en el país la revolución industrial. En los años 40 aún no había tenido lugar, por lo que no existía una *grand bourgeoisie* bien asentada como la de Francia o Gran Bretaña. La ausencia de una verdadera clase media hacía que existiese una clara línea divisoria entre las clases sociales, y el cine heredó los estigmas *submonde* del teatro popular, a cuyos actores no se les enterraba en sagrado en el siglo XIX. Para la flor y nata de la sociedad, la industria cinematográfica popular era sinónimo de inmoralidad y fatuidad. «Recuerdo», dijo en cierta ocasión Buñuel, «que mi madre se puso a llorar, desesperada, cuando, en 1928 ó 1929, declaré mi intención de hacer una película. Fue como si le hubiera dicho: "mamá, quiero entrar en un circo y ser un payaso"»[21]. Tales actitudes tardaron mucho en desaparecer. En 1944, en el doblaje de la película de Mervyn Le Roy *El puente de Waterloo,* donde Vivien Leigh se echa al mundo porque cree que su novio ha muerto, la palabra «prostituta» se sustituyó por otra que en español tenía entonces un significado parecido: «actriz».

Esta posición popularista del cine tuvo varias consecuencias cruciales. En primer lugar, es indudable que Franco nunca se tomó la industria cinematográfica muy en serio. Cuando se le

---

[20] Pág. 49 de las actas de una mesa redonda crucial celebrada en el Festival de Cine de Valencia de 1981.

[21] Luis Buñuel, *My Last Breath,* Londres, Flamingo, pág. 33. La biografía de Buñuel es un entretenimiento obligado.

preguntaba sobre su única aparición en una película —*La malcasada* (Francisco Gómez Hidalgo, 1926)—, donde interviene, junto con diversos escritores, políticos y otros militares, para opinar sobre el divorcio, respondía, en un tono lacónico y bastante despreciativo, con una frase típica de la almidonada clase media española: «Fue muy divertido.»

Hasta 1944, Franco tuvo un buen método para disuadir a los disidentes: los fusilaba. Más tarde, los sermones de los curas, los libros de texto, las noticias del NO-DO (fundado en diciembre de 1942) e, incluso, los tebeos resultaron procedimientos para adoctrinar a las masas, más viables que el cine. Como señala Félix Fanés, cuando Cifesa pidió ayuda al Gobierno en 1946, Franco se la negó, desaprovechando así la oportunidad espléndida de utilizar la inversión estatal para influir en la mayor productora del país[22].

En segundo lugar, Franco nunca supo qué hacer con el cine español. Por consiguiente, su política cinematográfica fue no sólo represiva, sino también (y esto es algo a lo que no se ha prestado demasiada atención) absolutamente incompetente. Como militar de toda la vida, consideraba el cine como territorio enemigo. Las películas americanas, recuerda Gutiérrez Aragón, fueron para los españoles como «una ventana al mundo», por la que vieron los «primeros besos» y la «primera huelga»: «El cine no sólo era un divertimiento..., sino... fundamentalmente ha sido el pecado»[23]. De ahí que, en *Demonios en el jardín* (1982), el protagonista descubre que su padre, al que creía un valiente soldado, no es más que un simple camarero y que, al enterarse de que su madre es «roja», decida conocer el mundo de los vencidos. Haciendo caso omiso de las advertencias de su familia, entra furtivamente al cine del pueblo para ver una secuencia cargada de erotismo de la película de Lattuada, *Ana*.

---

[22] Fanés, *Cifesa*, págs. 131-153. Los melodramas históricos de Cifesa formaban parte de una estrategia comercial, no fundamentalmente política, mal orientada. Véanse también las págs. 156-157. La iniciativa de la productora no recibió ningún apoyo especial del gobierno. Sobre las concesiones de licencias de importación por las películas históricas, que no fueron en absoluto extraordinarias, véase la pág. 206.

[23] *Conversaciones con Manuel Gutiérrez Aragón*, págs. 161-162.

Puesto que ir al cine era una actividad practicada por las clases populares, muchos de los espectadores eran supervivientes del Frente Popular, «la escoria de la población española», como los denominó en cierta ocasión Franco. Y, como era absurdo tratar de convertir la escoria en algo útil, el régimen franquista siguió una política cuasi militar con respecto al cine, limitándose a vigilarlo, más que a promoverlo. La Junta Suprema de Censura, creada el 18 de noviembre de 1937, comenzó operando con tal asiduidad, que a Dionisio Ridruejo, a la sazón jefe de propaganda nacional, no se le dejaban ver muchas de las películas que estaba encargado de combatir[24].

Pero el cine fue también una valiosa válvula de escape de las tensiones sociales, así como un posible símbolo del estado del país en el extranjero. Una característica de los primeros gobiernos de Franco y de la burocracia española en general fue el no hacer el menor esfuerzo consciente por dar expresión a esas tensiones, y mucho menos por resolverlas. Franco trató el cine como si fuera un botín de guerra, repartiéndolo entre los vencedores del conflicto que había dividido el país: la Iglesia se encargó de la moralidad; los sindicatos verticales, de la administración, y a los nuevos ricos se les ofreció la oportunidad de echar una cana al aire haciendo una película. Sólo las tensiones existentes entre estas fuerzas, generadas a menudo por drásticas divisiones de opinión en el seno de las propias instituciones, y la indiferencia general del régimen hacia una industria cinematográfica nacional mediocre, pueden explicar las múltiples contradicciones y el caos permanente que dominaron el cine español durante el franquismo.

Los ejemplos de esta situación son muy abundantes. Entre

---

[24] Ramón Sala y Rosa Alvarez Berciano señalan (en «1936-1939», Torres (ed.), *Cine español, 1896-1983*) que incluso el franquista Fernández Cuenca tuvo que admitir en su obra *La guerra de España y el cine* (Madrid, Editora Nacional, 1972, pág. 244) que el bando de Franco sólo tenía propaganda cinematográfica para una sesión de «poco más de dos horas». La obligación de doblar todas las películas importadas también fue una forma de control. Cfr. la metamorfosis alquímica que sufrió la película de John Ford *Mogambo*, donde el matrimonio formado por Grace Kelly y Donald Sinden quedó convertido en una pareja de hermanos en la versión española para justificar así la aventura de la esposa con Clark Gable.

1939 y 1952, afirma Domenec Font, el Gobierno invirtió 200 millones de pesetas en películas por medio de premios y créditos. Sin embargo, tales concesiones no siempre guardaban relación con el grado de conformismo ideológico. *A mí la legión,* por ejemplo, sólo recibió dos licencias de importación, mientras que a *Abel Sánchez,* que fue un audaz intento de Carlos Serrano de Osma de crear una vanguardia formalista en España, se le concedieron cuatro. La vinculación de la producción de películas nacionales con el derecho a importar productos extranjeros (o, más bien, norteamericanos) destruyó casi por completo la industria cinematográfica española. Muchas películas se hacían lo más rápidamente posible y sólo para obtener permisos de importación. Puesto que tales licencias se podían comprar en el mercado libre, la mayoría de los distribuidores ni siquiera se molestaban en producir películas, y si lo hacían, los resultados eran casi siempre de tan mala calidad, que rayaban en la ignominia[25]. Vizcaíno Casas recuerda un rodaje en el que la actriz principal se negó a besar a Fernando Fernán-Gómez en la boca alegando que ella sólo hacía tal cosa con su novio, que resultó ser el productor y director de la película. «Compréndanlo», subrayó éste, con admirable imperturbabilidad. «Como director, no puedo consentirlo. Como productor, menos aún. Pero como novio, me llena de orgullo»[26].

En el cine, los productores raras veces se contentan con una fuente de beneficios si pueden aprovecharse de dos. Otro foco de tensión fisípara fue el generado por las películas que le ponían una vela a Dios y otra al diablo, es decir, que trataban de atenerse a los dictados oficiales y de satisfacer, a la vez, los gustos que había creado en el mercado de los años 40 el cine de Hollywood. No hay otra explicación posible para injertos tan extraordinarios como *A mí la legión* —que es una mezcla de *Sopa de ganso* y cine fascista italiano— o *Surcos* (1951) —donde se combinan exteriores neorrealistas, un argumento de película de gánsters y una serie

---

25 Para las observaciones de Edgar Neville relacionadas con esta cuestión, véase Julio Pérez Perucha, *El cinema de Edgar Neville,* pág. 110.

26 Fernando Vizcaíno Casas, *Historia y anécdota del cine español,* Madrid, Ediciones Adras, 1976, pág. 110. A pesar de su carga política, este estudio constituye un útil complemento de la rigurosa obra de Román Gubern, *La censura: Función política y ordenamiento jurídico bajo el franquismo, 1936-1975,* Barcelona, Ediciones Península, 1981.

de tesis falangistas sinceramente sentidas por el director Nieves Conde[27].

¿Cuándo tuvo lugar el primer acto consciente de oposición cinematográfica a Franco? ¿De dónde arranca la larga y ardua liberalización del cine español que, mano a mano con su modernización, representa su más sostenida transición? De tener razón la disparatada crítica falangista de *Primer Plano,* tal hecho se produjo cuando Edgar Neville se empeñó en cultivar el sainete, en *La torre de los jorobados* (1944), *Domingo de carnaval* (1945) y *El crimen de la calle de Bordadores* (1946). Comparando el género histórico con el sainete, Luciano de Madrid vio «entre el uno y el otro, una línea, una frontera, que es la línea de fuego, alambrada y trincheras. El "ellos" y "nosotros"»[28]. Tal observación resulta muy pertinente. Si cabe afirmar que lo que distingue el cine republicano (de todos modos, normalmente conservador) es el énfasis en la jerga, los tipos y la cultura de la comunidad —ya sea ésta la fábrica de *El bailarín y el trabajador* (Luis Marquina, 1936), el barrio de *La verbena de la Paloma* (Benito Perojo, 1935) o el pueblo de *Nobleza baturra* (Florián Rey, 1935)—, entonces tal cine sobrevivió durante el régimen de Franco en las películas de Neville y en algunas de las de Antonio del Amo, Arturo Ruiz Castillo, Ignacio F. Iquino, Luis Lucía e, incluso, José Luis Sáenz de Heredia[29].

---

[27] Casi todas las tendencias cinematográficas españolas se hicieron eco de las innovaciones extranjeras, ya fueran éstas el cine de géneros de Hollywood (el cine español de los años 40), el neorrealismo (las películas de la oposición de los 50), la *nouvelle vague* (el «nuevo cine español», especialmente en Barcelona) o las comedias populares italianas (las películas de Alfredo Landa de los 70). Incluso las «folklóricas» españolas son una respuesta autóctona al musical de Hollywood.

[28] Citado por Alfons García i Segui en un estudio, no publicado, leído en el Festival de Cine de Valladolid de 1982. Luciano de Tena calificó al sainete, en *Primer Plano,* de «mugre radical socialista».

[29] Más concretamente, en *El pequeño ruiseñor* (Antonio del Amo, 1957), donde Joselito prefiere su pueblo a su familia; en *El guardián del paraíso,* 1955 (dirigida por Arturo Ruiz Castillo, que hizo cine durante la guerra para la Alianza de Intelectuales Antifascistas e hizo que el protagonista de su película *El santuario se rinde,* 1948, fuese un republicano *moderado),* en especial en las escenas de la afabilidad de barrio madrileña; en las comedias revisteriles realizadas por Iquino para el proletariado barcelonés, como, por ejemplo, *Boda accidentada* y *Un enredo de familia* (ambas de 1943), y en la fallera *La duquesa de Benamejí* (Lucia, 1949), cuyo protagonista y su banda tenían un inevitable eco en los maquis.

Demonios en el jardín, Manuel Gutiérrez Aragón, 1982. Una pose familiar de la vida y la ficción bajo Franco, aquí parodiada

«El feroz dirigismo y la horrenda represión que, según los críticos e historiadores del periodo, fue la tónica general del cine de los años 40», ha comentado Berlanga, «yo no lo vi por ninguna parte durante mi juventud, cuando empezaba a bucear en este terreno»[30]. Pero había presiones contrapuestas que hicieron que el cine careciese de dirección, de constantes estilísticas a las que los cineastas actuales puedan reaccionar[31].

Si acaso, estos cineastas han respondido a películas excepcionales —como *Raza* y *Locura de amor*— y, aun así, lo han hecho sólo a rasgos aislados, no siempre restringidos al cine. En primer lugar, la metonimia por la que un personaje representa a un país —como cuando el Gran Condestable de Castilla de *Locura de amor* declara que «ahora Castilla tiene la palabra»—, que Bardem y Berlanga satirizaron al comienzo de *Esa pareja feliz* (1951); en segundo lugar, el constante uso de frases heroicas —tales como la afirmación que se hace en *Agustina de Aragón* de que la resistencia continuará «mientras en España quede un solo gabacho»—, del que hay una clara parodia en *La noche más hermosa* (Gutiérrez Aragón, 1984), donde Fernando Fernán-Gómez declara que «no hay nada imposible para Televisión Española», frase con la que el triunfalismo de Cifesa se enmarca mordazmente en el contexto de un semibúnquer franquista: RTVE.

Pero, en general, las películas españolas actuales reaccionan no tanto a unos cuantos antecedentes franquistas o a mitos parti-

---

Muchas películas supuestamente «franquistas» —*Currito de la Cruz* (Lucia, 1948) o *Locura de amor* (Orduña, 1948)— estaban basadas en textos anteriores a Franco, como la obra de teatro de Manuel Tamayo y Baus que inspiró el film de Orduña, la cual se publicó por primera vez en 1855. En su cine, como en su economía, el franquismo supuso, en parte, una vuelta a la España conservadora de antes de Franco.

[30] Citado en «El cine español de posguerra», *Contracampo,* núm. 24, pág. 15, una de las más lúcidas descripciones del cine español durante el franquismo.

[31] De ahí que los variopintos años 40 fueran testigos del intento de Cifesa de crear un cine nacional *(Locura de amor),* de la realización de las primeras películas dirigidas a un público de clase media (la apreciable *Mariona Rebull,* por ejemplo, dirigida por Sáenz de Heredia en 1946) y de la aparición de «los telúricos», movimiento de «compromiso formal», creado alrededor de la figura de Carlos Serrano de Osma, en cuyo debut, *Abel Sánchez* (1946), se hace de cuando en cuando un brillante uso del plano secuencia.

culares del franquismo (la mayoría de los cuales son —como el mito de la defensa del Alcázar de Toledo, por ejemplo— demasiado absurdos para tenerlos en cuenta) como a ciertos hábitos mentales que han sido generados por una educación católica y se han materializado (aunque sin ser exclusivos de él) en el cine español: la certeza sublime de las actitudes[32], el énfasis en una única fuente de verdad (como la Biblia o los textos escolares), la tendencia a hacer pasar por hechos naturales lo que no son más que mitos condicionados históricamente (un ejemplo, por el contrario, la «diferencia» existente entre España y el resto de los países occidentales). Algunos cineastas posfranquistas crean textos que *no* resulten coherentes de inmediato, constituyen un reto, incomodan al espectador y fomentan el escepticismo. En este sentido, la filmografía de Manuel Gutiérrez Aragón es un magnífico logro.

No es de extrañar, por tanto, que las películas españolas tendieran a acercarse a los intereses prácticos del Gobierno *después,* y no antes, de que el país comenzase a modernizarse en los años 60. Tal proximidad se debía, entre otras cosas, a la mayor aceptación que tenía entre los espectadores la imagen social «oficial» de España. En los años 40, el público del cine estaba políticamente dividido. La familia era uno de los valores morales más obvios, compartidos por los espectadores cualquiera que fuese su partido político. De ahí la explotación que, película tras película, se hizo de ésta en el cine español durante el franquismo. En los años 50, sin embargo, resultó más atractiva otra imagen social oficial: la de que, sin renegar de sus valores tradicionales, España se estaba modernizando rápidamente, mientras que los españoles eran cada vez más felices y ricos. Tal idea fue un maná para el público cinematográfico; pero las películas rayaron a veces en lo más grotesco con el fin de conciliar los viejos valores con los nuevos. Fernando Méndez Leite recuerda que *Vuelo 971* (Rafael J. Salvia, 1953) «contaba el accidentado vuelo de un avión de pasajeros

[32] La certeza sublime de las actitudes: Agustina de Aragón tiene la atractiva certeza que Roland Barthes encontro en la lucha libre: «Es la euforia del hombre que es izado durante unos momentos por encima de la ambigüedad constitutiva de las situaciones cotidianas y contempla una vista panorámica de la naturaleza unívoca.» «El Mundo de la lucha.»

que está a punto de estrellarse y se salva gracias a la intervención milagrosa del arcángel San Rafael, que se ocupa también de sanar las conciencias de los pasajeros e, incluso, de asistir al feliz alumbramiento de una parturienta»[33].

«Éstas son las películas que hay que hacer en España», se dice que comentó Franco después de ver *Viaje de novios* (León Klimovsky, 1956), lo cual no resulta nada sorprendente, dado el apoyo que encontraba en tal tipo de cine el proceso de modernización en que se encontraba entonces su régimen. *Las chicas de la Cruz Roja* (1958) es un buen ejemplo de todo esto. Adornadas con pinceladas de modernidad (el despampanante deportivo rojo que lleva a las chicas de un encuentro a otro, la Bolsa, el hospital donde convalece el tío), pero limitadas por los parámetros geográficos de una España más tradicional y popular (la Cibeles, la Puerta de Alcalá, la Gran Vía, la Plaza de España), la amistad de las chicas se basa en la idea de que las virtudes de una enmiendan las deficiencias de otra: la hija del diplomático dilentante, por ejemplo, recibe una lección de respeto filial de la alegre neochulapa Paloma (una memorable Conchita Velasco), a la que, a cambio, ayuda a superar sus apuros económicos con el dinero de papaíto. En definitiva, ¿qué mejor forma podía encontrar Franco de hacer publicidad de su democracia orgánica modernizada que este armonioso y autorregulador colectivo endógeno?

Un último ejemplo de modernización fue el cine liberal que parte del régimen de Franco empezó a promover. Una vez más, el afán modernizante hizo que el cine se aproximara a los intereses inmediatos del régimen franquista. El Gobierno de los años 40 era demasiado cateto y tradicional, veía «sólo el lado frívolo del cine»[34]. Fue un reformista católico, García Escudero, director general de Cinematografía de 1951 a 1952, y de julio de 1962 a noviembre de 1967, quien se dio cuenta de que, como él mismo escribió en su diario, una película era «una bandera». No se podía tener esa bandera a media asta[35]. Nunca, durante el fran-

[33] Fernando Méndez-Leite, *Historia del cine español,* pág. 262.

[34] Ramón Sala y Rosa Álvarez Berciano, *op. cit.,* pág. 73.

[35] J. M. García Escudero, *La primera apertura: Diario de un director general,* Barcelona, Planeta, 1978. Un fascinante autorretrato.

quismo, había conocido la producción cinematográfica nacional tan dinámico dirigismo como con García Escudero.

El cine liberal, progresista, de arte y ensayo, arranca más claramente en 1955 con *Muerte de un ciclista,* primera constatación explícita, como señala Luis Berlanga, de oposición cinematográfica a Franco. Una de las bases de este cine las sentó Juan Antonio Bardem en *¿Para qué sirve un film?,* breve artículo reproducido en *Cinema Universitario* (núm. 4, diciembre de 1956) tras su primera aparición en la prensa francesa.

El problema que se le planteaba a todo cineasta de izquierdas durante el franquismo era cómo plasmar práctica y cinematográficamente su oposición política (o, simplemente, visceral) al régimen. La pregunta es simple, la respuesta, no tanto. Como observa Fernando Fernán-Gómez:

> Me sentía completamente de acuerdo con las corrientes que fueran contra el régimen... Pero no consideraba, y Bardem, que era muy amigo mío, me lo reprochaba, que debiera comprometer mi trabajo en eso. Si lo hubiera considerado, todas las ofertas que me hubieran hecho como actor me hubiera visto obligado a rechazarlas y, por tanto, no hubiera hecho ninguna[36].

En *¿Para qué sirve un film?,* Bardem sostiene que «en principio está permitido orientar este ojo universal del público hacia todas las direcciones posibles. Pero entre todas éstas, ¿cuál era la mejor?». Puesto que él ya ha dejado de lado el cine formalista («Existen suficientes maestros de gramática, asombrosos calígrafos, maravillosos artesanos de la forma cinematográfica»), concluye que «esta dirección debe consistir, ante todo, en una vuelta a la realidad, al realismo de contenido del cine».

Si la cinematografía española de los años 70 y 80 está en deuda con la que se hizo durante el franquismo, ello es así, o bien porque constituye una continuación de esta filosofía del contenidismo realista o bien porque es una rebelión contra ella. Como señaló el director cuyo cine ha caracterizado más el cine realizado bajo los auspicios del PSOE, reconociendo su pertenencia a la

---

[36] *Contracampo,* núm. 35, pág. 59. Larga y excelente entrevista.

generación de tendencias realistas de los años 50, «todos hemos cogido el mismo tren»[37]. La motivación y las limitaciones de gran parte de la cinematografía posfranquista tiene precedentes en la que se desarrolló en los años 50 y 60 contra Franco.

Las razones del énfasis que se dio al contenido realista son, en primer lugar, históricas. En noviembre de 1950 y, al parecer, por mandato de Stalin, el PCE abandonó la oposición armada al régimen. En 1954, algunos de los miembros más jóvenes del partido, tales como Santiago Carrillo y Fernando Claudín, comenzaron a propugnar una política de reconciliación nacional. El nombramiento de Joaquín Ruiz Giménez como ministro de Educación en 1951 fue el aviso de una moderada apertura en la cultura española. El realismo de contenido constituyó un perfecto punto de encuentro en el que confluyeron películas que aprovecharon la apertura temática para tratar cuestiones como las de la vivienda, la emigración y las condiciones de vida desde los puntos de vista estilísticos e ideológicos radicalmente diferentes, como la chaplinesca *El último caballo* (Edgar Neville, 1950), la falangista *Surcos* (José Antonio Nieves Conde, 1951), el sainete izquierdoso del propio Bardem *Felices Pascuas* (1954) o la moralista y católica *La Guerra de Dios* (Rafael Gil, 1953).

El hecho de que el neorrealismo tuviera su origen en las secuelas del fascismo italiano permitió a los militantes explotar la idea que se tenía en todo el mundo de que los españoles, por medio de su cine *(sui generis)* igualmente realista, estaban combatiendo el fascismo en España. No es de extrañar, por tanto, que la revista de cine *Objetivo* (fundada por los colaboradores del PCE Bardem y Ricardo Muñoz Suay en mayo de 1953) promocionase el neorrealismo, identificando el realismo como estilo «nacional», se declarase «una ventana nacional abierta al diálogo», y fuese el cerebro del reconciliador Primer Congreso Nacional de Cine.

En términos más generales, sin embargo, el arte contenidista proporciona un excelente *modus operandi* a los disidentes de una dictadura. Con él, los cineastas de la oposición tienen todas las de ganar. La inclusión o no de escenas polémicas o símbolos de

[37] Mario Camus, en una mesa redonda sobre su obra celebrada en el Festival de Cine de Valladolid de 1984.

realidades tabú proporciona al espectador un barómetro muy preciso de las libertades culturales. Si se incluían, tales referentes constituían acusaciones al régimen de Franco hechas desde la realidad de las películas, mientras que si se prohibían o censuraban, equivalían a una acusación de represión al franquismo, pues proporcionaba una imagen perfectamente comprensible en todo el mundo por ser análoga a la del director de Hollywood que lucha contra las directivas de los estudios de cine: la del artista víctima cuyo martirio condena al agresor de un modo mucho más rotundo que cualquier victoria parcial sobre la censura. De ahí que *Muerte de un ciclista* se granjeara el aplauso general por sus referencias a la agitación estudiantil (en la versión internacional, incluso aparecen escenas documentales de la policía armada cargando contra los estudiantes), el tráfico de influencias y la insensible brutalidad de la guerra civil[38]. Poco después, Bardem pasó a convertirse en un mártir, pues la censura le obligó a cambiar el título de *Los segadores* (1957) por el de *La venganza* y a ambientar la acción en 1930, mitigando así la pertinencia de su retrato de la opresión rural (que incluye una huelga).

«Con Arias Salgado, todo tapado. Con Fraga, hasta la braga», rezaba un dicho de la época. Sin embargo, a pesar de la aparición de Elke Sommer luciendo el primer bikini de la historia de la pantalla española (*Bahía de Palma,* Juan Bosch, 1962) e independientemente de alguna que otra imitación de modernismo *new wave* (tales como la antonionista de *El buen amor,* 1963, Francisco Regueiro, sobre una pareja de estudiantes que se van a pasar el día a Toledo), el énfasis en el realismo seguía siendo un rasgo básico, e incluso era fomentado por el Gobierno a través de la figura de José María García Escudero. «Creen que el realismo es que un señor haga pis o que una chica diga a su novio que está con el mes», escribió en su diario el director general de Cinematografía, al expresar su descontento con lo que los nuevos cineastas españoles estaban haciendo, pero «a pesar de los pesares, este cine, aburrido y todo, es otro cine. No mejor o peor, sino distinto...»[39].

[38] Cfr. Fernando Méndez-Leite, *op. cit.,* pág. 196, para más detalles.

[39] J. M. García Escudero, *op. cit.,* pág. 110. Las medidas básicas adoptadas por Escudero consistieron en la creación, en 1963, del primer Código de Cen-

El «nuevo cine español» era más que una mera maniobra de autopromoción del Gobierno. Aparte de producir un reducido puñado de excelentes películas, tal cine favoreció la transición asentando diversos medios por los que el régimen franquista pudo articular sus deseos de emprender una reforma liberal.

El primero de ellos fue el código de censura de 1963, el primero del franquismo y verdadero hito en la historia del cine español. Antes de su aparición, apenas había indicaciones oficiales sobre los criterios que tenía que seguir la censura en España. No sólo constituyó una apertura (la cual fue bastante limitada), sino también preparó el terreno para otras posteriores. Si el ejercicio de la censura se hacía claro y previsible, también podían desarrollarse medios de burlarla. Además, la presencia de tal código hacía posible la creación de otro, lo cual ocurrió en febrero de 1975, cuando el Gobierno aprobó uno ligeramente más liberal.

El «nuevo cine español» también convirtió a Carlos Saura y Elías Querejeta en sinónimos de la cinematografía liberal en España. Suele darse por sentado que el valor político de una película es su capacidad proselitista. Pero no siempre ocurre así. Cabe pensar que, en España y desde el punto de vista político, las películas de Saura hicieron poco más que predicar para una minoría que ya estaba comprometida. La verdadera importancia política de este director radicaba no tanto en la influencia de su oposición a Franco como en su fama. No es de extrañar que, en 1974, cuando el Gobierno franquista quiso dar publicidad a su deseo de perpetuarse sobre una base más amplia y liberal, una de las medidas más cantadas consistiese en aprobar una película de Saura, *La prima Angélica,* ya que en ella se hacía una crítica mordaz a la cada vez más anacrónica ultraderecha.

Pero el «nuevo cine español» puso también de manifiesto las limitaciones y peligros del cine contenidista, algunos de los cuales eran exclusivos de la cinematografía realizada durante el

sura explícito de España y en la aprobación de una incisiva ley, en agosto de 1964, por la que se concedían préstamos estatales de hasta cinco millones de pesetas (con un límite máximo del 50 por 100 del presupuesto de las producciones) a las películas de «Interés Especial». Para una descripción completa, véase Santiago Pozo, *La industria del cine en España,* Publicaciones i Ediciones de la Universitat de Barcelona, 1984, cap. VI.

franquismo. Una contradicción central de la política de García Escudero fue el hecho de querer formentar un cine «social» a la vez que, por medio de la censura, se prohibía hacer mención, incluso *en passant,* de los mismos temas —problemas sexuales, la guerra civil, el Opus Dei, etc.— que podían dar a las «nuevas» películas autenticidad social[40]. Asimismo, se dio por supuesto que los cineastas podrían ampliar poco a poco los límites de la censura ganando «parcelas de libertad». Juan Hernández les explica que «las películas de Querejeta servían para participar en los festivales internacionales. Esto le daba cierta fuerza a Querejeta, al menos para plantear proyectos más arriesgados que suponían a la vez un mayor peligro para su supervivencia»[41]. El productor y guionista Juan Miguel Lamet *(El love feroz,* 1972, y *Colorín colorado,* 1976) ha descrito explícitamente este procedimiento de avanzar *a fortiori:*

> En la última década franquista, la forma de conseguir paso hacia la libertad era introducir una frase, un bikini... Se abría una grieta que seguían muchas películas. Era un arma dialéctica, puesto que el continuar introduciendo estos elementos, nadie podía excluirlos, ya que en la película anterior no se los prohibió. El taco que se dice en una película da pie a que se digan más en las restantes[42].

Sin embargo, cabría afirmar que el recrudecimiento de la censura a partir de 1969 puso de manifiesto las limitaciones esenciales de este intento de ganar parcelas de libertad. Hechos claves fueron las subvenciones mínimas concedidas a *Las secretas intenciones* (Antonio Eceiza, 1969) y a *El jardín de las delicias* (Carlos Saura, 1970) en diciembre de 1969 y abril de 1970, y el aplazamiento de la concesión de premios de Interés Especial hasta des-

---

[40] Sobre cortes impuestos por García Escudero, véase el esmerado estudio de Román Gubern, *La censura,* Barcelona, Península, 1981. *El verdugo* perdió cuatro minutos y medio, incluidas las alusiones a los deseos de José Luis de buscar trabajo en Alemania.

[41] Juan Hernández Les, *El cine de Elías Querejeta, un productor singular,* Bilbao, Ediciones Mensajero, 1986. El primer libro que trata con detalle las relaciones de un cineasta con el régimen franquista.

[42] *La comedia en el cine español,* pág. 79.

pués de concluir las películas. La Junta de Censura aprobó los guiones, tras recomendar algunos cortes cruciales en *El jardín de las delicias:* una escena en la que una criada muestra el pecho al ahora deficiente mental empresario para que se tome su batido; planos de tropas de la guerra civil; la lectura de la *Marcha triunfal,* de Rubén Darío, en la banda sonora (ya recitada con inefable sublimidad por Juan de Orduña sobre imágenes del desfile de la victoria franquista en la película de Carlos Arévalo *Ya viene el cortejo,* 1939 —de ahí la continuidad del detalle—), y la música de la *Giovinezza.*

Tales cortes, junto con la imagen de un potentado franquista reducido a una babeante imbecilidad y que a algunos críticos les recuerda a Franco, hacen de *El jardín de las delicias* la más agresiva de las películas realizadas por Saura desde *La caza* (1965). Querejeta protestó por estos cortes valiéndose del argumento *a fortiori:* «Existen antecedentes en películas nacionales y extranjeras exhibidas a nivel de salas comerciales como de Arte y Ensayo»[43]. Sin embargo, el censor se empeñó en eliminar esas escenas del film acabado. De todos modos, para entonces Querejeta ya había visto cómo soplaban los aires políticos y dejó de producir películas españolas, entre 1971 y 1972, para dedicarse a las coproducciones extranjeras. Si pudo volver a emprender su labor anterior fue porque, en la primavera de 1972, el Gobierno hizo ciertas concesiones a *Las secretas intenciones* y a *El jardín de las delicias* dándoles premios de Interés Especial. Gracias a eso pudo embarcarse en *Ana y los lobos,* cuyo segundo guión fue sometido a la consideración de la censura en abril de ese mismo año.

La retirada de Querejeta de la producción nacional fue una de las últimas respuestas que se dieron al problema básico que arrostraba la cinematografía española en los años 60, el de cómo referir a elementos —tales como la guerra civil, la violencia de la sociedad franquista, etc.— cuya inclusión directa en las películas estaba prohibida. Las soluciones aportadas a este problema conforman, más o menos, la historia completa del cine de esa década y entre ellas figuran las siguientes: el intento de, como señaló Gonzalo Suárez, mostrar no cómo son las cosas reales, sino

---

[43] En una carta dirigida a la Comisión de Apreciación, 9 de abril de 1970, citado por Juan Hernández Les, *op. cit.,* pág. 182.

cómo son en realidad las cosas, el cual quedó reflejado en las películas de la Escuela de Barcelona, cuyo estilo cosmopolita constituía una reafirmación de la cultura barcelonesa en tanto que independiente y más sofisticada que la de Madrid[44]; la plasmación del contenido crítico de la película en el tono de la misma, como es el caso de la pobreza y la brutalidad de *El bosque del lobo* (Pedro Olea, 1970), que no sólo explican la licantropía del protagonista, sino que constituyen también una alegoría del efecto embrutecedor de la sociedad franquista; la inscripción de la censura en el estilo formal del film, como ocurre en *Contactos* (Paulino Viota, 1970)[45], la decisión, dado que una cinematografía tan oblicua no podía dirigirse más que a un público minoritario, de dedicarse a la realización de cine comercial —el caso de Bardem, desde *Los pianos mecánicos* (1965) hasta *La corrupción de Chris Miller* (1972), y de Camus, desde *Cuando tú no estás* (1966) hasta *Esa mujer* (1969)— o comprometerse con una cinematografía ilegal a la que no alcanzase la presión de la censura —de lo que es un ejemplo la obra de Portabella desde *Cua-de-cuc* (1970) hasta *Informe general* (1977)—; y por último, la elaboración de un estilo destinado a burlar la censura como el de las películas de Saura de los años 60, basadas en la metonimia (*Peppermint frappé,* por ejemplo, detalla los resultados del conservadurismo social franquista en la represión sexual de un médico de Cuenca, pero sin explorar en ningún momento sus causas históricas precisas), la dispersión del referente (en *La caza,* las alusiones a la Guerra Civil se hallan repartidas por toda la película, pero sin que se forme nunca una narrativa alegórica ininterrumpida) o el *huit-clos* parabólico (como la pareja tecnócrata de *La madriguera,* 1969)[46].

---

[44] Véase abajo cap. III, «D'un silenci: El cine catalán».

[45] Los personajes se salen del escenario enfocado por la cámara, la cual nos muestra las paredes grises y los pasillos vacíos de una pensión en la que una chica esconde a su novio de la policía. El argumento de *Contactos* contiene un «censor», la quisquillosa patrona entre cuyas prohibiciones figura la de no dejar entrar a hombres en las habitaciones de las señoritas.

[46] Otras técnicas oblicuas son: la relación que se establece, por medio de la similitud y la contigüidad, entre los cazadores, los conejos, los soldados de la guerra civil, las víctimas de ésta y las víctimas del franquismo, y la sutil difuminación del sentido. Véase John Hopewell, «Getting round the censor: Carlos Saura and *La Caza*», *Out of the Past,* págs. 71-77.

La esencia de este cine oblicuo radicaba no tanto en que los significados estuvieran ocultos como en que tuvieran que ser interpretados: si el espectador, el crítico o el censor querían relacionar tal o cual detalle de la película como un elemento histórico fuera de la película, era asunto suyo. Tal razonamiento favorecía a los antifranquistas y al *establishment* progresista. De ahí que Querejeta pudiese protestar por los cortes impuestos por la censura a *El jardín de las delicias:* «Entendemos que se censuran unas supuestas intenciones, no unas imágenes; se censura no el "texto" del film, sino la posible interpretación resultante de su relación con un contexto más general y evidentemente extracinematográfico. Pensamos que es un caso de clara subjetivación en el juicio»[47]. Y de ahí, también, que García Escudero utilizara exactamente el mismo razonamiento para mostrar su descontento con la oposición de los censores a *La caza,* como pone de manifiesto este párrafo de su diario: «30 de junio de 1965. Guión de Saura. Ambiente malo en la Junta. Hay quien le saca a cada plano simbolismos eróticos y políticos. Es el peligro de los censores, que, de puro sutiles, acaban censurándose a sí mismos, viendo lo que sólo son capaces de ver»[48].

El cine indirecto bajo Franco conllevaba serias desventajas. Ante todo, dar prioridad a alusiones oblicuas fomenta las falsas interpretaciones. Puesto que el índice de nuevas libertades queda establecido por una o dos escenas polémicas, pero toleradas, la atención crítica se centra totalmente en esas secuencias con exclusión de las demás. Tal fue el caso de *La prima Angélica,* donde la metáfora freudiana de la posguerra española como escena original fue enteramente ignorada a causa del estruendo que provocó la imagen del falangista con el brazo escayolado como si estuviera haciendo el saludo fascista[49].

Por lo demás, la historia del cine español, dada la insistencia

---

[47] Juan Hernández Les, *op. cit.,* págs. 181-182.

[48] García Escudero, *La primera apertura,* pág. 162.

[49] *La caza* provocó reacciones similares. Una escena, la de la caza de conejos, bastó para que los críticos interpretaran *toda la película* como una alegoría de la guerra civil. La obra maestra de Saura explora, más bien, «los diversos niveles de la violencia implícita en la sociedad española actual» (Vicente Molina Foix en un inestimable «Dictionary of New Spanish Film-makers», *New Cinema in Spain,* Londres, British Film Institute, 1977.

en un contenidismo directo y oblicuo, viene a ser la historia de su censura. Tal hecho es un efecto (aunque no intencionado) de la ausencia de libros que completen el esmerado estudio de Román Gubern y Domenec Font, *Un cine para el cadalso,* publicado en 1975, sobre la censura franquista, a menudo absurda. Este aspecto de la cinematografía de la posguerra se convirtió, en especial para los críticos internacionales, en el único que merecía la pena estudiar: la falacia *pars pro toto* una vez más.

La insistencia en las escenas que la censura franquista a veces toleraba ha engendrado también el mito de que los cineastas de la oposición siempre engañaban al censor ocultando los significados de las películas. Esta idea es algo equivocada[50]. Es muy probable que la Junta de Censura fuera menos eficiente y, a veces, más inteligente de lo que se cree. En los años 40, por ejemplo, dos de sus miembros eran Camilo José Cela y Wenceslao Fernández Flores, escritor, este último, con una acusada vena realista y muy admirado y adaptado por inconformistas culturales como Neville y Fernán-Gómez. Los mayores caprichos de la censura solían ser obra de los ministros franquistas, más que de la Junta. Se dice que Franco aprobó personalmente la película de Saura *Ana y los lobos* después de verla, por considerar que era una tontería[51]; y en cierta ocasión, se dedicó parte de un consejo de ministros a considerar si el burro que orina en la piscina en el *sketch* de Berlanga *Las cuatro verdades* era un símbolo de Franco realizando un acto similar sobre los españoles.

Lo que se «decía» en una película no era el único factor que determinaba las decisiones de la Junta de Censura. También se tenían en cuenta elementos como el mercado al que iba dirigida y las consecuencias de su prohibición. Por ejemplo, cabe pensar que García Escudero era consciente de las insinuaciones de *La caza:* «Que el film tiene segundas intenciones, es evidente», escribió en su diario, «... pero si eso es suficiente para prohibirlo es

---

[50] Aunque sólo a veces equivocada: «Prohibida», declaró un censor en los años 50 cuando vio *Con faldas y a lo loco,* «aunque sólo sea por subsistir la veda de maricones», citado por García Escudero, *op. cit.,* pág. 54.

[51] Franco no vio nada malo en *Surcos,* por ejemplo, de ahí su autorización. La Iglesia, sin embargo, consideró esta película como «gravemente peligrosa».

otra cuestión. No hay duda de que tiene calidad. El guión se incluyó en la categoría de "interés especial"»[52]. El hecho de que en esta observación se mencione la palabra «calidad» es muy significativo. En los años 60, el Gobierno franquista era ya muy sensible a la opinión extranjera y trataba por todos los medios de retener en España a los directores más destacados, aunque, como cabe sospechar, tuviera que concederles más libertades. El éxito de Saura con la censura se debió también al hecho de que negociara con ella desde una posición de fuerza. En un momento en que el régimen de Franco se esforzaba por causar buena impresión en el extranjero, Querejeta se hallaba en condiciones de influir considerablemente en los medios de comunicación fuera del país. De todos los productores españoles, él era el último al que un régimen supuestamente reformista quría molestar.

En los años 60, los subterfugios de al menos un cineasta sirvieron no sólo para desviar la atención de la censura de los temas ocultos, sino también para convencer a ésta de que determinadas películas sólo hacían impacto en una minoría de intelectuales disidentes a cuya existencia el régimen ya se había resignado. «Como sería inaguantable, por su pesadez para la gran masa de público», sentenció el censor, cuando se decidió a aprobar *Hiroshime, mon amour,* «su peligrosidad no sería grande»[53].

En realidad, en algunas ocasiones fue la oposición, no la censura, la que demostró tener muy pocas luces. Véase, por ejemplo, el asunto *Viridiana.* Es opinión general que la oposición «engañó» al régimen haciéndole apoyar una película de fama internacional que condenaba la caridad cristiana y que tendría que ser prohibida en España tan pronto como ganase la Palma de Oro en Cannes en 1961. Sin embargo, la historia no acaba ahí. *Viridiana* provocó la caída de UNINCI, su coproductora española, cuyos socios o amigos incluían figuras como Buñuel, Ferreri, Azcona, Berlanga, Bardem, Fernán-Gómez, Saura, Camus, Picazo y Querejeta. Lo que podría haber sido la más corrosiva «nueva

---

[52] García Escudero, *La primera apertura,* pág. 172.

[53] *Op. cit.,* pág. 55. García Escudero condena el elitismo de tales juicios, aunque el hecho de que instituyera las salas de Arte y Ensayo, en 1967, confirma que adoptó el mismo principio básico de censurar las películas de acuerdo con su impacto social.

ola» de la historia del cine español rompió sin pena ni gloria, y los directores de la productora fueron, en gran medida, culpables de ello. «Yo estuve en la producción de *Viridiana,* recuerda Elías Querejeta», «... aquella película pudo situar a UNINCI en un lugar privilegiado, pero UNINCI jugó mal determinadas bazas: no estaba previsto que se ganara en Cannes, y yo creo que se debería haber previsto para controlar determinados resortes, y que la fuerza no se desplazara y UNINCI desapareciera. Se pecó de improvisación y falta de reflexión»[54].

Dado que la censura obligaba a desparramar y velar las alusiones a acontecimientos polémicos o de la época, el sentido de la unidad de muchas películas españolas se deriva no tanto de su propia ficción como de la alusión que hacen a las circunstancias históricas circundantes. Muchas de las películas hechas bajo Franco ya parecen de más interés histórico que cinematográfico.

Los hábitos cinematográficos tardan mucho en desaparecer. Desde sus comienzos a principios de los años 70, el cine posfranquista no ha dejado de ser un cine fundamentalmente contenidista, cuyos inconvenientes poseen una importancia crucial.

La más significativa, y la más debatida, desventaja sigue siendo la condena al ostracismo y la aniquilación de un cine formalista, cuyos mayores logros fueron las magníficas películas neorrealistas españolas de Berlanga *(Plácido,* 1961; su episodio de *Las cuatro verdades,* 1962, y *El verdugo,* 1964), Fernán-Gómez *(La vida por delante,* 1958; *La vida alrededor,* 1959; la notable *El mundo sigue,* 1963, y *El extraño viaje,* 1964) y Marco Ferreri, que llegó a España en 1955 vendiendo lentes de Totalscope *(El pisito,* 1958; *Los chicos,* 1959, y *El cochecito,* 1960).

Las restricciones sociales de tales películas se imponen no sólo mediante la acción y el diálogo (en el caso de Bardem), sino también como una serie de recursos formales que rezuman de las circunstancias de la ficción y delimitan continuamente la libertad de los personajes: fotografía con profundidad de campo, pero interiores constringidos; contraste entre el fondo y el primer plano, como en *El verdugo,* donde vemos surgir una barca con dos guardias civiles que están buscando al nuevo verdugo, José Luis,

---

[54] UNINCI estaba ya disolviéndose, antes del asunto de *Viridiana,* debido a las presiones de Jorge Semprún.

que se encuentra sentado al fondo entre una masa de turistas que escuchan a Offenbach en una gruta de cuento de hadas; planos, secuencias; negación del espacio fuera de campo y, con ello, la sensación de escapar del destino de los personajes[55].

Aquí es donde cabe buscar una auténtica tradición cinematográfica nacional y una tendencia más lúcida y radical que la de Bardem y la mayoría de los representantes del «nuevo cine español». Porque, mientras que el primero, en un estilo bastante prosaico, consideró que sus personajes, grandiosos a pesar de su falta de voluntad, eran verdaderas víctimas del ambiente, y los segundos predijeron en los años 60 la caída del franquismo a causa de sus contradicciones internas, Berlanga, Fernán-Gómez y Ferreri retrataron a sus corrientes y molientes protagonistas como frustrados y enajenados, pero también atraídos por el anzuelo de la riqueza material que un régimen franquista en proceso de modernización estaba lanzando a los españoles: un piso para formar una familia *(El pisito, El verdugo, La vida por delante)*, un coche *(El cochecito, Plácido, La vida por delante, El mundo sigue)*, una posición respetable *(La vida alrededor)*, unas vacaciones en un país exótico *(El extraño viaje)*.

Los iconos del éxito de la clase media son vapuleados sin piedad en este cine. ¡Qué estupendo día de piscina! (en *Las cuatro verdades)*, hasta que un burro se pone a orinar en el agua. Menuda impresión iba a causar Luisa a la familia llegando a casa en un flamante cochazo que les demostraría su éxito (en *El mundo sigue)*, hasta que, al final, su hermana se arroja desde el último piso y cae justo encima del vehículo. Tal cine atacaba, no a Franco, sino a los mismos pinitos liberales que estaba haciendo su régimen para evolucionar y sobrevivir[56].

En definitiva, estas películas iban demasiado lejos. El «nuevo

[55] Cfr. cap. IV, «La comunión de los cachondos...», para un examen más completo de estas características.

[56] De ahí que *El verdugo* no sea exactamente una condena de la pena de muerte, por lo menos da ésta por supuesta. La película, explica Berlanga, trata de «la facilidad con la que un hombre pierde su libertad, su capacidad de decisión propia... una enorme cantidad de engranajes sutiles para lograr que nos integremos en [la sociedad] la inmensa cantidad de factores sutiles y entrelazados que nos integran en una sociedad» (Antonio Castro, *El cine español en el banquilo,* Valencia, Fernando Torres, 1974, pág. 78).

El extraño viaje, Fernando Fernán Gómez, 1964. Sara Lezana moviendo memorablemente el esqueleto. Un cine formalista truncado por los responsables del Nuevo Cine Español

cine español» ha de ser considerado no sólo como un ensayo de evolución liberal moderada, realizado sin prisa, pero sin pausa, sino también como un intento de regular los talentos más radicales de España. A Marco Ferreri ya se le había negado el permiso de residencia en 1960. Berlanga vio cómo el régimen le volvía la espalda después de *El verdugo* por presentar guiones acerca del cambio de sexo de un seminarista o de un ex *playboy* impotente, que recupera la virilidad gracias al matrimonio y va a dar gracias a Dios llevando un enorme falo a la iglesia. Igual de dramático fue que la Junta de Clasificación y Censura consideró que *El mundo sigue* sólo se merecía la categoría de «2A». Una de las observaciones más tristes de la historia del cine español fue la que hizo García Escudero cuando escribió en su diario que él personalmente hubiera calificado la película de Fernán-Gómez de «1B», pero que triunfó la opinión de «los de la profesión y los *exigentes»* (la cursiva es mía). Desanimado por esta decisión y por el fracaso comercial de *El extraño viaje* (1964), Fernando Fernán-Gómez, el artista más vigorosamente *nacional* de España, concentró casi todo su talento creativo en una cinematografía enteramente comercial. La defección de Fernán-Gómez es un buen ejemplo del esperpento español.

Sin embargo, no fue sólo el Estado el que volvió la espalda a los cineastas radicales del país. En los años 60, el *boom* económico ya había comenzado. «La apatía de la satisfacción pasó a sustituir a la apatía de la privación»[57]. Los directores españoles de «calidad» se convirtieron en Isaías predicando, no en un desierto, sino en un oasis. Un sondeo de opinión realizado en 1969 puso de manifiesto que más de las tres cuartas partes de los jóvenes españoles estuvieron muy poco o nada interesados en política. Sin embargo, uno de los principales atractivos de las películas de «calidad» era precisamente su postura ideológica.

Ahí está el quid de la cuestión. Lo que les falta a los cineastas españoles de 1989 es, entre otras cosas, el sentido de la identidad. Ya dentro de la CEE, el cine español tiene que competir en iguales condiciones, en su propio terreno y en el extranjero con las películas de los demás países comunitarios. Durante los cuarenta

---

[57] Sir Raymond Carr y Juan Pablo Fusi, *Spain: Dictatorship to Democracy,* Londres, Allen & Unwin, 1979, pág. 95.

años del franquismo, cada generación de cineastas y críticos rompió con los estilos cinematográficos imperantes en un intento casi neurótico y completamente comprensible de empezar desde cero, para disociarse así de un pasado maldito y maldiciente. El cine italiano cuenta con la tradición del neorrealismo; un director francés nuevo puede recurrir a la *nouvelle vague* de los años 60, aunque sólo sea para trazar su posición en una tradición de cine nacional. El director español no tiene esta conciencia del patrimonio cinematográfico y, debido a ello, apenas posee etiquetas con qué marcar sus productos en el supermercado cultural del cine europeo.

Algunos estudios recientes y un programa de televisión, *La noche del cine español,* han abierto el debate sobre la historia de la cinematografía en España, tema que sólo comenzó a plantearse seriamente a principios de los años 70. El público liberal que surgió al mismo tiempo está todavía ampliándose, aunque la explosión del mercado televisivo ha creado un nuevo espectador. En 1989, las películas nacionales son vistas en su mayor parte por españoles que se acurrucan alrededor de la hoguera ancestral representada ahora por la televisión y el vídeo. En resumen, la transición política ha acabado, y la mayor transición del cine español —entendida por la imposición de un cine liberal hecho en libertad— se terminó en 1983-85. Sin embargo, el cine todavía está en transición, hacia un nuevo modelo de un cine español europeo concebido en 1988 a raíz del Año Europeo de Cine y Televisión. El cine español sigue siendo un proceso inacabado. «¿Te cuento una historia?», le dice Ingrid Bergman a Bogart en *Casablanca.* «¿Acaba bien?», pregunta éste. «No conozco el final», responde ella. Lo mismo nos ocurre a nosotros con respecto a la dramática o melodramática historia de las transiciones del cine español.

I

El largo adiós a mamá

> Hice *Ana y los lobos* porque mi madre, cuando yo era joven y quería hablar de problemas de política, religión o sexo, hubiera dicho que no había nada de eso en casa. Al censor español le ocurre lo mismo.
>
> Carlos Saura

El protagonista de *El jardín de las delicias* es un industrial que ha perdido la memoria en un accidente de coche. Sus familiares representan ante él escenas clave de su vida. Les impulsa el dinero, no el amor: papá no puede recordar el número de la cuenta bancaria secreta de Suiza. Sus amigos le llevan de caza. Atan un pájaro muerto al extremo de su escopeta y lo lanzan al aire. El cadáver plumífero revolotea, y el antaño despótico cabeza de familia y ahora deficiente mental dispara con infantil regocijo.

La referencia a Franco es evidente. Se dice que, las últimas veces que salió de pesca, el anciano caudillo sostenía la caña mientras un hombre rana oculto bajo el agua le ponía los peces en el anzuelo. En los años 70, Franco era «como un mueble antiguo en una habitación moderna»[1]. En 1969 eligió por fin al príncipe Juan Carlos para que le sucediera como jefe del Estado después de su muerte. En octubre de ese mismo año, Carrero Blanco comenzó a desempeñar las funciones de primer ministro. En 1972, Franco no tuvo más remedio que presenciar el Desfile de la Victoria sentado, y comenzaba ya a quedarse dormido en los consejos de ministros.

«Es difícil determinar cuándo acaba una generación y comienza otra. Diríamos más o menos que es a las nueve de la noche.» Estas palabras de Ramón Gómez de la Serna podrían referirse perfectamente a periodos cinematográficos, que son irasciblemente vagos. Las películas tardan demasiado en registrar los

---

[1] Reveladora frase de Robert Graham, en *Spain: Change of a Nation,* Londres, Michael Joseph, 1984, pág. 21.

pequeños detalles de la evolución histórica. En los años 70, la censura desapareció tan rápidamente, que los cineastas tuvieron que ponerse a pensar cómo realizar las películas cuando ya las habían empezado. En un principio, *Camada negra* (1977), por ejemplo, era, según Gutiérrez Aragón, «sumamente esotérica», tenía «un sentido político oculto». Pero «entonces salían tantas películas políticas», que él y Borau «decidieron elaborar los elementos con la máxima fuerza ideológica». Más tarde pensó que los aspectos de la película que reflejaban hechos concretos de la época desviaban la atención de su verdadero tema: «los rasgos que definen a un fascista en cualquier periodo, situación o partido»[2].

Los periodos que se toman por discontinuos se fusionan; las distintas tendencias cinematográficas confluyen. ¿Es la aparición de ciertas películas lo que marca la transición de un cine o la proliferación de las mismas? ¡Doctor, doctor!, ¿un paciente está enfermo del SIDA cuando muestra los síntomas o cuando se siente totalmente enfermo?[3].

Un miembro del último Gobierno de Franco escribió: «Mientras viviera el protagonista de toda una época de la histo-

---

[2] Citas de J. Hernández Les y M. Gato, *El cine de autor en España,* Madrid, Castellote, 1978, pág. 280, y *Contracampo,* núm. 30, 1982. Otro caso de películas rezagadas es *Las truchas* (1977). Realizada a partir de un guión escrito a principios de 1973 por su director, García Sánchez, Gutiérrez Aragón y Luis Megino «como pretexto para cocinar arroces», con un divertidísimo retrato de la violencia, el inmovilismo y el *sprit de corps* suicida que se opusieron a los intentos de reforma política con Carrero Blanco y Arias Navarro. Sin embargo, si la transición había demostrado ya algo en 1976, ese algo era la extraordinaria capacidad para evolucionar que tenían los grupos más progresistas del *establishment* franquista.

[3] Sólo Francisco Llinás y Julio Pérez Perucha se han enfrentado con las fechas de la transición cinematográfica de España. Para el primero, ésta «se produce, básicamente antes de la desparición del régimen franquista y... las películas realizadas durante la tan mencionada transición a la democracia... son, ante todo, la lógica prolongación del cine producido en los últimos años de la dictadura». Para Perucha, «la transición democrática (1977-1982) se caracteriza por la evolución política, el desarrollo de la legislación cinematográfica, la presencia de numerosas y notables películas y la erupción de cinemas autóctonos en las nacionalidades del Estado español». No hay contradicción: Llinás habla de la transición del cine, Perucha del cine durante la transición. Cfr. *El cine y la transición política española,* Generalitat Valenciana, Valencia, 1986.

ria de España, era imposible pensar en cambios sustanciales»[4]. Pero se podía soñar, prepararse o temer. Una nueva urgencia se apoderó de la cinematografía española, de izquierdas y de derechas, cuando, a comienzos de los años 70, comenzó a vislumbrar una España sin Franco. En este sentido, el cine posfranquista empezó cuando el dictador todavía vivía. Además, cuando los españoles comprometidos deseaban un cine más liberal, los capitalistas comprometidos de la industria cinematográfica, preocupados por la disminución del público del cine de masas, empezaron a cortejar a un espectador más liberal. El resultado de este matrimonio de conveniencia fue un cine que salió victorioso de algunas de las primeras, pero importantes, escaramuzas que libró con la dictadura y promovió espasmódicamente la liberalización del cine español.

Los primeros signos de un cine posfranquista

Entre octubre de 1969 y junio de 1973, fue ministro de Información y Turismo el prepóstero Alfredo Sánchez Bella, quien, siendo embajador en Roma cuando se proyectó en Venecia *El verdugo,* escribió una carta infame a Castiella, a la sazón ministro de Asuntos Exteriores, en la que calificaba al productor italiano de «judío sin escrúpulos», y a Berlanga, de «autodidacta desgarrado, que aspira a la notoriedad y al triunfo a cualquier precio»[5]. En enero de 1972, Sánchez Bella dio instrucciones a la Junta de Censura para que «se acentúe la rigurosidad en la calificación de las películas». Las manipulaciones que se hicieron entonces son legendarias. En la película de Sam Peckinpah *La huida,* por ejemplo, Steve McQueen y su socia al final consiguen escapar y se marchan a México; en la versión española, un narrador señala que la policía les captura y les mete en la cárcel. Asimismo, cuando Angelino Fons presentó a la censura *Separación matrimonial* (1973), le dijeron que «la mujer española, si se separa

[4] R. Carr y J. P. Fusi, *op. cit.,* pág. 193.

[5] Véase R. Gubern, *La censura,* págs. 219-224. Ricardo Muñoz Suay tampoco salió muy bien parado, pues, se le calificó de «intelectualillo valenciano, pequeño, minúsculo, sin valor para dar la cara en nada» (pág. 220).

de su marido, tiene que acogerse a la religión, o aceptar vivir perpetuamente en soledad»[6].

A la intensificación de la censura se sumó la crisis económica. Fundada en 1956, Televisión Española comenzó a arrebatar público al cine a finales de los años 60. En 1970 ponía cinco películas a la semana, muy pocas de las cuales eran producciones nacionales. En 1971, el público de los cines había descendido en un 30 por 100 con respecto a 1969. La competencia y la disminución del mercado pusieron de manifiesto que la industria cinematográfica española necesitaba protección estatal. Sin embargo, las medidas de austeridad, exacerbadas por el caso Matesa, condujeron a una reducción de los créditos, que se tradujo en un descenso de los préstamos a medio plazo de 325 millones de pesetas en 1968 a 94,8 un año después. Con el Fondo de Protección endeudado, por la friolera de 230 millones de pesetas en 1970, y la concesión de premios de «interés especial» interrumpida, la industria acabó viniéndose completamente abajo cuando una Ley del 12 de marzo de 1971 suprimió las subvenciones automáticas del 15 por 100 de la recaudación de taquilla.

Sólo unas cuantas formas de vida cinematográfica consiguieron sobrevivir, y multiplicarse, en este rarificado ambiente económico. El género de terror español, que irrumpió con *La marca del hombre lobo* (Enrique Eguiluz, 1967), abarató radicalmente los costes con películas rodadas en cuatro semanas, con tomas únicas y presupuestos de seis millones de pesetas (alrededor de una quinta parte de los de Hammer). Plagado de sadomasoquismo e injertos de mitos (como en *El doctor Jeckyll y el hombre lobo,* León Klimovsky, 1971), el tremendismo barato de estas producciones era palpablemente español. Así, *El jorobado de la Morgue* (Javier Aguirre, 1972) cuenta con el epónimo jorobado, un científico a lo doctor Frankenstein empeñado en crear su criatura y con una interpretación esperpéntica del viejo cliché del joven que está desesperadamente enamorado de una muchacha tuberculosa: el corcovado Gotto sólo secunda las maquinaciones del científico porque abriga la esperanza de que éste resucite un día a su amada, ahora un cadáver putrefacto que sirve de alimento a las ratas en un oscuro sótano[7].

[6] *Ibid.,* pág. 226.

[7] Hay un excelente ensayo sobre el cine de terror español; se trata de «El

El actor de películas de terror Paul Naschy (Jacinto Molina) consideraba que la violencia de este género era una liberación visceral: «Cuando pegabas un hachazo a una cabeza, lo que en realidad estabas haciendo era romper un sistema que te había provocado una gran frustración inconsciente»[8].

La ideología del cine de terror español da, no obstante, un viraje reaccionario. En él, como en todo el género[9], se equipara lo monstruoso con lo animal en contraposición a lo humano. La inflexión más española consiste en centrarse en esta naturaleza animal de modo que resulte no sólo sexual, libidinosa, sino también decididamente inmoral[10]. Así, los vampiros aristocráticos de *El gran amor del conde Drácula* (Javier Aguirre, 1972) violan a una campesina, la flagelan y le chupan la sangre que mana de las heridas, mientras que Paul Naschy se convierte en un mister Hyde lobuno (en *El doctor Jeckyll y el hombre lobo*) en este ambiente *par excellence* de perdición moral que es... una discoteca londinense. Sin embargo, la misma frustración sexual que motiva implícitamente tal monstruosidad aprueba también, como señala Juan Miguel Companys, el placer que obtiene el público del castigo agresivo del mal. Así que las películas españolas podrían poner una vela a Dios y otra al diablo: en *La furia del hombre lobo* (José María Zabalza, 1970) la doctora Ilona, vestida como una vampiro muy *sexy* (lo monstruoso del sexo), desahoga la agresividad del público desollando a su amante licántropo por haberse casado con otra mujer.

Pero el más lucrativo de los géneros de principios de los años 70 fue la «comedia sexy celtibérica», ejemplificada por *Vente a Alemania, Pepe* (Pedro Lazaga, 1971), la vigésima más taquillera de todas las películas nacionales que se exhibieron en España entre 1965 y 1973. El protagonista es un paleto que un día ve llegar a Angelino, un paisano suyo que está trabajando en el extranjero

---

rito de la sangre», de Juan M. Company, publicado en *Cine español, cine de subgéneros,* Valencia, Equipo Cartelera Turia, 1974, págs. 17-76.

[8] Jacinto Molina (Paul Naschy), *Contracampo,* núm. 24, octubre de 1981, página 54.

[9] Cfr. Stephen Neale, *Genre,* Londres, BFI, 1980.

[10] Según una interpretación muy aceptada, el «monstruo» de las películas de terror es una representación de la sexualidad femenina a los ojos del varón traumatizado. ¿Qué otra cosa es, si no, *Atracción Fatal*?

conduciendo un despampanante Mercedes. En Alemania, dice Angelino, se gana mucho y se liga más. Naturalmente, Pepe sale corriendo para Alemania. Sin embargo, pronto descubre que aquello no es Jauja: tiene que levantarse a las cinco de la madrugada, fregar platos, limpiar ventanas y, para colmo, acaba enseñando el pecho en un escaparate donde se anuncia un método para eliminar el exceso de vello. Humillado, nostálgico, harto y desengañado de las mujeres alemanas, Pepe vuelve a casa para casarse con su novia española de toda la vida y sentarse al sol de España, donde cuenta a sus compinches cómo en Alemania se gana mucho y se liga más.

Una «mezcla sumamente confusa de conformismo y disipación», dijo José Luis Guarner definiendo el género. Según la «comedia sexy celtibérica», el macho ibérico está permanentemente excitado. Para su mente obsesa, casi todo tiene un *double entendre:* «polvo» «espuma de cerveza» y, claro, «los huevos». Es excesivamente impaciente y todo le deja boquiabierto. Si las relaciones sexuales son inminentes, da saltitos de excitación. Sin embargo, nunca se come una rosca. Porque la estructura de las comedias eróticas españolas, analizada en el entretenidísimo libro de Álvaro del Amo *Comedia cinematográfica española,* obedece a un profundo conservadurismo[11]. El cambio sólo produce beneficios engañosos. Todos los caminos llevan al altar. El protagonista descubre de pronto placeres no explícitos en el ambiente que originalmente motivó su marcha al extranjero o en la esposa que provocó su frustrado inicial. Además, las relaciones sexuales prematrimoniales o extraconyugales son, de todos modos, imposibles. En *La descarriada* (Mariano Ozores, 1972) se da el extraño caso de que la protagonista es una prostituta, pero española y, por tanto, moralmente honrada, hasta el punto de que sigue siendo virgen.

No desearás al vecino del quinto (Ramón Fernández, 1970) recaudó 113 millones de pesetas desde su estreno hasta diciembre de 1973, la cifra más alta alcanzada hasta entonces en la historia del cine español. No es de extrañar que éste tipo de películas gozaran de tanta popularidad. Alfredo Landa es un espléndido actor.

[11] *Comedia cinematográfica española,* Madrid, Cuadernos para el diálogo, 1975.

Además, como explica Jesús Requena, «la comparación de que nace la comicidad» sería la siguiente:

Así lo hace ése.
Yo lo hago de otra manera.
Ése lo hace como yo lo he hecho de niño[12].

En la «comedia sexy celtibérica», Landa y sus esbirros hacen de niños en un mundo que está madurando, modernizándose y liberalizándose. ¿Tenía el espectador español de principios de los años 70 mejores relaciones sexuales con las ovejas que con las mujeres?, como le ocurría al cateto de *Guapo heredero busca esposa* (Luis María Delgado, 1972) ¡Qué pregunta! Y si fuera usted a viajar en avión, ¿se quitaría la correa para dársela a la azafata cuando, antes de despegar, ésta dice: «cinturón»? ¡Por favor...! Pero Alfredo Landa lo hace en *Los días de Cabirio* (Fernando Merino, 1971).

En el fondo, el atractivo de las comedias sexy españolas consistía en configurar al espectador como el no-cateto en el nuevo sexy supermercado de consumo que era España. Producto de la carrera nacional hacia la modernización, el modelo social propuesto por tales películas no era muy distinto del de las producciones norteamericanas de los años 60, donde el progreso social se equipara a la consecución de una igualdad final que estribaba en una igualdad de confort físico producido por la aplicación del conocimiento científico objetivo. De ahí que incluso la castiza y ahorradora madre de *Crónica de nueve meses* (una Gracita Morales de fértiles caderas dirigida en 1967 por Mariano Ozores) viva en un piso moderno y lujoso. La música de las películas suena como el anuncio comercial de un moderno supermercado, y los hitos de la nueva conciencia del mejoramiento colectivo son el turismo y, en los años 70, la televisión[13].

---

[12] «Cómico, parodia, comedia: los géneros de la risa», muy interesante ensayo de *La comedia en el cine español,* Imagfic, Madrid, 1986.

[13] *El turismo es un gran invento* (Pedro Lazaga, 1967), contiene un zalamero homenaje a Manuel Fraga. El buen paleto Paco Martínez Soria llega a Madrid buscando ayuda para poner en práctica un proyecto turístico de su pueblo. La escena nos presenta la fachada del Ministerio de Información y Turismo a la vez que suena una musiquilla alegre y facilona. «Estará durmiendo», dice con

Lo que determina la «comedia erótica española» no es tanto su supuesto carácter político —que es abstencionista, más que reaccionario, y mucho más difuso de lo que normalmente se piensa[14]— como el hecho de que estuviese orientada básicamente al consumo y se produjese en serie, de modo que sólo se realizaran variaciones superficiales sobre estructuras narrativas fijas que tenían asegurada la aceptación de la mayoría de los espectadores.

También en este caso, el público de la comedia erótica podía poner una vela a Dios y otra al diablo. El personaje de Alfredo Landa tal vez fuera un poco lerdo, pero por lo menos el chaval tenía cojones. Los extranjeros podían ser un puro ¡fu! (los homosexuales de Copenhague de *Doctor, me gustan las mujeres, ¿es grave?*, Ramón Fernández, 1973) o (como los pendencieros muchachos de «la base» de *Las que tienen que servir*, José María Forqué, 1967) su modernidad resultaba engañosa (los electrodomésticos de la era espacial que utilizan las chicas de la película de Forqué acaban explotando) y las mujeres extranjeras eran muy atractivas, pero bastante pendonas. En *El reprimido* (Marino Ozores, 1973), cuando Alfredo Landa logra al final su objetivo, lo hace con una francesa que chochea de amor, pero chiflada (interpretada por una Emma Cohen bastante inverosímil). Finalmente, desvirgando a su novia española, Alfredo Landa da higas en Francia[15].

En la «comedia erótica», como en la industria cinematográfica española en general, las fuerzas económicas que propugnaban una manifestación más explícita del sexo chocaron con el conservadurismo político del régimen —apoyado a veces por los mismos cineastas. Los arcaicos controles de la censura no sólo

desprecio uno de los garrulos que acompañan a Martínez Soria. Este sale enseguida en defensa de Fraga: «¿Qué te has creído de un ministro?... Seguramente que ha estado toda la noche trabajando como un negro. ¿Qué te crees, que pasa el día jugando al mus como tú?»

[14] Cfr. la voz en *off* con que empieza *No desearás al vecino del quinto* (Ramón Fernández, 1970), con sus espasmódicas observaciones reformistas, como cuando dice del peluquero amanerado de Toledo (un achaparrado Alfredo Landa peinado a lo Rod Stewart): «sólo en un ambiente como el de esta provincia puede producirse el éxito de un tipo como Antón».

[15] Véase cap. III, «Del sexo de los ángeles...».

Los días de Cabirio, Fernando Merino, 1971. Rechazando la liviandad de las extranjeras y el catetismo de Landa el espectador español se sentía bien

obstaculizaban la distribución de las películas nacionales fuera de España, sino que también estaban causando una importante disminución del público de las producciones extranjeras. Miles de aficionados al cine tenían que desplazarse a la frontera francesa para ver las últimas películas de tema sexual o político. En un artículo titulado «The Blue Pilgrims» (los peregrinos «verdes»), la revista *Time* se maravillaba de que 110.000 personas hubieran visto *El último tango* en Perpiñán, cuando esta población tenía sólo 100.000 habitantes.

El intento de conciliar los intereses económicos e ideológicos favorecedores de la reforma con el inmovilismo político del régimen dio al cine los primeros productos legislativos y cinematográficos de un cine tímidamente posfranquista. Un poderoso grupo de presión formado por productores independientes de cine comercial —en el caso de José Luis Dibildos— y de cine «progresista» —en el de Elías Querejeta— trató de convertir la búsqueda de soluciones a los problemas económicos y la presión en favor del cambio ideológico en una causa común y, para ello, se acercó a las posturas de su sindicato (la ASPC) a las mucho más comprometidas del sindicato de directores (la ASDREC) y de muchos actores. El régimen respondió a la maniobra con unas pequeñas concesiones. En 1971 se permitió subir los precios de los cines y se volvió a adoptar la misma medida al año siguiente. En junio de 1973 se liquidaron los dos últimos plazos del Fondo de Protección de 1971, y el Tráfico de Empresas subió, de un 3,5 por 100, a un 4,5 por 100 en abril de ese mismo año.

Pero la mayor victoria de la ASPC fue el restablecimiento, en septiembre de 1973, del sistema de subvenciones equivalentes al 15 por 100 de la recaudación de taquilla. Dibildos reaccionó lanzando *Vida conyugal sana* (1973), prototipo de la denominada «Tercera Vía», que era un cine a medio caballo entre la «comedia sexy celtibérica» y la sobriedad de Saura o, como explicó el propio Dibildos, un cine popular con mordacidad crítica, cuyo destino definitivo era el público extranjero. «Para conquistar mercados», sostenía Dibildos, «es necesario cimentar fuertemente los niveles de inversión financiera, de calidad cinematográfica, de posibilidades temáticas y de tratamiento cinematográfico de las mismas. Concretando: para la penetración en el exterior es necesario un cine español "en desarrollo"»[16].

El protagonista de *Vida conyugal sana* es Vázquez, papel que interpreta José Sacristán, quien, con el pecho hundido, la nariz grande y miope, era especialmente experto representando al típico *petit bourgeois* español acobardado. Vázquez es tal tipo de hombre, pero con una diferencia. Está pervertido por la publicidad. Compra todo lo que anuncian: un Austin Victoria, paquetes de detergente que amontona en la cocina, docenas de medias y de sujetadores para su mujer. Pero lo que realmente le pierde es un anuncio de cartelera con una atractiva modelo en ropa interior. Le basta echarle una mirada para ofrecer a sus trabajadores más salario, decir a su esposa que sea una «mujer nueva» —sexualmente liberada e independiente— y contar en una cena con su jefe cómo creció la empresa gracias al estraperlo. Su mujer le lleva a un psiquiatra, que al ver el estado en que se encuentra, le pone en tratamiento.

Con bastantes reservas, cabría decir que el cine posfranquista comienza con *Vida conyugal sana* y su precursora, *Españolas en París* (Roberto Bodegas, 1970). Ambas poseen una franqueza que, en realidad, es un mayor descaro. En ellas, la dicotomía entre películas que sumergen al espectador en el mundo que presentan y películas que mantienen al público a distancia ha desaparecido. Los españoles se identifican con Vázquez, cuya educación es típica de los jóvenes de clase media de la posguerra: era internado con la carrera de derecho en Salamanca. Sin embargo, aunque sin manifestar directamente su carácter ficticio, *Vida conyugal sana* hace continuas referencias a la realidad histórica del momento. De acuerdo con gran parte del cine de transición español, esta película, al presentar protagonistas «típicos» con los que el espectador se identifica, creaba en el público de la época un sentido de la realidad que fluctuaba aún más que en los años 60 entre la situación expuesta en la pantalla y la suya propia.

Cuanto más centrada en la época estuviese la referencia, me-

---

[16] Sobre Dibildos nacido en Madrid en 1929, guionista en los años 50 (*Sierra Maldita,* dirigida por Antonio del Amo en 1954, productor (desde *Viaje de novios,* dirigida por León Klimovsky en 1956) y presidente electo de la Asociación de Productores de 1971 a 1975, véase «Dibildos: un cine español en desarrollo», en Marta Hernández, *El aparato cinematográfico,* págs. 237-240.

jor. De ahí que la modelo que vuelve loco a Vázquez sea la miss Universo de entonces, Amparo Muñoz. Y los actos del protagonista, provocados por la visión de la modelo, se corresponden directamente con la España de los años 70, cuando se estaba luchando para conseguir un aumento de los salarios, existía una actitud más liberal que antes hacia el sexo y la prensa manifestaba una mayor inclinación a criticar a las autoridades. ¿Alegoría? Sí, pero el director, Bodegas, ya no oculta la referencia, como ocurría en el «nuevo cine Español», sino que señala claramente la relación existente entre la ficción y la realidad. «Imaginemos», dice el psiquiatra en una metáfora cuyo sentido no podría ser más claro, «que su marido es una botella». Como la mujer no parece disentir, continúa: «Sus instintos, sus malos instintos, es decir, sus impulsos, sus malos impulsos, llevan treinta años presionando para escapar de la botella. Quieren ser libres para hacer lo que les de la gana. Pero el tapón de la botella está allí impidiéndolo.» Treinta duros años era lo que había durado ya más o menos, aproximadamente, el franquismo. La metáfora del psiquiatra contiene también la idea, presente entonces en la mente de todos los españoles, de una posible apertura. Una vez más, el espectador se ve obligado a considerar la España de 1973. Las vacilaciones entre apertura e inmovilismo se habían resuelto al decidirse Carrero Blanco por el segundo. La indeseada falta de tacto de las alusiones de *Vida conyugal sana* no podía ser más clara: Franco, Carrero y el régimen en general son tapones de botella institucionalizados.

Pero la importancia innovadora de las películas de la «Tercera Vía» es un mito, y muy peligroso además. En primer lugar, constituye una falsa representación del espíritu que se ocultaba tras las concesiones económicas del Gobierno. Como señaló Román Gubern con gran sensatez: «La protección económica satisfecha por el Estado a los productores pretende resarcirles, en realidad, de su falta de competitividad comercial y de su incapacidad exportadora, carencias debidas primordialmente a la severidad esterilizadora de la censura»[17].

Las concesiones económicas fueron, en realidad, las menos

---

[17] R. Gubern, *7 trabajos de base sobre el cine español,* Valencia, Fernando Torres, 1975, pág. 57.

perjudiciales de tres posibles capitulaciones, entre las que figuraban también la tolerancia de una mayor permisividad sexual y el liberalismo político. El pequeño impulso que el régimen dio a un cine más preocupado por los problemas sociales fue, en realidad, una medida *reaccionaria* destinada a acallar a quienes pedían un cambio mayor.

Además, las películas de la «Tercera Vía» fueron a menudo, y en ocasiones hasta límites irrisorios, reaccionarias. Clara prueba de ello es la escena de la seducción de *Españolas en París,* donde la dirección de Bodegas convierte a la desamparada muchacha que trabaja de criada en París (Ana Belén) es una víctima no tanto de la inocencia como de su alejamiento de lo que en realidad es: española. El escenario es un museo de cera donde, acompañada por el sonido de un arpa desafinada (que quizá aluda a la cultura pervertida), Ana Belén se mira en un espejo que distorsiona la imagen. Trata de hablar en francés, pero su voz suena demasiado alta, como si estuviese drogada. Mientras tanto, rondando en los confines del plano medio, aparecen las figuras de cera de tan siniestros representantes de lo extranjero como Mao Tse Tung... y la reina y el príncipe Felipe de Inglaterra. La escena pasa de pronto como si obedeciera a la ley de la causalidad, a la habitación de Ana Belén, donde, mediante lo que constituye un inequívoco acto moralizador, la cámara se queda fija sobre un callejero de París mientras la muchacha y su enardecido y afrancesado novio chófer, Manolo, se salen de campo al tenderse sobre la cama de ella.

Es muy posible que el supuesto progresismo de las películas de la «Tercera Vía» no sea más que una generalización infundada, provocada por el hecho de que colaborasen en ellas una impresionante galería de izquierdistas: José Luis Garci (que tenía un contrato en exclusiva con la productora de Dibildos, Agata Films, como guionista), Ana Belén, José Agustín Goytisolo (cuyos poemas, cantados por Paco Ibáñez, constituyen la coda «progre» de *Españolas en París)* o Diego Galán, que acuñó el término de «Tercera Vía» y defendió sus productos desde las páginas de *Triunfo.*

Asimismo, como ocurre siempre en España, no fueron las películas las que influyeron al público, sino que más bien ocurrió lo contrario. «Son los años», declaró Mario Camus a principios de los 70, «en que el público español empieza a cambiar. No es el cine, sino el público el que cambia y fuerza al cine a que también cambie»[18]. *Españolas en París* acaba con una Ana Belén arrepentida, que despide a su novio y se dispone a criar a su hijo sola. Si este final tiene algún sentido, sin duda se trata de un llamamiento a la capacidad de una burguesía española que se está europeizando, pero de la que no se puede decir que sea inequívocamente liberal, para valerse por sí misma en una Europa moderna. Cuatro años más tarde, y de un modo bastante más progresista, *Los nuevos españoles* (1974) retrató a un grupo de compañeros de oficina a los que su agobiante empleo en la tiránica multinacional americana Bruster and Bruster conduce incluso a la muerte. Para Domenec Font, constituyen «una burguesía industrial acobardada que no acaba de activar económicamente al país, entre otras razones porque ha caído en la trampa de las contradicciones interimperialistas y se está ligando al capital americano en lugar de abrirse paso hacia Europa»[19].

Bueno; quizá otra explicación es la de que *Los nuevos españoles* echa por tierra la modernidad al describirla como la subordinación totalitaria no del ciudadano al Estado, sino del obrero español a las multinacionales norteamericanas. Sin duda, hay una gran ambigüedad no sólo en las películas de la «Tercera Vía» —justificada, quizá, por el hecho de que fueran dirigidas a un público igualmente indeciso que estaba empezando a tomar conciencia del liberalismo político—, sino también en el cine español en general de principios de los años 70.

La ligera apertura temática de ese momento indica que, cuando no actuaba de un modo reaccionario, el Gobierno care-

[18] *Mario Camus,* Valladolid, 28 Semana de Cine de Valladolid, 1984, página 120.

Otras protestas contra la Tercera Vía son: que en su empeño para instruir deleitando el *terminus ad quo* no es Garci, 1970, sino (por lo menos) Horacio; que hubo Cuartas Vías, como las parodias de las comedias de Landa (*Mi querida señorita,* por ejemplo); que si Dibildos es Tercera Vía, entonces también lo es Juan Miguel Lamet, quien la anticipa en la película de Summers *No somos de piedra* (1968), que debate si una eternamente encinta Laly Soldevilla deberá tomar la píldora.

[19] Domenec Font, *Del azul al verde: El cine español durante el franquismo,* Barcelona, Editorial Avance, 1976.

cía de ideas, desde el punto de vista de su política cinematográfica al menos, respecto a la manera de responder a un futuro posfranquista inminente. Empezando con la producción de Querejeta *Las secretas intenciones* (1969) y continuando con *El jardín de las delicias* (1970) y *Ana y los lobos* (1972), las concesiones de premios de «Interés Especial» al productor se posponen hasta que la Junta de apreciación haya visto la película acabada, medida de precaución tras la que se oculta también cierta falta de decisión. Asimismo los pronunciamientos oficiales cambiaron. En 1972, el Ministerio de Información y Turismo denunció el «desaforado erotismo, [la] pornografía y [las] doctrinas antisociales y disolventes» del cine mundial; pero un año después se declaraba partidario de «una censura ágil, flexible y dinámica, que vaya al compás de los acontecimientos cotidianos»[20]. Tales declaraciones incluso se plasmaron en hechos. Una alucinante visión del pecho descubierto de Carmen Sevilla en *La loba y la paloma* (Gonzalo Suárez) indicó, ya en 1973, que el régimen estaba más preparado para aceptar la realidad física de los artistas españoles, simbolizada durante veinte años por la gracia asexuada de la mencionada actriz, que para dar su conformidad a películas que descubrían la irrealidad política del franquismo después de Franco.

«No es que haya un propósito de abrir», había declarado en 1973 la Dirección General de Espectáculos, «hay un propósito de ser más consecuentes con nuestra constitución como pueblo y como hombres... Es un problema de autenticidad, de hablar con claridad». Estas toscas líneas dieron luz verde, incluso viviendo todavía Carrero Blanco, a la referencia explícita al sexo con todas sus (lucrativas) consecuencias: aborto (*Aborto criminal,* Iquino, 1973), drogas (*El último viaje,* José Antonio de la Loma, 1973), separación (*Separación matrimonial*), prostitución (*Chicas de alquiler,* Iquino, 1972) y pérdida de la virginidad y del novio y del bebé (*Experiencia prematrimonial,* Pedro Masó, 1972).

Todas estas películas presentan el cambio como una amenaza. La transformación, la transición no era algo nuevo para el cine español. Pero en los años 60 se le trató como si fuese una ambición enajenante (*El verdugo,* por ejemplo), una imposibili-

---

[20] Citas de *Cine español, cine de subgéneros,* pág. 255.

dad *(El extraño viaje)*, pura fachada *(La caza)* o algo capaz de integrarse completamente en las verdaderas tradiciones españoles (las películas más ortodoxas). Y en la «comedia sexy celtibérica», el cambio era una falsa ilusión.

En 1973, la actitud hacia el cambio había evolucionado ya considerablemente en el cine español. Es otro síntoma de evolución en las películas de principios de los años 70, junto con el hecho de que se expusieran las cosas de un modo más directo, se atendiese más al mercado constituido por la clase media y se trataran más temas de carácter social (aunque de un modo bastante sensacionalista). Así, *Las colocadas* (Pedro Masó, 1972) comienza mostrándonos a las protagonistas de pie frente a la cámara. Envuelta en pieles, Teresa Gimpera saborea languidamente un cigarrillo; la «Contrahecha» viste una llamativa prenda que parece la piel de una serpiente tropical, y, menos exhuberante que las otras, Tina Sainz lleva un cinturón marrón con una enorme hebilla estilo verja de granja. Sin embargo, estas chicas no son extranjeras ni fulanas, sino representantes de la española europeizada. Las connotaciones de modernidad iniciales —la decoración *pop*, las poses, las ropas— se utilizan a lo largo de la película para dar forma a un estilo de vida europeo, que se concreta en los *affairs* de las chicas con hombres casados (por amor, no por dinero).

En los años 60, lo viejo y lo nuevo se combinaron armoniosamente. *El turismo es un gran invento* (Pedro Lazaga, 1967), por ejemplo, comienza con una esperanzadora cancioncilla —«Hacer turismo es algo estimulante / Es una emocionante / Manera de aprender...»— y con una voz en *off* paternalista sobre un *collage* de imágenes: «El turismo significa... conocer cosas nuevas (corte de una escultura moderna a un arco romano, jugando así con la ambigüedad de la palabra "nuevas" en tanto que referida a algo nuevo o a algo diferente)..., novísimas (corte a unas nalgas femeninas que balancean desinhibidamente su diminuto bikini)... Comer paella...» (corte anticlimático, que nos muestra a la gente zampándose este plato tradicional contra el fondo de una playa moderna). El equilibrio estético crea una sensación de asimilación ideológica de lo viejo y lo nuevo.

En 1972, estos contrarios no se podían conciliar tan fácilmente. «Lo lamentable de todo esto», le dice la esposa a la amante, Teresa Gimpera, en *Las colocadas,* refiriéndose a la doble vida de su marido, «es que siempre hay alguien que tiene que perder». Ella no puede retener del todo al hombre, la amante no quiere más que ser socialmente decente y él no sabe por cuál de las dos decidirse.

Por encima de todo, la mayoría de los cineastas españoles vieron el cambio como una ruptura, la cual quizá fuese irreversible. En un previsible ejemplo de inoportunidad biológica, que confirma que fumar era malo para la moral del mismo modo que la inmoralidad lo era para la salud, la moderna Teresa Gimpera de *Las colocadas* se queda embarazada y muere en el parto. Asimismo, en *Experiencia prematrimonial,* el afán de una muchacha por vivir con su novio da como resultado el fin de sus relaciones y su bebé muerto. En una escena final de *Separación matrimonial* prescrita por la censura, el marido paga las consecuencias de haber «roto» con su esposa: ella le pega un tiro. En *Vida conyugal sana,* la prescripción la hace otra fuente de autoridad, el psiquiatra. Según éste, los problemas de Vázquez comenzaron el día en que su padre le quemó unas fotos de Marilyn Monroe. Pero la represión del pasado sólo puede ser curada con más represión en el presente. Por eso, el psiquiatra se adhiere a la escuela de terapeutas de Carrero. Vázquez tiene que mantenerse alejado de los elementos del mundo moderno que alteren su personalidad. La cura que propone no puede por menos que causar risa. Nada de sexo, nada de lecturas («la imaginación nunca trae nada bueno»); duchas frías. ¿Cine? Sí, pero «muy poco, y en todo caso películas españolas». Y con cuidado con la música moderna: «sus ritmos son terriblemente excitantes». Por supuesto, el tratamiento es un éxito.

Del «que sigan así las cosas», el carácter distintivo de las películas españolas del cine comercial pasó al «de seguir así las cosas...». El cambio, el calamitoso cambio, podía estar a la vuelta de la esquina, comenzar no en la década siguiente o el próximo año, sino por ejemplo, ese mismo lunes. Eso es, en efecto, lo que debió de haber parecido el fatídico 20 de diciembre de 1973.

La apertura y «La prima Angélica»

La explosión que mató a Carrero Blanco «fue tan grande», escribió Robert Graham, «que hizo un agujero en la calle de Claudio Coello de diez por siete metros. El agua procedente de las cañerías reventadas con que se fue llenando el cráter era un símbolo de la marea que se aproximaba al final de una era»[21]. La muerte de Carrero puso fin al inmovilismo; el nuevo Gobierno dio paso a la reforma. El 12 de febrero de 1974, Arias Navarro pronunció un famoso discurso en el que prometió que el consenso nacional, expresado hasta entonces «en forma de adhesión» a Franco, tomaría ahora la forma de la «participación» en el régimen. Un nuevo Estatuto de Asociaciones permitiría inmediatamente la formación de grupos políticos.

El nombramiento de uno de los miembros del círculo de Fraga, Pío Cabanillas, como ministro de Información y Turismo alimentó la esperanza de que la reforma se implantara también en la política cinematográfica del Gobierno. El subdirector general de Cine de Cabanillas, Rogelio Díez, saldó las deudas del Fondo de Protección, encargó al Consejo Superior de Cinematografía la redacción de una ley de cine y anunció que se aplicaría una censura nueva y menos severa a 146 películas. Aunque, de todas éstas, revisadas en agosto de 1974, la Junta de Ordenación Cinematográfica aprobó 70, los reformistas esperaban pruebas más rotundas, una decisión sobre una *cause célèbre* quizá, que confirmaran realmente la disposición del Gobierno Arias a poner en práctica sus intenciones aperturistas. El mismo gabinete de la «apertura» de febrero había adoptado un mes después una postura brutal, más propia de la Edad Media que del espíritu reformista que se esperaba de él, condenando al garrote vil al anarquista Puig Antich. «Destruir libros es malo», declaró Cabanillas de un modo muy poco enérgico después de una nueva incursión vandálica de la extrema derecha en las librerías de izquierdas. La verdadera prueba de la disposición del nuevo ministro de Información y Turismo a llevar a cabo una reforma fue su actitud ante *La prima Angélica,* película en la que el cine español se comportó

[21] Graham, *Spain: Change of a Nation,* pág. 7.

no sólo como reflejo del cambio, sino también como un medio de conseguir éste.

Al igual que muchas otras de sus películas, *La prima Angélica* se inspira en el fondo en la experiencia personal de Saura. Durante la guerra civil, su madre le envió a vivir con su abuela y sus tías a Huesca. Él mismo describió así el desconcierto que sintió al dejar la Cataluña republicana por el lúgubre hogar familiar:

> La parte aragonesa de mi familia era de derechas y muy religiosa... En realidad yo era un exiliado, me sentía como un extranjero: mi universo infantil, todo lo que había aprendido, los aviones que dibujaba bombardeando Barcelona, mi educación en catalán recibida en un colegio estatal —todo eso no tenía nada que ver con el ambiente en el que me veía obligado a vivir ahora... Recuerdo esos años con tristeza, y nunca llegué a comprender por qué, en el espacio de una noche, los «buenos» se convirtieron en los «malos», y los «malos», en los «buenos»[22].

Luis, el protagonista de *La prima Angélica,* también recuerda los tiempos de la guerra con tristeza. Es un hombre soltero, hijo de un republicano, y vive en la Barcelona de los años 70. Interpreta el papel José Luis López Vázquez, quien dota al personaje de un carácter tímido y silencioso, de un retraimiento manifiesto incluso en el poco cabello que aún le queda, y de una cortesía algo estereotipada; en definitiva, de una serie de rasgos propios de quien se ha refugiado en sí mismo, en la fantasía, en la alucinación o, como en este caso, en un apego melancólico a los recuerdos, actitud que Saura había explorado ya en *Peppermint frappé* y *El jardín de las delicias,* utilizando el mismo actor a fin de personificar al español de la posguerra. Tampoco el tema de *La prima Angélica* es nuevo. La película gira en torno al legado psicológico de la guerra civil, a lo que Erice denomina el «exilio en sí mismos» de los españoles.

«En Huelva», declaraba Saura en 1979, «acabo de volver de un homenaje que me hicieron, uno de los participantes en la

---

[22] Citado en francés por Marcel Oms en *Carlos Saura,* París, Edilig, 1981, página 58. Mi traducción.

mesa redonda sobre cine y literatura... —Cela creo— hablaba de la incapacidad del cine para la introspección. Yo estoy en absoluto desacuerdo. Un primer plano de una cara, con un antecedente, con un clima ya creado, puede ser tan expresiva, tan profunda, tan tremenda y tan dramática como cinco páginas de literatura explicando el estado de ánimo de este señor»[23]. Pero, al comparar el guión de *La prima Angélica* con la película, se advierte que la utilización de una expresión facial para reflejar un estado interior no siempre da resultado. Cuando José Luis López Vázquez interpreta el papel de Luis de pequeño, el gesto sirve para determinar si lo que estamos viendo es al niño o al hombre maduro. Saura cae en esta película en una especie de contradicción: ¿Cómo puede un actor expresar sus sentimientos externamente cuando su personalidad es —desde el punto de vista del aspecto físico al menos— tan inexpresiva? El logro de José Luis López Vázquez al representar a Luis de adulto consiste no tanto en dar a conocer la personalidad de éste —el hombre maduro tiene la expresividad de un presentador de televisión ruso— como en sugerir su destrucción, en comparación con la espontaneidad que adquiere el personaje cuando es un chiquillo lleno de vigor e incluso belicoso.

En *La prima Angélica,* Saura consigue plasmar en gran medida los sentimientos de su infancia estableciendo una correlación entre situaciones físicas y procesos mentales. Luis revive sus recuerdos del pasado cuando vuelve a Segovia, donde pasó la guerra civil con unos parientes. Allí encuentra a una tía anciana y chocha y a su prima Angélica, antaño una niña con coletas, traje de marinero y muy coqueta a la que adoraba, y ahora una mujer madura, casada y con una hija que también se llama Angélica y que, aunque sin trenzas, es la viva imagen de su madre treinta y siete años antes. Los recuerdos se agolpan en la mente de Luis: la noche que estalló la guerra y el padre de Angélica, sudando de terror al oír llamar a la puerta, se puso a dar vueltas por el salón porque era falangista y creía que las milicias socialistas habían tomado Segovia y venían a por él para fusilarle en algún olivar

[23] Creencia crucial, expresada a A. Castro en *Dirigido por,* núm. 69, diciembre de 1979, pág. 50. Para el guión de *La prima Angélica,* véase C. Saura y R. Azcona, *La prima Angélica,* Madrid, Elías Querejeta Publications, 1976.

oscuro; su primita preguntándole qué había hecho su papá, porque la abuela decía que cuando los nacionales llegasen a Madrid quizá le matasen.

«El poder de sus recuerdos es tan grande», señaló Saura refiriéndose a Luis, «que acaban destruyendo al personaje»[24]. Cuando Angélica (madre) intenta seducirle, su respuesta está llena de tierna piedad, pero exenta de pasión. El último recuerdo de la película muestra al padre de Angélica azotando a Luis. Él se encoge hasta adoptar una postura fetal, símbolo físico de un desarrollo emocional detenido en el que se advierte que, incluso al cabo de treinta y siete años, Luis sigue siendo perfectamente capaz de relacionarse con su prima cuando ésta se comporta como una niña o con su sobrina, que es una niña. Dada la esclerosis emocional del personaje, la melodía alegre que acompaña las escenas oculta una ironía corrosiva en el título y en el tema, «Cámbialo todo.» *La prima Angélica* se constituye en la más irónica de todas las películas de Saura. Luis llega a Segovia para hacer una rehabilitación: depositar los restos de su madre en el panteón familiar. Pero su intento de rehabilitar los recuerdos del pasado resulta mucho más complicado. Cuando al final sale de la ciudad, lo que en realidad hace es huir.

El enfoque de Saura en *La prima Angélica* es parecido al de Erice en *El espíritu de la colmena:* descubrir qué fuerzas crean la conciencia de la propia identidad y cómo operan. Saura opone una influencia externa —la Historia— a un mecanismo interno —la memoria. La clave de la estructura de la película está en una observación de Valle-Inclán: «Las cosas no son como las vemos, sino como las recordamos»[25]. Para Saura, el recuerdo total es imposible: «Un día me miré en el espejo y dije "¡Dios mío!, ¿cómo era yo de pequeño?" No puedo acordarme de cómo era de niño viéndome en el espejo. Tengo fotografías, pero cuando las miro siento que es alguien que no conozco... Esa es una de las ideas fundamentales que hicieron esta película —que uno no puede

[24] A. E. Brasó en *Positif,* núm. 159, mayo de 1974. Mi traducción. Saura señala que Luis trata de escapar, «de salir de la ciudad..., pero no puede. Ha tenido lugar una escisión, y en esa otra imagen del pasado, en esa imagen de sí mismo en el pasado, está la clave de lo que es en el presente».

[25] *Ibíd.*

verse a sí mismo de niño»[26]. Las escenas del pasado de *La prima Angélica* no son *flashbacks* a épocas anteriores, sino imágenes de recuerdos. Luis reconstruye su propia identidad física y, probablemente, las características del pasado con su aspecto y sus deseos presentes. Las personas que se encuentra al llegar a Segovia también interpretan un papel en el pasado; el actor Fernando Delgado, en especial, hace de marido de Angélica y de padre falangista de ésta.

La abolición del *flashback* que llevó a cabo Saura fue un fértil descubrimiento que le llevó a describir la conciencia como flujo ambivalente de recuerdos, fantasías, sueños y sensaciones. En una escena crucial, Luis y la prima Angélica se suben a un tejado desde el que se domina toda Segovia. «Es una chiquillada», dice ella, invitándole, quizá, a que la trate como cuando eran dos chiquillos enamorados. Se sientan, y Angélica se acurruca junto a él. Se oye tañir la campaña de un viejo convento, como si fuera el sonido melodioso del paso del tiempo. Luis recuerda (y el espectador escucha) la canción de Imperio Argentina de la época de la guerra «Rocío». Al mirar hacia Angélica, siente (pero todavía no la ve realmente) a la niña en la mujer. Se besan, pero les interrumpe la voz de Fernando Delgado gritando: «¡Luis!» El tono es amistoso, así que ha de tratarse del marido, no del padre; por tanto, están en el presente. El hecho de que casi le pillen en una situación comprometedora le hace recordar a Luis (y el espectador ve) una ocasión similar en que su tío les encontró a los dos en el mismo tejado. En todos los demás recuerdos, la prima de 1936 está interpretada por María Clara Fernández de Loaysa, que hace también el papel de la hija de aquélla. Por primera vez en un recuerdo, Angélica adopta en éste el aspecto de Angélica madre, interpretada por Lina Canalejas, que, todavía en el tejado, frunce el ceño con temor infantil al oír la voz de Fernando Delgado. La posibilidad de mantener una relación madura con esta Angélica madre —relación demasiado madura, comprometedora y adúltera para Luis— parece imponerse a los recuerdos que tiene éste del pasado. En una paradoja típica de Saura, Luis besa a la niña en la mujer del presente y no puede evitar imagi-

---

[26] Citado por Marsha Kinder, «The Children of Franco», *Quarterly Review of Film Studies,* vol. 8, núm. 2, primavera de 1983, pág. 63.

La prima Angélica, Carlos Saura, 1973. Luis (José Luis López Vázquez) recuerda la Guerra Civil

narse a la mujer en la niña que recuerda del pasado. Su única escapatoria emocional, la relación idealizada que mantuvo con la Angélica de 1936, parece estar cerrándose. Ni el pasado recordado ni el presente le ofrecen una salida; se va de Segovia.

En el caso de Luis, los recuerdos del pasado condenan el presente y los temores del presente condenan los recuerdos del pasado. El modelo freudiano del sufrimiento se utiliza en las películas de Saura, como en las de Erice, a modo de espléndida metáfora de la psicología colectiva de la posguerra española y, al menos indirectamente, del desarrollo político del país. Los recuerdos de la guerra, sugiere Marcel Oms, son análogos a una «escena primordial» reprimida por la conciencia de Luis. La represión (en este caso, emocional, pero en general, política) da lugar a individuos no realizados. El problema de Luis es la necesidad de liberarse de la figura del padre. Una vez más, se establece un paralelo con la subordinación de los españoles a años de autoritarismo patriarcal. La liberación y la salud psíquica se obtienen mediante la independencia emocional, manteniendo el individuo relaciones sexuales propias que le alejen de sus padres. Asimismo, la «salud» política se fundamenta en la libertad del individuo para elegir asociaciones sin control externo.

El paralelismo que existe en general entre los modelos de desarrollo psíquico y político permite dar una interpretación alegórica a muchas películas españolas que tratan de la relación padre-hijo o de la «educación». Ésta es una de las razones por las que muchos espectadores extranjeros sienten que en tales películas, y en especial en los dramas históricos, hay mucho más de lo que se ve a primera vista. En este sentido, cabría plantearse si ¿las alusiones históricas constituyen aclaraciones realmente nuevas sobre la historia de España o se limitan a confirmar tópicos archisabidos? En *La prima Angélica,* por ejemplo, los esfuerzos de Luis por conseguir madurez emocional se ven frustrados cuando él y su prima tratan de llegar a Madrid en bicicleta. Son detenidos en las líneas nacionales —símbolo del límite de los territorios del padre de Angélica— y devueltos a casa, donde Luis adopta una postura fetal al recibir una paliza. El autoritarismo perturba el desarrollo político-emocional, pero eso ya se sabía. Desde el punto de vista de una psicología más general y con respecto a la historia de España, el desarrollo de Angélica quizá sea más revelador e interesante. Ella también ha perdido la picante espontaneidad de la juventud, lo cual no es de extrañar, dado que se ha educado en los estrechos confines de una rígida familia franquista. Sin embargo, de acuerdo al menos con la forma que tiene Luis de ver las cosas, ha acabado casándose con un hombre que se parece mucho a su padre. Sabemos por las fotografías que el parecido físico no es exacto, pero sí existe cierta similitud de comportamiento. El matrimonio de Angélica responde, si cabe establecer tal analogía, a un deseo incestuoso reprimido. En cuanto a las connotaciones políticas, sin duda, son mucho más interesantes: la represión más difícil de suprimir es aquella que se desea y que ni siquiera se considera como algo que está limitando la libertad. La galería de personajes secundarios de *La prima Angélica,* que son esclavos de la satisfacción que sienten de sí mismos, convierte esta interpretación en un importante subtema de la película.

Estas reflexiones no tenían ningún interés para gran parte del público de *La prima Angélica.* Completamente insensible a ellas, la derecha consideró como una ofensa varios aspectos de la película: la cobardía del falangista al estallar la guerra, su regreso del frente con el brazo escayolado como si estuviera haciendo el saludo fascista y el hecho de que a su equivalente contemporáneo se le describa como a un idiota, un adúltero y un especulador. «En aquellos tiempos, de terror comunista en las calles de España, los únicos que dieron la cara fueron precisamente los falangistas», proclamó el periódico de Oviedo *Región.* «Saura no puede saberlo porque es demasiado joven. Y esa es la desgracia del hombre: ser joven y tonto a la vez.» Días más tarde, el mismo periodista llegó aún más lejos: «Me han llamado por teléfono. Y me han dicho: "Parece mentira que usted diga que *La prima Angélica* no dice nada en contra de la Falange. Tenía que haberle dado un buen palo a Saura por su mala intención". Pues no. Es como si pretendiera matar gusanos a cañonazos. Y a los gusanos ni se les pisa, porque no vale la pena ensuciar la suela de los zapatos»[27].

Pero la oposición a la película no se quedó en palabras. En

[27] Citado por Diego Galán, *Venturas y desventuras de la prima Angélica,* Valencia, Fernando Torres, 1974, págs. 61-62.

mayo de 1974, cuatro jóvenes ultraderechistas quisieron robar la cinta en un cine de Madrid, y en julio estalló una bomba en la sala de Barcelona donde se estaba proyectando. Estos incidentes formaban parte de un intento desmañado de la extrema derecha para desestabilizar la apertura. En mayo de 1974, Blas Piñar calificó a los componentes del Gobierno Arias de «enanos» y declaró que la guerra civil no había acabado todavía. Sin embargo, a los elementos reaccionarios les faltaba empuje. En una época de gran incertidumbre acerca del futuro de España y de las verdaderas intenciones del régimen, la negativa del Gobierno a retirar de circulación *La prima Angélica* o a censurar sus secuencias ofensivas supuso una importante derrota para la derecha. Su voz se había ignorado, y los límites impuestos por la censura se habían ampliado considerablemente.

Con *La prima Angélica* salió a la luz un cine de oposición con tradiciones claramente no franquistas. «La guerra civil ha sido un desastre», dijo Saura al crítico Enrique Brasó, «la posguerra también: la raíz que hunde a la cultura española en su pasado se ha secado. Este pasado no es el pasado glorioso e idealizado que nos han enseñado, sino un pasado fantástico, crítico y realista, y cuyo realismo suele ser mucho más que la aceptación estricta del término»[28]. La colaboración de Saura con Azcona fue un intento consciente de resucitar ese estilo auténticamente español de realismo crítico mediante distorsiones satíricas basadas en el psicodrama *(El jardín de las delicias)*, el *role-play*, la interpretación de papeles *(Ana y los lobos)* o los recuerdos subjetivos *(La prima Angélica)*.

La prima Angélica recurre a tradiciones republicanas prefranquistas. Si bien es cierto que apoyó a los nacionales en 1936, Imperio Argentina fue la gran estrella del cine de la República. Los padres de Luis eran republicanos, y él tiene, incluso de niño, plena conciencia de ser hijo de republicanos. Asimismo, Luis habla de Antonio Machado (1875-1939), referencia que establece una división en la familia de Angélica, de la que en 1974 existía un claro reflejo en el país: los cultos (Angélica, Luis/la España liberal) y los incultos (el marido de Angélica, Anselmo/la mayoría apática). El hecho de que se mencione a Machado no es una ca-

[28] *Positif,* núm. 159.

sualidad, sino que sirve a Saura para reconocer la influencia que recibió del poeta y su lealtad a él. Antonio Machado escribió y enseñó en el bando republicano y murió en el exilio una amarga noche de enero de 1939, cuando no hacía mucho que, enfermo y cansado, había cruzado la frontera francesa. En su poesía pasó de profundas meditaciones sobre el tiempo y los recuerdos en las que pretendía recuperar la alegría del pasado *(Soledades)* a una crítica más estridente de la cultura castellana *(Campos de Castilla)* escrita en Soria, en la misma meseta austera y azotada por el viento que contempla Luis al principio de la película.

La influencia de Machado en Saura proviene de lo que muchos consideran lo mejor de su poesía, la que escribió cuando murió su esposa de diecisiete años de edad. Estos poemas muestran la misma melancolía punzante y corrosiva de muchas películas de Saura, esa melancolía que surge al descubrir que el hilo que une al amante del pasado con el poeta del monótono presente está sutil e irremediablemente roto.

«Los acontecimientos históricos», afirmó Querejeta cuando se estrenó *La prima Angélica,* «no tienen carácter unívoco, ni una significación unívoca, y me parece lícito, conveniente, positivo, que pueden ser contemplados desde perspectivas distintas»[29]. Esta película no sólo es republicana, sino también mordazmente democrática. Satiriza la parálisis mental de la Falange fascista presentando un ridículo equivalente físico de ésta en la escena de la escayola. Asimismo, Saura rechaza los puntos de vista omniscentes y autoritarios para identificarse con una figura cuya versión del pasado es sólo una entre muchas. Los personajes sólo reconstruyen el pasado aunando sus recuerdos o por medios técnicos (como las fotografías de Angélica) para, de esta forma, mediante la colaboración, dar una visión equilibrada de él.

Aunque desunida y amorfa en 1974, la oposición también estaba interesada en hacer de *La prima Angélica* un grito de guerra. «No me parece mal que se politicen las cosas», declaró Querejeta tras el intento de secuestrar la película[30]. Desde 1974, y a lo largo del proceso de transición, a todos estos cineastas se les asignó una clara función política: producir películas de firmes creden-

---

[29] Galán, *Venturas y desventuras de la prima Angélica,* pág. 119.
[30] *Ibíd.,* pág. 65.

ciales democráticas y cuya taquilla sirviera para demostrar que tanto ellas como los valores que promovían tenían una aceptación masiva en España. *La prima Angélica* había recaudado ya 25 millones de pesetas en septiembre de 1974, convirtiéndose así en una de las películas más taquilleras del año. «Dados los incidentes provocados», señala Diego Galán en su libro sobre la película y sus efectos, «la película de Carlos Saura... está realizando una especie de *referéndum* sobre algunos aspectos, cuanto menos el cultural, de la vida nacional»[31]. Además, había quedado claro que las películas con consecuencias políticas tenían garra comercial. Desde el punto de vista político e industrial, *La prima Angélica* fue, por tanto, una película para el cambio.

Sin embargo, el camino abierto por *La prima Angélica* no se proyectó intencionadamente ni tampoco se puede decir que lo abriera ella a solas. De hecho, no fue la primera película española rodada desde el punto de vista de los vencidos de la guerra civil. Julio Pérez Perucha concede tal distinción a *Los chicos* (1959), de Ferreri. Asimismo, el film de Saura pone de manifiesto una vez más que, incluso antes de la muerte de Carrero Blanco, el Gobierno no sabía muy bien qué política cinematográfica seguir. La Comisión de Guiones aprobó el de la *La prima Angélica* el 28 de noviembre de 1973, y la de Ordenación y Protección aprobó la película el 26 de febrero del año siguiente, e incluso hubo un censor que la alabó diciendo que era «conmovedora como algo que nos toca, como algo nuestro; real, doloroso o placentero, pero nuestro...»[32].

La mayoría de los miembros de la Comisión tomaron la decisión de aprobar la película de mala gana, con cinismo o, al menos, con mucha cautela. «El mejor servicio que se podría hacer a Saura y al grupo que representa sería prohibir o mutilar la película», declaró Manuel A. Zabala, representante de una derecha que era reacia a hacer concesiones. Cabría afirmar que, en 1974, el Gobierno estaba entre la espada y la pared: o aceptaba la reforma, o la rechazaba, agravando con ello las protestas de los reformistas. Pero el tratamiento que recibió *La prima Angélica* por par-

---

[31] *Ibíd.*, pág. 147.

[32] Citado por J. Hernández Les, *Elías Querejeta: un productor singular*, páginas 193-194.

te de la Comisión de Ordenación y Protección pone de manifiesto un desprecio muy sintomático de la liberalización progresiva que estaba teniendo lugar en el país. En 1974, el espíritu liberal de Saura representaba a mucho más que a un «grupo» dentro de España. «Sin embargo», afirmó Zabala en el informe de la censura, «el español medio no comprenderá la postura de Saura y rechazará su tesis». Se equivocaba[33].

El hecho de que se aprobase *La prima Angélica,* pero no se le concediese un valioso premio de «Interés Especial», podría ser considerado como un intento del ruinoso régimen franquista de dejar que fuese el propio público el que demostrara si esta tendencia liberal de la cinematografía era comercialmente viable o no. Es posible que la decisión de no concederle el premio estuviese determinada por la continua indigencia del Fondo de Protección; pero cabría también hacer una interpretación más perspicaz, según la cual, al aprobar la película, pero no subvencionarla (los problemas de censura siempre daban mejor prensa que los de financiación), el Gobierno pretendía hacer ostentación de su apoyo a un tipo de cinematografía que esperaba que acabase tan pronto como un desastre de taquilla demostrase su falta de atractivo comercial.

Pero no es que esta estrategia fuera totalmente consciente. Basilio Martín Patino recuerda una reunión con el ministro de Información y Turismo, Pío Cabanillas, en la que éste le dijo que quería que se estrenase su película *Canciones para después de una guerra* o *La prima Angélica* sólo «para ver cuál sería la reacción»[34]. Las figuras claves de la oposición que intervinieron en el asunto tampoco supieron prever las consecuencias políticas que tendrían a la larga sus acciones. Saura declaró más tarde que no pensaba en absoluto que su película fuera a provocar tanto jaleo. En definitiva, quedó establecido un modelo para el cine de transición, pero se hizo en gran medida por pura casualidad. En este

---

[33] *Ibíd.,* pág. 193.

[34] Citado por Peter Besas en *Behind the Spanish Lens,* Denver, Arden Press, Inc., 1985, pág. 110. Escrito por el veterano corresponsal de *Variety* en España, este es el primer libro en inglés sobre el cine español. La obra de Besas presenta entrevistas reveladoras con los más destacados directores de España y una amena visión histórica general (1896-1985).

sentido, *La prima Angélica* fue un caso típico no sólo de las transiciones cinematográfica e histórica españolas, sino también de gran parte de la historia universal.

MÁS PORRAS QUE PORROS

> Mis ilustres colegas de los periódicos estaban como fumadores de «hashish» con la apertura y la liberalización.
>
> EMILIO ROMERO, principios de 1974[35].

En un sugestivo e importante ensayo titulado «Los niños de Franco», Marsha Kinder analiza diversas películas de Erice, Saura, Borau, Chávarri, Armiñán y Gutiérrez Aragón. En todas ellas encuentra «niños precoces que son a la vez monstruos, asesinos y víctimas patéticas, y adultos estancados en la niñez y obsesionados con visiones distorsionadas del pasado. En ambos casos, el contexto social es una familia dividida que está repleta de desviaciones sexuales y que funciona como un microcosmos de un estado corrupto»[36]. La «maduración» es un tema central de todos estos cineastas. Ninguno de ellos considera que sea un proceso sencillo. Va acompañado de un intento de escapar de una realidad horrible *(El espíritu de la colmena)*, de una capitulación a la normalidad *(Cría cuervos)*, de confrontación con la autoridad *(Furtivos,* de Borau), de una regeneración vacilante *(A un dios desconocido,* de Chávarri) o de desilusión con la figura del padre *(Demonios en el jardín)*.

«Los cineastas con ambiciones artísticas somos como flores de invierno de las praderas de Ozores, Lazaga, etc.», ha señalado Gutiérrez Aragón[37]. Aunque probablemente no dejaran de reco-

---

[35] Citado por Carr y Fusi, *Spain: Dictatorship to Democracy,* pág. 197.

[36] «Si se coloca a ambos en un modelo de desarrollo de la personalidad dividida», concluye Kinder, «entonces se percibe la tragedia del potencial perdido. Lo que surge una y otra vez en estas películas es una lucha por conseguir una forma significativa de madurez manteniendo a la vez el contacto con el espíritu y la vitalidad del niño» (pág. 74). Se trata de un artículo clave.

[37] *Fotogramas,* núm. 1.474, enero de 1977.

nocer por ello las analogías políticas de la «maduración», la mayoría de los directores españoles procuraron abordar la liberalización provisional de 1974 desde un punto de vista mucho más accesible: madurez equivalía a iniciación sexual o a adquisición de conocimiento sexual. *El amor del capitán Brando* (Jaime de Armiñán, 1974) es un claro ejemplo de tal actitud[38]. En esta película se repiten muchos elementos de *El espíritu de la colmena*. Al igual que el personaje de Ana de Erice, su protagonista, Juan, vive en el ambiente opresivo de la España de provincias, representado en este caso por un pueblo a principios de los años 70. Asimismo, la ausencia de una figura paterna enérgica lleva a Juan a crearse un personaje mítico. No obstante, su invención, el capitán Brando, no personifica solamente la autoridad (como ocurre con el monstruo de Ana), sino que es también el *alter ego* ficticio de un niño que acaba de entrar en la adolescencia. La hembra del capitán Brando, hacia la que Juan confiesa sentir una pasión imposible, pero imperecedera, está modelado de acuerdo con la bella imagen de su profesora, Aurora. Ésta ha quedado prendada a su vez de un ex republicano, Fernando, que ha vuelto del exilio y vive todavía en el pasado. Aurora, que necesita algo que le haga olvidar el ambiente represivo del pueblo, está dispuesta a compartir las fantasías de Juan, pero no a ser su novia. Evidentemente, es demasiado vieja para él, y al mismo tiempo, Fernando se considera demasiado viejo para ella. Esta situación se resuelve finalmente cuando Juan convierte a su profesora en una especie de hermana mayor y a Fernando en la figura del padre. Ya han quedado definidas, por tanto, las figuras familiares «buenas» que todo niño necesita para madurar. La película acaba con la ejecución imaginaria del capitán Brando a manos de su creador. El marginado Juan-Brando se ha convertido en un miembro normal de la sociedad.

El amor del capitán Brando fue innovadora no sólo porque tra-

---

[38] Un ejemplo más evidente es el de Manuel Summers, que sacó provecho de las crecientes libertades de España manifiestas en *Ya soy mujer* (1975) y en *El primer pecado* (1976), donde un chaval lleno de granos y sueños húmedos se chifla por las curvas de una bailarina, se queda alelado viendo a ésta dormir desnuda, pero no hace nunca el amor con ella... por respeto. Variación sexual de la evolución «natural» hacia la democracia de Fraga.

taba de cambios, sino también porque era una película para el cambio. Aunque con cierta timidez, debida a la censura, revela el extraordinario atraso de la España de provincias. La compañera de Aurora explica a sus alumnos que la construcción del acueducto de Segovia fue un milagro; el alcalde es un hombre tosco, lleno de insubstanciales tópicos neofalangistas. Los planos que dan comienzo a la película sirven no tanto para definir el contexto social como para plasmar con una literalidad significativa una imagen física de una apertura. Es de noche. Hay luz en una ventana que tiene las cortinas descorridas. Allí está Aurora (Ana Belén) quitándose la camisa, y durante un breve instante se ven, en plano largo, sus pechos desnudos. Estas primeras escenas constituyen una lección para los espectadores españoles, pues les dan a entender que son como niños completamente necesitados de educación sexual. La imagen de Aurora desnudándose es un plano subjetivo tomado desde la perspectiva de varios chavales del pueblo: *voyeurs* ocultos en la oscuridad. Indignada, la maestra decide al día siguiente que ha llegado el momento de dar a sus alumnos (entre los que figuran los mirones) una clase sobre sexo. Les pide que dibujen un hombre y una mujer desnudos en la pizarra, pero los chicos son incapaces de entrar en detalles. Los comentarios alegóricos que hace entonces Armiñán sobre la falta de madurez de los españoles ponen de manifiesto una realidad ineludible: el atraso continuaba siendo una causa de turbación y vergüenza para muchos jóvenes.

Las continuas referencias de la película a la España de la época reflejan un problema que siempre está presente en el cine cuando la historia se enseñorea de la ficción: la inclusión de escenas, comentarios o personajes que responden más a la historia de España que a la realidad dramática coherente de la película en sí. En este caso, por ejemplo, Fernando viene de ver la tumba de sus padres, cuando se encuentra con una mujer a la que no había visto desde hacía treinta y cinco años. La breve y elíptica conversación que mantiene con ella contiene una referencia de pasada a la guerra civil («¿Te acuerdas de mi novio? Murió demasiada gente en la guerra».) Con tantas alusiones importantes que hacer, no da tiempo para construir con detalle el personaje. Si bien es cierto que, durante el periodo de transición, muchos cineastas mostraron a los personajes tratando de reafirmar su individualidad en un ambiente constrictivo, en esta película tal individualización es mínima. Aurora, por ejemplo, no es más que una «progre», un personaje cuya naturalidad (no se preocupa de echar las cortinas al desnudarse) tropieza con la mentalidad pueblerina del ambiente que le rodea. Este contraste se mantiene durante toda la película. La breve aventura final de un viejo republicano y una joven «progre» es una sustitución del voyeurismo por el acto sexual, una cópula de las tradiciones democráticas viejas y nuevas claramente distinta del raquítico *statu quo* del pueblo.

Las películas de Armiñán y Saura constituyen casos aparte en una época en que la cinematografía española innovadora se hallaba al borde de la bancarrota. Con un título inspirado en el discurso que pronunciara Arias Navarro el 12 de febrero de 1974, *Los nuevos españoles* (1974), de Bodegas, rechazó, como ya vimos, la modernidad. En otra película de la «tercera vía», *Tocata y fuga de Lolita* (1974), de Antonio Drove, la protagonista se va de casa para vivir con su novio precisamente cuando su padre pretende dar una imagen de respetable, aunque liberal, cabeza de familia para favorecer su candidatura a las Cortes franquistas. Pero la rebelión de Lolita es de poca monta. No tarda en volver, todavía virgen, a casa de su papá, quien, una vez elegido, se enrolla con la compañera de piso de su hija, mientras que el novio se va a la mili. Drove, que es uno de los cineastas españoles con más talento, procuró ordenar todo este material sin hacer ninguna referencia a la época y en el estilo de la comedia americana. Los resultados son desiguales.

Otra película de Drove, *Mi mujer es decente dentro de lo que cabe* (1974), resultó bastante decepcionante[39], a pesar de un noble intento de sabotear el guión haciendo «hablar en posturas raras, cabeza abajo, entre el jaleo», como dijo Drove, «con la esperanza de que así no se oyese el diálogo».

Pero las inmensas limitaciones de la tentativa cinematográfica liberal de 1974 y de la primera mitad de 1975 no iba a hacerse esperar. La revelación que, desde el punto de vista de la taquilla, supuso *La prima Angélica* tardaría todavía años en producir efectos en la industria. Mientras tanto, la pesadilla de todo cineasta español con espíritu de aventura era la distribución. Desde el

---

[39] Véase cap. III, «Del sexo de los ángeles...».

boicot que hiciera la Motion Pictures Export Association (MPEA), negándose entre 1955 y 1958 a distribuir sus películas norteamericanas, en España la distribución estaba en manos de las multinacionales norteamericanas, cuyas películas eran distribuidas por sucursales o mediante acuerdos de derechos exclusivos. En connivencia con un régimen que hacía gala de su nacionalismo, el capital extranjero se hizo dueño y señor del cine de España. La prueba de fuego fue la realización de producciones enteramente norteamericanas, que comenzó cuando Franco permitió que se rodase en España la película de Robert Rossen *Alejandro el Grande* (1955).

Pero el prototipo de este cine norteamericano fueron las superproducciones históricas de Samuel Bronston, responsable de películas como *Rey de reyes* (1961), de Nicholas Ray, *El Cid* (1961) y *La caída del imperio romano* (1963), de Anthony Mann. Peter Besas describe la inmensidad estadística de sus producciones: en *55 días en Pekín,* de Nicholas Ray, intervinieron 4.000 extras y 1.500 obreros, y en *La caída del imperio romano* se utilizaron 3.000 extras y 21 templos. Asimismo, los problemas logísticos podían ser verdaderos embrollos, como ocurrió, por ejemplo, cuando se necesitaron para el decorado romano de Mann los casi 20 kilómetros de tuberías con que se reprodujo a tamaño natural un trozo de la Muralla china. En todos estos casos, el régimen franquista prestó abiertamente su apoyo a Bronston. Fraga visitaba los decorados, y se dice que incluso Franco paraba su coche cuando iba al palacio de La Granja, para ver de lejos los rodajes.

El Gobierno apoyaba a Bronston porque éste traía consigo el esplendor de un Hollywood en miniatura, dejaba mucho dinero en el país o al menos impedía que saliera de él (parte de su capital provenía de beneficios del cine extranjero bloqueados en España), daba empleo a miles de personas y era claramente proespañol en sus producciones. Asignó una pequeña demostración de valor al embajador español de *55 días en Pekín* (cuando no hubo embajador en Pekín ante la rebelión de los Boxer) y produjo documentales tan halagadores sobre España como *El valle de la paz,* de Andrew Marton, sobre el Valle de los Caídos, y un reportaje de la boda del príncipe Juan Carlos y la princesa Sofía[40].

---

[40] No es que en tales operaciones siempre salieran bien. El documental de

La experiencia Bronston, que duró hasta que, en octubre de 1964, un importante inversor extranjero huyó dejando deudas por valor de 75 u 80 millones de pesetas, puso de manifiesto que, cuando se ponían sobre el mostrador grandes sumas de dinero, el cine español volvía a la posición de economía tercermundista que había ocupado a principios de siglo. La materia prima —la luz, el paisaje y la mano de obra— se vendía por cuatro cuartos a empresas extranjeras que hacían negocio volviéndola a vender una vez manufacturada[41]. Al mismo tiempo, los acuerdos de preproducción permitían a los distribuidores imponer condiciones a los productores españoles, cuyas películas, que eran mucho menos rentables, estaban obligados a adquirir por fuerza de ley (la cuota de distribución de 4 por 1), si bien las podían estrenar en los peores cines y en las épocas menos propicias del año. Asimismo, el hecho de que se vendiesen las películas por lotes obligaba (y obliga) a los exhibidores a poner toda la bazofia de Hollywood además de las películas gananciosas. A las producciones españolas se las echaba a codazos, por tanto, de las temporadas de estreno. En 1974 recaudaron un 30 por 100 del total de películas exhibidas en España, mientras que el cine italiano y francés recaudó el 60 y el 56 por 100, respectivamente, en sus taquillas nacionales. A principios de los años 70, la décima parte de las producciones norteamericanas se estrenaban en los peores meses, julio y agosto; en el caso de las películas españolas, esto ocurría con la sexta parte.

Aunque en 1974 había producciones nacionales mejores que estaban haciendo más dinero, a la red de distribución le traía sin cuidado. Todas las películas españolas podían correr la misma suerte que *Hay que matar a B* (José Luis Borau, 1973), que, a pesar de que el director había ganado varios premios, fue estrenado por la multinacional Cinema International Corporation (C.I.C.)

---

la boda se centró demasiado en el lado griego oxtodoxo de la ceremonia y tuvo que ser puesto a buen recaudo en Londres hasta la muerte de Franco.

[41] Tal es el principio básico de las coproducciones populares de los años 60 y de las películas «internacionales» de Buñuel. ¿Y quién hizo el primer *travelling*? Probablemente un español, Segundo de Chomón (1871-1929). No mucha gente sabe esto: la falta de recursos técnicos de España obligó a Chomón a trabajar en el extranjero, donde creó, por ejemplo, efectos especiales y la reputación de Pastrone, en *Cabiria* (1914).

en Barcelona en 1974, coincidiendo con el mundial de fútbol y al año siguiente en Madrid, también en verano, cuando todo Madrid estaba de vacaciones, y sin darle apenas publicidad. O se exponían a que les pasara lo que a *La leyenda del alcalde de Zalamea* (Mario Camus, 1972). Viendo la película en el cine, a Camus le pareció que las imágenes estaban un poco borrosas. Entonces subió corriendo a la cabina de proyección y descubrió que, para ahorrar, el desenvuelto descuidado encargado de las misma estaba poniendo la película con media potencia eléctrica. Y esto ocurrió el día del estreno.

En el cine de objetivos fundamentalmente comerciales de principios de los años 70, a los productores no les interesaba tanto el cambio como saber qué sectores de la sociedad en la que estaba teniendo lugar éste ocupaban las butacas de los cines. Ése fue otro de los estorbos que imposibilitaron reaccionar rápidamente a la reforma: el público de las películas españolas era uno de los más conservadores del país. Cuando mayor era la renta *per capita* de una provincia, menor era la asistencia a las producciones nacionales que se exhibían en ella[42]. La película española media era una obra barata y de ínfima calidad, hecha especialmente para las clases populares sin medios suficientes para comprarse una televisión y proyectada en cines rurales o urbanos de baja categoría, que no podían competir por las mucho más rentables superproducciones de Hollywood. Según un estudio elaborado en 1973, Andalucía tenía entonces uno de los niveles de vida más bajos de Europa. España no parecía el lugar más apropiado para un cine político en desarrollo[43].

En lo que al cambio en el público se refiere, también puede haberse exagerado mucho. Incluso en 1975, el sentimiento predominante en el país no era de odio farisaico a los grilletes franquistas, sino de alarma ante la falta de consenso existente en el Gobierno y entre el *establishment* y la oposición respecto al futuro

[42] Marta Hernández, *El aparato cinematográfico español*, págs. 59-67.

[43] En el ensayo «La provincia española y el cine» *(7 trabajos de base sobre el cine español*, págs. 189-218), Juan Antonio Pérez Millán calcula que Madrid, Barcelona, Bilbao, Valencia, Zaragoza, Sevilla y Málaga contaban entre todas con sólo el 51,48 por 100 del público cinematográfico del país en 1973. Los espectadores de las zonas menos urbanizadas mantenían el último género cinematográfico puramente español, la «comedia erótica».

de España. Según el experto en sondeos de opinión Rafael López Pintor, por lo que realmente temía la gente a mediados de los años 70 era por sus «más preciados valores: la seguridad física, la paz social y el mantenimiento de un bienestar material del que muchos estaban disfrutando por primera vez»[44]. El problema que se les planteaba a los españoles era saber cuál de las tres opciones propuestas, inmovilismo, reforma o ruptura con el pasado, protegería mejor tales valores. El primer cine de transición no hacía más que reflejar los temores de una parte muy considerable de la población que, sin ser en absoluto reaccionaria, parecía desear la menor transición posible, por lo menos en su propio *status* económico.

Sin embargo, un cine que esté saliendo de la dictadura tiene muy buenas razones económicas para desear su propia liberalización. Más desnudos, más escándalo político, más broncas con la censura, significaban más público nacional y una atención algo paternalista del extranjero[45]. De ahí que las presiones reformistas a que estaba sometida una industria renqueante dieran lugar a inmensas contradicciones. Al considerar el modo en que el primer cine de transición puso a debate los méritos de la liberalización y se dispuso a saldar cuentas con el franquismo, resulta difícil distinguir entre audacia y espíritu mercantil. La «reforma» fue tan superficial como la piel de satén de una *starlet*. Hubo muy pocos desnudos integrales políticos.

La indiferencia de la industria y las inseguridades del mercado iban acompañadas de la continua oposición del Gobierno. A finales de 1974, el «espíritu del 12 de febrero» no era ya más que un fantasma. Había dado lugar a una incierta libertad de prensa y al derecho a la existencia de una oposición moderada, pero nada más. Cabanillas fue destituido en octubre de 1974 debido a la supuesta pornografía de la prensa, mientras que el Estatuto de Asociaciones de Arias, aprobado en diciembre del mismo año, sólo contempló un pluralismo político dentro de los límites del Movimiento, vetando así toda la oposición democrática. Pero

---

[44] En *Revista de Occidente*, noviembre de 1985, pág. 117.

[45] Los deseos de España de «crecer» y ser como el resto de los países occidentales fueron un verdadero halago para una Europa que ya no se acordaba de que era tan «madura» desde el punto de vista político.

las fuerzas antifranquistas no se encontraban en condiciones de presionar más. La desconfianza, el dogmatismo y las artimañas de la lucha por el poder indicaban que la izquierda española iba a recibir la muerte de Franco tan dividida como lo había estado cuando se enfrentó a su rebelión casi cuarenta años antes. En 1974, los socialistas, el partido más viable de la oposición, contaban con un nuevo y dinámico dirigente, Felipe González, pero sólo con 2.000 afiliados en España.

«No se puede dar un salto en el vacío», declaró, indignado, en 1974, el director general de Cinematografía, Rogelio Díez, después de prohibir 18 de las películas que se habían rescatado para someterlas a la revisión de la censura. A finales de este año, la Administración había vuelto a adoptar una postura cautelosa. Clara prueba de ello es el cine «religioso» que surgió entonces. Las relaciones entre la Iglesia y el Estado sufrieron un drástico empeoramiento en los últimos años del franquismo, hasta el punto de que, en septiembre de 1971, la gran mayoría de los asistentes a la primera reunión mixta de obispos y curas aprobó una resolución en la que se lamentaba el papel desempeñado por la iglesia en la guerra civil. Su llamamiento a la reconciliación convirtió al cardenal Tarancón, arzobispo de Madrid y presidente de la Conferencia Episcopal, en el *prête noir* de la ultraderecha. Algunos fascistas bunkerianos opinaron que se le fusilase.

Tal estado de cosas ofrecía una oportunidad única de hacer un cine revisionista que volviese a examinar el papel desempeñado por la Iglesia española en el franquismo. Es posible que ésta hubiese aceptado tales películas; el Gobierno, con el que tan mal se llevaba ahora, desde luego que no. En 1974, *La regenta* (Gonzalo Suárez), *Pepita Jiménez* (Rafael Moreno Alba) y *Tormento* (Pedro Olea) abrieron un nuevo camino mostrando curas que rompen el voto de celibato, pero no pasaron de ahí. Las tres están basadas en novelas de clásicos del siglo XIX (*Clarín,* Valera y Pérez Galdós) y la censura les privó de toda alusión a la España del momento.

El caso de *Tormento* es especialmente mortificante, ya que la obra de Galdós tenía intrigantes posibilidades en tanto que alegoría de la España de los años 70. Tanto en la novela como en la película, una muchacha (¿los españoles oprimidos?) es cortejada por un indiano recién llegado de América (¿el capitalismo liberal?) a pesar de la oposición de los formales y reaccionarios primos católicos de éste (¿la pequeña burguesía franquista?) y de que la muchacha hubiese mantenido antes relaciones con un cura (¿el pasado comprometedor de España que pone en peligro su capacidad para el cambio?). Sin embargo, todos estos paralelismos apenas se explotaron, y el punzante ataque que hace Galdós a la hipocresía de la clase media, así como su sensibilidad al cambio social, se diluye en una sucesión de escenas de época puramente anecdóticas, en un «dagerrotipo amarillento y remoto, donde todo es más bello, más intenso y reconfortante»[46].

«No creo en la apertura», declaró Pedro Olea en 1974. Era sólo uno de los muchos no-creyentes de aquel entonces. «Los problemas actuales son imposibles de tratar aquí», lamentó Olea. «*Tormento* se hizo porque contaba una historia pasada. Una de las sugerencias de la censura, de esas que reparten sin papel oficial del Ministerio, me aconsejaba no actualizar la historia»[47].

La política cinematográfica del Gobierno seguía siendo básicamente la misma: para no evolucionar en esencia, estaba dispuesto a hacerlo todavía más en la práctica. Tras las concesiones económicas con que intentó apropiarse de un cine franco e internacionalmente competitivo, el agonizante régimen de Franco trató entonces de abrir una brecha entre los flancos liberal y capitalista del sector reformista de la cinematografía española... Tal era el espíritu con que se redactaron las nuevas normas de censura de febrero de 1975, que, como señaló indignado Saura, «eran muy semejantes a las que había». Sólo había una novedad: la norma 9 admitía «el desnudo», pero sólo cuando no se presentaba «con intención de despertar pasiones en el espectador normal, o incida en la pornografía». La apertura se había desviado hacia el destape. O, como señaló hábilmente *Posible:* «Sexo, sí; política, no.» Se permitía a los cineastas —aunque todavía incitándoles a condenarlo— mostrar «la prostitución, las perversiones sexuales, el adulterio y las relaciones sexuales ilícitas».

El resultado fue una carrera de velocidad para dar forma al primer desnudo integral del cine español. El primero en llegar a

---

[46] P. Esteve y Juan M. Company, «Tercera Vía, la vía muerta del cine español», *Dirigido por,* núm. 22, abril de 1975, pág. 21.
[47] Citado en Gubérn, *La censura,* pág. 272.

la meta fue una escena de la película de Jorge Grau *La trastienda* («y nunca un título resultó tan involuntariamente expresivo», ironiza Julio Pérez Perucha[48]), curioso cuento moral que trata de la unión desacertada de un médico opusdeísta con su enfermera en una Pamplona hendida por la hipocresía e inmersa en las bacanales de los San Fermines. Al margen de la protesta social indirecta, *La trastienda* es un film de una escena. En ella María José Cantudo, con su esbelta figura, sus pómulos salientes y su cabello polinesio, se contempla desnuda en un espejo. Pero: en la habitación donde esto tiene lugar reinan las tinieblas dignas de los cuadros de Rembrandt; el espectador no ve a la Cantudo, sino a su huidiza imagen; ella está envuelta en una melena a lo lady Godiva; y tampoco tiene mucho que mostrar.

El destape de 1975 fue alucinógeno porque era higiénico. Los personajes femeninos de entre dieciséis y cuarenta años estaban eternamente enjabonándose en la ducha o cambiándose las prendas interiores en la habitación. Mario Camus dio expresión a la irritación que les producía a muchos cineastas liberales este convencionalismo en *La joven casada* (1975). Obligado, no por las necesidades del guión, pero sí por las necesidades de los productores, Warner-Impala, a incluir el desnudo de rigor, cuando ni él ni Ornella Muti lo querían, comenzó la película mostrándonos a ésta bella y sudorosa mientras hace gimnasia en la azotea; la cámara pasa entonces a la escena de la ducha, y luego a un plano de la entrepierna de la actriz vestida con unos vaqueros muy ajustados y acurrucada en una silla. Finalmente, la chica hace el amor con su marido, y a partir de ahí Camus empieza con lo que realmente quería hacer; ya no hay más desnudos en toda la película.

El destape provocó, como señala muy bien Fernando Méndez Leite, «un sinfín de productos híbridos, en general bastante soeces, pero que justificaban lo que habían mostrado con singular complacencia durante noventa minutos con cinco minutos de condena final»[49]. Un buen ejemplo de esto es *Madrid, Costa Fleming*. «La calle Costa Fleming nos aproxima a la idea de la inter-

---

[48] *El cine y la transición política española*, pág. 35.

[49] Fernando Méndez Leite jr., «El cine español de la transición», *Cine español, 1975-1984*, Primera Semana de Cine Español, Murcia, 1984, pág. 15.

nacionalidad, vacaciones desenfadadas, nivel de vida superior a la renta *per cápita,* levedad de ropa, levedad de costumbres, europeineidad», dice despreocupadamente una voz en *off* a modo de introducción. Lo que sigue es que indican que es temporada alta para los pervertidos: *giris* que se pican, curas adúlteros angustiados, estafadores y fulanas que quieren formar un sindicato —¡qué absurda es la política! Harta del interés que despierta su bronceada exuberancia, la furcia de buen corazón e ideas políticas correctas pone fin a la película haciendo las maletas y marchándose[50].

El destape ilustrado por *Madrid, Costa Fleming* tenía que ser reaccionario. Había demasiadas cosas contra él: la distancia entre las aperturas sexual y política, siglos de malsanos prejuicios contra la ciudad y su deformación de los lazos sociales justos, contra el espanto de la sexualidad femenina, contra la suciedad del sexo mismo. En lo que a una transición efectiva del cine español en conjunto se refiere, el verdadero cambio está todavía por llegar.

---

[50] No es posible que José María Forqué (nacido en 1929), el muy apreciable director de *Amanecer en Puerta Oscura* (1957, ganadora del Oso de Plata de Berlín) y de la pequeña joya *Atraco a las tres* (1962), se tomara esta película demasiado en serio. A modo de gigantesca metáfora de la agresión fálica y el desmoronamiento de los valores morales, una manzana recién construida en Costa Fleming se cae estrepitosamente encima de la protagonista. Sólo una resistente mesa que hay por allí y el hecho de que ella sea la hija del director pueden explicar que la chica salga intacta de debajo de la mesa y de la película...

II

La trinchera liberal, 1975-1976: Borau, Patino, Querejeta

Las películas liberales

En el verano de 1974, la recién creada Junta Democrática formada por el PCE, el PSP de Tierno Galván y CCOO, comenzó a propugnar una ruptura como único camino posible hacia la democracia. En octubre del mismo año, el PSOE adoptó la misma fórmula, y en la primavera de 1975 los líderes políticos catalanes también empezaron a exigir una democracia completa. Asimismo, Fraga, entonces embajador en Londres, y el grupo reformista *Tácito* rechazaron el Estatuto de Asociaciones para organizar una campaña que condujese a una «evolución democrática» del régimen desde dentro. Arias Navarro trataba de deshacer un nudo gordiano. ¿Cómo podía crear una democracia que satisficiera a la oposición y continuase siendo franquista? «Oligarquía para el pueblo», clamaba entonces el humorista Máximo resumiendo el problema. Pero Arias Navarro no dio ninguna solución. Al contrario, en el año brutal de 1975 iba a poner de manifiesto su arraigada lealtad al franquismo.

La oposición a Arias tuvo una correspondencia intrigante y bastante exacta en el cine español. En primer lugar, aunque todavía casi impotente, la oposición cinematográfica se estaba haciendo cada vez más explícita. Del mismo modo que el Estatuto de Asociaciones de diciembre de 1974 supuso un avance insignificante con respecto al de Solís de 1969, la legislación cinematográfica española de finales de 1975 y principios de 1976 apenas comportó ningún progreso. La censura de guiones que existía anteriormente se abolió en febrero de 1976, y ese mismo mes se permitió aumentar la capacidad de las Salas Especiales hasta 750 espectadores y abrir locales de este tipo en las poblaciones con menos de 50.000 habitantes, lo que se había prohibido hasta entonces para mitigar la influencia de películas tan «provocadoras» como *Helga,* guía sexual que devoraron los adolescentes españoles de todas las edades en las Salas de Arte y Ensayo en 1970.

Pero las *boutades* de la censura siguieron siendo tan frecuentes como siempre. A raíz de una protesta de la Asociación de Padres de Familias Numerosas, un juez de Córdoba dio órdenes de confiscar una copia de *La querida, biopic* de una estrella fugaz de la canción española (encarnada por Rocío Jurado). El motivo específico de la prohibición fue un amago de crítica social que hace en la película la corrida cantante al declarar en una entrevista:

> En mi pueblo tenemos que huir de los hombres nada más cumplir los once. A las tontas siempre les hacen un niño... A los quince, las que no han estado con uno, es porque son unas marimachas o unas burras...

Aunque la queja contra *La querida* fue desestimada por los tribunales, la película se retiró de las carteleras de Córdoba debido a las amenazas que recibió un exhibidor de la ciudad y al apoyo público manifestado al futuro esposo de la actriz[1].

En segundo lugar, el debate «reforma/ruptura» incidió en el cine del país, así como en su política. Las condiciones del mismo habían quedado fijadas en 1963, con las Normas de Censura de Fraga, las cuales, al definir los límites de la libertad de expresión, fomentaron la tendencia a tratar de ampliar esos límites por medio de concesiones *ad hoc* o de un nuevo lote de normas. Los intentos paulatinos de Querejeta y otros productores de acordonar más parcelas de libertad casi llegaron a convertir su cinematografía en una práctica reformista. Y, sin embargo, en sus planteamientos políticos, el «nuevo cine español» era rupturista. Al

---

[1] En cierta ocasión se confiscó toda una edición de *Fotogramas* por haber revelado en ella la identidad de los miembros de la censura, a los que se pasó a llamar «calificadores cinematográficos».

analizar la España del momento no estaba muy lejos de la influyente opinión de Santiago Carrillo, quien consideraba que el régimen franquista estaba al borde del colapso total. «Lo que en otros países podría haber sido un conflicto laboral más, de mayor o menor gravedad, en España socavó seriamente al régimen, revelando su importancia y senilidad, y sacudiendo la sociedad hasta sus mismos cimientos», señaló con entusiasmo el secretario general del PCE, hablando de la eclosión de huelgas que tuvo lugar en España en 1962[2]. De igual modo, la explosión atómica que pone fin a *De cuerpo a cuerpo* (Antxón Eceiza, 1965), el marido que mata a su esposa por celos en *Los desafíos* o el asesinato de *Último encuentro* (Antxón Eceiza, 1966) —donde el bailarín Antonio mata al amigo que simboliza su origen social humilde— son indicaciones, junto con la obra de Saura de los años 60, de un mundo moderno (a veces específicamente español) que está condenado a la destrucción o a soportar tensiones irresistibles por sus contradicciones internas[3].

Sin embargo, la tesis predominante en la oposición cinematográfica cambió a principios de los años 70. Parapetadas tras un *boom* económico, a España nunca le había ido tan bien como en ese momento ni había tenido tan pocas probabilidades de transformarse en un día. En general, los puntos de vista de la oposición cinematográfica renegaron del optimismo de Carrillo para nutrir las filas del revisionismo de Fernando Claudín. Si utilizásemos las producciones de Querejeta a manera de barómetro del cambio de actitudes, cabría decir que, a partir de *El jardín de las delicias* (1970) y, más claramente, de *Habla, mudita* (1973), las pe-

---

[2] Citado por Paul Preston en P. Preston (ed.), *España en crisis,* México, Fondo de Cultura Económica, 1978, pág. 247.

[3] En general, las películas de Querejeta dirigidas por Saura se dedican a arrancar la malsana piel moderna que reviste los mal curados abcesos de las viejas úlceras españolas (a veces, específicamente franquistas). Las que ha hecho con otros directores tienden a tratar las tensiones personales y sociales que genera un estilo de vida consumista, moderno y, en ocasiones, específicamente español —a menudo utilizando puntos de referencia y actores cosmopolitas, como Vietnam y Cuba (*¿Si volvemos a vernos?,* Francisco Regueiro, 1966) en el primer caso, y como Jean-Louis Trintignant y Haydée Politoff (*Las secretas intenciones,* 1969) en el segundo. *Los desafíos* y *Carta de amor de un asesino* pertenecen al primer tipo. No está claro si las películas propugnan una reforma urgente o una ruptura total.

lículas mostraron las deficiencias de la autoridad patriarcal, describiendo ésta como afásica y paralizada (*El jardín de las delicias*), indiferente a las necesidades emocionales de los niños (*El espíritu de la colmena,* Víctor Erice, 1973; *La prima Angélica,* 1974; *Cría cuervos,* Carlos Saura, 1975; *El desencanto,* Jaime Chávarri, 1975) o generadora de actitudes sociales anacrónicas (tales como el código de honor de *Habla, mudita,* Manuel Gutiérrez Aragón, 1973). Tanto las víctimas como los verdugos pueden sobrevivir la película, y aun cuando la figura del padre muera, los traumas que ha sembrado continúan vivos.

La famosa discusión que mantuvieron Gutiérrez Aragón y Querejeta sobre el destino de una vaca en la preproducción de *Habla, mudita* podría constituir, por tanto, un viraje decisivo en la historia del cine español. En esta película, un gañán sordomudo y de escasa talla intelectual («vinieron los de la UNESCO con los test y dijeron que era lo más burro que encontraron en España», dice un paisano suyo) viola a su hermana y luego intenta pegar un tiro a un editor, al que acusa de haber mancillado el honor de la muchacha. Manuel Gutiérrez Aragón describe así el problema que planteó esta escena:

> Cuando escribía la escena en que el mudo apunta al editor con una escopeta dentro del autocar destartalado, le preguntaba a Elías: «¿Ahora le mata o no?» Elías decía: «Si le apunta con una escopeta, sí.» «Puede dispararle y no darle», le contestaba yo. Elías replicaba: «No, no, que le dé, que le dé.» Y yo contestaba: «Eso será bueno en las películas del Oeste.» Elías era partidario de que le matara, pero tampoco insistió mucho. Yo, por hacer una broma, como en sus películas siempre moría alguien al final, hice que el disparo no fuese a dar en el editor, sino en una vaca. Esa broma no le hacía ninguna gracia a Elías, pero al final murió la vaca y ahí está[4].

En esta divertida parodia del código del honor fomentado por los valores franquistas, la vaca es una de las últimas víctimas mortales de los excesos del franquismo registradas en la producción de Querejeta. Paralelamente al creciente apoyo que estaba

[4] Augusto M. Torres, *Conversaciones con Manuel Gutiérrez Aragón,* pág. 50.

recibiendo la postura de los que propugnaban un desmantelamiento reformista del régimen, las películas españolas de la oposición realizadas entre 1973 y 1976 tienden a describir las secuelas de la autoridad patriarcal o las consecuencias del conservadurismo social en vez de el colapso autopropulsado del régimen.

Por último, más que un aumento general de las pasiones políticas, lo que registró el cine español de 1975 fue el asentamiento de unos sectores aislados de oposición cinematográfica. Como en España en general, esta postura se basaba no tanto en creencias comunes como en una oposición compartida a Franco. Francisco Llinás observa en «Los vientos y las tempestades» que la oposición cinematográfica dio cabida a películas radicales como *El espíritu de la colmena* y *Pascual Duarte* y a obras «abiertamente de izquierdas» como *Pim, pam, pum... Fuego,* dirigida por Pedro Olea en 1975[5].

Este frente común cinematográfico era, no obstante, muy frágil. Realizadas principalmente por las figuras que se hallaban detrás del «nuevo cine español» —Saura, Querejeta, Borau, etcétera— o por directores capaces de asimilar la postura de sus productores o de adherirse a ella —Chávarri, Franco y Armiñán—, las películas de oposición de 1974 y 1975 se ajustan en gran medida al estilo y a las ambiciones comerciales del «nuevo cine español», cualquiera que sea el cambio de sus tesis temáticas. «Al igual que con el "nuevo cine español"..., se trata de potenciar un cine crítico-realista..., que (intenta) un ensanchamiento de la escena de representación —criterios "europeístas" para la censura— y una "definitiva" racionalización protectora, introduciendo con ello tanto una rentabilidad económica en el mercado, como una total neutralización política»[6].

Estas palabras, más bien críticas, del radical Domenec Font, publicadas en 1976 en *Del azul al verde. El cine español durante el franquismo* —donde se pidió un cine nacional comprometido en la lucha de clases—, anticiparon la fragmentación de la oposición cinematográfica en facciones enfrentadas, algunas de las cuales

[5] *El cine y la transición política,* pág. 3.

[6] Font, *Del azul al verde. El cine español durante el Franquismo,* Barcelona, Avance, 1976.

adoptaron una postura idealista y fisípara como base de un cine de clases rupturista entre 1977 y 1979.

En el periodo comprendido entre 1974 y 1976, se realizaron, no obstante, una seria de películas fundamentalmente reformistas: *El amor del capitán Brando* (1974) y *Jo, papá* (1975), de Jaime de Armiñán; *Los pájaros de Baden-Baden* (1975), *La joven casada* (1975) y *Los días del pasado* (1976-1977), de Mario Camus; *El poder del deseo* (1975), de Juan Antonio Bardem, y *Emilia, parada y fonda* (1976), de Angelino Fons[7]. La esencia común a todas estas películas es evidente: más que indicar una ruptura con el pasado y el amanecer de un nuevo cine, en ellas se reanuda la tradición liberal *central* de la cinematografía española de oposición, la cual se remonta a las primeras películas claramente antifranquistas —*Muerte de un ciclista* y *Calle mayor,* dirigidas por Juan Antonio Bardem en 1954 y 1955, respectivamente— y se ha perpetuado hasta convertirse, a partir de 1983, en la característica central de la cinematografía del PSOE.

Sólo una interpretación equivocada de la historia del cine puede ocultar este hecho. Suele darse por sentado que lo que más influencia ejerció en Bardem y en el auge de la oposición cinematográfica española fue el neorrealismo italiano. En efecto, este editor tomó una actriz y muchísima inspiración de *Cronaca di un amore,* de Antonioni, en particular, y quedó encantado con la Semana del Cine Italiano celebrada en Madrid en noviembre de 1951, donde dicha película fue la más importante de todas las que se proyectaron: «Para una gente ávida de la realidad, puedes imaginarte lo que significó esta oportunidad»[8].

No obstante, las coordenadas cinematográficas de Bardem son por lo menos tres: el neorrealismo italiano, los precedentes sainetescos españoles (*Calle mayor* es una adaptación libre de la mejor obra de Carlos Arniches, *La señorita de Trevélez,* y *Felices Pascuas,* dirigida por Bardem en 1954, es básicamente una sucesión de *tableaux* del sainete madrileño) y (especialmente crucial) los ideales y el estilo de dirección del cine liberal norteamericano de

[7] Otras candidatas a la escuela liberal serían *Las largas vacaciones del 36,* de Camino, y *Retrato de una familia,* de Giménez-Rico.

[8] Julio Pérez Perucha señala que los autores clave de la introducción del cine italiano en España fueron Edgar Neville y Fernando Fernán-Gómez.

los años 50 del que son un claro ejemplo las películas dirigidas por Fred Zinnemann (*Solo ante el peligro,* ente otras), Stanley Kramer o Elian Kazan (cuyos orígenes teatrales son comparables a los antecedentes de Bardem). Aunque difractado por las pretensiones de *nouvelle vague* del «nuevo cine español» de los años 60, es exactamente este estilo liberal norteamericano el que vuelve a aparecer en las películas de los 70, realizadas, además, por directores que constituyeron el joven e impresionable público del cine de Kramer o Zinnemann veinte años antes (no en vano Pilar Miró, por ejemplo, hace un homenaje en *Gary Cooper que estás en los cielos* a la casi demiúrgica figura del héroe de *Solo ante el peligro,* la *única* persona que no abandona a la protagonista)[9].

Los principios y el estilo de tales películas han sido espléndidamente descritos por Richard Maltby en *Harmless Entertainment,* historia formal del cine de Hollywood desde los años 40 hasta nuestros días. Al tratar problemas sociales generales, afirma este autor, las películas liberales norteamericanas tenían que individualizar lo general y, luego, generalizar lo individual. De igual modo *Cría cuervos* empieza con una familiar serie de fotografías de Ana de niña, dando de comer a las palomas y corriendo por el jardín con sus amigos. El efecto de tal familiaridad (en especial en el espectador español) es evidente: esta niña podría ser yo; pero no lo es, es Ana, que sigue siendo el personaje central durante el resto de una película. Ésta acaba con Ana volviendo al colegio después del verano y desvaneciéndose una vez más en un agrupamiento social más amplio. Cuando desaparece en la entrada del colegio, la siguen otras figuras vestidas con el uniforme del centro y a las que la cámara deja convertidas en una bruma social.

Para Maltby, el protagonista liberal se convierte en un «adulto moral mediante la educación que recibe en el curso de la película»[10]. De ahí que *Muerte de un ciclista* describa el nacimiento moral de un profesor universitario *maudit,* al que se le revela el mundo de los pobres de España y la justicia del movimiento estudian-

---

[9] Pilar Miró tenía dos periquitos que se llamaban «Gary» y «Cooper». ¿Qué mejor prueba de su lealtad a la película?

[10] R. Maltby, *Harmless Entertaiment,* London, The Scarecton Press, 1983. Cfr. esp. cap. 9 «Rhetoric Without a Cause: The Liberal Cinema».

til. Y la delicada y lírica *Emilia..., parada y fonda,* de Angelino Fons, expone una toma de conciencia similar por medio de una muchacha (cuya encarnación constituye una de las mejores interpretaciones de Ana Belén), que lucha contra un ambiente provinciano y represivo. La película comienza mostrándonos a Emilia en el atestado coche-cama de un tren que atraviesa España, lo que constituye una maravillosa metáfora del camino lineal y sin sobresaltos de Emilia por la vida. Un camino que ella asume, pero del que se permite algunas escapadas cuando baja, por lo general literalmente, del tren, bien para saludar a su golfa hermana o bien para lo que ella llama «una caminata al aire» y que no es sino un *séjour* sexual en Perpiñán con un meloso francés. El final es un plano fijo de Emilia enmarcada por la puerta de su casa (donde vive con un marido aburrido y mucho mayor que ella). El progreso de Emilia ha consistido en una toma de conciencia de las posibilidades sexuales y emocionales que contiene su destino de mujer casada y condenada a vivir en una pequeña ciudad de provincias[11].

Otra característica de la tradición liberal, iniciada por Bardem en los años 50, resucitada en la cinematografía de mediados de los 70 y continuada por Camus en los 80, es la tendencia a justificar las posturas moderadas con la derrota inevitable del hombre de principios en una realidad imperfecta. En *Muerte de un ciclista,* por ejemplo, la tragedia de Juan consiste en su incapacidad para darse cuenta de que una *belle* de la alta sociedad como su amante, María José (interpretada por Lucía Bosé), tiene demasiado que perder como para dejarse convencer con meras palabras de que ha de solidarizarse moralmente con los oprimidos de España. Cuando Juan le propone que se entregen a la policía, ella le responde con la misma sangre fría con que dejó que muriese el ciclista. Esta necesidad de llegar a un término medio y la tragedia del hombre de principios se hallan presentes también en *Jo, papá,* donde un cándido y anticuado veterano arrastra a su moderna familia por los lugares donde luchó en la guerra civil. Sin embargo, se encuentra con que el cura ex camarada ha colga-

---

[11] «No es que crea que lo de Francia me haya revuelto mi vida», le dice a su tía, en el excelente guión de Carmen Martín-Gaite, «pero me he quedado tan a gusto. Y encima no he tenido que casarme con él, porque ya estoy casada».

do los hábitos y con que su quinceañera hija está más interesada en salir con un joven que entrar en el rollo de su viejo papá. La pragmática tesis de Armiñán está clara: los españoles deben desdramatizar el pasado y continuar con un nuevo futuro[12].

Aparte, claro está, de las distintas referencias históricas, la principal diferencia existente entre las películas españolas y sus predecesoras norteamericanas es el mayor uso que se hace en las primeras de un contexto familiar o neofamiliar como marco para el desarrollo moral del protagonista. Este proceso de maduración está representado por la búsqueda de una libertad sexual, económica o profesional, que está siendo negada por una figura patriarcal y represiva —el crapuloso alcalde de *El amor del capitán Brando,* el nostálgico veterano de *Jo, papá,* el dominante suegro de clase alta de *La joven casada,* el marido entrado en años de *Emilia..., parada y fonda,* el amante de *El poder del deseo* o las traumatizantes figuras paternas de *Cría cuervos.* Recetas para el cambio, tales películas son también descripciones de las limitaciones y los peligros de la rebelión. Por eso, acabada su modernización, Aurora se ve obligada a dejar la escuela, en *El amor del capitán Brando;* en *La joven casada,* Camino, la joven enfermera que ha intentado apañárselas por sí misma, finalmente regresa con su marido pijo pensando que si no tienen muchas posibilidades juntos, menos tendrán separados; y en *El poder del deseo,* un pobre ingenuo de barrio se deja convencer para que mate al consorte de su aristocrática amante sólo para ver cómo ella se larga con el dinero.

Aurora, Camino... Los nombres que un director pone a sus personajes constituyen un buen índice del modo en que percibe el mundo. Entre 1974 y 1976, los directores de la oposición en general veían que en España el cambio era o bien tan problemático como para aconsejar cautela, o bien tan limitado como para considerar la más insignificante reforma como un importantísimo logro. No obstante, tales directores se benefician en cierta forma de las incertidumbres de la época. «Estábamos en esa en-

---

[12] Asimismo, en *Los pájaros de Baden Baden,* un romántico fotógrafo se suicida después de que la pija con la que ha mantenido una aventura de verano le abandone. Es evidente que la película de Camus no propugna el suicidio, pero sí lamenta la existencia de factores —las diferencias de clase ante los dos— que conducen al héroe a tal extremo.

crucijada crítica, en ese confuso punto de la historia, situado entre los meses anteriores y posteriores a la muerte de Franco, en que no estaba claro qué era y qué no era el cine español», ha señalado Gutiérrez Aragón refiriéndose al momento en que se escribió el guión de *Furtivos*. «Un personaje fundamental de *Furtivos* es el gobernador. Unos meses antes, no podríamos haber incluido a alguien como el gobernador, y unos meses después hubiera dado lo mismo que estuviera o no...»[13].

Las películas de la oposición realizadas entre 1974 y 1976 —tanto las producciones liberales como las notables obras ejecutadas por Borau, Patino y Querejeta— disfrutaban de una especie de estado de gracia. Cabría afirmar que, por regla general, un cine político desarrollado tiene muy pocas probabilidades de sobrevivir en una sociedad que se halle en proceso de transición política. Un régimen dictatorial se limitará a reprimirlo, y uno democrático quita la principal motivación de su existencia. Aunque aisladas y limitadas en la renovación formal, tales películas estaban inspiradas por lo que para cualquier generación de cineastas constituye un don del cielo: el sentido del propósito. Después de 1977, tal sentido nunca más volvió a ser tan agudo.

Borau y «Furtivos»

El director que iba a ir más públicamente a contracorriente en 1975 era José Luis Borau. Utilizando una descripción de Pablo Neruda, es un «viajero inmóvil». Su amplitud de miras a la hora de considerar las posibilidades de la industria le ha llevado a hacer una coproducción con Suecia (*La Sabina*, 1979) y una película en Estados Unidos (*Río abajo/On the Line*, 1984), a reunir fondos en Perú y ser amenazado de muerte por un general, y a convertirse en el productor independiente más importante después de Querejeta del periodo de sequía cultural que vivió España a principios de los años 70. Como cabe esperar de tan peripa-

[13] En Besas, *op. cit.*, pág. 135. Asimismo *Jo, papá* se prohibió con Franco y se estrenó después de la muerte de éste, cuando ya había perdido gran parte de su significado.

tético personaje, el tema principal de Borau, desde que manifestara por primera vez su singularidad creativa con *Hay que matar a B.,* ha sido el de las bases de la lealtad, ya sea ésta a una causa, a un país o a una persona. En este sentido, *Furtivos* constituye una especie de laguna en su carrera.

Marsha Kinder relaciona el «realismo humanista» de Borau, que se centra en «los hechos, las acciones y la gente», con Renoir y Rossellini: su estilo «evita desplazar excesivamente la cámara, la fotografía bella, la música no-diegética, el diálogo amanerado y las escenas ideadas para describir personajes»[14]. No obstante, el objetivo de Borau es crear realidad, no utilizar la cámara «como un velo de Verónica pegado al rostro del sufrimiento humano», que es como describió Bazin la misión realista del cine. El modelo de su estilo es el cine americano. «No soporto las películas en las que en las imágenes no ocurre nada y está todo en el argumento. El cine americano crea sensación de acción en situaciones en las que no hay ningún movimiento físico.» En sus mejores obras, ha conseguido imágenes mucho más ambiciosas y tensas que las de cualquier otro director español.

Un factor clave del estilo de Borau es su edad. Cuando se licenció en EOC rondaba ya los treinta y estaba a punto de convertirse en el más viejo de los «jóvenes directores» de España. Sus primeras películas fueron un *pastiche* de homenaje al *western, Brandy, el sheriff de Losatumba* (1964), y «un atormentado *thriller* psicológico ambientado en un extraño y casi mágico Madrid»[15], *Crimen de doble filo* (1965). Bastaron estas dos películas para que se diera cuenta de que las libertades artísticas precisaban de más independencia económica. En 1967, siendo profesor de la EOC, fundó su propia productora, El Imán, con el fin de financiar los proyectos de sus antiguos alumnos. La primera película de la que se hizo cargo, *Un dos, tres..., al escondite inglés* (Iván Zulueta, 1969),

---

[14] Kinder, «The Children of Franco», pág. 58.

[15] Vicente Molina Foix, *New Cinema in Spain,* Londres, British Film Institute, 1977, págs. 30-31. Sobre los comienzos de Borau, véase Miguel Marías, «José Luis Borau: El francotirador responsable», *Dirigido por,* núm. 25, septiembre de 1975, y, para su carrera, Agustín Sánchez Vidal, *José Luis Borau, una panorámica,* Excma. Diputación Provincial de Teruel, 1987. Para una breve bibliografía sobre Borau, véase *Cine Español, 1975-1984,* pág. 108. Carlos F. Heredero prepara un libro sobre el realizador aragonés.

es una sátira musical, quizá demasiado ambiciosa, de la chillona psicodelia, la modernidad desfasada y los poderosos intereses comerciales del mundo del *pop* español.

Mi querida señorita (Jaime de Armiñán, 1972) fue mucho más controlada. A modo de parodia de la «Comedia sexy celtibérica», el protagonista de esta película cambia no sólo de ambiente, sino también de sexo: una anticuada cuarentona con un inexplicable don para el fútbol se convierte de pronto en un acobardado solterón que busca trabajo por toda la ciudad. Dando un elocuente giro a la situación, esta condición masculina recién adquirida permite hacer un comentario tan divertido como incisivo sobre las escasas perspectivas que se le abrían entonces a la mujer en España. Como solterona, el protagonista hace las cosas propias de su condición; por ejemplo, sentarse en casa sola. Como hombre, la vida que había llevado hasta su transformación le convierte en un sujeto incapaz de sostener un trabajo profesional, y que carece, hasta rayar el ridículo, de la seguridad en sí mismo que se espera de todo hombre. Con o sin cambio de sexo, las posibilidades para cambiar que se le ofrecían a la mujer en una España que estaba cambiando seguían siendo mínimas. El solterón, por ejemplo, comienza a salir con su antigua chacha, cuya vida y trabajo de camarera todavía conservan los hábitos mentales de la servidumbre vitalicia de las provincias. Al final de la película, la antigua criada le llama a su antigua señora «señorita». Quizá sepa quién es; o quizá le equipare con su antigua señora porque, como hombre con el que se casará, le considera su nuevo amo. Servidumbre o soledad son las únicas opciones de la mujer española.

Brandy encanta por ser un mal cuatrero, pero un buen chico. Lo más probable es que las dos cosas estén relacionadas. En *Hay que matar a B.,* lo que pierde al protagonista, Pal, es que pretende ser un héroe. Vive en un país del cono sudamericano, mezcla de Chile, Argentina y Uruguay, donde reina el caos y se hacen continuas huelgas y manifestaciones para pedir que regrese del exilio un carismático dirigente político que la Policía local nombra, «B.». Pal es un inmigrante húngaro y, para conseguir dinero con el que poder volver a su patria, acepta conducir un camión, lo que supone convertirse en esquirol. Los piquetes de huelguistas le rompen el vehículo, es inducido a participar en un chantaje y se enamora de la amante de su víctima. Pero la chica forma parte de la Policía local, el chantaje se descubre y Pal se ve implicado, por lo que los agentes del Gobierno, que le han echado el ojo debido a su excepcional puntería, le obligan a matar a «B.».

Parte de la crítica señaló que esta película era una variación no especialmente original del tema del individuo que es víctima de un Estado que opera en secreto. Sin embargo, se concibió con el fin de que fuese todo lo contrario. Basada en un guión originalmente escrito por Borau, Drove y Ángel Fernández Santos en 1966, *Hay que matar a B.* refleja un aspecto muy particular del cine español de los años 60: el llamamiento a la acción colectiva, a crear conciencia política en los españoles satisfechos de sí mismos. El blanco de la crítica de la película, explicó Drove, es el aventurero que protagoniza *Tierras lejanas. Praderas sin ley,* de Anthony Mann, o *Man Without a Star,* de King Vidor, por ejemplo. Una segunda influencia fue un poema de Borges, «Laberinto», que empieza así: «No habrá nunca una puerta. Estás adentro / Y el alcázar abarca el universo»[16]. La dirección de Borau hace hincapié en lo que señaló Drove. Un bonito detalle es el hecho de que el ingenuo nacionalismo de Pal, manifiesto en su creencia de que todo será mejor en su tierra natal, se refleje en su afición a coleccionar pegatinas de banderas nacionales. Pero más evidente todavía es la escena en que una multitud sube por la calle de camino a una manifestación, y Pal y la chica, dos supuestos proscritos embriagados de romanticismo, se abren paso en dirección contraria para buscar un escondite donde hacer el amor. Pal ignora la realidad de su país, como desconoce también que los sentimientos de la mujer hacia él son fingidos. Sin embargo, la causa de la decepción del individuo y del descontento colectivo es la misma —el régimen político existente en el país.

Hay que matar a B. trataba en un principio de inmigrantes vascos, pero la censura obligó a convertir a éstos en húngaros. La historia está ambientada en un estado de Latinoamérica no especificado. En *Furtivos,* el censor exigió cuarenta cortes. Borau se

[16] Drove, entrevistado en *Dirigido por,* núm. 20, febrero de 1975, págs. 22-27. Mientras que la reacción de algunos críticos fue fría, otros reaccionaron con entusiasmo y el Círculo de Escritores Cinematográficos le concedió el Premio a la Mejor Película Española de 1974.

negó a hacerlos. «El director», escribió, «siempre será culpable de haber pactado o renunciado a sus derechos y obligaciones». Para los reformistas del cine, «la censura es el primer objetivo»[17]. El censor adoptó entonces una treta menos directa. «Siempre que hablo con el tribunal para ver si deciden lo que van a hacer», se quejaba Borau, «me piden de pronto más información y otra vez se retrasa todo». Así que decidió organizar lo que era un referéndum cinematográfico proyectándose la película en privado a diversos críticos e intelectuales. Inmediatamente comenzaron a aparecer entusiastas reseñas en la prensa (que sirvieron además para poner de manifiesto las libertades de que gozaba ésta en comparación con el cine). «Hagamos como que *Furtivos* se ha estrenado», señalaba *Fotogramas,* «aunque no sea verdad. Hablemos de esa extraordinaria película española como si pudieran ustedes verla en el cine de la esquina». Incluso las frentes patricias de la Real Academia fruncieron el ceño. «He oído», escribió Julián Marías, «que sobre *Furtivos* se proyecta la ominosa sombra de unas tijeras. Sería lamentable».

Entre los cortes exigidos figuraban «escenas eróticas, tacos y anécdotas reales como la del gobernador civil utilizando el coche oficial para ir de caza»[18]. Y el hecho de que fueran tantos revelaba que la película tenía mucho que ver con la España de 1975. Una mujer con cara de hurón vive con su hijo, al que tiene oprimido, en el corazón de un bosque. La madre es Lola Gaos, quien en la película de Buñuel *Tristana* interpreta el papel de una mendiga cuyo nombre (Saturna) le recordaba a Borau el cuadro de Goya de Saturno devorando a sus hijos. En la última parte de *Furtivos,* Martina, la madre, desnuda a su hijo y le dice con malicia: «¡Huy, si se te ve el pajarito...» «Se supone», comenta Borau, «que esa madre, cada noche, como Saturno, devoraba a su hijo». La madre simboliza «el país mismo, que quiere a sus hijos por y para sí mismo, que los ama y los estruja, los devora»[19].

Un día, el hijo, Ángel, baja al mercado de la capital local para

---

[17] Javier Maqua y Pérez Merinero, *Cine español, ida y vuelta,* Valencia, Fernando Torres, 1976, pág. 43.

[18] Roger Mortimore, *Sight and Sound,* vol. 45, núm. 1, invierno de 1975, página 15.

[19] *Cinema 2002,* núm. 9, noviembre de 1975, pág. 37.

comprar trampas y conoce a una chica, Milagros, que se ha escapado del reformatorio. Le compra un vestido para que no la reconozcan, y a cambio, ella se acuesta con él en el hotel más cercano. Entonces le pide que vaya con él a su casa, pero Milagros se resiste: «Tú me has hecho un favor a mí y yo te he hecho otro a ti. Estamos en paz.» Estas palabras (como todo en *Furtivos*) no están dichas al azar. Con ellas queda expuesta la tesis principal de la película: la política, en el sentido de lucha por el poder y uso de él, no es un monopolio de los Estados, sino que se encuentra en las relaciones personales corrientes. Milagros tiene el poder de complacer a Ángel; éste tiene (desde el punto de vista sexual y económico) el de cubrirla. El valor de *Furtivos* radica en su capacidad para crear metáforas de los sistemas políticos de España sin forzar por ello el argumento, que es una historia de amor, sexo e intereses mezquinos. Se destacan al principio dos metáforas. Los beneficios mutuos a los que alude Milagros reflejan lo que para muchos es uno de los males de España. «En este país», escribió Dionisio Ridruejo, «todo, una televisión, la concesión de un negocio, un piso, el trámite burocrático más insignificante, se consigue si tienes un amigo»[20].

Otra metáfora es la palabra que da título a la película, que, como explicó Borau, tiene dos significados: «cazadores ilegales y también los que viven su vida a escondidas. Ambos sentidos son aplicables aquí —yo quería mostrar que, con Franco, España estaba viviendo una vida secreta. En esta película, casi todo el mundo es un furtivo»[21]. La mayoría de los críticos entendieron que las intrigas de la película hacían referencia a la corrupción de la época: evasión de capital español a los bancos de Suiza, escandalosas estafas urbanísticas como la de Sofico, etc. «¿No está el país lleno de furtivos?», se preguntaba entonces Francisco Umbral en *La Vanguardia*.

El intercambio de favores que proporciona la misma caza furtiva da a la película un significado igualmente cargado de incriminaciones. Los pequeños beneficios que obtiene un furtivo desvían su atención de un sistema restrictivo que reserva sus mayores ganancias a unos cuantos privilegiados. Así, el gobernador,

---

[20] Citado por Carr y Fusi, pág. 80.

[21] Citado por Kinder, «The Children of Franco», pág. 71.

que es hermano de leche de Angel, permite a éste cazar a cambio de que le localice las mejores piezas. Pero sólo él (o quizá un funcionario, nunca Angel) tiene derecho a disparar a los ciervos más imponentes del bosque. La caza furtiva se convierte así en una brillante metáfora del régimen franquista.

Pero la alegoría política no se queda ahí. En cuanto se levanta la veda llega el gobernador civil, un cuarentón regordete que anda siempre rodeado de pelotilleros y cuyo infantilismo e ineptitud no inspiran nuestra confianza en la burocracia franquista (el quinqui novio de Milagros, el Cuqui, anda evadido y el Gobierno Civil no ha conseguido atraparle). Una vez en el bosque, el gobernador respira hondo y dice: «¡Qué paz!», palabras que aluden a la comparación que hizo Franco de España con un «pacífico bosque». Pero lo cierto es que desde los años 40 nunca había habido tanto malestar social en el país como en 1974. El incesto, la intriga, el asesinato y, sobre todo, la violencia que se ocultan bajo la superficie de los bosque de *Furtivos* constituyen una réplica a la retórica oficial española.

El meollo del argumento de *Furtivos* muestra la transición de un sistema donde los beneficios se reparten desigualmente a una especie de libertad, así como los distintos, pero igualmente inadecuados, intentos de los símbolos de la autoridad —Martina y el gobernador— de destruir tal desarrollo. Ángel lleva a Milagros a casa. Borau explica así el significado político de este hecho: «Ha conocido y se ha enamorado de una mujer verdadera y por un instante ha degustado la felicidad o algo parecido... Es como cuando una persona ha conocido la libertad»[22]. Para Ángel, la libertad no es un derecho abstracto, sino una experiencia concreta y humanizante o, como la describió Vargas Llosa, «una esclavitud superior en la que descubre el placer sexual, los sentimientos exaltados e incluso el humor»[23]. En una determinada escena, Milagros, con la misma despreocupación de una niña se ofrece a hacer un *striptease* para Ángel en medio del bosque. Estas imágenes son cómicas más que eróticas, como alegó el propio

---

22 *Cinema 2002,* núm. 9, noviembre de 1975, pág. 37.

23 Mario Vargas Llosa, «Furtivos», *Quarterly Review of film Studies,* primavera de 1983, págs. 77-83.

censor. Los personajes se dan placer el uno al otro de una manera espontánea y libre.

Milagros tiene todavía un doble juego de favores. Un día, el Cuqui llega con la intención de llevársela, pero los guardias del gobernador le sorprenden y huye. Entonces piden a Ángel que siga la pista del fugitivo, pero Milagros le convence para que le deje escapar diciéndole que a cambio se quedará con él para siempre. El furtivo cumple su parte del trato, pero cuando vuelve descubre que ésta se ha marchado. A la mañana siguiente mata al magnífico «Ciervo del Gobernador», un acto instintivo destinado a destruir lo mejor que se podía obtener allí de un sistema cuya falsedad Ángel ha descubierto de un modo brutal. A partir de ese momento, los acontecimientos se suceden rápidamente. Ángel es arrestado y su hermano de leche le obliga a hacerse guardia civil. Él obedece y se topa en la ciudad local con el Cuqui quien le pide que le diga dónde está Milagros. En ese momento, la sombra de una duda cruza su mente. De regreso en casa, ve que una cajita donde Milagros guardaba sus recuerdos continúa escondida en su sitio y obliga a Martina a admitir que ha matado a la muchacha. Lleva a su madre a confesarse y, cuando sale de la iglesia, la lleva al monte. Un tiro, oído fuera de campo, retumba en las cumbres nevadas de la sierra, Ángel vuelve sólo a casa.

Furtivos resulta una parábola sobre la represión y una crítica a las políticas franquistas. El gobernador responde a la insubordinación de Ángel, ignorándola (al sospechar que su hermano de leche ha ayudado a escapar al Cuqui, regresa precipitadamente a la ciudad) o institucionalizándola (cuando obliga a Ángel a hacerse guardia civil). La retaguardia franquista reaccionaba de modo similar a las muestras de insubordinación del país. Ignoraba a los que pedían democracia haciéndoles pasar por comunistas subversivos (Todo, dijo Franco en su última aparición en público, era parte de una conspiración masónica en contubernio con la subversión marxista-terrorista[24] o intentaba castrar la oposición permitiéndola participar en una administración ampliada. La medida adoptada por el gobernador al transformar a

[24] Citado por Carr y Fusi, *Spain: Dictatorship to Democracy,* pág. 205.

Furtivos, José Luis Borau, 1975. Él le ha hecho un favor y ella se lo retribuirá. El sistema de favores bajo Franco

Ángel de furtivo en guardia civil resulta tan inútil como la apertura de Arias Navarro[25].

Para Borau, la escena más importante de la película es una en la que, después de confesar su crimen, Martina se mete, insinuante, en la cama de Ángel y éste la echa. «Cuando una persona ha conocido la libertad», comenta Borau, «ya no puede volver a la opresión». Esa experiencia irreversible de libertad priva de mucho sentido a la política de represión de Martina. Sus tácticas de mano dura tenían muchos partidarios en la España del momento. El teniente general García Rebull prometió llevar sus tanques «siempre que fuera necesario» incluso a las casas de los subversivos. *Furtivos* también sugiere que tales tácticas sólo sirven para provocar una venganza sangrienta; la historia de España —en el caso del País Vasco, por ejemplo— lo confirmó con total precisión.

Furtivos presenta versiones individuales de prácticas políticas generales. Asimismo, es una de las películas españolas más rigurosamente construidas. El diálogo es escaso; sirve para expresar las circunstancias inmediatas de los personajes, no para describir sus sentimientos. Las acciones cruciales ocurren fuera de campo y quedan representadas por otras escenas: la violencia implícita en el asesinato de Milagros (que el espectador nunca ve) se manifiesta en una secuencia brutal en la que Martina golpea a una loba con un azadón hasta matarla. En el montaje se tiende a utilizar planos «abreviados». «Es difícil que una imagen sea larga, ya que, al alargarse, se hace más impura», comentó Borau. «Es muy difícil que en cada momento el personaje tenga el tamaño o lo que hace tenga el interés suficiente para que el plano pueda ser largo, a menos que los actores, o el director, empiecen a hacer cosas para la cámara, lo que odio»[26].

Además de alegoría política, *Furtivos* es también un cuento de hadas. «Los viejos cuentos de hadas todavía viven», afirma Borau, «porque responden a las necesidades eternas del alma. Así

---

[25] El guión de *Furtivos* es una ampliación de un relato de Gutiérrez Aragón, basado, a su vez, en una historia real sobre un furtivo que se hizo guardabosque. Véase A. M. Torres, *Conversaciones con Manuel Gutiérrez Aragón,* Madrid, Editorial Fundamentos, 1985, pág. 62.

[26] En *Dirigido por,* núm. 20, agosto de 1975, pág. 36.

que en esta película incluimos los elementos de un antiguo cuento —el bosque prístino, el rey (en una determinada escena, Martina incluso llama al gobernador "mi rey"), la bruja, la madrastra, los dos niños inocentes perdidos en el bosque»[27]. Como observa Marsha Kinder, el cuento al que se refiere Borau es «La casita de chocolate», que acaba con la muerte de la bruja «que representa a la malvada madrastra. Así pues, el matricidio constituye el núcleo del cuento». Pero, en *Furtivos,* la historia de Hansel y Gretel recibe una interpretación escéptica. La imaginería de la película rebaja a menudo a los personajes al nivel de las bestias: Milagros, en su muerte, y Martina, en su ferocidad, son comparables a la loba que caza Ángel. La fotografía (Luis Cuadrado) es sombría, porque Borau relaciona las imágenes oscuras con «el bosque y el sufrimiento. Cuando los personajes buscan algo están en la oscuridad»[28]. Y, a diferencia de los cuentos de hadas, no hay un final feliz con matrimonio o resurrección milagrosa.

En *Furtivos* existe una tensión entre los dos ejes clave, alrededor de los cuales está construida la ficción: el mito (en este caso, el cuento de hadas que sirve de base) y la Historia (las analogías con la realidad española y con el «cómo son en realidad las cosas»). Al final sólo hubo un corte impuesto por la censura: un plano del edificio del Gobierno Civil de Segovia. En esta película, Borau no sólo previó las libertades que conseguiría después el cine español, sino que, al contrastar mito e Historia, se adentró en uno de los temas más provocativos y centrales del cine posfranquista.

---

[27] Kinder, «The Children of Franco», pág. 73.

[28] *Ibíd.* Luis Cuadrado murió en 1980, de una enfermedad que le dejó ciego. Su última película fue *Emilia..., parada y fonda,* que no pudo acabar.

Oscuras intuiciones: Patino y «Canciones para después de una guerra»

> Con una oscura intuición de lo que hubiera podido ser dicha.
>
> Calvert Casey, citado en *El desencanto*[29].

En los años 60, una de las armas del régimen a las que más se resistieron los cineastas de la oposición fue el «triunfalismo del desarrollo». A mediados de los 70 nació el «triunfalismo de la transición», según el cual todo iba a ir mejor; el pasado pasado estaba y todos los españoles tenían que cooperar en la construcción del futuro. Sin embargo, el cine tampoco aceptó esta versión: «Un deliberado ejercicio de higiene intelectual», escribió en 1976 Jorge Semprun (autor del guión de *La guerre est finie y Z)*, «consiste en no olvidarse del pasado, para mejor entender el presente. En saber de dónde venimos, para no andar a ciegas hacia un futuro dominado por los pragmáticos y desmemoriados»[30]. Los españoles recordaban su pasado con tanto sarcasmo como rabia. El pragmatismo al que se refiere Semprun, por ejemplo, formaba parte de un proceso de transición a la democracia que permitió a los vencedores de la guerra civil, incluidos los que actuaron como verdaderos criminales, envejecer cómodamente mientras continuaron disfrutando de las fortunas que habían hecho en la posguerra. «No fue lo peor que nos ganaran la guerra», escribió Carlos Sempelayo en *Los que no volvieron,* «sino que nos ganaron la Historia»[31].

El pasado explicaba el presente, y era también un símbolo muy apropiado en un momento en el que todavía convenía ser discreto. Durante la transición, el cuerpo de la policía española, por ejemplo, era, proporcionalmente, mayor que el de cualquier otro país occidental. En septiembre de 1975, fueron ejecutados cinco militantes de ETA y el FRAP. Este tipo de violencia insti-

---

[29] En el guión publicado (Madrid, 1976), que contiene una introducción de Jorge Semprún, comentarios de los Panero y observaciones de Chávarri que revelan interesantes detalles de la estrategia de producción de Querejeta entre 1974 y 1975.

[30] *Ibíd.*

[31] Citado en un estudio sobre el papel desempeñado por los recuerdos en las películas de Saura: Jean Tena, «Carlos Saura et la mémoire du temps escamoté», *Le cinéma de Carlos Saura,* Presses Universitaires de Bordeaux, 1984.

tucionalizada alcanzó a veces niveles realmente excéntricos: se dice que algunos españoles fueron golpeados por la policía antidisturbios por el simple hecho de llevar un ejemplar de *El País* bajo el brazo. «Sabemos de buena fuente», ironizó en cierta ocasión *The Economist,* «que en el infierno los cocineros son ingleses; los periodistas, rusos, y los policías, españoles»[32]. En 1975 no se podía describir directamente la violencia policial; aunque, al estar ambientada en el pasado, la película de Ricardo Franco *Pascual Duarte* pudo ponerla de manifiesto con todo detalle, si bien de un modo más general; logró burlar la censura, pero el público español captó enseguida las alusiones al presente.

Pocas películas españolas han tratado el pasado con tanta sensibilidad como *Canciones para después de una guerra.* Realizada en 1971, su estreno en 1976 fue otro de los beneficios de la liberalización. Después de *Nueve cartas a Berta,* la carrera de Basilio Patino, como la de tantos otros «nuevos» directores, se fue al traste a causa de la censura cinematográfica a finales de los años 60. Su película *Del amor y otras soledades* (1969) fue una descripción de «los problemas del matrimonio español, pasados por la versión de Información y Turismo en tiempos de excepción»[33]. No es de extrañar que el resultado fuera forzado y que, a principios de la década siguiente, Patino se convirtiera en el crítico de la colaboración con el régimen. *Canciones...* fue el escándalo de censura de los años 70. Clasificada por la Junta de Censura «para todos los públicos», denunciada por la ultraderecha en *El Alcázar* y visionada y prohibida personalmente por Carrero Blanco, el director general de Cinematografía negó su existencia cuando un representante de la Academia de las Artes y Ciencias Cinematográficas norteamericana se interesó por ella.

¿Era *Canciones...* realmente tan subversiva? La película es una mezcla cuidadosamente ordenada de noticiarios cinematográficos, recortes de periódicos, extractos de comics, anuncios publicitarios y secuencias de películas —de, por ejemplo, *Morena Clara, El gato montés, Agustina de Aragón* y *¡A mí la legión!*—, y la banda

[32] Datos seguros de David Serafín, *Saturday of Glory,* Londres, Collins, 1979, páginas 137 y 147. Las novelas de detectives de Serafín sobre la España posfranquista ofrecen una visión excelente de la época.

[33] A. Castro, *El cine español en el banquillo,* Valencia, Fernando Torres, 1974, página 313.

sonora se compone de canciones de los años 40 y de una voz en *off* que aparece de vez en cuando. El que ríe el último ríe mejor: el hecho de que al final se aprobara la película, en septiembre de 1976, significó el principio del fin de la censura franquista. A partir de entonces, las prohibiciones fueron no sólo más escasas, sino también pequeñas manchas en la reputación del nuevo presidente Suárez. Su subdirector general de Cinematografía, el burocrático de largo corrido Rogelio Díez, adoptó la costumbre de telefonear a *Fotogramas,* a la sazón la principal revista de cine del país, cada vez que se aprobaba una película.

Cuando se estrenó *Canciones...,* encontró público en todos los sectores políticos. En Valencia, por ejemplo, cuando en la película empieza a sonar el «Cara al sol», un grupo de franquistas acérrimos se pusieron en pie en mitad del cine y comenzaron a corear la música con el brazo en alto; otros espectadores más liberales les respondieron poniéndose a cantar «Se va el caimán», pero sin olvidarse de poner el verbo en pasado para dejar bien claro que se referían a Franco. Lo que seguramente no entendía el público de derechas era el montaje que había hecho Patino. Trazando un largo rosario de irrepetibles ironías, la película contrasta las contraseñas de fe y esperanza utilizadas en los años 40 con la insinuación, basada a menudo en imágenes del propio NO-DO, de una realidad que al pueblo español se le presentó falsificada o velada, cuando no se le ocultó completamente. Se pasa directamente del fútbol español a Auschwitz (aunque en este caso es casi seguro que las imágenes no estaban tomadas del NO-DO: Franco, claro está, restó importancia al genocidio de su antiguo aliado político); o de unos titulares de periódico donde se lee: «la tuberculosis no debe darte miedo» (de donde se desprende que esta enfermedad sí causaba pánico), se pasa a unas imágenes de saludables estrellas (entre las cuales brilla por su ausencia la tuberculosis), asistiendo al cine en el estreno de *La fe.* Asimismo, el espactador oye «Lili Marlene» al tiempo que ve en la pantalla la entrevista de Franco con Hitler celebrada en Hendaya en 1940. La canción resulta inoportunamente romántica; pero lo mismo cabe decir de la versión que dio el franquismo del encuentro, según la cual el caudillo supo ser más elocuente que Hitler y evitó que España participase en la Segunda Guerra Mundial. En realidad, ninguno de los dos deseba tal participación.

El atractivo de la película radica en su refinado sarcasmo, en las canciones mismas y en el dinamismo del montaje. Patino pasa de una escena a otra con cortante rapidez y cambiando las imágenes y la música a distinto ritmo, lo que crea cierta discordancia entre ellas. De hecho, *Canciones...* está ordenada como un anuncio comercial, con una «rapidez vertiginosa del ritmo, en el que es preciso adivinar antes que ver; la yuxtaposición de elementos para hacer surgir la sonrisa o la sorpresa»[34]. También en esta película está presente el tema de la alienación. Las canciones y las escenas de fútbol, corridas o mítines de los años 40 retratan, observa Marcel Oms, «los elementos culturales que condicionan la imaginación colectiva de un pueblo y, por consecuente, evidencia los mecanismos del poder: preliminar infantilización de los ciudadanos, frustraciones sabiamente elaboradas para crear falsas necesidades y falsos deseos, relaciones alienadas con las figuras de la autoridad»[35]. No obstante, Patino alude también a la tendencia natural a evadirse que tenía el público español en los años 40. La primera canción de la película, el «Cara al sol», es un llamamiento al compromiso; la última es de una época muy posterior y su título lo dice todo: «A lo loco se vive mejor».

Canciones... echa en cara al público español su distanciamiento del pasado. El modo en que está realizado el montaje podría ser considerado como una metáfora de la Historia según la cual el pasado, al igual que un producto del que se hace publicidad, no es más que la interpretación que le damos. No hay forma mejor de retroceder a una época anterior que la presentación de fotografías acompañadas de canciones de entonces (método que utiliza mucho Saura en sus películas); pero Patino frustra la ilusión de estar en el pasado interrumpiendo estas imágenes y melodías de los años 40 de un modo que las transforma completamente. Y el montaje rápido tiene también otra connotación: el carácter efímero del pasado cuando se le considera desde el presente. «Dentro de treinta años», declara una voz lastimera al final de la película, «no quedará nadie: lo que seguirá ahí, vengándose de todos nosotros una vez más, es el tiempo».

Canciones para después de una guerra fue el comienzo de una trilo-

[34] Antonio Lara en *Revista de Occidente,* núm. 53, octubre de 1985, página 98.

[35] *Dirigido por,* núm. 55, 1978, págs. 10-15.

gía sobre «el fascismo español —sus emblemas, figuras y estructura ideológica»[36]. *Caudillo* (1974-1977), biografía documental de Franco narrada con sinceridad, acabó la serie y, entremedias, Patino realizó una película francamente notable, *Queridísimos verdugos* (1973-1976). El tema es el garrote vil, institucionalizado, según se explica en la película, por Fernando VII en 1832 para celebrar el cumpleaños de su esposa. Patino tuvo el acierto de entrevistar a dos verdugos oficiales del franquismo después de haber conseguido emborracharlos. Ambos comienzan demostrando en el cuerpo del otro cómo se coloca el aparato. Las anécdotas y las copas se acumulan: el primer reo al que tuvo que ejecutar uno de ellos era su propia sobrina; una vez, la víctima tardó veinte minutos, que fastidio, en morir... La verborrea de los entrevistados se complementa con un decorado que, dado el tema que están tratando, resulta francamente irónico: la bodega de un bar con un trasfondo de bailaores de flamenco y canciones folklóricas. Finalmente, la película pasa a narrar los delitos cometidos por los ejecutados. La mayoría de éstos dan la impresión de ser enfermos mentales, y sus crímenes parecen actos de desesperación. Uno de los reos estranguló a su mujer por sesenta y cinco pesetas. La película de Patino confirma el garrote vil como parte integrante de la tradición española, «como los toros o el flamenco», y es una especie de recordatorio brutal de la leyenda negra de España.

Querejeta y otro ensayo de «Nouvelle vague»

> Elías Querejeta, pasando por encima de amor, suspicacias y fobias, es uno de los hombres más brillantes del cine español... Gracias a su trabajo han sido posibles algunas obras maestras y en cualquier caso una marca de la casa que respeta al espectador, que le propone claves y retos, que no le considera un imbécil... Este hombre fue jugador de fútbol. En el campo, imagino que debía de tener facilidad de desmarque, y quiebro de cintura y observación anticipada de la jugada. En las entrevistas también. Es un buen bebedor y, al parecer, un magnífico jugador de póquer... Lo primero lo he comprobado; de lo segundo no tengo la menor duda. Posee frialdad,

---

[36] Molina Foix, *New Cinema in Spain*, págs. 39-40.

agilidad mental, astucia, socarronería, decisión y aparente imperturbabilidad para abordar cualquier tipo de jugada o escapar de ello si el peligro le supera. Gracias a eso, me imagino que seguirá sobreviviendo. Gracias a eso, cierto cine español también. A pesar de los pesares, creo que saldremos ganando todos[37].

La inimitabilidad de Elías Querejeta y la coherencia absoluta de sus producciones desde 1963 (*El próximo otoño,* Antonio Eceiza) hasta 1989 (*7 Huellas,* mediometrajes de Gracia Querejeta, Juan Manuel Chumilla, Jesús Ruiz, Jaime Botella, Nacho Pérez de la Paz, Julio Medem, Jose Luis Acosta), hacen de él, junto con Rafael Azcona, el *auteur* más destacado de España[38]. No podía ser de otra forma. Al principio, su desarrollo cinematográfico corrió paralelo al de figuras de la *nouvelle vague* como Truffaut, Rivette o Godard. Nació en 1934 (Truffaut, en 1932, y Godard, en 1930). Querejeta se inició en el cine como consumidor, más que como cineasta, fundando el Cine-Club de San Sebastián en 1953 y el Cine-Club Cantábrico en 1955, y dedicándose a la crítica desde 1959. Comenzó a hacer películas en 1960, con el documental *A través de San Sebastián.*

Por aquel entonces, facilidades de producción europeas terminaban con los Pirineos: mientras Godard rodaba *A bout de souffle* (1959) en París, Querejeta hacía su primer corto en San Se-

[37] Evocadora *vignette* de Carlos Boyero. La personalidad de Querejeta, elemento crucial de su estrecha colaboración con los directores, se revela en la subsiguiente entrevista. Cfr. *Casablanca,* núm. 6, junio de 1981.

[38] «Básicamente una polémica estrategia crítica dirigida a la "calidad" del cine francés y a los estudios críticos que la apoyan, la *politique (des auteurs)* proponía que, a pesar de la naturaleza industrial de la producción cinematográfica, el director, al igual que cualquier otro artista, era el único autor del producto acabado.» (*The Cinema Book,* ed. Pam Cook, Londres, BFI, 1985). Desde que apareciera esta definición pristina, se han elaborado nuevos conceptos de *auteur.* La obra de un pequeño número de directores y productores en España es susceptible de estudio estructuralista de *auteur* «para descubrir debajo de los contrastes superficiales del tema y el tratamiento un apretado núcleo de motivos básicos y, a menudo, recónditos» (Geoffrey-Smith, bosquejando el método estructuralista). Sin embargo, su estudio de *auteur* sensato verá a «Querejeta» como sólo uno de los discursos expuestos por sus películas. La diferencia entre el *auteurismo* de Querejeta y, por ejemplo, Saura es que las notas básicas de aquél son más recónditas.

bastián en un baño. Pero la carrera del segundo está impregnada del deseo de formar parte de una especie de *nouvelle vague* española. En *La caza* ya se había desarrollado un modo de producción reconocible, un «estilo Querejeta», cuyas principales características eran: una plantilla fija de destacados talentos (entre los que figuraban Luis Cuadrado, director de fotografía; Teo Escamilla, ayudante y sucesor de éste desde 1975; el montador Pablo G. del Amo; el músico Luis de Pablo; Primitivo Álvaro, como jefe de producción, y Emilio Sanz de Soto, como director artístico); un escenario restringido a Madrid y sus alrededores (lo que reducía considerablemente los gastos de transporte, alojamiento y alimentación); un reparto pequeño, pero a menudo con una estrella (para, así, reducir gastos sin reducir perspectivas comerciales); una combativa postura antifranquista, que ponía continuamente a prueba la fortaleza de la censura; un énfasis en el sexo, la violencia y los celos destinado a poner en tela de juicio la modernización superficial de los españoles; el gusto por los montajes elípticos, cargados de insinuaciones y en los que el ahorro de datos obligaba a agudizar el ingenio, y, por último, un deseo similar de «documentar» las películas, las cuales a menudo se inician con material del *cinéma-vérité,* guardan relación con contextos históricos concretos y son «ficciones» de problemas de la época.

Sin embargo, en los años 60 era imposible que surgiese una *nouvelle vague* española. A causa de la censura, a los directores les faltaban los antecedentes intelectuales comunes y el conocimiento profundo del cine americano y europeo que poseían sus colegas franceses. En su entretenido «Buñuel se escribe con una tilde y tiene setenta años», José Luis Egea recuerda que los alumnos de la EOC discutían acaloradamente sobre Buñuel sin haber visto casi ninguna de sus películas[39]. Asimismo, dado que los sindicatos de cine españoles exigían plantillas grandes, era imposible hacer producciones pequeñas y baratas. Pero lo más importante de todo era los problemas financieros y de control. «A finales de 1959», señaló Truffaut, hablando de la cinematografía francesa, «hubo una especie de naturalidad eufórica en la producción francesa que hubiera sido impensable un par de años

[39] J. L. Egea, «Buñuel se escribe con una tilde», Joan Mellen, *The World of Luis Buñuel,* Nueva York, OUP, 1978.

antes»[40]. Tal naturalidad era inconcebible en España. Los cineastas tenían que controlar el diálogo, el montaje e, incluso, el reparto si no querían que la censura acabara con ellos. Claro ejemplo de lo que podía pasar si no existía ese control es el caso de *Llanto por un bandido,* de Saura. En la secuencia con que da comienzo esta película, un Buñuel animoso y de cara severa tenía que hacer el papel de un verdugo que aplica el garrote vil a siete bandidos en la plaza de un pueblo andaluz decimonónico, mientras que entre las víctimas iban a figurar Bardem, Berlanga, Tapies, Antonio Saura y Alfonso Sastre. Una primera muestra de la falta de control fue el hecho de que ninguno de estos intelectuales llegara nunca al rodaje, pero aún hubo otra más. Buñuel tan puntilloso como siempre en cuestiones de horario, sí lo hizo; sin embargo, la censura redujo su aparición a un plano casi subliminal en que se le ve arrodillado y haciendo con gran convicción la señal de la cruz. Pero Saura no se iba a dejar engañar otra vez. «Lo cierto es que el fracaso de *Llanto por un bandido* me afectó mucho, y también el corte de la primera escena (impuesto por el Gobierno).» Así que decidió «no hacer nunca más una película que no pudiera controlar a todos los niveles»[41]. Tal control hacía que fuera casi imposible actuar con la espontaneidad propia de la *nouvelle vague*[42].

Las libertades alcanzadas de cuando en cuando a principios de los años 70 dieron más posibilidades a una especie de *nouvelle vague,* fuese vaga la *vague.* Elías Querejeta trató dos veces de ampliar su equipo, compuesto por los «nuevos» directores españoles Regueiro y Eceiza —que nunca habían sido del agrado del gran

[40] Citado en *The Cinema Book,* pág. 40.

[41] Enrique Brasó, *Carlos Saura,* pág. 97. La inclinación de Saura por un estilo cinematográfico de múltiples capas supone que incluso en los momentos más (aparentemente) espontáneos hay un principio básico subyacente. En el juego de Frisby de *La prima Angélica* hay un revestimiento musical juguetón, pero políticamente sentencioso («Change It All», cantada en inglés), así como la observación psicológica de que Luis y Angélica (madre) sólo pueden relajarse y jugar uno con otro en la manera de Angélica (hija) —como niños.

[42] Finalmente, como ha señalado Vicente Molina Foix, el «nuevo cine español» no trajó consigo actitudes revolucionarias, sino que fue una «sustitución pacífica, «y no supuso globalmente... una revolución estética». La *nouvelle vague* sí lo supuso más o menos. Cfr. V. Molina Foix, «Cineastas independientes, una tendencia del cine español», *Nuestro Cine,* noviembre-diciembre de 1968.

público— y por Saura, que sólo podía hacer una película cada dieciocho meses. En 1973 se unieron a él Gutiérrez Aragón y Erice, y en junio del año siguiente, viendo que había más oportunidades de producir películas, Querejeta llamó a los cineastas «independientes» de Madrid Augusto M. Torres, Emilio Martínez Lázaro, Álvaro del Amo, Jaime Chávarri y Ricardo Franco. En 1974 éste hizo su excelente ensayo de humor negro *El increíble aumento del costo de la vida,* y más tarde, *Pascual Duarte.* Chávarri rodó material para un corto, pero viendo que era demasiado, hizo *El desencanto,* verdadero hito del cine de transición español.

El desencanto trae a la memoria muchos de los valores de la *nouvelle vague:* presupuesto bajo, plantilla mínima, rodaje en exteriores, financiación independiente, renovación en el tono y en el tema, la idea de que el cine ha alcanzado la mayoría de edad, de que más que una forma neutral de interpretar algo, ya sea literatura o «realidad», la película es un sistema con significados propios, una ley en sí misma[43].

Querejeta se propuso lanzar una especie de *nouvelle vague,* ganar más libertades de expresión y conseguir una protección estatal racionalizada para las películas españolas. De ahí las declaraciones que hizo en enero de 1976 aconsejando cautela: «lo burocrático y la censura sólo son una parte de lo que ha supuesto una tremenda represión en el fenómeno cinematográfico. La desaparición de estas instancias (censura, etc.) ha de verse como un paso previo "mínimo". Pero no todo se acaba con la desaparición de la censura»[44].

Sin embargo, aparte de este desarrollo estilístico general, resulta difícil percibir cambios radicales en las tácticas y actitudes adoptadas por Querejeta y la mayoría de los cineastas españoles inmediatamente después de la muerte de Franco. En ese momento, los profesionales del cine, al igual que el resto de la sociedad española, no sabían muy bien hacia dónde marchaba el país, y este hecho es evidente por mucho que se considere retrospectivamente la rapidez con que se produjo la transición. Durante los

---

[43] *El desencanto* y *Pascual Duarte* también incorporaron varias presuposiciones del cine radical francés posterior a 1968.

[44] *Fotogramas,* núm. 1.420, enero de 1976.

primeros meses de 1976, todo continuó igual. Así, el 22 de enero, Querejeta, como de costumbre, protestó contra la decisión de prohibir el estreno de *El increíble aumento del coste de la vida,* que había sido tomada por la Junta de Ordenación y Apreciación de Películas el 6 de agosto de 1975 por considerar que la versión acabada contenía detalles no incluidos en el guión aprobado por la censura y había hecho caso omiso de las advertencias de ésta. Querejeta escribió al Ministerio de Cultura diciendo: «Entendemos que las circunstancias actuales, tanto de la censura como de los medios de información y de ese concreto Ministerio, se han modificado suficientemente como para pensar que dicho cortometraje puede ser exhibido actualmente sin ningún problema»[45]. Pero hay algo de envite en falso aquí. Las palabras de Querejeta incurren en una petición de principio al pasar convenientemente por alto los cambios casi mínimos que se habían producido en el comportamiento de la censura a raíz de la muerte de Franco. La mayor parte de la correspondencia mantenida por Querejeta desde noviembre de 1975 hasta la llegada de Suárez al poder el 1 de julio de 1976 nos revela que el productor continuaba como siempre, quejándose de cortes impuestos a sus producciones (como el del plano final de *El increíble aumento...*), alegando la importancia artística de las secuencias prohibidas y sin dejar de realizar sus cautas circunnavegaciones de la censura franquista (véase la siguiente sección, «Cómo burlar la censura»).

Claro que no era en absoluto por casualidad por lo que un productor tan laudablemente calculador como Querejeta tenía tres películas en periodo de posproducción cuando Franco se hallaba agonizando en su lecho de muerte. *Pascual Duarte, El desencanto,* y *Cría cuervos* se iban a beneficiar considerablemente, tanto en el plano comercial como en los festivales de cine, del valor añadido de ser las primeras películas de prestigio posfranquistas. Sin embargo, en general Querejeta procuró mantener cierta independencia con respecto a los detalles de los acontecimientos políticos. Como señala Jaime Chávarri de *El desencanto:*

> La película había sido rodada cuando Franco estaba todavía vivo. Murió más o menos cuando yo la estaba montando.

---

[45] Citado por J. Hernández Les, *op. cit.,* pág. 141.

> Sin embargo, decidimos no cambiar ni pizca de ella —es decir, no utilizar la circunstancia de la muerte de Franco para contar la historia más contundentemente. La película no necesitaba eso. O valía como estaba o no valía[46].

Lo que sí cambió, sin embargo, fue el trato que le dio el régimen a Elías Querejeta. Como pone de manifiesto Juan Hernández Les en *El cine de Elías Querejeta, un productor singular,* la auténtica censura comenzó a dar paso a una especie de represión económica. En un revelador memorándum enviado al ministro de Información y Turismo, Martín Gamero, y redactado seguramente a principios de 1976 por el director general de Cinematografía, Rogelio Díez, se aconsejaba al primero que no prohibiese *Cría cuervos,* ya estrenada, a pesar de su polémica descripción de un padre militarista y adúltero, porque:

> ... el director es una figura mundialmente conocida y reconocida en el campo del arte cinematográfico, y la medida podría poner en entredicho las declaraciones de miembros del Gobierno sobre la libertad de expresión y las nuevas formas democráticas que se intentan alcanzar. Caso de producirse dicha acción, de retirar la película de las salas de exhibición, se sentaría un precedente grave en orden a la competencia del Ministerio de Información y Turismo y traería consigo un replanteamiento de la normativa vigente[47].

La Dirección General de Cine permitió tambien que Querejeta incluyese en *Pascual Duarte* la voz de Alcalá Zamora proclamando la República e, incluso, a un alférez provisional y a varios soldados, detalles no mencionados en el guión y que situaban la violencia ambiental de la película en el contexto, más general, de la guerra civil.

Sin embargo, en 1976, la división hizo acto de presencia en las filas de la censura. La Comisión de Apreciación, entre cuyos miembros figuraban auténticos conservadores, como Luis Gómez Mesa, Rafael Gil y José Luis Sáenz de Heredia, fue mucho menos benigna. Sometidas a la escala de evaluación de marzo de

---

46 Peter Besas, *Behind the Spanish Lens,* pág. 164.

47 J. Hernández Les, *op. cit.,* pág. 143.

1971 —que iba de uno a diez puntos, cada uno de los cuales equivalía a 400.000 pesetas al principio y a 700.000 a partir de 1976—, *Pacual Duarte* sólo obtuvo dos puntos, a pesar de haber ganado en Cannes; *Cría cuervos,* cinco, y *El desencanto,* cuatro. Esta severidad se mantuvo hasta que, en 1977, la Comisión o el director general de Cine evaluaron nuevamente las películas con bastante más generosidad —*El desencanto* recibió cuatro puntos en julio de 1977, pero siete puntos en diciembre de 1977, lo que equivalía a casi la totalidad de su presupuesto. La mezquindad de la Comisión podría ser calificada de sincera hostilidad hacia un cine supuestamente intelectual y artístico. Pero, al mismo tiempo, la viabilidad económica de este cine acabó dependiendo de los hábitos cinematográficos de público nacional. Con *Pascual Duarte, Cría cuervos* y *El desencanto,* el cine español continuó siendo una bandera que ondear en el extranjero y, como en el caso de *La prima Angélica,* un nuevo parlamento de celuloide en el país.

«Pascual Duarte» y «El desencanto»

Pocas películas españolas han sido pensadas con tanto cuidado como Pascual Duarte (realizada en 1975 y aprobada por la censura en abril de 1976), y ninguna causa tanta impresión.

La novela de Cela en que está basada *La familia de Pascual Duarte* tomó España por asalto en 1942. Particularmente llamativo fue su tremendismo, ese realismo brutal con que el protagonista hace recuento de una serie de crímenes en un marco rural sórdido y miserable que no tiene nada que ver con la versión oficial de la vida de los campesinos españoles, según la cual éstos eran, como señaló el ministro de Agricultura de Franco en 1952, probablemente las criaturas más nobles y dignas de ayuda de todas las que pueblan el globo. Los guionistas de la película, Ricardo Franco, Emilio Martínez-Lázaro y Elías Querejeta, no sólo imitaron a Cela, sino que fueron también los primeros cineastas españoles que manipularon la base literaria a fin de acentuar sus connotaciones políticas en vez de tratar de mitigarlas por miedo a la censura. El protagonista, Pascual, nace en 1902, asiste algún tiempo a la escuela y se aprende de memoria la historia bíblica de Abraham e Isaac. Uno de sus primeros recuerdos es el de su padre leyendo algo acerca de la ejecución de Ferrer, anarquista involucrado en los sucesos de la Semana Trágica de 1909. Siendo ya un hombre, acostumbra a salir de caza con su hermana pequeña, Rosario, que se encarga de recoger los pájaros que él va matando. Cuando crece, Rosario se marcha a la capital y se hace prostituta. Pascual mata a su perro de caza, mata a una mula a puñaladas por haber causado la muerte de su mujer y dispara al chulo de Rosario cuando viene a llevársela del pueblo. Le meten en la cárcel, pero queda en libertad debido a la amnistía concedida con motivo de la victoria del Frente Popular en las elecciones de 1936. En un marco rural donde el terror aumenta día a día —campesinos asesinados, granjas incendiadas—, Pascual mata a su madre y a su patrón y, finalmente, es ejecutado a garrote vil.

¿Por qué mata Pascual? Las únicas claves de su comportamiento son una pasión sexual no explícita hacia su hermana, su propio carácter violento y sicótico y el árido ambiente rural que le rodea. Una posible explicación podría ser que Pascual se ve a sí mismo como un hombre que desea a su hermana. Este deseo le hace malo, así que todo acto «malo» —al igual que la disposición de Abraham a matar a Isaac— confirma el amor que en el fondo le domina. O también es posible que mate a todo lo que sea responsable de su mal amor frustrado: los obstáculos —como el chulo— y las figuras de autoridad que le dan el sentido de la «maldad». Una tercera interpretación es la del propio Ricardo Franco: las víctimas de Pascual son sustitutos de Rosario[48].

Sin embargo, la dirección de la película no fomenta las interpretaciones psicológicas. Franco evita los primeros planos y las gestas significativas, y para ello mantiene la cámara inmóvil, prolonga las secuencias, muestra escenarios vacíos y deja un vasto y desolado espacio entre el personaje y la cámara a fin de crear y acentuar un medio ambiente precultural y duro. El escenario es un símbolo de la «desolación psicológica» de los personajes, declara Franco. Y constituye también otra explicación parcial del comportamiento de los mismos: «Pascual... casi es un ser precultural que no sabe distinguir entre el bien y el mal, ni está me-

[48] Hernández Les y Gato, *El cine de autor en España,* pág. 202. Hay un guión publicado (Madrid, 1976) con comentarios de Querejeta.

Pascual Duarte, Ricardo Franco, 1975. La violencia como un hecho brutal y planos generales insinuando su explicación

diatizado por una familia normal, una escuela normal ni una religión normal.» En tales circunstancias, la violencia es «el lenguaje expresivo de unos seres que no tienen otro medio de expresión»[49].

Pascual Duarte es sobrecogedora por el modo en que se manifiesta en ella esta violencia. La película acentúa el estilo tremendista de Cela. En la novela, la muerte de la mula se describe en seis renglones y de una manera bastante anecdótica. Pero en la pantalla no hay conciencia que actúe al modo de filtro, sino sólo el actor José Luis Gómez desgarrando una pesada masa de piel y sangre. En el momento en que Pascual es ejecutado, la escena se queda congelada durante cuarenta segundos. ¿Por qué esa crueldad con los animales en tantas películas españolas? «Las noticias sobre muertes que oímos diariamente anulan nuestra capacidad para sentir horror, incluso si la víctima es —como en la mayoría de los casos— un ser humano», declaró Borau en *Fotogramas,* justificando la escena de *Furtivos* en que se simula matar una loba. «Escogí como víctima al perro [porque], paradójicamente, es más insólita la violencia contra un animal»[50].

A Ricardo Franco lo que le parecía espantoso era la ecuanimidad con que los españoles habían tomado la muerte de Puig Antich. Si la realidad no les causaba ninguna impresión, quizá lo hiciese una película.

Pascual Duarte fue un retoño del éxito alcanzado por *La prima Angélica,* como lo fue también *El desencanto.* El tema de ésta es, como afirma uno de sus afectados protagonistas, «la familia como instrumento del filicidio»[51]. La insistencia con que el cine español trata el tema de la familia refleja la importancia que ha tenido siempre ésta en el país. Nadie ha nacido nunca en el seno de un partido político, declaró Jose Antonio Primo de Rivera en un discurso. Sin embargo, insistía, los españoles habían nacido en el seno de una familia[52]. En el régimen franquista, la familia constituía la unidad política mínima, hecho que se reconoció explícitamente en 1967 al permitir que los cabeza de familia eligie-

---

[49] *Ibíd.,* págs. 202, 204.

[50] *Fotogramas,* núm. 1.419, diciembre de 1975.

[51] Leopoldo María Panero en *Fotogramas,* núm. 1.475, enero de 1977.

[52] Citado por Gilmour, *The Transformation of Spain,* pág. 20.

ran directamente diputados a Cortes. Los padres tenían el deber de controlar a sus hijos, e igualmente, de procrearlos. Con Franco, «un número elevado de hijos era casi una necesidad para el ascenso de todo funcionario ambicioso en un Estado que hizo de la "familia numerosa" el centro de su política demográfica»[53]. Los diez ministros del primer gabinete de Suárez tenían entre todos cincuenta hijos. Al no existir un Estado benefactor, la familia era la única protección con que contaban entonces los españoles contra las vicisitudes de la industrialización. Sin embargo, hoy día, todavía sigue siendo lo normal vivir en casa de los padres hasta casarse, por lo que la unidad familiar se mantiene hasta mucho después de haber alcanzado los hijos la mayoría de edad. De hecho, la familia española continúa poniendo en tela de juicio la naturaleza democrática del país, al negar la independencia económica y emocional en nombre de las más tiránicas de las fuerzas: la dominación de los padres y el amor filial.

Jaime Chávarri proviene de una de las familias más celebradas de España. Su familia le financió su primera película, *Los viajes escolares* (1973), que, irónicamente, es una visión distópica de la vida familiar. El protagonista es un adolescente llamado Óscar, cuya madre (interpretada por Lucía Bosé) es dominante, excéntrica y de tan enervante belleza como para turbar a su propio hijo; sus abuelos están chochos; tiene una tía que ha estado en la cárcel y otra que padece del corazón y lleva un marcapasos que se empeña en enseñar a todo el mundo, y hay un pariente que flagela a la abuela. No es de extrañar que el pobre Óscar acabe esquizofrénico.

En realidad, *Los viajes escolares* es una puesta en escena tragicómica de las teorías de R. D. Laing sobre la esquizofrenia. Según éste, la familia es un «sistema de fantasías» colectivo; si alguien «empieza a tomar conciencia del sistema de fantasías de la familia, ésta le tomará por loco o por malo, ya que para ella sus fantasías son reales, mientras que lo que no pertenece a sus fantasías no lo es»[54]. Óscar es tachado de loco y de malo y acaba esquizofrénico debido a que pone en duda las fantasías familiares. Se empeña, por ejemplo, en que cuando era pequeño tenía un caba-

[53] Carr y Fusi, *Spain: Dictatorship to Democracy,* pág. 82.
[54] R. D. Laing, *Self and Others,* Londres, Tavistock, 1969, pág. 40.

llo, pero su familia lo niega. (Oscar tiene razón: su madre mató al animal porque pensaba que por su culpa el niño se estaba haciendo demasiado independiente.) Suspirando todavía por el caballo y por un padre (el suyo les abandonó cuando él era pequeño), convence a su profesor de matemáticas para que pase en su casa parte de las vacaciones. El maestro no tarda en darse cuenta del «sistema de fantasías» de la familia. Un ejemplo: cuando Óscar era pequeño y quería huir de casa, le quitaban los zapatos para impedírselo; pero toda la familia se quitaba los suyos para que pareciera normal andar descalzo.

Laing comparaba la familia con una caja. Tan pronto como alguien se da cuenta de que está en la familia-caja, «trata de salir de ella. Pero, como para los miembros de la familia (los esquizofrénicos) la caja es "el mundo entero", salir de ella equivale a abandonar el mundo, y eso es algo que nadie que le quiera le va a dejar hacer»[55]. Así que a Óscar le dicen que se haga mayor y le convierten en el cabeza de la familia, al mismo tiempo su madre le impulsa a apoyar la cabeza en su regazo mientras intenta adivinar lo que su hijo piensa —cuando el muchacho era pequeño, solían jugar a esto. El gesto final de Óscar es típicamente ambivalente. Enamorado de la chica que cuida de su abuela, sale a buscar miel para ella —lo que significa que por fin está intentando mantener una relación adulta. Pero la miel se encuentra donde cree que enterraron su caballo, y sólo su madre conoce el sitio. En *Mithologiques,* Levi-Strauss establece una famosa relación entre la miel y la sangre menstrual. Así que el propio gesto de independencia de Óscar señala su inmersión en el pasado y un claro retorno a la figura de la madre. El hecho de que las abejas le piquen hasta matarle podría ser un símbolo de hasta qué punto la situación del muchacho se ha hecho insostenible: no puede escapar de su familia ni vivir con ella.

En *Los viajes escolares,* el espectador se encuentra con el problema de que los mitos utilizados en la película no son claros, para descubrirlos es preciso conocer aquello a lo que aluden, lo cual no ocurre con el mito de Frankenstein, por ejemplo, utilizado en *El espíritu de la colmena.* En *A un dios desconocido* y en *El río de oro* (1986), Chávarri hace uso de mitos más expresivos: el jardín de

[55] *Ibid.,* pág. 41.

la inocencia y el río del tiempo. En *El desencanto* conserva las ideas de Laing, pero las desarrolla de un modo más claro, sacando a relucir la resonancia política de las estructuras familiares.

Al igual que Laing en *Cordura, locura y familia,* en esta película Chávarri entrevista a los miembros de una familia según distintas combinaciones —madre y un hijo, dos hijos, madre y dos hijos—, a fin de presentar diferentes versiones de un personaje central, que en este caso es el padre muerto, Leopoldo Panero, considerado por muchos como un portavoz poético del franquismo. La película comienza con el descubrimiento de una estatua de Panero en su ciudad natal a los doce años de su muerte, ocurrida en 1962. La viuda recuerda que durante su luna de miel los amigotes de su marido pasaron varios días con ellos. El hijo mayor, Juan Luis, recita un poema en el que tacha a su padre de borracho y frecuentador de burdeles, y enseguida pone de manifiesto la vaciedad de la retórica franquista señalando que el «frenesí soñoliento / de mi carne, palabra de mi callada hondura» (palabras de Panero en un poema dedicado a su hijo) nunca se llevó muy bien con su padre. La ironía es obvia; pero lo más interesante es que el padre sigue arrojando sombra sobre el hijo. A Juan Luis le preocupa la idea de continuar el linaje familiar, y todavía escribe con una pluma que le dio su padre. Al final, entre satisfecho y llorón, declara: «A última hora / como decía el viejo Ernest Hemingway / al que tanto quiero,/ "el que no es hijo de nadie es hijo de puta".»

Tanto cuando se opone a su padre como cuando se considera su sucesor, la idea que Juan Luis tiene de sí mismo continúa determinada por aquél. En una película en la que el director raras veces hizo algo gratuitamente, Juan Luis pronuncia su grosero y sarcástico himno triunfal a Leopoldo Panero («El asunto de tu bebida ha dado ya mucho que hablar... También se han comentado tus proezas en los burdeles») junto a la estatua de su padre muerto. En España, la figura suprema del padre eran, claro está, el régimen y el mismo Franco. Pero la muerte de un líder o la caída de un régimen no implican el fin inmediato de su influencia. En realidad, los propios esfuerzos de los españoles por liberarse de sus figuras paternas comprometían sus libertades. La rebelión contra la figura del padre, la oposición y el odio a ella, es una forma sutil de esclavitud. Como señaló en cierta ocasión

Gutiérrez Aragón, «en el fondo, detesto a Franco porque me hace seguir detestándole»[56].

Aparece en escena el hijo mediano, Leopoldo María. Alcohólico y esquizofrénico (como manifiesta él mismo), su charla es un gorgoteo apenas oíble, pero muy comprensible. Chavarri va desviando poco a poco la atención de Panero padre para centrarse en la familia como institución represiva que más que fomentar la individualidad de sus miembros les dota de una personalidad característica. Están siempre los Panero actuando», señala Chávarri. «No actúan como seres independientes, sino como los Panero... Aceptan la familia en todo momento»[57]. El atractivo de *El desencanto* radica, entre otras cosas, en el hecho de que los personajes sean conscientes de su alienación. Leopoldo María constituye un claro ejemplo de ello. Él mismo declara no ser más que un residuo: «En la infancia vivimos y después sobrevivimos.» Su problema radica en que nunca ha controlado totalmente su interpretación. ¿Quién decidió que estaba loco? Su tío y su madre, dice. Pero la versión de Leopoldo María quizá no cuente toda la verdad. Chávarri dirige con discrección, sin poner nunca de manifiesto la verdadera personalidad de los personajes (aunque les conoce bastante bien) ni dejar claro que los Panero están representando. Pero, al enfocarlos de dos en dos, sitúa sutilmente sus declaraciones, incluidas las que muchos espectadores toman por confesiones honestas que les dejan totalmente desarmados, en un espacio familiar más amplio que les dota de una clara función histriónica. Asimismo, pasa directamente de entrevistas reales a escenas con voz en *off* en las que el trasfondo es simbólico como cuando se ve a la madre paseando entre las melancólicas ruinas de la casa donde pasó su luna de miel: «Yo que tuve tanta ilusión y pensé vivir una vida tan maravillosa», dice resumiendo el desencanto de la película, «Y todo, poco a poco se ha ido.»

---

[56] A. M. Torres, *Conversaciones con Manuel Gutiérrez Aragón,* Madrid, Editorial Fundamentos, 1985, pág. 160.

[57] Hernández Les y Gato, *El cine de autor en España,* pág. 134.

Cómo burlar la censura

> [Maquiavelo] debe ser el libro de cabecera de todo cineasta —la edición comentada por Napoleón.
>
> Gonzalo Suárez[58]

La difusión del sentido, metonimias, metáforas, símbolos, alegorías, elipsis, la plasmación del sentido en la forma, subjetivismo (admitir escenas subversivas por considerar que son producto de una mente supuestamente desequilibrada como, por ejemplo, la del industrial de *El jardín de las delicias*): éstas son algunas de las estratagemas indirectas utilizadas por los cineastas españoles para sustraerse de la censura. Pero también tomaban otras posibilidades:

1. *No hacer ni p. caso al censor:* «Suprimir el recorrido de la cámara por la figura de la revista», le advirtió el censor a Saura después de leer el guion de *La caza*. Pero él la filmó, y no se la cortaron.

2. *Volver a escribir el guión,* presentarlo y, una vez admitido, filmar la versión original. Una táctica de Querejeta: Saura dejaba que fuera su productor quien negociara con la censura.

3. *Ponerse en manos de un asesor nombrado por la censura.* A Berlanga le asignaron un censor, el padre Garau, para que le ayudara a modificar el guión de *Los jueves, milagro.* Al principio no se entendían. «Usted creerá que soy un hombre anticuado, ¿verdad?... Si yo le contara... Ha de saber usted que yo siempre he sido un hombre de ideas avanzadas... Sí, porque yo he tenido problemas con la jerarquía... Aquí donde me ve, señor Berlanga, ¡yo he sido el primer cura español que se puso un reloj de pulsera.» La relación entre ambos nunca llegó a cuajar del todo[59].

4. *Basar la película en un clásico,* y tergiversar luego el sentido de la obra literaria. Antonio Drove, por ejemplo, declaró que su adaptación de *El alcalde de Zalamea,* de Calderón, estaba inspirada en la versión de Lope de Vega para, de esta forma, justificar la

---

[58] A. Castro, *El cine en el banquillo,* pág. 419.

[59] J. Hernández Les y M. Hidalgo, *El último austro-húngaro,* pág. 73. Garau hizo tantos cortes en el guión, que Borau quiso que figurara en los títulos de crédito como coguionista, pero él declinó la oferta.

interpretación subversiva que había hecho de la obra de Calderón. En ésta, el alcalde, ejecuta al capitán que ha violado a su hija asegurando que es totalmente imparcial, que sólo está cumpliendo con su deber. En la versión de Drove, el rey hace que el alcalde actúe con el mismo sentido supuestamente imparcial del deber en el juicio de su hijo. Sólo un desenlace milagroso le salva del dilema de condenar a su hijo a muerte o poner de manifiesto la parcialidad de sus decisiones y, por tanto, su propia culpabilidad ante la ley y ante sí mismo. El guión de Drove, dirigido por Mario Camus con el título de *La leyenda del Alcalde de Zalamea* (1972), recibió numerosos elogios por su «donosura del estilo de Lope de Vega».

5. *Negar toda relación con España* en el prólogo de la película, pero confirmarla después. *Calle Mayor,* por ejemplo, comienza con una introducción, impuesta por la censura, en la que se explica que la historia podría ocurrir en «cualquier ciudad, en cualquier provincia, en cualquier país». Lástima que a la mitad de la película el héroe, de cuya nacionalidad española no cabe dudar, declare que «el futuro, la verdad, está aquí, en esta ciudad, en la calle mayor... Mi país está aquí».

6. *Mostrar la película a Franco,* que es lo que hizo con *Plácido* el productor Alfredo Matas, quien nada más acabarla metió la cinta en un destartalado Citröen y emprendió la marcha al palacio de Ayete. A Franco no le gustó la película, así que ésta no obtuvo la autorización oficial para representar a España en Venecia.

7. *Crear ilusiones visuales.* Como recuerda Santos Zunzunegui, en el corto *Operación H* (Néstor Basterrechea, 1963), documental de formas naturales y escultóricas vascas, «... de improviso, la cámara nos muestra un paisaje en color, desenfocado. Poco a poco, la panorámica de la cámara va descubriendo una tela roja que, desenfocada también, va ocupando la totalidad del campo. Cuando desaparece la imagen para dar paso a la blancura de la cola que encierra el film, el ojo del espectador cree visualizar por un instante un golpe de color verde, que surge por complementariedad. Rojo, blanco, verde: los colores de la bandera nacional vasca, presentes sin estarlo»[60].

[60] S. Zunzunegui, *El cine en el País Vasco,* Diputación Foral de Vizcaya, 1985; sin duda, el mejor libro sobre un cine nacional en España.

8. *Trasladar la atención del censor del contenido a la forma.* Así, Querejeta recurrió al carácter políticamente neutral que se supone que tiene la calidad, en el arte o en el cine, al pedir que se mantuviesen las picas con que los españoles matan a los turistas norteamericanos en *Los desafíos,* las cuales estaban ahí «por exigencias cinematográficas, entendemos que fácilmente comprensibles». Querejeta no creía que fuese posible separar el contenido de la forma; pero el censor sí, y por eso alabó la «técnica» y el «buen sentido plástico» de *La madriguera,* aunque lamentando que estuviesen «al servicio de algo fútil y turbio, cuando no absurdo, pero en todo caso nada positivo temáticamente». Pero la modernidad del estilo artístico persuadió al censor, y *La madriguera* obtuvo un premio de «interés especial»[61].

9. *Incluir cebos que atraigan la atención.* Juan Hernández Les recuerda que, en *La madriguera,* «Querejeta entregó al Ministerio una copia llena de carnaza para que la censura cortara todo lo que quisiera y respetara lo que a él y a Saura les interesaba»[62].

10. *Procurar no engañar a todos los censores a la vez, sino sólo a los más cerriles.* García Escudero señaló, refiriéndose a *La caza:* «... al ser una película de segundas intenciones, no preocupó demasiado a la censura..., los signos no teníamos por qué rechazarlos, y para los "ultras" aquello era demasiado sutil. Por ejemplo, *Las cuatro verdades* sí creó problemas, porque les preocupaba lo tosco»[63].

11. *Conseguir premios y buenas críticas en el extranjero* y forzar luego a la España, que decía estar modernizándose, a tratar las películas de un modo distinto[64].

---

[61] Todas las citas están tomadas de J. Hernández Les, *op. cit.* Tan poco sofisticada era la censura, que no tenía en cuenta el carácter contestatario que podía llegar a tener la forma en una película (como *La caza,* por ejemplo, donde la violencia formal es evidente).

[62] J. Hernández Les, *op. cit.,* pág. 65.

[63] G. Escudero, *La primera apertura,* pág. 172. La primera parte de la cita podría servir para establecer una ley provisional: la radicalidad estaba permitida en proporción inversa a la claridad y al impacto que pudiera tener una película en el mercado.

[64] J. Hernández Les, *op. cit.,* pág. 159. Lo que más molestaba al régimen era que la mayoría de las películas españolas exhibidas en el extranjero se considerasen como críticas al franquismo. Querejeta fue llamado en cierta ocasión por

12. *No sacar los trapos sucios de España en el extranjero.* En una carta dirigida por el embajador de España al director general de Cinematografía para hablarle sobre una conferencia de prensa celebrada en la Bienal de Venecia de 1972, tras la proyección de *El jardín de las delicias,* se lee: «La prensa, sobre todo la izquierdista, acudió con la intención palpable de ganar alguna declaración sensacional, y dirigió al señor Saura toda suerte de preguntas de naturaleza política. Contestó Saura... que la censura sólo le había suprimido dos breves escenas... y que España es uno de los primeros países productores de cine de la Europa de hoy... El moderador terminó la entrevista a la hora señalada, siendo de resaltar la corrección que durante la misma guardaron el director y el productor españoles»[65].

13. *Utilizar una estructura episódica,* como en *El jardín de las delicias,* donde, por ser básicamente una película formada con *sketches,* se podrían cortar detalles o escenas enteras sin causar ninguna pérdida irreparable del sentido global.

14. *Invitar a cenar a las autoridades o recurrir a la Iglesia.* Querejeta comió dos veces con Robles Piquer, el cuñado de Fraga y el sucesor de García Escudero en la nueva Dirección General de Cultura Popular y Espectáculos, y Jesús Yagüe, director de *Megatón ye-ye* (1965), *La mujer es cosa de hombres* (1976), afirma: «Yo he tenido que recurrir a curas, a padres de familia, a *obispos,* para que me dieran cartas con las que ir al Ministerio para permitirme las películas»[66]. (La cursiva es nuestra.)

15. *Manipular la proyección de la película al presentarla a la censura.* El productor Miguel Lamet declara: «En el film *No somos de piedra* ocurría —en una secuencia en la que aparecía Alfredo Landa vestido de cura en un 600— que se mostraba la palanca de cambios con sonidos en *off* de jadeos. Era una secuencia que creíamos era de vital importancia por las risas y lo bonito que era. Así que me fui a hablar con el señor de la cabina de censura y le dije que cuando llegase la secuencia bajase el sonido. Lo hizo, y la secuencia no fue mutilada»[67].

---

el gobierno para decirle que pidiera a los críticos de Chicago que dejaran de atacar a Franco.

[65] J. Hernández Les, *op. cit.,* pág. 136. Para el autor, Querejeta «no alardeó nunca de que la Administración le vetara a conciencia» (pág. 122).

[66] *La comedia en el cine español,* pág. 137.

[67] *Ibíd.,* pág. 79.

III

El despegue de la transición cinematográfica: I. La popularización de un cine liberal, 1976-1978

«ENFERMEDAD de Parkinson... Cardiopatía isquémica con infarto agudo de miocardio anteroseptal y de cara diafragmática. Hemorragias masivas reiteradas... Choque endotóxico, parada cardiaca»[1]. Cuando Franco murió en 1975, muchos españoles se preguntaron si el último informe médico sobre su estado presagiaba la desintegración no sólo de su cuerpo, sino también de su régimen. Las fuerzas con que este último se aferraba a la vida eran legión. Los militares partidarios de la mano dura, como Iniesta Cano, habían asegurado que si era necesario se haría otra guerra civil para conseguir que el «franquismo continuara después de Franco, que perdurara por muchos siglos». Las principales instituciones del país —las Cortes y el Consejo del Reino— eran baluartes franquistas. Y el caudillo había educado a su sucesor para ser un monarca franquista.

Pero algo de lo que los observadores no se dieron cuenta y que el español medio no podía saber era que el rey Juan Carlos respaldaba la reforma democrática y que las fuerzas armadas en general, aunque ponían veto a la ruptura, no se opondrían a ninguna opción que pudiese estar contenida en el orden institucional y su desarrollo legítimo[2]. Eran muchos los partidarios de una evolución democrática —el 37 por 100 de la población ya en 1972—, mientras que sólo un 10 por 100 apoyaban el autorita-

[1] Manuel Vázquez Montalbán, *Crónica sentimental de la transición*, IX, publicado por *El País Semanal,* 1985.

[2] Cfr. R. Carr y J. P. Fusi, *op. cit.*, pág. 221 y también un elegante ensayo de Fernando Rodrigo, «Las Fuerzas Armadas y la transición», *Revista de Occidente,* núm. 54, noviembre de 1985, págs. 56-57.

rismo tradicional. Apoyado desde abajo, Juan Carlos podía imponer la reforma desde arriba. El único impedimento era Arias Navarro[3].

Las buenas noticias, el 1 de julio de 1976, eran que Arias Navarro había dimitido; la mala, al parecer, que su sucesor era el *apparatchik* franquista Adolfo Suárez. Pero Suárez necesitó la democracia para legitimar su poder.

En noviembre de 1976 se las ingenió para convencer a las Cortes franquistas de que aprobasen una Ley de Reforma Política por la que se creaba un sistema bicameral basado en el sufragio universal. En diciembre del mismo año hizo caso omiso de la oposición y apeló directamente a la opinión pública por medio de un referéndum nacional en el que una abrumadora mayoría votó a favor de la reforma democrática.

Finalmente, legalizó el Partido Comunista un fin de semana de Semana Santa, cuando cualquier militar que se preciara estaba fuera de Madrid de vacaciones.

Las primeras elecciones generales celebradas en España en cuarenta años tuvieron lugar dos meses más tarde.

El primer Gobierno de Suárez presenció los acontecimientos más dramáticos de la historia reciente del cine español. Un joven vasco fue muerto a tiros por la policía poco antes de que se inaugurase el Festival de Cine de San Sebastián de 1976. Inmediatamente se desencadenaron las pasiones políticas; Querejeta se negó a presentar *El desencanto* a concurso, y la policía disparó balas de goma para dispersar a las numerosas personas que se manifestaban en las mismas puertas del teatro Victoria Eugenia. Al mismo tiempo, el *gliterrati* internacional se quedó pasmado. «Querido, estas cosas no ocurren en Cannes»[4].

---

[3] Aunque, como señala muy bien Charles T. Powell, el Gobierno de Arias al menos «determinó que la transición a la democracia fuera un proceso dirigido por los sucesores de Franco, no por sus adversarios». Alentó a la oposición a abandonar sus pretensiones rupturistas, y «el franquismo político... comenzó a darse cuenta de que el cambio era inevitable, e incluso se organizó políticamente para la nueva era», «El primer gobierno de la monarquía y la reforma Suárez», *Revista de Occidente,* núm. 54, noviembre de 1985, pág. 5-21.

[4] La actriz Dolores del Río, recuerda Peter Besas, «que había cometido la imprudencia de salir a cenar llevando joyas muy vistosas, tuvo que escabullirse por la cocina del restaurante cuando un grupo de airados manifestantes la reconoció y entró al local», *Behind the Spanish Lens,* pág. 164.

Toda transición cinematográfica forma parte y es, en medida menor, motriz de una transición política. Nunca se ha visto esto tan claro como durante la ajetreada marcha de España hacia la democracia, aunque los cambios cinematográficos —desde el punto de vista de las perspectivas y el estilo— tardasen alrededor de un año en abrirse paso en una industria remolona. «En el periodo posfranquista (1974-1976)», comentan Julio Pérez Perucha y Vicente Ponce en la más rigurosa visión general del impacto de la transición sobre el cine durante ésta, «los filmes de interés son escasos y un tanto homogeneizados y constreñidos, tanto por sus condiciones materiales y administrativas de partida, como por las exigencias reivindicativas que la sociedad española en general y el sector cinematográfico en particular plantean». Pero, al referirse a las películas de la transición democrática (1977-1982), los mismos autores sostienen que «su variedad de proposiciones y su riqueza e inventiva en recursos fílmicos convierten este periodo en algo cercano a una breve, pero apasionante, "edad de oro" del cinema español»[5].

Este razonamiento es polémico, pero convincente. Tanto el cine nacionalista catalán como el cine comercial reformista contenían recursos propios de las películas liberales: sentido de la educación progresiva de los protagonistas, realce de la necesidad de obtener más libertades políticas o sexuales, etc. La popularización de un cine liberal se despega, por tanto, entre 1976 y 1977. Sin embargo, la liberalización del contexto cinematográfico de España, instigado con especial claridad por la muerte de Franco y la subsiguiente desaparición de la censura, dio origen a películas radicales o rupturistas, cuyo alcance iba más allá del cine liberal. Así pues, el periodo comprendido entre 1976 y 1978 fue testigo de una popularización de un estilo liberal y de una transformación de la cinematografía española marcado por una pluralización de las prácticas cinematográficas. En ambos aspectos, fue entre 1976 y 1978 cuando se despega realmente la transición del cine español[6].

[5] «Algunas instrucciones para evitar naufragios metodológicos y rastrear la transición democrática en el cine español», *El cine y la transición política española*, pág. 35.

[6] Para ser exactos, la liberalización que es la característica más destacada de

No obstante, hay que hacer una aclaración. Es bastante corriente creer que la transición cinematográfica consiste en la aparición repentina y convulsiva de movimientos nuevos. Tal punto de vista simplifica el problema. *La nova cançó,* de Bellmunt, que suele considerarse como el arranque del nuevo cine catalán, estuvo precedida de cortos documentales filmados por Pere Portabella y entre los que figuran *Cantants 72* (1972), *Advocats laboralistes* (1973) y *El sopar* (1973). Y las películas rupturistas esporádicas de 1976 y de épocas posteriores tenían claros precedentes en el denominado «cine independiente de Madrid» de entre 1969 y 1974, aproximadamente. En realidad, el rupturismo de estos primeros experimentos nunca se manifestó con la misma intensidad durante la transición democrática del país. Pero los cineastas independientes de Madrid tienen claros precursores, a su vez, en las películas *underground* de Gonzalo Suárez (*Ditirambo vela por nosotros,* 1966; *El horrible ser nunca visto,* 1966) o en los delicados cortos de Adolfo Arrieta (*El crimen de la pirándola,* 1965; *Imitación del ángel,* 1966).

Está claro que la transición cinematográfica supuso no tanto la aparición repentina de movimientos nuevos como el aumento de la popularidad de éstos. Este hecho comportó una desviación estructural de todas las tendencias del cine español hacia terrenos propios de un cine *mainstream* (es decir, comercial).

La correspondencia existente entre el cine y la política españoles no consiste sólo (ni en su parte más importante) en las referencias. Estadísticamente, muy pocas películas de mediados de los 70 hacen referencia explícita a figuras o acontecimientos de la transición. Según Antonio Dopazo, de las 98 producciones

---

la transición en el cine español (1955-1989), y de la transición del cine español 1976-1978, tiene varias intepretaciones: la persistencia de películas liberales, en el sentido expuesto en el capítulo anterior (las películas de Armiñán, 1977, 1978; Bodegas, 1976; Camus, 1977; Fernán-Gómez, 1977; Garci, 1977, 1978; Miró, 1976; Olea, 1976, 1977; Suárez, 1976, 1977); una mayor libertad de expresión; el hincapié en el tema de la libertad en los cines nacionalistas (es decir, el catalán) y en el cine comercial (de ahí la inclusión de éstos en un capítulo sobre «cine liberal»); y la repentina aparición de un pluralismo en la cinematografía española marcado por la disolución del frente cinematográfico antifranquista y la erupción de iniciativas más radicales, que superaban los límites de un cine liberal. Y basta.

LOCALES MARGINALES (Asociaciones de vecinos, cine-clubs, etc.)	SALAS DE ARTE (Cines especializados en películas de «arte», Salas de Arte y Ensayo, Salas Especiales)	SALAS COMERCIALES (Cines de la Gran Vía, etcétera)
	Cine de arte El «nuevo cine español» (1962-1967) →	*Furtivos* (1975), *El crimen de Cuenca* (1979), *Los santos inocentes* (1984)
Cine «rupturista» Algunas películas del «cine independiente de Madrid», su paralelo barcelonés e individuos aislados como Antonio Maenza, Paulino Viota y Manuel Esteban - - →	*Arrebato* (1979) (y algunos otros ejemplos aislados) - - →	Sólo las películas políticamente radicales de Eloy de la Iglesia (1967-1985)
Cines nacionales *Cantants 72* (1972) *Ama Lur* (1968) →	→	*La ciutat cremada* (1976), *La fuga de Segovia* (1981)
Cine de sexo español Cintas caseras de porno duro vistas en los años 70 →	Películas «X» españolas, como *Entre pitos anda el juego* (Lulu Laverne, 1985), legalizadas en 1984	
	Cine «reformista» La mayoría de las películas de oposición desde «el nuevo cine español» →	*Cine reformista* Muchas películas de cine comercial *Nosotros los decentes* (Mariano Ozores, 1976)

nacionales de 1977, sólo ocho poseen tal característica[7]. La correspondencia es más bien cuestión de alcance político. Del mismo modo que el Gobierno franquista exilió, marginó o utilizó a los demócratas en los años 60, exilió (exhibiendo las películas sólo en festivales extranjeros), marginaron (convirtiendo en *ghettos* las salas de Arte y Ensayo) o utilizaron (colaborando en la producción de «nuevas películas españolas») el cine democrático de oposición. A mediados de los años 70, las posturas democráti-

[7] «La transición democrática en el cine español: Filmografía», *El cine y la transición política española,* pág. 47.

cas se propagaron como un reguero de pólvora por España, y la popularidad de las películas españolas «democráticas», *ídem* de *ídem*. Tanto en política como en el cine, la capacidad de un determinado factor de causar efecto dependía no sólo de su radicalidad, sino también del incremento dinámico de manifestaciones de apoyo por toda España: de ahí la importancia de los movimientos y cines nacionales catalán y vasco, y el fracaso del movimiento y cine radicales.

Además, desde el punto de vista de su alcance, el *destino* de las transiciones política y cinematográfica fue esencialmente el mismo. Rechazado por el público, el cine rupturista o contranarrativo radical fue un fracaso de taquilla tan rotundo que la cinematografía actual española sigue siendo una cinematografía de arte, liberal y de clase media. Rechazadas mayoritariamente por el electorado, los partidos políticos radicales (MC, ORT, PT, OIC, OCE (Br), PCE (m-1), LCR, PCT)[8] sufrieron una derrota tan absoluta en las urnas, que España sigue estando gobernada por un partido socialista liberal y dominado por la clase media.

La dinámica de las transiciones (política y cinematográfica) tendió, además, a hacer que la política y el cine confluyeran. Los actos de los políticos y los cineastas estaban determinados no sólo por actitudes personales. Las masas españolas tomaron el timón ratificando la necesidad de lanzar al mercado un producto nuevo, ya fuese mediante las películas de los cines o mediante los discursos pronunciados por televisión. Las apariciones de Suárez en TVE antes de las primeras elecciones generales han de ser consideradas como los filmes españoles *mainstream* más significativos de la transición.

¿El fin de la censura?

En 1976, en la VIII Semana Internacional de Cine de Autor de Benalmádena, la prohibición gubernativa de *El imperio de los sentidos* y de *La batalla de Chile* fue causa de que los espectadores que se quedaron a la rueda de prensa del final pusieran en circu-

---

[8] Partidos citados por J. P. Perucha y V. Ponce en *El cine y la transición política española,* pág. 40.

lación una octavilla en contra del Gobierno. El subdirector general de Cinematografía, Ramón Cercos, se disponía en ese momento a pronunciar un discurso prodemocrático redactado por él mismo, pero, tan frustrado le dejó el pataleo con que la multitud empezó a acompañar la lectura de la hojita en cuestión, que dejó a un lado su manuscrito y se unió a la *voz populi* leyendo en alto la octavilla..., donde se denunciaban no sólo los vetos del Gobierno al que representaba, sino también el protagonismo del mismo Ramón Cercos en la ceremonia de clausura.

Tan surrealistas escenas sólo podrían ocurrir en España. A finales de 1976, se había dado la vuelta a la tortilla, y el Gobierno se veía acosado por una prensa que se ensañaba con los últimos balbuceos de la censura administrativa. La ausencia de una censura previa, a partir de febrero de 1976, por lo menos permitió a los directores preparar y rodar películas polémicas —como, por ejemplo, *La petición,* de Pilar Miró— con la esperanza de que las protestas concertadas de la prensa contra su prohibición persuadirían a la censura para que las aprobase[9]. El primer Gobierno Suárez dio luz verde a *Canciones para después de una guerra* en agosto de 1976, y en marzo de 1977 Fernán-Gómez estaba rodando una versión no aprobada de *Mi hija Hildegart,* calculando que, para el momento de su estreno, la censura ya hubiese desaparecido completamente. Como de costumbre, Fernán-Gómez estaba en lo cierto. El sábado santo de 1977, Suárez legalizó dos *betes noirs* de la derecha española: el Partido Comunista y *Viridiana;* en agosto de ese mismo año se aprobó *El acorazado Potemkin,* y en diciembre, *El último tango en París.* Un mes antes de levantarse la prohibición de esta última, un real decreto había abolido total y oficialmente la censura cinematográfica en España y regulado la exhibición de porno duro en salas «S».

Según el Real Decreto del 11 de noviembre de 1977, toda película española recibía automáticamente la licencia de exhibición dos meses después de la presentación de una copia acabada en la Dirección General de Cinematografía, a menos que (artículo 3.5) la exhibición de la película pudiera constituir delito,

[9] A la prensa española le hubiera costado mucho más protestar por la prohibición de una película si tal prohibición se hubiera efectuado en el momento de presentar el guión a la censura.

en cuyo caso se sometía a la consideración del Tribunal Supremo. España no salía de su asombro.

No obstante, aún había excepciones y restricciones vigentes.

A finales de los años 70, varios grupos ultraderechistas quisieron imponer sus gustos cinematográficos al público español valiéndose de amenazas y actos vandálicos. Durante la proyección de *Dolores* en Gijón, cuando La Pasionaria apareció en la pantalla un grupo de extremistas de derechas agredió al público con cadenas y navajas. El cine donde se proyectaba *La vieja memoria* sufrió innumerables destrozos, a pesar del amplio espectro político de los entrevistados en la película, e incluso hubo un intento de robar la cinta.

Pero de donde realmente parecían proceder las limitaciones impuestas a la libertad era del ejército. La *cause célèbre* de la censura militar fue la película de Pilar Miró *El crimen de Cuenca* (1979). Ambientada en el periodo comprendido entre 1910 y 1926, narra la historia de dos pastores que fueron acusados de asesinar a un compañero. Brutalmente torturados por la Guardia Civil, confiesan; pero al escavar en el sitio donde dijeron haber enterrado a su víctima, se encuentra el cuerpo de una mujer. Los pastores son condenados, no obstante, a dieciocho años de cárcel. Dos años después de que les pusieran en libertad aparece su compañero, vivito y coleando. Se abre una investigación sobre aquel caso; pero, como señala la película, la mayoría de los responsables ya están muertos.

Presentada la copia para obtener el permiso de exhibición en noviembre de 1979, *El crimen de Cuenca* quedó a petición del Ministerio del Interior y, en febrero de 1980, la policía incautó la cinta original por orden del Tribunal Militar. La película se proyectó ese mismo mes en el Festival de Cine de Berlín, y poco después, en abril de 1980, comenzaron a llegar protestas de todo el mundo al conocerse la noticia de que la directora se encontraba en libertad provisional y a la espera de ser juzgada por supuestas injurias a la Guardia Civil. A Pilar Miró se le dijo que el fiscal iba a solicitar hasta seis años de cárcel. *El crímen de Cuenca* hirió muchas susceptibilidades por varias causas. Al exponer el «mecanismo político-social» que explica la tortura de los pastores, Pilar Miró rebuscó sin ningún reparo entre los sectores de derechas que lo mantienen[10]. La Iglesia, la justicia y el poder se unen en la película para acusar a los pastores, ocultar las pruebas de que la víctima todavía vive, autorizar la tortura y negar que se ha practicado ésta. Además, la historia está basada en un hecho real, lo que refuerza sus acusaciones. No obstante, las discusiones acerca de si *El crimen de Cuenca* se atiene a la verdad histórica tienden a ignorar el hecho de que la fuerza de la película radica principalmente en la utilización de técnicas propias del cine de ficción. Tanto si se emplearon conscientemente como si no, la composición artística y los tonos amarillentos y marrones de las escenas rurales dan a la película un aire de sadismo de suplemento dominical. Asimismo, Pilar Miró utiliza un montaje paralelo para pasar rápidamente de, por ejemplo, un gancho que están introduciendo en la boca de uno de los pastores al cuchillo con que el juez corta delicadamente una manzana. Por encima de todo, las escenas de tortura son brutalmente reales, se componen de primeros planos agresivos y de imágenes estándares de tortura, como, por ejemplo, la de arrancar las uñas.

El secuestro de *El crimen de Cuenca* reflejó, sobre todo, las actitudes y el poder del ejército en los primeros años de la España posfranquista. Como señaló la revista *Contracampo,* la película de Miró no fue una crítica a la Guardia Civil como institución, sino más bien una prueba de que en este cuerpo también podían cometerse abusos. Solamente quienes se empeñasen en la infalibilidad de la Guardia Civil podían tener motivos de queja. La reforma de la justicia militar llevada a cabo en 1980, que limitó la jurisdicción de los tribunales castrenses a la esfera puramente militar, hizo que la Guardia Civil dejara de ser competencia de éstos y que, en 1981, se autorizara definitivamente *El crimen de Cuenca,* cuya recaudación en bruto —416 millones de pesetas a finales de 1987— ha sido la tercera más grande de la historia del cine español[11].

[10] Frase de Pilar Miró. Sobre *El crimen de Cuenca,* tanto el suceso real como la película, véanse *Fotogramas,* núms. 1.612, 1.625, 1.643 y 1.666; *Cineinforme,* 11 de abril de 1981, págs. 3-4; Roger Mortimore, «Reporting from Madrid», *Sight and Sound,* vol. 49, núm. 3, verano de 1980; *Casablanca,* núm. 9, septiembre de 1981, página 55, y Peter Besas, *op. cit.,* pág. 202.

[11] Después de *Los santos inocentes* y *La vaquilla,* que recaudaron 523 millones de pesetas; tales cifras corresponden al 31 de agosto de 1987.

«Lo que más me dolió durante todo ese año y medio que pasó fue que la película se hubiese convertido en algo más, que el público no estuviese yendo a ver la película que yo había hecho, sino más bien una película que había sido prohibida por las autoridades militares»[12]. No obstante, la popularidad absoluta de la película indica la creciente eliminación de censura de los años 80[13].

Las consecuencias de la libertad de expresión conseguida por fin en España se vieron oscurecidas en muchos casos por la continua influencia de prohibiciones anteriores. En general, los cineastas españoles no han sabido, por ejemplo, aprovechar la oportunidad de hacer un cine erótico, a lo cual han contribuido sus propias inhibiciones[14]. Lo que sí han logrado, sin embargo, es no sólo alcanzar, sino también sobrepasar los niveles de violencia, diálogo soez y consumo prolífico de drogas admitidas normalmente en las pantallas europeas. Un número muy considerable de películas españolas recientes, como, por ejemplo, *Tras el cristal* (Agusti Villaronga, 1986), que trata de la tortura y los asesinatos de niños cometidos por un ex nazi, nunca pueden ser exhibidas en cines normales en muchos países de Europa. La continua brutalidad del cine español tiene, no obstante, buenas explicaciones históricas y, además, el público nacional la asimila con gran facilidad. «Parece obvio», escribió Juan Antonio Masoliver, refiriéndose a la literatura posfranquista —y su comentario se aplica también al cine—, «que si no hemos encontrado la libertad, sí hemos encontrado el libertinaje. Por lo menos es un paso adelante»[15].

---

[12] Entrevistada por Besas, *op. cit.*, págs. 202-203.

[13] Aunque no su desaparición absoluta. En 1981 se prohibió en Andalucía *Rocío* (Fernando Ruiz), documental básico en el que se exponen los intereses económicos de la famosa romería andaluza y se relaciona al cofundador de la cofradía del Rocío con las atrocidades cometidas por las nacionales en la guerra civil. No se pudo exhibir en toda España (y con dos cortes) hasta 1985.

[14] Véase más adelante, cap. VI, «La quiebra de la industria cinematográfica...».

[15] «The Spanish Novel from 1972-1982: A Mirage of Freedom», *Conditional Democraty*, ed. Christopher Abel y Nissa Torrents, Londres, Croom Helm, 1984, págs. 115-124. El agudo análisis de la novela que realizó Masoliver confirma las dificultades a las que tuvo que enfrentarse la cultura española para superar su pasado franquista. El capítulo de Torrents «Cinema and the Media af-

El debate sobre las libertades posfranquistas suele ser: ¿hasta qué punto hay todavía censura? Continúan existiendo factores económicos y coerciones políticas y personales que limitan la libertad de expresión cinematográfica. Después de 1977, Televisión Española siguió cortando y moderando las películas, para lo cual empleaba cuatro censores incluso a finales de 1980. Lo poco que algunos sectores de TVE han superado su pasado franquista ha quedado claro en más de una ocasión. En 1981, por ejemplo, Luis Berlanga recibió la desagradable sorpresa de que se había cortado toda mención a la monarquía en una copia de *Esa pareja feliz,* a pesar de que la película sólo retrata a esta institución de pasada y de que lo hace para satirizar el melodrama al estilo de Cifesa y no a la monarquía. Tales cortes indican que algunos apoderados de TVE tenían todavía recuerdos muy arraigados. *Novio a la vista,* que Berlanga dirigió en 1953, comienza con una escena exquisita, ambientada en 1918 y en la que un chaval sale escoltado de un palacio, mientras una pomposa banda toca en el fondo, y es subido rápidamente en una limousine que ha de llevarle a un examen oral ante un tribunal de canosos académicos. Una vez aquí, la dura silla que se utiliza para los demás alumnos es sustituida por un mullido sillón, y cuando el muchacho se acomoda en él, uno de los miembros del tribunal le pide con voz zalamera que le diga los nombres de los Borbones. «Pues...», responde el muchacho como un loro, «los reyes de la casa de Borbón son Felipe V, Luis I, Fernando VI, Carlos III, Fernando VII, Isabel II, Alfonso XII y papá». Acto seguido, se levanta para responder al sonoro aplauso de los académicos. El blanco de la broma, ridiculizado en los años 50 porque se suponía que era muy duro de mollera, era, el entonces príncipe de España, quien en 1975 iba a ser coronado con el nombre de Juan Carlos I.

Veintisiete años después de que se dirigiera esta escena, TVE seguía siendo sensible a las difamaciones y, sin ningún derecho constitucional ni ninguna presión por parte de la Casa Real, se permitió censurar la película de Berlanga.

Aunque modificadas, tales actitudes persistieron todavía. La prueba crucial de ello tuvo lugar a finales de febrero de 1988,

---

ter the Death of Franco» (en el mismo libro, págs. 110-114) constituye una ágil introducción al cine de la transición.

cuando Els Joglars hicieron un *sketch* en el programa de televisión de Javier Gurruchaga *Viaje con nosotros,* parodiando al Barcelona y a Jordi Pujol. 4-0 van perdiendo los jugadores del Barça cuando desfilan hacia los vestuarios en el descanso:

> *Entrenador:* ¡Desgraciaos! ¡Mamones! ¡Que me vais a matar a disgustos! Y tú, ¿qué?, Zubizarreta. De portero en el Corte Inglés, ¿no? ¡Pon la mano! (Zubi pone los dedos juntos y hacia arriba, y el entrenador le da con una regla.) ¡Un gol!
>
> (Todos los jugadores se quedan con el culo al aire y en fila, mientras el entrenador va dándoles a todos con la regla. Todos gritan. El último tiene pintado en una nalga: ¡Núñez al paredón!)
>
> *Señora de la limpieza:* ¡Vaya tela! Si esto es deporte, yo soy la Preysler, etc.

Al final se les aparece a los futbolistas la Moreneta, y resulta ser el portero negro del Español N'Komo[16].

Parte de la derecha reaccionó a este *sketch* de un modo que recuerda exactamente los pronunciamientos que hacía con Franco. El arzobispo de Barcelona declaró que «todos los medios de comunicación, sobre todo si son públicos, como es el caso de TVE, están obligados a evitar aquello que es descrédito de las instituciones y personas públicas de nuestro país»[17]. Una editorial de *El País* contraatacó diciendo: «Éste es uno de los rasgos característicos de las democracias consolidadas y de las sociedades maduras: la tolerancia con las expresiones ajenas, por raras o inadecuadas que a uno le parezcan»[18]. Más tarde se reveló que el director general de TVE, Pilar Miró, dispuesta a mantener una postura firme en defensa de la libertad de expresión, había autorizado personalmente la transmisión del *sketch.* Al parecer, antes de que comenzara el programa, le había dicho a Gurruchaga que podía meterse con todo el mundo, menos con el Papa y el rey.

¿Pero por qué no con éstos? Si una institución está más allá de la caricatura, es más que probable que esté más allá de la críti-

---

[16] Para todo el *sketch,* véase *Diario 16,* 25 de febrero de 1988, pág. 13.
[17] *Ibid.,* pág. 12.
[18] *El País,* 25 de febrero de 1988, pág. 12.

ca. Y ningún individuo ni institución puede estar más allá de la crítica en un estado democrático. En el fondo, sigue pareciendo que la democracia española no está todavía lo suficientemente consolidada como para permitir o consentir una libertad de expresión normalizada. Fernando Fernán-Gómez señaló en cierta ocasión algo así como que la destructividad de la censura franquista tendría que ser medida no sólo con las obras que prohibió o cortó, sino también con las que nunca se empezaron porque no tenían la menor oportunidad de quedar acabadas. ¿Cuántas obras habrán sido proyectadas por los cineastas posfranquistas y descartadas después por abordar asuntos tan polémicos, que era preferible no removerlos todavía?

«D'un silenci»: El cine catalán

Jo vinc d'un silenci.
RAIMON.

La liberalización también trajo consigo la reaparición de un cine nacionalista en Cataluña, Galicia, el País Vasco, Valencia y Canarias. El primero y más emotivo de estos resurgimientos fue el de los cineastas catalanes, a los que, a diferencia de los de las demás autonomías, ayudó considerablemente el hecho de que el cine ya hubiera contado antes en Cataluña con una infraestructura industrial desarrollada.

En los comienzos del cine en España, y de nuevo en los años 30, Cataluña ocupó el lugar más destacado del panorama cinematográfico del país. El hecho de haber experimentado pronto una revolución industrial había creado todas las condiciones necesarias para la creación de una industria cinematográfica en Barcelona, que contaba entonces con la clase obrera y la *grand bourgeoisie* más importantes de España. Este desarrollo industrial fue precisamente el factor determinante de la aparición del nacionalismo catalán a finales del siglo XIX. «No hay receta más segura para la transformación de las tensiones regionales en franco nacionalismo que la dependencia política de una región próspera con tradiciones culturales independientes, respecto de una capital emplazada en una región pobre y atrasada»[19]. Además de tener un origen común, el nacionalismo y el cine catalanes progresaron casi al mismo tiempo. En 1932, por ejemplo, Azaña concedió a Cataluña el Estatuto de Autonomía, y la Generalitat respondió a las propuesta del empresario cinematográfico Francisco Elías creando los estudios Orphea, donde, ese mismo año, se rodaron las seis primeras películas españolas habladas.

Los cuatro estudios y los 525 cines (frente a los 147 del centro de España) con que contaba Barcelona durante la República auguraban un futuro muy prometedor al cine catalán. Incluso en los años 40, en pleno franquismo, la industria cinematográfica de la Ciudad Condal seguía estando más orientada hacia el mercado que la de Madrid, la cual dependía principalmente de las licencias de importación. Producidas por Aureliano Campa, dirigidas por Ignacio Ferres y sostenidas por un excelente reparto (Mercedes Vecino, Paco Martínez Soria), una serie de ágiles comedias de enredo, como *Boda accidentada* y *Un enredo de familia* (estrenada en 1943), constituyeron la fuente de beneficios más segura (aunque nunca mayores) que tuvo Cifesa en toda su historia. Asimismo, la burguesía catalana dio impulso a los primeros intentos de crear un cine literario, culto y de clase media, el cual, en títulos como *Mariona Rebull* (1946), «probablemente la película de Sáenz de Heredia mejor realizada»[20] (que ya es decir), marca el comienzo de una tendencia hacia un estilo de cinematografía más cosmopolita que, en este aspecto al menos, se anticipó a las películas de Bardem de los años 50[21].

Franco no podía ni oír hablar de autonomía regional. En el mejor de los casos, su régimen incluyó a Cataluña en una vaga

---

[19] Carr y Fusi, *Dictatorship to Democracy,* pág. 11.

[20] Emilio Sanz de Soto, «1940-1950», *Spanish Cinema, 1896-1963,* pág. 123, ensayo muy revelador redactado por uno de poquísimos expertos en cine que posee un conocimiento detallado de la cinematografía española de los años 40.

[21] Aparte de los telúricos (cfr. Introducción) el ideológicamente ágil Cesáreo González probó suerte con las producciones internacionales en, por ejemplo, el melodrama con rasgos surrealistas. *La corona negra* (1950), dirigida por Luis Saslavski, escrita por Charles de Peyret Chappuis a partir de una cita de Jean Cocteau, con diálogos de Miguel Mihura y protagonizada por María Félix.

cultura panmediterránea, concepto que contribuyó a crear el nominal genio catalán de Franco, Salvador Dalí. «Cataluña es un país de artistas», observa el ministro falangista de la película de Berlanga *La escopeta nacional.* «Hay gente que cree que sólo hay industria. Me enloquece Barcelona por la cosa mediterránea —Grecia, Italia.» En la vida real, más de una vez un ministro franquista solía pasar de sus orígenes catalanes.

El nacionalismo empezó a renacer en los años 60, cuando la publicación de libros en catalán, la aparición de la *nova cançó* y el desarrollo de una próspera industria publicitaria sirvieron para expresar en el plano cultural las reivindicaciones separatistas prohibidas en el político. Al mismo tiempo hizo su aparición una especie de cine catalán, que había conseguido sobrevivir hasta entonces. Domenec Font enumera cuatro posibles tendencias del mismo. Había un «cine castellano realizado en Barcelona», que dio lugar a unas cuantas películas centradas en problemas específicamente catalanes, tales como la burguesía de Barcelona *Brillante porvenir* (Vicente Aranda y Román Gubern, 1964), la emigración *(La piel quemada, Josep María Forn,* y la mucho mejor lograda *El último sábado,* Pedro Balañá, 1967, donde se trata el problema de la desorientación de los hijos de los emigrantes) o las relaciones industriales (la comedia de Antoni Ribas *Medias y calcetines,* 1969).

Mucho más famoso fue el «cine castellano de la Escuela de Barcelona». En cierto sentido, la «E de B» fue una respuesta calculada a las limitaciones impuestas al «nuevo cine español» por la censura. En la versión de Joaquín Jordá, formulada en 1969, cuando llevó su indulgente *Dante no es únicamente severo* (1967) al festival de Pesaro, proponía que ya que los cineastas no podían ser Victor Hugo, que fuesen Mallarmé[22].

La comparación resulta un tanto jocosa. Pero la frivolidad era por aquel entonces no necesariamente negativa. La película de Durán *Cada vez que...* (1967), por ejemplo, posee la moral se-

---

22 Sobre el ambiciosísimo programa de la Escuela de Barcelona, véase Molina Foix, *New Cinema in Spain,* pág. 23. Para una cándida visión de la Escuela como vehículo publicitario, véase Durán, en Castro, *El cine español en el banquillo,* páginas 133-144. *Nuestro cine* fue una plataforma de la Escuela; véanse, en particular, los núms. 54, 61, 82, 83, 90 y 91.

ductora de un anuncio de Martini. Para su director, el cine de Madrid, con sus «mujeres feas que dan la sensación de oler mal y que después de la más mínima escena amorosa quedan siempre embarazadas y viven grandes tragedias», era aburrido. En cambio, en *Cada vez que...* hay, como explica Durán, «cuerpos jóvenes y bonitos que están juntos cuando se quieren y que se separan sin dramatismos inútiles». «Hacer el amor», declaró Durán «estaba muy bien. Y para una muchacha de dieciséis años, decirle que el amor está muy bien, para mí era importante»[23].

El hecho de que se la clasificase «para mayores de dieciocho años» explica, quizá, el poco éxito de taquilla que tuvo *Cada vez que...* Su masificación de modelos tenía un lado serio. Reflejaba el desarrollo de una industria publicitaria en Barcelona apoyado por la clase media del capital catalán y cuya misma existencia contrastaba con el atraso de Madrid. Los personajes de Durán hablan francés, van de la terraza del café a la *boîte* y (en *Liberxina 90,* 1970) practican semiótica sub-Godard. Sin embargo, este «afrancesamiento» va más allá del mero esnobismo. Es la reafirmación de una cultura de Barcelona que además de ser diferente de la de Madrid es más sofisticada que ella. En definitiva, es una reivindicación de independencia.

Según Font, este panorama cinematográfico de los años 60 lo completaban el «cine catalán propiamente dicho» (Font Espina, Jordi Feliu, Vicenc Lluch, Pere Portabella) y el «cine marginal» (Manuel Esteban, Ramón Font, Antonio Maenza, Gustavo Hernández, Antoni Padros)[24]. La versión catalana de *María Rosa* (Armando Moreno, 1965) fue la primera de seis adaptaciones de películas rodadas originalmente en castellano. Una distribución limitada, niveles artísticos desiguales y la falta de antecedentes literarios limitaban el número de películas en catalán, así como su impacto.

A mediados de los años 70, la represión había causado considerables pérdidas. En 1976, Cataluña sólo contaba ya con muy pocos estudios de cine y producía únicamente el 11 por 100 de

[23] Durán, cita que capta la *joie de vie* del trágicamente malogrado Carlos Durán (1935-1988), en Castro, *El cine español en el banquillo,* pág. 114.

[24] Sobre el cine catalán de los 70, véanse *Dirigido por,* núm. 47, 1977, págs. 18-23, y *Cinema 2002,* núm. 38, abril de 1978, págs. 9 y 28-80.

Las largas vacaciones de '36, Jaime Camino, 1975. La guerra deja de ser un juego

las películas españolas. Sin embargo, esa misma represión no había hecho más que exacerbar el nacionalismo. Al iniciarse la transición, en ningún grupo de presión existía un consenso tan grande sobre lo que se quería ni una idea tan clara de ello como en el representado por el nacionalismo catalán. Sus reivindicaciones, de la que es un ejemplo la manifestación de 75.000 personas que tuvo lugar en Barcelona en febrero de 1976 para pedir amnistía y autonomía, dieron un gran impulso al cambio durante la transición.

En la guerra civil, los catalanes fueron rojos fanáticos, embaucados por el comunismo internacional, que se dedicaron a sembrar el desorden y la muerte. Ésta era al menos la versión oficial de franquismo. *Las largas vacaciones del 36*, de Jaime Camino, fue el primer éxito de taquilla de los años 70 que trató los recuerdos colectivos de los españoles desde el punto de vista catalán (si bien desde la base ecónomica de un productor madrileño, José Fradé). En agudo contraste con el mito franquista, los personajes de Camino —los miembros de dos familias catalanas— no son rojos, sino quisquillosos defensores del orden interno caracterizados por el más humanizante de los rasgos, la cobardía. En vez de luchar por la República, prefieren vivir en el aislamiento relativo que les proporcionan sus villas de verano de los alrededores de Barcelona. Uno de los padres se desplaza todos los días en funicular a la ciudad para abrir una tienda de la que es propietario. El otro es médico. La República le necesita, pero él antepone la familia y sus experimentos con cobayas a la posibilidad de trabajar en un hospital militar de Barcelona. Al principio, los cambios producidos por la guerra son insignificantes. La criada insiste en que la llamen «camarada», pero continúa desempeñando sus funciones. El electricista del pueblo se dedica a tocar la trompeta en un baile revolucionario cuando debería estar trabajando en una casa. Pero mientras los padres intentan huir de la realidad, los hijos hacen lo contrario. La guerra comienza siendo una prolongación de las vacaciones de verano. Los niños van sustituyendo la educación católica por una moral política cada vez más acusada. Sus juegos se convierten en modo de buscar el sentido de la perturbadora realidad que tienen ante ellos. El cabecilla del grupo, Quique, comienza jugando a la guerra; más tarde consigue un arma de verdad, pero la utiliza como parte de sus juegos; al final, se hace un soldado real. Un tutor comunista de modales suaves y medio muerto de hambre inicia la formación política de los chavales explicándoles que Antonio Machado era rojo.

Pero lo que determina realmente la conversión de los niños y el impacto emocional de la película es su formación sentimental. El padre de Quique muere combatiendo a los nacionales, y este hecho, junto con su bautismo sexual en brazos de su «camarada», es lo que le hace sentir la necesidad de tomar postura y de transmitir sus inquietudes a Alicia, su novia. Quique combate y muere. Los demás miembros de la pandilla son demasiado pequeños para seguirle y, de todas formas, la causa de la República ya está perdida. Al final de la película, los niños entierran los objetos con que jugaban, incluida la pistola de Quique, «para las próximas vacaciones». Camino da a entender que éstas serán en 1975, cuando los niños de la película se hayan hecho mayores y estén disfrutando otra vez de nuevas libertades. El mensaje escondido en *Las largas vacaciones del 36* es que la apatía abstencionista, aunque comprensible, ha de ser rechazada en favor de una conciencia cada vez mayor de la responsabilidad política; de lo contrario, las libertades podrían durar lo mismo que unas vacaciones.

La película de Camino tuvo una acogida internacional muy variada, lo que quizá se debiese a que da la impresión de que el guión original (de Camino y Gutiérrez Aragón) va a la deriva. Se da a entender que los lazos familiares tienen más peso que la ideología política —por ejemplo, una lección de política se corta en seco con el sonido del llanto de un recién nacido. Sin embargo, el desarrollo de los niños contradice el escepticismo de la película. Fue Gutiérrez Aragón quien, en la magnífica *Sonámbulos,* se ocuparía de desarrollar completa y libremente el tema del compromiso político y la vida de familia como fuerzas alienantes.

El inconveniente de esta película radica, quizá, en el modo en que trata los recuerdos. Camino nació en 1936, así que vivió la guerra civil a través de lo que oyó contar a su familia. Ésta es la base sobre la que fundamentó la película: «No tenía más que cerrar los ojos y compilar recuerdos familiares.» Fiel a estos datos imaginados, Camino pasó por alto el hecho de que los recuerdos no siempre son de fiar. El sufrimiento, especialmente el hambre de los últimos años, no se recuerda más que como algo que dio lugar a anécdotas irónicas: harta de comer siempre lentejas, una de las familias se dirige en un lujoso automóvil a una granja para adquirir alimentos a cambio de un brazalete (a veces la riqueza no tiene sentido) y consiguen un paquete de comida enviado desde Suiza; pero cuando lo abren sólo encuentran unos cuantos manjares exquisitos, pero inservibles, y una enorme lata de lentejas (incluso el hambre, cuando se recuerda al cabo de mucho tiempo, puede resultar divertida).

En cierto sentido, Camino sufrió las consecuencias de ser demasiado directo. Sin ningún velo de alegorías que con el que escudarse, su película (que se rodó a finales de 1975) no podía mostrar, y mucho menos analizar, temas como el de los combates reales que tuvieron lugar en la guerra. De hecho, la censura quiso eliminar por completo el contexto. Entre los cortes que impuso figuraban un plano de la bandera republicana, otro de una pancarta en que se leía «Abajo los asesinos fascistas» y un soberbio final consistente en un plano general tomado con teleobjetivo de la caballería mora aproximándose a Barcelona y en el que, al percibirse movimiento, pero no progreso, quedaba reflejada a la perfección la larga e insufrible agonía de la República. Peter Besas retrata este plano: «Se ve al ejército republicano, derrotado y deshecho, retirándose por las calles del pueblo, dejándolas sin protección. Luego, lentamente, en la cresta de una colina, vista a través de un teleobjetivo, en una escena que recuerda un poco la llegada de los caballeros teutones de *Alexander Nevsky,* vemos una ancha línea de jinetes moros que se aproximan lentamente en corceles blancos, sus holgadas ropas ondulando al viento, su aspecto salvaje, maravilloso, fascinante y mortal. Se trata de la famosa y temida guardia mora de Franco. Tan impresionante escena sólo queda parcialmente suavizada cuando los títulos de crédito descienden al final de la película sobre las escalofriantes imágenes»[25].

El catalanismo se benefició del clima ligeramente más liberal que comportó la muerte de Franco. En diciembre de 1975, se-

[25] P. Besas, *Behind the Spanish Lens,* págs. 150-151. No es histórico que las tropas moras conquistaron Barcelona: así que esta escena final es una licencia cinematográfica.

tenta profesionales del cine fundaron el Institut de Cinema Català (ICC), sociedad limitada, que se proponía fomentar el cine catalán en tanto que «vehículo de la cultura de un pueblo», industria cinematográfica y «cine que inscriba en la lucha democrática, tanto por su contenido como por sus relaciones de producción»[26]. Los conflictos internos y la falta de financiación retrasaron la producción del ICC hasta 1977. Mientras tanto, Francesc Ballmunt rodó dos documentales claves, *La nova cançó* (1976) y *Canet Rock* (1976).

Bellmunt, al igual que Ribas y Forn, descubrió su verdadera vocación con el renacimiento del cine catalán. Hasta entonces había trabajado sin rumbo fijo (dirigió uno de los cuatro episodios de una crónica del «terror a través de los tiempos» titulado *Pastel de sangre,* 1972, y una película para niños totalmente convencional, *Robin Hood nunca muere,* 1974); pero a mediados de los años 70 se convirtió en el principal portavoz de la juventud catalana en el cine.

La nova cançó fue el primero y el mejor de los documentales realizados por Bellmunt sobre este movimiento musical, una película en la que, tal como exigía el ICC, incluso el estilo «lucha por la democracia». En ella ha desaparecido, por ejemplo, el típico comentarista que daba la versión oficial de los hechos en el NO-DO; en vez de voz en *off*, Bellmunt entrevista a políticos, escritores, cantantes y agentes artísticos a fin de dar una visión pluralista y no siempre halagadora de la canción de protesta catalana. Las entrevistas se complementan con escenas de conciertos, en los que, con la disconformidad de sus temas, su música elemental, sus alegorías políticas transparentes y su poesía, los intérpretes de la *nova cançó* dan vida a la lengua catalana en palabras cantadas lenta y claramente y con un agudo sentido de la ironía.

Ninguna otra película española muestra mejor el júbilo de una nación que estaba saliendo de cuarenta años de dictadura. Algunas secuencias son antológicas: Raimon entonando su conmovedora «Jo vinc d'un silenci»; el mejor compositor catalán Lluís Llach cantando «L' Estaca» en el Palau del Sports en enero

[26] Cfr. Molina Foix, *New Cinema in Spain,* pág. 27, para el programa completo del ICC.

de 1976, mientras que, en el contracampo, las cerillas encendidas del público se balancean como luces de faros de un mar tenebroso.

En 1976, muchos catalanes comenzaron a sentirse igualmente embriagados de júbilo no sólo por el hecho de estar viviendo el alba de la libertad nacional, sino también porque tenían conciencia de su propia trascendencia. La «participación» y el «compromiso» no eran ya un deber, sino el sentimiento de pertenecer a un movimiento que, después de un siglo de caos y sufrimiento, iba a conseguir algo positivo. No hay nada más natural para una cultura que está saliendo de una dictadura que intentar emplazar el pasado —incluidas las derrotas sufridas— en el marco de un vasto proyecto nacionalista, cuyo sentido y dirección están señalados por un vacilante, pero nunca detenido, proceso de politización, que tiene su fin último en la autonomía. *Las largas vacaciones del 36* respondía a este proyecto; también lo hacía la más significativa de las películas en catalán realizadas hasta la fecha, el amplísimo fresco histórico de Antoni Ribas *La ciutat cremada* (1976).

Esta película comienza significativamente en un momento clave del renacimiento del nacionalimo catalán contemporáneo: la pérdida de Cuba en 1898, que cerró los mercados de Latinoamérica a los inversores catalanes y convenció a sus conciudadanos de que el Gobierno de Madrid era irremediablemente incompetente. La narrativa de Ribas se desarrolla a continuación mediante una serie de viñetas históricas: los soldados catalanes en el barco que les trae de Cuba en 1899, con la ansiedad febril de la enfermedad y el deseo de llegar a casa; los separatistas conservadores y dirigentes de la autocrática Lliga Regionalista, Cambó y Prat de la Riba, buscando un modo de sacar provecho del descontento de las masas con el régimen centralista; los obreros de las fábricas sometiendo a debate en 1901 la reforma social propuesta por el republicano radical Alejandro Lerroux; la aplastante victoria electoral de la Lliga en 1902; Lerroux despotricando contra la Iglesia e incitando a los jóvenes catalanes: «¡Entrar a saco en los conventos, levantad el velo a las novicias y elevadlas a la categoría de madres!» Cambó hablando con Alfonso XIII en 1909 para pedir las libertades catalanas, y por último, la Semana Trágica de 1909, con la quema de iglesias y las barricadas levantadas por unos cuantos desgraciados que actuaban sin propósito determinado.

A pesar de su tono épico, *La ciutat cremada* era en realidad una película sobre catalanes, hecha por catalanes y para catalanes. Los extranjeros pueden comprender, pero no sentir todo el júbilo que experimentaron sus primeras audiencias catalanas al encontrarse con un film que trató temas específicamente catalanes. Ribas llega incluso a hacer uso de chistes típicamente catalanes mofándose del *seny* —el acusado sentido común— de los industriales de Barcelona. Por ejemplo, un comerciante de la Ciudad Condal que no sabe si hacer caso omiso del toque de queda y abrir la tienda dice: «Vendre o no vendre, aquesta és la qüestió!» El «interés humano» viene dado por la fornida figura de Josep, vulgar trabajador que se casa con la hija de un rico industrial, Pere Palau. *La ciutat cremada* es en realidad una crítica mordaz a la clase media catalana, que en 1909 se desentendió del movimiento revolucionario que había contribuido a forjar. El lugarteniente de Lerroux, Emiliano Iglesias, por ejemplo, aparece en la película demasiado enfermo para adoptar una postura firme en apoyo de los rebeldes. Se le acusó después de haber tomado intencionadamente un laxante para incapacitarse y no ir a las barricadas.

La familia de Palau también procura guardarse la ropa. Mientras en la banda sonora se oye el himno catalán y en la calle se levantan barricadas, los Palau se entretienen con juegos de sociedad. Josep no se decide a unirse a los rebeldes; pero al ver a un francotirador que está disparando contra las barricadas desde un tejado, no lo duda más y, deslizándose hasta él, le mata. Su cuñada, Roser, sale tras él y, en ese mismo tejado, le seduce, a la vez que va apartando el rifle hasta que el arma cae a la calle sembrada de cadáveres.

La visión de Ribas de los catalanes no es del todo desesperanzadora. El hecho de que Roser seduzca a Josep no es solamente la manifestación de una pasión sexual: la muchacha quiere que sea él quien engendre a su hijo (su marido es un petimetre de clase alta), transformando así el espíritu revolucionario de Josep en ese deber que tiene todo *grand bourgeois* de fundar una familia. Sin embargo, el montaje que hace Ribas de los rebeldes muriendo en las calles mientras la pareja se entrega a su pasión en un tejado desde el que se domina la lucha es ambivalente. Se está derramando sangre, pero se está creando otra nueva, y, como señala Roser, su hijo tendrá «sang del carrer», porque el padre es Josep. La Semana Trágica tiene al menos el efecto positivo de vigorizar la estirpe de Roser. No es una casualidad que la imagen más característica de la película sea la del amanecer.

La ciutat cremada carece de la envergadura de un fresco histórico similar, *El gatopardo,* de Visconti. No obstante, constituyó un ingenioso manifiesto de los derechos y la cultura catalanes. Muchos de los personajes secundarios fueron interpretados por destacadas personalidades catalanas, y el diálogo contiene frases a las que el público respondió con una gran ovación y que quizá tuvieran mucho más que ver con 1976 que con la época en que está ambientada la película. Heridos en su orgullo por las evasivas que daba Suárez al problema del Estatuto de Autonomía, los espectadores catalanes aplaudieron entusiasmados frases como la que dice Cambó cuando se queja ante el rey de la lentitud con que el Gobierno central se ocupa de la reforma: «En Madrid, señor, no se tiene nunca prisa...»

En 1978, el cine catalán parecía estar perdiendo su dinamismo inicial. Desde junio de 1977, el ICC sacaba un noticiario quincenal, el *Noticiari de Barcelona,* en el que se traban con un tono audaz e independentista temas tales como la especulación del suelo, la educación y la sanidad. Sin embargo, el instituto no tardó en verse afectado por las tensiones internas existentes en el gobierno provisional catalán, y el cine, claro está, sufrió las consecuencias. La película de Josep María Forn *Companys, Procés a Catalunya* (1979), por ejemplo, es una *biopic* demasiado conformista.

Ribas continuó su fresco de la Historia en una película en tres partes de seis horas de duración, *¡Victoria!* (1983-1984), que ordena los acontecimientos ocurridos en los tres días y las tres noches de junio de 1917 en que Barcelona fue una confusa mezcla de anarquistas, bohemios, traficantes de armas, cuyos negocios con las grandes potencias les habían hecho ricos y miembros de las juntas militares de defensa. En este caso, las escenas históricas son pesadas y tangenciales. La relación entre un anarquista y un oficial reformista se utiliza con el fin de poner de manifiesto la incapacidad de las juntas militares para cooperar con el pueblo catalán y recordar el hecho de que incluso contribuyeron a aplastar el levantamiento anarquista del 1 de agosto de 1917. El resultado es una visión superficial y romántica de un acontecimiento complejo.

En la obra de Carles Mira, cineasta valenciano, se advierte una insistencia temática y un tratamiento particular: un poder central judeocristiano, represivo y obsesionado con la muerte, al que le sirve de contrapunto una tendencia carnal a deleitarse en la vulgaridad, el sexo y el espectáculo. Mira relaciona estas características con sus orígenes valencianos y, más especialmente, con la réplica al supuesto buen gusto que proponen el gran sainete de las Fallas y la profunda influencia árabe de su tierra natal. En *La portentosa vida del Padre Vicente* (1978), Mira hace una transcripción literal de los milagros del patrón de Valencia que los reduce al más puro esperpento, y en *Con el culo al aire* (1980) convierte la España franquista en una inmensa locura institucionalizada presentándonos un manicomio donde todos los internos son personas perfectamente cuerdas que se ven obligadas a hacerse pasar por Cristóbal Colón, Isabel la Católica y otras de las grandes figuras en que se inspiraba el franquismo. En *Jaleo real* (1981), insiste en la austeridad y la intransigencia castellanas poniendo como ejemplo de las mismas las intrigas de la corte de Carlos II el Hechizado, durante cuyo reinado Castilla alcanzó el máximo grado de decadencia.

El problema de Mira es de sostener un humor negro que no caiga en la vulgaridad. Se encuentra más a sus anchas celebrando una sensualidad sibarítica en *Que nos quiten lo bailao* (1983). Remontándose a la época en que el califato de Córdoba rivalizaba con la dinastía abasí de Bagdad, esta película presenta una España musulmana de deleites sensuales y escatología encomendable. En comparación con ella, el húmedo castillo de los cristianos parece haberse quedado atascado en la mentalidad tenebrosa de los godos, lo cual se ajusta bastante a la verdad histórica.

La labor de Ribas, Forn y Mira no fue suficiente, sin embargo, para crear una industria dinámica. Hubo otros cineastas que rodaron películas en catalán, fundamentándose en tradiciones cinematográficas más generales, tanto españolas como internacionales. Francesc Bellmunt es una figura central de la denominada «nueva comedia española», y algunos directores más recientes han hecho *thrillers* policiacos, como, por ejemplo, *Barcelona Sud* (Jordi Cadena, 1980), que es una mezcla de *film noir* y humor negro, o *Putapela* (Jordi Bayona, 1981), película realizada con un presupuesto mínimo y que habla de la prostitución en un mundo del hampa barcelonés bastante folklórico.

«Para que haya cine catalán», declaraba Ricardo Muñoz Suay en 1978, «Tiene que haber un estado autonómico catalán»[27]. Sin embargo, es posible que, al haber acabado con el «problema catalán» en tanto que cuestión política grave, el Estatuto de Autonomía concedido por el gobierno de U. C. D. en 1979 haya invalidado la razón de un cine nacionalista vigoroso. Desde el punto de vista de financiación, mercados, infraestructura y mano de obra, la industria cinematográfica catalana no es todavía autosuficiente. Cataluña, por ejemplo, ha producido excelentes actrices que ahora aparecen continuamente en películas producidas en Madrid. Tal es el caso de Assumpta Serna (la madre y la novia de *Dulces horas,* de Saura y la mala en 1989 de *Falcon Crest)* o Silvia Munt (la esposa de buena parte de la «nueva comedia española»). Por otro lado, los inversores catalanes son sumamente cautos. «En Madrid», se lamentaba Forn en cierta ocasión, «puede encontrarse... un financiador que... cree que la película puede servirle para una aventura erótica. El catalán en este caso prefiere poner un piso a una querida». Forn es una víctima de este tipo de cautela, ya que no ha dirigido ninguna película desde *Companys.* Asimismo, el cine catalán parece a veces una causa académica. Los premios de la Generalitat para 1983 y 1984, por ejemplo, se reservaron para películas rodadas en catalán; pero existe la política de doblarlas después al castellano, lo cual las hace casi indistinguibles de muchas otras rodadas también en Cataluña, pero en castellano. Como a todo cine minoritario, el principal obstáculo que se le presenta al cine catalán es el hecho de tener su mercado natural muy pequeño: los seis millones de catalanoparlantes (frente a los 37 millones de españoles que hablan castellano). Al carecer de mercados internacionales, los cineastas españoles necesitan hacerse con todos los nacionales. De ahí que un emprendedor productor de Barcelona como era Pepón Coromina empleaba estrellas del país que no hablan catalán y directores

[27] *Cinema 2002,* núm. 38, abril de 1978, pág. 37.

no catalanes tales como Eloy de la Iglesia (que es vasco), para quien produjo la excelente *Navajeros* (1980)[28]. En cierto sentido, el cine en catalán se resiente de la existencia en España de una industria cinematográfica con anterioridad al renacimiento lingüístico de Cataluña. Debido a ello, no hay una conexión automática entre hacer cine en Cataluña y hacerlo en catalán. «No tengo un interés especial en rodar en Cataluña o en cualquier sitio concreto», ha afirmado José Luis Guerín, uno de los jóvenes talentos nacidos en Barcelona[29]. Como tampoco lo tienen Gonzalo Herralde (que rodó su mejor película, *Vértigo en Manhattan* en Nueva York en 1980) ni Gerardo Gormezano, cuyo debut, *El vent de l'illa,* está rodada en inglés, aunque la historia transcurre en Menorca en 1738. Esta película describe los intentos de un ingeniero del ejército británico de levantar un exhaustivo mapa topográfico y social de la isla. Utilizando actores ingleses (Simon Cassel, Anthony Pilley), destacándose por la atención que presta a los detalles de la época y por sus tonos pictóricos, y, no obstante, estableciendo un paralelo entre los puntos de vista físico y cultural, entre la lengua y la política bilateral de la época (el ingeniero se apropia del paisaje, reflejando así la apropiación que llevó a cabo su país, pero su punto de vista choca con el de una pintora nativa y acaba abandonando su profesión), esta interesante película hace pensar en la tendencia subversiva de los dramas paisajísticos del cine británico ilustrada por *Rocinante* (Eduardo y Ana Guerdes, 1986) y, más concretamente, *The Draughtman's Contract* («El contrato del dibujante», Peter Greenaway, 1983).

Si las películas catalanas vuelven a explorar alguna vez un sentido explícito de la «catalanidad», lo harán porque la financiación está ahí. En este sentido, los acuerdos sobre financiación

[28] Que fue, además, una cooproducción con México. Pepón Coromina (1946-1987) fue el cofundador (1978) y el jefe de producción o productor ejecutivo de Fígaro Films, donde produjo películas como *Bilbao, El asesino de Pedralbes, Caniche, Navajeros, Pepi, Luci, Bom..., Barcelona Sur* e hizo cooproducciones como *La plaza del Diamante* y *Círculo de Pasiones.* En 1983 fundó su propia productora, Samba Films y produjo *Últimas tardes con Teresa,* la serie de TVE *De moda y Angustia.* Fue objeto de un homenaje en el Festival de Cine de Barcelona de 1988.

[29] J. L. Guerin en *Contracampo,* núm. 36, verano de 1984, pág. 69.

cinematográfica concertados por TV-3 con algunos productores catalanes (que llegan a unos 900 millones de pesetas para coproductores en 1989) son un primer paso hacia la realización de películas que fomenten un sentido de la identidad regional. Mientras tanto, un buen ejemplo de los intrincados caminos por los que discurre la producción en Cataluña es la película más atractiva de todas las realizadas allí: *La plaça del Diamant* (1982). Su autor, Francesc Betriu, es un director maldito: numerosos proyectos abortados, rodajes rápidos que le obligan a adoptar un estilo feísta, encasillado en el cine populista debido a la obvia fama con la fotonovela de su famoso corto *Bolero de amor* (1970). Sin embargo, el tema principal de Betriu es la alienación. En *Furia española* (1974) convierte al Barça en un opio del pueblo que sirve a los personajes para sublimar sus frustraciones. *Los fieles sirvientes* (1980) es más sutil. Los criados de una casa de campo, condicionados por sus empleados, utilizan sus libertades para emular a la clase que les explota. Es una perspicaz parábola de las ironías del poder y una sátira de la transición.

La plaça del Diamant es el último de una larga serie de intentos de llevar a la pantalla una novela (de Mercé Rodoreda) que se consideraba demasiado «literaria» para el cine. Betriu encontró la solución expresando con voz en *off* el monólogo interior de la protagonista, Colometa, y haciendo incluso que ésta se vuelva a la cámara (en una escena a la que se le ha dotado deliberadamente de un carácter onírico mediante una combinación irreal de tonos azules y anaranjados) para informar al público de que su marido, Quimet, y el mejor amigo de éste, Cincet, han muerto en la guerra. El monólogo interior es un elemento esencial de la película. En primer lugar, porque Betriu no sólo rodó en catalán, sino que explotó también la cualidad característica de esta lengua: esa suavidad relativa que dota a gran parte de su poesía de una melancólica cadencia. La prosa poética de Rodoreda ha sido trasladada a la película con todo su poder de seducción. Y en segundo lugar, porque ese monólogo da una idea clara y rica de la sensibilidad de la protagonista. La primera vez que aparece Colometa, es una muchacha envuelta en el bullicio de una Barcelona en fiestas. Su amiga la arrastra consigo a un baile y allí conoce a Quimet, que es joven, atractivo, exaltado. Quiere sacarla a bailar; ella se resiste, pero acaba cediendo. Colometa es una de esas personas que, como ella misma dice, «no sabe decir no».

La plaça del Diamant retorna a uno de los grandes temas del cine español: las dificultades del individuo para tomar una verdadera conciencia de sí mismo en una España cuya historia alienta la alienación. La protagonista se deja arrastrar al matrimonio y a su debido tiempo cumple con el deber de darle hijos a su marido. Hay un momento de felicidad, cuando se proclama la República en 1931, pero para ella no vuelve a repetirse. Colometa es, como escribe Juan M. Company, sólo una personalidad latente, «una conciencia popular que pudo ser y no fue»[30]. La película de Betriu sugiere con suma destreza cómo Colometa, en su calidad de ama de casa sin mucha educación, se esfuerza por encontrar su propia identidad. «Se ve obligada a aferrarse a los objetos domésticos, a lo cotidiano, como único referencial que da carta de naturaleza al mundo errante y lo hace parcialmente comprensible»[31], como cuando recorre con el pulgar las rendijas de la mesa para sacar las miguillas de pan o sube las escaleras siguiendo con la mano los dibujos marcados en la pared. Sin embargo, como ocurre con tantas otras heroínas del cine español, su sentido de la identidad nunca llega a cuajar. La causa fundamental de su posterior alienación es la guerra civil. Quimet se alista en el bando republicano. Un día vuelve de permiso y ya no es el mismo, ahora parece un hombre acabado. «Cuando todo esto termine», dice «me meteré en casa como la carcoma en la madera y nadie me hará salir nunca de ella. ¡Nunca!» Un sentimiento muy similar es el que expresa el personaje del padre de *El espíritu de la colmena.*

Quimet muere en la guerra. Colometa se queda sola en Barcelona y, aunque el hambre no la deja apenas tenerse en pie, sale a buscar comida para sus hijos. Siempre como en un sueño, ya no es más que una autómata. Betriu vuelve entonces a utilizar un objeto para indicar el estado en que se encuentra la protagonista: un osito mecánico tocando el tambor que lleva años colgado en el escaparate de una tienda de juguetes. Colometa lo ve por primera vez durante la República, cuando mediante un plano subjetivo se la muestra haciendo algo activo, aunque sólo sea mirar.

---

30 «Variaciones sobre un oso de juguete», *Contracampo,* núm. 30, 1982.
31 *Ibíd.*

Pero en los años 40, ese mismo objeto es el símbolo de una palpitación artificial..., un «movimiento mecánico..., equiparable al del ciego e instintivo avatar de las abejas en una colmena»[32].

La película acaba en 1952. Barcelona ha estado otra vez en fiestas y Colometa camina sin rumbo fijo por la ciudad hasta ir a meterse bajo una inmensa carpa donde se están recogiendo las cosas después de una fiesta. Mira hacia arriba y ve el cielo a través de una pequeña abertura. Por fin, hundida en su profundo pozo de alienación, con Quimet y las ilusiones republicanas perdidos para siempre, Colometa permite breve e intuitivamente que su conciencia de sí se materialice. Mirando hacia esa apertura, hacia el cielo, deja escapar un grito.

Del sexo de los ángeles a sexos angélicos

> Ángel: ¡Mira que eres puta!
> Martina: Sí, pero te gusto, ¿no?
> Ángel: ¡Toma!, ya lo creo.
>
> *Furtivos*

Más allá del destape, la verdadera revolución sexual del cine español tuvo lugar entre 1976 y 1978, con la repentina aprobación de la sexualidad para ambos sexos dentro o fuera del matrimonio.

El carácter radical de este cambio sólo puede apreciarse considerando todo el peso de las restricciones anteriores. En 1926, durante la dictadura de Primo de Rivera, una mujer fue encarcelada por afirmar que la Virgen María había tenido otros hijos además de Jesús. Durante la República, el aumento de las libertades y el mayor número de oportunidades que se le ofrecían a la mujer permitieron que la ecléctica productora y guionista de *Doce hombres y una mujer* (Fernando Delgado, 1934), la catalana Rosario Pi, quien, debido a su cojera, acudía a los rodajes a caballo, hiciese la primera película española dirigida por una mujer, *El gato montés* (1935), considerable, aunque desarticulada puesta en escena de la opereta del mismo título.

Con Franco, la posición de la mujer en la sociedad española y

---

[32] *Ibíd.*

en el cine (como sujeto y como objeto) dio la impresión de haber retrocedido siglos. En las películas españolas se desexualizó cuidadosamente a los personajes principales, masculinos y femeninos. «No era sólo que no se pudiese sacar a gente besándose», recuerda Alfredo Mayo, «sino que incluso sentarse y cruzar las piernas era considerado un mal ejemplo»[33]. Irónicamente, el nerviosismo que producía la presencia de una mujer podía provocar una contracorriente de homoerotismo. En *A mí la legión,* por ejemplo, la mujer que sirve en la cantina y está loca por el «Grajo» se comporta como un muchacho más. Cuando el apuesto Mauro se va, para gobernar el reino «hermanos Marx» de Eslonia, el «Grajo» languidece como si hubiera perdido a su amante. La película acaba de acuerdo con los cánones de las historias de amor de Hollywood: con el «Grajo» y Mauro reunidos otra vez.

«En los años 70», comentan Carr y Fusi, «España se había convertido en una curiosa mezcla de valores tradicionales —principalmente católicos— y de modos de comportamiento propios de una sociedad de consumo»[34]. Manolo Escobar, un *self-made man,* sabía muy bien hasta dónde se podía llegar. Logra el sueño hispanoamericano de casarse con una millonaria norteamericana en *Un beso en el puerto* (1965) y llega al estrellato en *Mi canción es para ti* (1965); pero en el fondo es una astilla del palo de la vieja España: «Si me lo pregunta», señala en el exitazo de Sáenz de Heredia *Pero... ¡en qué país vivimos!* (1967) «Para mí la mujer que no entra en la cocina, no cose y no reza no es una mujer..., es un guardia civil»[35]. A pesar del progreso, las películas insistían en que los españoles todavía eran diferentes. La prueba crucial de ello era el sexo, que para una mujer soltera constituía el preludio del embarazo y la perdición. El papel de la censura con respecto al sexo consistía no tanto en impedir que se le diera expresión (después de todo, Franco no hacía mucho para prohibir los burdeles en España) como en limitar estrictamente sus manifestaciones a lo condenable o lamentable:

Violaciones: El modo en que es desvirgada la maravillosa Ros-

---

[33] P. Besas, *Behind the Spanish Lens,* pág. 24.

[34] Carr y Fusi, *Dictatorship to Democracy,* pág. 79.

[35] Equipo «Cartelera Turia», *El cine español, cine de subgéneros,* Valencia, Fernando Torres, 1974, pág. 158.

sana Shiafano en *Encrucijada para una monja* (1965), por unos negros africanos, constituye una de las escenas de sexo más sádicas del cine realizado durante el franquismo[36]. La violación tenía tan pocos visos de realidad después de someterla a la circuncisión de la censura, que Camus en *Esa mujer* (1969) la convierte en un hecho estético: enormes negros con pantalones blancos y pequeñas mujeres blancas vestidas de negro (monjas) que forcejean ante el pálido muro que sirve de fondo.

La pasión española: En *La Tirana* (1958), es la pasión lo que lleva a Goya a pintar y lo que anima a la Tirana, la mejor actriz de la época; aunque es también la tragedia de la mujer, pues la pone a merced de un corazón que actúa siempre de un modo impulsivo y desenfrenado. Y cuando el corazón manda, el cuerpo obedece. La pasión necesita ser controlada por una mano dura, como la de un dictador, por ejemplo. La pasión es temperamento, y así lo dio a entender Paquita Rico, la actriz que interpretó a la Tirana, en 1976: «Mi marido y yo nos lo pasamos muy bien en la cama. Soy muy temperamental»[37]. (Desde entonces el cine le queda pequeño.) La pasión la popularizó, claro está, Sara Montiel en *El último cuplé*.

Una actriz o una artista: La Polaca, apasionada bailaora de flamenco, es la única de las chicas de *Las secretarias* (Pedro Lazaga, 1968) que mantiene relaciones sexuales antes de casarse. Pero cuando se da cuenta de la inmensidad de su pecado no duda en recurrir a las pastillas de Veronal.

Los extranjeros: Si tenía que haber alguna escena de sexo, era preferible que la actriz fuese extranjera, tuviese nombre extranje-

---

[36] Tanto, que en la parodia de José Luis García Sánchez, *Pasodoble* (1988) también hay una monja que es violada en África..., pero en esta ocasión por un equipo de TVE.

[37] Según Paquita Rico, los productores solían «cebar» a las actrices para que las creciera el busto. La pasión no equivalía necesariamente a una experiencia sexual.

Una de las polémicas de la erudición cinematográfica española gira en torno al estado sexual de María Luján (Sara Montiel) en el célebre *El último cuplé*. Para Fernando Méndez-Leite, «Fumando espero» es una «invitación a la fornicación placentera»; Roman Gubern es más escéptico: muere virgen. Tal ambigüedad satisfacía a la censura a la vez que a los espectadores. Sobre Sara Montiel, véase R. Gubern, «El último cuplé», *Les Cahiers de la Cinemateque,* números 38-39, invierno de 1984.

ro o hiciese el papel de una extranjera. En la película de Pedro Olea, *Días de viejo color* (1967), la censura no permitió que el personaje interpretado por Cristina Galbó se acostase con el protagonista, alegando que si la actriz «fuera francesa, el acto resultaría más comprensible»[38].

Las prostitutas: Aunque a los españoles no les parecían tan sexy (ni tan baratas) como las extranjeras. En *Estudio amueblado* (José María Forqué, 1969), dos prostitutas se visten de extranjeras para atraer a sus clientes.

En las películas del franquismo, la sexualidad pertenecía a «lo otro». (Podría decirse que en tiempos de Franco, una película sobre sexo, era lo más cercano a la ciencia-ficción.) Las chicas (de) bien, no tenían deseos sexuales. Durante la transición, las restricciones impuestas a la problemática sexual (principalmente femenina, pero también homosexual) se fueron erosionando poco a poco por varios frentes: desapareció el complejo de la virgen-puta; en películas mainstream, la pareja (casada o no) desplazó a la familia del eje ético de la obra; la mujer sexualmente agresiva y la homosexualidad explícita hicieron acto de presencia.

Según las estadísticas, en 1974 había en España medio millón de prostitutas[39], lo cual era consecuencia de una estricta moral sexual que había planteado a los varones del país el siguiente dilema: una mujer decente no puede ser sexualmente atractiva, porque una mujer sexualmente atractiva no puede ser socialmente decente. Una película de la «tercera vía», *Mi mujer es muy decente dentro de lo que cabe* (Antonio Drove, 1974), abordó esta paradoja. En ella, un desgarbado José Sacristán se fija en una arrolladora rubia ninfómana (María Luisa San José) y decide instruirla en las labores de esposa. Totalmente inexperta en las finuras de la vida social, la chica va adquiriendo respetabilidad; pero, a medida que esto ocurre, el ardor sexual de él va decayendo, y ahora es su mujer (Concha Velasco), la que ha abandonado las costumbres

[38] A. Castro, *El cine español en el banquillo,* Valencia, Fernando Torres, 1974, página 279.

[39] «La prostitución en España», *Hechos y dichos,* julio de 1974, págs. 8-11, citado por A. Pérez Gómez, en *Cine para leer,* Bilbao, Mensajero, 1974, página 32.

respetables para hacerse artista de cabaret, la que le subleva, si bien vuelve a decaer en cuanto ésta regresa a casa y manda a tomar viento fresco a la otra. María Luisa San José sale igualmente mal parada en *La mujer es cosa de hombres* (1975), donde interpreta el papel de una prostituta de lujo que intenta suicidarse porque su novio la ha despreciado. La pobrecita busca consuelo en sus antiguos clientes, todos muy solícitos y solidarios. En uno de los destetes más famosos de aquel año, se entrega a ellos de corazón y pecho, y les pregunta si alguno está dispuesto a casarse con ella. Con suma discreción, la dan de lado: la que ha sido puta...

La execrable película de Germán Llorente *La violación* (1976) tiene una caracterización que carece de motivos; es una vulgar copia de la genial obra de Truffaut *Las dos inglesas y el amor,* y ni siquiera contiene una violación. No obstante, da a entender que las actitudes sexuales están cambiando y que tal cambio es un signo del tiempo. Pilar, una muchacha sensible, va a Cádiz a un concierto del perturbado y apetecible pianista Miguel Santos (Simón Andreu) y pasa la noche con éste, perdiendo (suponemos) la virginidad. Ahora bien. Pilar es una buena chica; pero ¿qué otra cosa cabía esperar de una joven española en 1976?, parece decir la película más adelante:

> *Madrastra de Pilar:* ¿Sois novios?
> *Pilar:* Ahora no se dice así.
> *Padre:* ¿Ah, no? ¿Y cómo se dice?
> *Pilar:* De ninguna manera. Nos llevamos bien. Nos gusta estar juntos. Eso es todo.
> *Madrastra:* Entonces, ten cuidado. Hasta que la cosa sea más seria.
> *Padre:* No, no te preocupes. Pilar ha sido siempre muy formal y yo tengo confianza en ella.

Pero, unas cuantas noches antes, la niña no fue precisamente muy formal, y durante el resto de la película se exploran las consecuencias de esta nueva ambigüedad sexual mediante un proceso de aclaración de su relación con Miguel. Años antes, éste había tenido una apasionada aventura con la hermana de Pilar, Lola, que siempre ha sido una mujer mucho más liberada que ella. Miguel le dice a Lola que se acostó con su hermana porque le recordaba a ella (aunque las chicas no se parecen entre ellas ni

Corridas de alegría, Gonzalo García Pelayo, 1980. Sexualidad femenina: una contradicción de términos bajo Franco

en el blanco de los ojos), y la chica, dando expresión a la dicotomía de la virgen-puta, afirma que él ama a su hermana, pero la desea a ella. Pilar se aparta de ambos cuando descubre su pasado, mientras que Lola, convencida de que es un estorbo para la felicidad de su hermana con Miguel, se va consumiendo por dentro (en unos cuantos minutos de película) y muere. Pilar se marcha a Alemania, para obtener, quizá, un ligero conocimiento de una más avanzada tecnología sexual, y cuando regresa a España encuentra a Miguel en un concierto. Otra vez juntos, él la besa, pero ahora —sintetizando los papeles de puta y virgen— lo hace con verdadera pasión[40].

La manifiesta película reformista de Mariano Ozores *Alcalde por elección,* estrenada también en 1976, expresa de un modo aún más claro esta fusión de los papeles de virgen y de puta, y para ello se sirve de la figura de una esposa cuya naturaleza genuina es a la vez *sexy* y respetable (a diferencia de la de las esposas de *Lo verde empieza en los Pirineos,* Vicente Escrivá, 1973, en las cuales el atractivo sexual es sólo una táctica que utilizan para castigar a sus maridos).

La película de Ozores comienza presentándonos a un alcalde de pueblo predemocrático, Federico Villalba (interpretado tan sustancialmente como de costumbre por Alfredo Landa), pronunciando un discurso bastante insulso en el que se combinan la idea de progresar al ritmo de los tiempos y un llamamiento al orden algo neutralizante. («La coyuntura actual nos exige una ciudad limpia, ordenada.») La única piedra de toque de su campaña es su honorabilidad, que se refleja en su matrimonio supuestamente perfecto. Pero lo cierto es que su mujer duerme en una cama separada, con la cara cubierta de una detumescente crema antiarrugas. Y Federico se comporta como una versión cateta de Algy en *La importancia de llamarse Ernesto:* en el pueblo distrae a los demás, y en la ciudad (en una visita semanal que hace a Madrid) se distrae a sí mismo haciendo las veces de ultra-moderno fotógrafo de modelos en *topless.* Ante esta situación, la esposa prepara

---

[40] Al espectador conservador, sin embargo, este hecho podría sonarle a marcha nupcial. Si la película comienza planteando el complejo de la virgen/puta y luego se ve obligada a solucionarlo debido a la necesidad de poner un final feliz, tal solución podría considerarse como provisional.

una hábil venganza; se presenta en Madrid haciéndose pasar por modelo y, una vez en el estudio de él, se pone a retozar en el suelo cual insinuante gatita e incita a Federico (quien no puede revelar su identidad y piensa —erróneamente— que ella no le ha reconocido) a hacer el amor. Así pues, el señor alcalde ha caído en sus propias redes: su mujer le está poniendo los cuernos... con él mismo.

Federico no podía tener mejor prueba de la infidelidad de su esposa: echando un polvo que le hace polvo, se viene abajo... hasta que ella le explica que todo era una treta. En el desenlace se dicen unas cuantas verdades. ¿Sus viajecitos a Madrid? Necesitaba huir de todo, explica él, escapar de la rutina, de las hipocresías del pueblo; en su juventud fue un hombre reprimido, y su mujer era «demasiado decente», nunca la había visto «desnuda por completo». «El caso es romper las barreras», concluye «porque, si no uno se ahoga». En otras palabras, un reformismo tímido, expresado en una vida sexual más liberada, puede detener la caída casi patológica en la pornografía. El progresismo sexual de la esposa puede beneficiar —y aquí aparecen los límites del reformismo de Ozores— a la función, más conservadora de fundar una familia. Al final se la ve a ella sonriente y embarazada. El alcalde, ahora más liberado, tiene realmente la familia perfecta de la que tanto se había jactado[41].

«Los principales cambios producidos en la comedia cinematográfica española son los que se derivan de los que ha ido sufriendo la propia sociedad»[42], ha señalado Ozores para justificar su comedia consensual. Un segundo cambio social reflejado en el cine español *mainstream* fue, como ya dijimos, la sustitución de la familia por la pareja como nexo social natural.

Era lógico que los cineastas recurrieran a la familia durante el franquismo. Tal tema era uno de los pocos valores aceptados por todos los espectadores con independencia del bando en el que hicieron la guerra. Las películas que lo trataban creaban una sensación de familiaridad a los que las veían: después de todo, ¿quién de entre el público no tenía una familia? Asimismo pro-

---

[41] Este reformismo no es completamente raro en Ozores. Véanse, también, *Nosotros los decentes* (1975).

[42] M. Ozores, *La comedia en el cine español*, pág. 103.

vocaban respuestas emotivas, pues aprovechaban el dolor que sentían muchos de los espectadores por la pérdida reciente de seres queridos en la guerra civil. En muchas de tales películas, una familia rota provocaba en el público la sensación de estar viviendo en una nación dividida, reducida o destrozada, mientras que la recuperación de una familia completa y sana avivara las esperanzas de recuperación social.

Este deseo de integridad podía asumir una forma física. Así, *Un caballo andaluz* (Luis Lucia, 1954) comienza mostrándonos a un ganadero de Andalucía, don Juan Manuel, contemplando el lienzo de una bella mujer vestida de rejoneadora y con una pica en la mano, símbolo fálico bastante obvio. Pero su esposa ha muerto, por lo que él está simbólicamente castrado. Un día conoce a la «Colorín», una muchacha ciega interpretada por Carmen Sevilla, pero al mismo tiempo pierde a su hijo, José Luis, que muere a consecuencia de una cornada. Antes de morir, el chaval señala una ausencia en el cortijo dando a entender que hay otra familia, más grande, por encima de la suya: «Yo había pensado que a nosotros nos sobra mucho sitio en el cortijo, y Colorín y sus hermanos viven en cuevas y no tienen padres y pasan hambre y frío.» Como era de esperar, don Juan Manuel paga una operación a Colorín para que la sanen de su ceguera y acaba casándose con ella y trayéndose a la finca a todos sus hermanos. La creación de una nueva familia y la integración en la familia suprabiológica de los españoles (representada por los hermanos de Colorín) hace que unos individuos y una familia rotos recuperen la integridad física, social y sexual, que vuelvan a estar enteros.

Durante el franquismo, la familia, tratada por el cine, tenía inmensas posibilidades ideológicas. El carácter antinatural del inconformismo social podía ser descrito como el engaño a un padre que pierde la vida por ello (como ocurre en la película de Ladislao Vajda *Carne de horca,* de 1954, que está ambientada en una Andalucía decimonónica en la que el padre del protagonista, un joven amigo de los burdeles y los garitos, es asesinado en un falso secuestro ideado por éste para saldar sus deudas de juego) o como la subordinación a una figura paterna falsa (como el ideólogo comunista que adoctrina a Paco Rabal en *Murió hace quince años,* Rafael Gil, 1954). Asimismo, la familia podía ser utilizada para dar una visión militarista de la vida civil. Así, en *La patrulla* (Pedro Lazaga, 1954), la familia sirve para proporcionar nuevos reclutas a las reducidas filas de una patrulla nacional (un camarada envía a su hijo a luchar con el héroe en el frente de Rusia), y ésta a su vez le suministra nuevos miembros a ella (el héroe se casa con la hermana de un camarada caído).

Incluso cabe hablar de una especie de estética de la familia presente en muchas de estas películas, sobre todo en las de Luis Lucia, donde aparecen composiciones de grupo —por ejemplo, la del gran torero con su esposa e hija y el cura amigo de la casa de *Currito de la Cruz,* 1948— en las que queda establecida la corrección social de la familia.

Pero, por encima de todo, el valor de la familia radicaba en su aparente *naturalidad* en tanto que agrupamiento social. Durante la transición, esta característica fue uno de los razonamientos clave utilizados por los cineastas para trazar sus tesis. ¿Es natural —se preguntaba Antonio Jiménez Rico en *Retrato de familia*— que una madre las pase moradas dando a luz un hijo y que una familia pase años cuidando de él para que luego una bomba perdida caiga sobre el camión que va conduciendo por uno de los sectores más tranquilos del frente?

Sin embargo, las películas de la transición iban a plantearse la naturalidad del acto sexual y de la pareja, más que la de la familia, como centro ético de la sociedad. En *El erotismo y la informática* (Fernando Merino, 1975) un técnico obseso utiliza una computadora para programar sus seducciones, lo que indica la artificialidad de las mismas. Pero un año después muchos cineastas habían cambiado ya de tono. En *Fraude matrimonial* (Ignacio Ferres Iquino, 1976), un señorito *gay* deja a Patricia Adriani desnuda y dispuesta en el lecho conyugal el mismo día de su boda para emborracharse con unas locas. ¿Acaso podría haber algo más antinatural?

A menudo no se permite al espectador deducir la naturalidad del acto sexual y de la pareja como unidad social, sino que se hace de ella un *motif* de la película. Ambientada en la guerra civil, *Uno del millón de muertos* (1976) describe el lento despertar sexual de una monja que se refugia en un burdel huyendo de unos vigilantes republicanos y luego se fuga con un doctor a Francia. Esta película presenta una serie de sencillas oposiciones que apelan al sentido común del espectador: la guerra divide a los hombres; el sexo los une. Así, los asiduos del burdel constituyen un batiburrillo de personajes entre los que figuran un terrateniente, un cura gordinflón y un anarquista. Y de un collage de enardecedores discursos republicanos y sermones eclesiásticos se pasa al doctor Ángel tan contento, aventando paja y viviendo con la novicia en Francia. En un escenario de exuberante fertilidad, la naturaleza hace las veces de contexto, justificación («Mira..., la naturaleza en esto es muy bruta», dice un *homme du monde* amigo de la pareja opinando sobre su hasta entonces platónico *menage)* y catalizador de la cópula final: hacen el amor en unas ruinas en las que se han resguardado de un inoportuno chubasco[43].

Como era de esperar, en la mayoría de las películas de la transición, se da por sentado que la mujer es *sexy,* pero su sexualidad no se desarrolla apenas. El primer cineasta que rompió con gran fuerza contra esto fue Pilar Miró, en *La petición* (1976).

A parte de Margarita Alexandre, que codirigió dos películas en los años 50, y de la actriz Ana Mariscal, que realizó también algunas muy competentes en los 50 y 60, Pilar Miró y Josefina Molina fueron las únicas mujeres que hicieron films durante la época de Franco, siendo autora la segunda de una historia gótica de terror bastante mala, *Vera, un cuento cruel* (1973). «La singular carrera de Pilar Miró», comenta Vicente Molina Foiz, «revela muchos de los problemas que se le plantean a la mujer en la industria cinematográfica»[44]. Incluso en 1985, a Televisión Española se la consideraba uno de los últimos bastiones que la democracia tenía todavía que conquistar. Pilar Miró no ha olvidado la larga etapa de aprendizaje que inició allí en 1960. Una mujer, se decía entonces, distraía a los hombres de su trabajo y la idea de que dirigiese una película se consideraba ni más ni menos que una «estupidez»[45]. Su difícil, prolífica y exitosa carrera como rea-

---

[43] El médico muere, víctima del rencor de los republicanos en retirada; a la ex novicia la mata su propio padre, que no soporta el escándalo de encontrarla viva cuando en la iglesia del pueblo la han convertido en mártir. La pareja es natural; los grupos más grandes son espacios ideológicos.

[44] Vicente Molina Foix, *New Cinema in Spain,* Londres, British Film Institute, 1977, pág. 37.

[45] J. Hernández Les y M. Gato, *El cine de autor en España,* Madrid, Castellote, 1978, pág. 352.

lizadora de programas dramáticos en TVE ha dejado en ella huellas indelebles: un estilo televisivo, una habilidad para los filmes de época y el profundo convencimiento de que es necesario reformar de arriba a abajo la práctica cinematográfica en España. Por otro lado, en las películas de Pilar Miró se advierte un claro intento de sacudirse de encima una rígida educación católica: hija de un teniente coronel, colegio de monjas; en definitiva, una infancia similar a la de Ana, la protagonista de Saura en *Cría cuervos*. «Todos nosotros hemos sido educados —pero nosotras las mujeres mucho más— en una serie de principios que eran los de las buenas intenciones, las buenas costumbres, los buenos modales», dijo Josefina Molina. «Y hay una fascinación por la maldad como respuesta»[46].

En el debut de Pilar Miró, *La petición*, se mezclan sus experiencias profesionales y personales. Adaptación libre de un relato corto de Zola, esta película es un estudio sumamente ambiguo del mal, que está personificado por la hija de una rica y respetable familia decimonónica. La posición social de la protagonista, Teresa, le permite llevar la iniciativa en sus relaciones con el hijo del ama de llaves. Utiliza a éste para dar rienda suelta a su sadismo, y un día, mientras hacen el amor con brutal violencia, el amante muere. Teresa pide a un jardinero sordomudo que le ayude a desembarazarse del cadáver, hecho lo cual, se deshace también de su cómplice golpeándole con un remo hasta matarle. Después regresa tranquilamente a su fiesta de pedida para bailar con su prometido, con quien es de sospechar que no tardará en iniciar, si no lo ha hecho ya, unas relaciones sexuales igualmente sádicas.

La censura prohibió rotundamente *La petición*. Pero, en vez de negociar, Pilar Miró inició una campaña de prensa con ayuda de varios directores amigos y consiguió que se estrenase. El hecho de estrenar una película que no hizo ninguna condena explí-

[46] *Ibíd.*, pág. 380. Las directoras de largometrajes en el cine español son: Rosario Pi (1935, 1936), Ana Mariscal (1952, 1957, 1959, 1960, 1961, 1962, 1964, 1965, 1966, 1966), Margarita Alexandre (1954-1955, co-dirigidas), Josefina Molina (1973, 1981, 1989), Pilar Miró (1976, 1979, 1980, 1982, 1986), Cecilia Bartolomé (1977, 1979-1981), Pilar Tavora (1984), Isabel Coixet, Ana Díez, Cristina Andreu (todas, 1989), Virginia Nunes (1983), Isabel Mula (1983), Candy Coster (1985, 1985, 1986, 1986), Lulu Laverne (1983, 1985, 1985, 1986) y Betty Carter (1987) las últimas cinco en la producción marginada de películas de pornografía «blanda» o «dura».

cita de la necrofilia (ciega de pasión, Teresa no se da cuenta de que su amante está muerto), el sadismo, el asesinato y la amoralidad en general fue una muestra de los considerables cambios que habían tenido ya lugar en España en 1976, así como de lo desfasadas que ya estaban las normas de censura de 1975.

La petición responde a la actitud provocativa que adopta Pilar Miró ante las diferencias entre hombre y mujer: «La mujer», afirma, «tiene mucha mayor capacidad de maldad que el hombre». Éstos son «más estúpidos» en el sentido de «ingenuos». De ahí que Teresa manipula a sus compañeros en las tres relaciones que mantiene. Y, como señalaron los críticos Hernández Les y Gato, el mal viene a ser «una especie de poder creativo que moldea... los actos humanos»[47]. *La petición* no tiene un gran desarrollo dramático; sin embargo, es una película desconcertante. No hay ninguna ambivalencia en la excelente situación de Ana Belén en el papel de Teresa: es simplemente la maldad personificada. La secuencia en que golpea con ahínco al mudo hasta matarle se prolonga mucho más allá de necesidades de información narrativa para enfatizar el acto de causar dolor. Igualmente subversivo es el contraste entre la contundente brutalidad de algunas escenas y la exquisita reconstrucción de la época. Pilar Miró afirmó que la ortodoxia formal y la recreación histórica estaban destinadas a actuar como contrapunto de la psicología más moderna de la película. Sin embargo, el oropel de la época generaliza el encanto superficial de la protagonista convirtiéndolo en los síntomas de una enfermedad social. ¿Qué malevolencia, qué otras intrigas se ocultan bajo la superficie formal del mundo de esta directora? Las respuestas a esta pregunta se encuentran en *El crimen de Cuenca* y en *Hablamos esta noche,* dos películas en las que Pilar Miró continuó haciendo sus perturbadores retratos del abuso de poder y el dolor.

Otras películas también presentaron la sexualidad femenina sin convertirla ya en una caricatura despectiva. *Caperucita y roja* (Luis Revenga y Aitor Goiricelaya, 1976), por ejemplo, es una versión descaradamente escabrosa del cuento tradicional. Con un cocktail narrativo lleno de canciones y chistes satíricos, sus

[47] Hernández Les y Gato, *El cine de autor en España,* pág. 358. Las observaciones de Pilar Miró están tomadas de la misma fuente.

directores presentaron una visión mordaz de España poblando el país de policías cretinos, enanos megalomaniacos y un lobo que es un alegre playboy reclamado por la ley por ser una amenaza pública y deseado por todas —incluidas la Abuelita, la Madre y la propia Caperucita— por sus extraordinarias proezas sexuales.

Como ha señalado Manuel Vázquez Montalbán, «en el supermercado de las variantes de la conducta sexual, la democracia ha invertido buena parte de su mejor presupuesto; nuestra democracia ha sido más pródiga en libertades culturales que en libertades materiales: el trabajo, la principal»[48]. El cine español no tardó mucho en presentar la sexualidad más problemática de todas: la homosexualidad. En *Cambio de sexo* (1977), película basada en un guión prohibido durante el franquismo y en la que Vicente Aranda descubre a una joven Victoria Abril y el arte de llegar a un público muy grande sin comprometer del todo un estilo inventivo y una visión desapasionada de las pasiones humanas, un hijo algo rarillo se hace artista de cabaret y acaba convirtiéndose en mujer. En *Flor de otoño* (Pedro Olea, 1978), José Sacristán hace el papel histórico de Lluis Serracant, abogado, anarquista y travestido que, en un emotivo final, proclama su homosexualidad pintándose los labios antes de enfrentarse a un pelotón de ejecución. *Ocaña, retrat intermitent* (Ventura Pons, 1978) nos muestra un desenfadado y vivo retrato del pintor, homosexual y *promeneur* barcelonés, aunque dedica más tiempo al arte del personaje que a su sexualidad.

Esta preferencia no deja de ser significativa. Las limitaciones con que se centró la descripción de la homosexualidad en la transición no eran una cuestión de censura estatal, sino más bien de público. Dado que el número de espectadores aportado por los ambientes *gays* españoles no era suficiente, las películas que trataban esta cuestión tenían que atraer a un público más amplio, cuya simpatía para con la causa homosexual había que granjearse. Esta circunstancia, unida al hecho de que la democracia fuese un tema de candente actualidad a mediados de los años 70, ha comportado que las películas presenten la homose-

---

[48] M. Vázquez Montalbán, *Mis almuerzos con gente inquietante,* Barcelona, Planeta, 1984. Por eso, Vázquez Montalbán considera que Bibi Anderson es un símbolo de la transición española.

xualidad de los protagonistas desde un punto de vista liberal y humanitario que hace de ella un derecho a la libertad individual. Los personajes *gays* se convierten así en víctimas sociales que, aparte de su sexualidad (la cual puede ser tratada con exactitud casi documental, como demuestran los diagramas de una operación genital incluidos en *Cambio de sexo*), son «como tú y como yo». Este principio básico pesa sobre *Vestida de azul* (Antonio Giménez Rico, 1983), ortodoxa y bienintencionada serie de entrevistas con travestidos cuyo formato está tomado de un programa de televisión anterior que tuvo mucho éxito.

Pero es precisamente el objeto de su sexualidad lo que hace que los *gays* no sean «como tú y como yo», o que no lo sean del todo. Y, como explican Steven Neale y Paul Willemen, el objeto de deseo del espectador heterosexual no es en absoluto un tema (nada) problemático.

Citando a Freud (*Los instintos y sus destinos*), Paul Willemen opina que «al comienzo de su actividad, el instinto escópico es autoerótico: tiene un objeto, pero ese objeto es el cuerpo del propio sujeto»[49]. Ahondando en esto, Steve Neal afirma, en *Genre*, que «la contemplación del objeto de deseo y la contemplación de la propia vida sexual» son en realidad «variedades de un único mecanismo: la represión de la homosexualidad»[50]. Si el cine heterosexual oculta su homosexualidad, la manifestación explícita de ésta será doblemente difícil. No es de extrañar, por tanto, que ni en las películas *gays* mencionadas anteriormente ni en *Los placeres ocultos* (1977) y *El diputado* (1978), de Eloy de la Iglesia, o en *A un dios desconocido* (1977), de Jaime Chávarri, se presente a un homosexual como un objeto explícito de un deseo claramente presentado en un film. Así pues, en el cine, la homosexualidad ha seguido siendo algo abstracto o remilgado. Quizá sea únicamente en la película de Pedro Almodóvar *La ley del deseo*, rodada unos diez años después, en 1987, donde la homosexualidad se ha tratado no sólo como un derecho democrático, sino también como un deseo democrático.

---

[49] Willemen, citado en S. Neale, *Genre*, pág. 57.

[50] Neale: «Lo que suele ocurrir es que la contemplación del varón se deserotiza, se hace "inocente", al inscribir a éste como si fuera el punto de la estructura de la contemplación en que tiene lugar el relevo, el punto en que la mirada es desviada hacia su destino definitivo, la mujer», *ibíd.*

IV

El despegue de la transición cinematográfica: II. Cinematografía radical, popular y rupturista

LA transición a la democracia tuvo sus víctimas. «No al cambio, a la ruptura y a la reforma», proclamó el líder neofascista Blas Piñar en 1976[1]. En enero de 1977, cinco abogados laboralistas fueron asesinados en Madrid. El Partido Comunista y Comisiones Obreras convirtieron el funeral en una demostración multitudinaria de fuerza contenida: asistieron 100.000 personas. Suárez tomó nota, y Juan Antonio Bardem hizo *Siete días de enero* (1978), cuyo título, que evoca la película de Frankenheimer de 1963, situó los asesinatos en un contexto político más amplio.

Esta película no es interesante simplemente por su valor testimonial. El auge alcanzado por Bardem en los años 50 duró poco: después de *Muerte de un ciclista,* Doniol-Valcroze habló en *Cahiers du cinéma* de un «nacimiento de Juan», pero cuando Truffaut vio *Sonatas* escribió una breve nota de despedida: «Bardem *est mort.*» Muerto no, simplemente dormido, contestó el aludido; durante los quince años siguientes insistió en que sólo la libertad política le permitiría dar expresión a su talento, y como la mejor forma de desarrollar una actividad política no era el cine, hasta que desapareció la censura se dedicó a hacer películas sin mucho valor con el único fin de ganar dinero.

En 1976, todo parecía indicar que había llegado Bardem. *El poder del deseo* dio a entender que había empezado a hacer otra vez un cine más exigente, pero la película con la que se sintió realmente liberado de sus cadenas fue *El puente* (1976). «Haciéndola,

[1] Carr y Fusl, *Dictatoship to Democracy,* pág. 214.

me sentí nuevo, contento», dijo entonces. «Todo era fácil, directo. Quería decir las cosas y las decía»[2].

A los cineastas españoles les costó bastante adaptarse a las libertades recién adquiridas. Hubo varios problemas, o tentaciones, que muchos no lograron superar. En primer lugar, después de tantos años andando por los cerros de Úbeda, algunos directores empezaron a subir la M-30. Eran demasiado directos. En *El puente,* por ejemplo, Alfredo Landa, el protagonista *par excellence* de la «comedia sexy», interpreta el papel de un mecánico madrileño que decide aprovechar un fin de semana con puente para pasárselo en grande. Sin hacer caso a sus compañeros de trabajo, que pretenden convencerle de la necesidad de organizarse en un sindicato, se monta en su moto y pone rumbo a la playa. En el camino encuentra a unas extrajeras que al principio parecen presa fácil, pero que luego salen zumbando su flamante deportivo. Más tarde conoce a obreros en paro, a agricultores y toreros explotados, a emigrantes que están más contentos en Alemania que en España, a actores progres víctimas de la polícia y a la familia de un sindicalista preso. Cuando vuelve a Madrid es otro hombre. El sindicalismo ha ganado un nuevo adepto.

Cabe pensar que *El puente* se hizo con la intención de cambiar la idea que tenían los españoles del país durante la transición, pero carece de espontaneidad: se echan de menos pequeños detalles sin significado aparente que ayudarían a ver la película como una manifestación de cómo es España más que una indicación de los principios políticos de Bardem. *Siete días de enero* choca con un segundo obstáculo: a pesar de las nuevas libertades, los cineastas españoles todavía tenían que hacer concesiones a los intereses comerciales, lo que a menudo les hacía caer en la incoherencia[3]. Tras la muerte de Franco, la clave para atraer al público seguía siendo el sexo y, en segundo lugar, la política. Como recuerda Nissa Torrents, «los quioscos de periódicos estaban repletos de imágenes de un pasado negado —como las de la Pasionaria y Carrillo— que se exponían al lado de fotografías de esplén-

[2] *Fotogramas,* núm. 1593, abril de 1979.

[3] Antonio Castro está preparando un libro sobre Bardem. L. Egido tiene un elogioso estudio, *Juan Antonio Bardem,* Huelva, Festival de Cine Iberoamericano, 1983.

didas mujeres, provocativas y un poco sorprendidas en su total desnudez»[4]. Sin embargo, en 1978 el público español estaba ya algo harto de sexo. En *Siete días de enero,* los intereses comerciales se reflejan en el tema —un escándalo político— y en la estructura de *thriller*.

Estos dos elementos desentonan. Por un lado, la película ahonda en el ambiente de los asesinos, el cual Bardem tuvo que inventarse por falta de información. Uno de éstos tiene una novia tonta y una madre dominante que le incita a parecerse a su padre. El asesinato adquiere la categoría de «trabajo de hombres», como señala el hijo, es una defensa de la Cruzada de 1936 y un intento de desestabilizar España y justificar un golpe de estado. El resto de la película es una reconstrucción detallada de los acontecimientos. Bardem utiliza técnicas que crean un sentido de objetividad: un resumen histórico, fotogramas de noticiarios, un teletipo. Sin embargo, esta aparente neutralidad está contaminada por las manipulaciones llevadas a cabo con el fin de crear un efecto dramático en los asesinatos y en el funeral. Los primeros se presentan sin orden cronológico y a cámara lenta, mientras que el funeral tiene una música épica de fondo, cuyo crescendo final sugiere una combinación de desconsuelo y esperanza. La mayoría de los españoles que asistieron a él recuerdan, sin embargo, el silencio.

Curiosamente, al pensar en *Siete días de enero* uno no se acuerda tanto de los acontecimientos narrados en ella como del director y de esa gran confianza en sus convicciones que le hace, como señala el crítico José Luis Guarner, tan «entrañable»[5]. Los problemas de Bardem son los de toda pequeña industria cinematográfica que tenga que afrontar acontecimientos históricos de gran magnitud. Tal industria necesita mercados desesperadamente y, por consiguiente, tácticas comerciales que a veces tie-

---

[4] Nissa Torrents, «Cinema and the Media after the Death of Franco», *Conditional Democracy,* ed. Christopher Abel y Nissa Torrents, Londres, Croom Helm, 1984, pág. 103.

[5] Igualmente importante es la confianza de un cineasta en sus propias habilidades. En el caso de Bardem, es muy posible que esta confianza vacilara a finales de los años 70. Los críticos han hecho caso omiso de verdaderos logros alcanzados por Bardem al principio de su carrera, como, por ejemplo, el impresionante drama de provincia *Nunca pasa nada* (1963).

nen más peso que la objetividad histórica. Funciona con presupuestos bajos (130 millones de pesetas por término medio para una película «artística» en 1988), lo que supone olvidarse de parte de la historia —de las «vastas fuerzas impersonales»—, convertir una gran batalla en una mediana escaramuza (en la ambiciosa *La conquista de Albania,* Alfonso Ungría, 1983), reducir una década a unas cuantas escenas representativas de acontecimientos claves *(La ciutat cremada)* o hacer de una manifestación una especie de riña callejera *(Siete días de enero).*

¿Cabría pensar que la liberalización no hizo avanzar mucho a la cinematografía española? Incluso si las presiones de la censura dieron lugar a mejores películas (lo que no es verdad), ésta no sería razón para mantener tales presiones. Además, en el caso del cine español, fue el legado de las restricciones del pasado, más que las desventajas innatas de la libertad, lo que lastró algunas películas del periodo de transición, y lo hizo al menos de dos formas.

En primer lugar, al tener mayor libertad de expresión, los cineastas españoles comenzaron a hablar del pasado. La facilidad relativa con que se llevó a cabo la transición oculta el hecho de que la mayoría de los españoles sólo supieron adónde estaba yendo el país cuando ya había llegado allí. Incluso en 1977, muchos observadores tenían serias dudas sobre la capacidad de Suárez para salir airoso de las elecciones generales. Las películas de la transición que trazaron paralelos entre el pasado y el presente no pudieron hacer un análisis en profundidad, porque, entre otras cosas, en ese momento no había coordenadas que les permitiesen determinar la situación histórica en que se encontraban.

En segundo lugar, al recuerdo se le asignó una función terapéutica. La interpretación del pasado se dejó para después. Así que el cine histórico español se convirtió, como señala J. E. Monterde en *Crónicas de la transición,* en un cine de «reconocimiento», no de «conocimiento»: «Su objetivo no fue tanto la reflexión como la adhesión»[6]. *Pim, pam, pum... fuego,* de Olea, es un claro ejemplo. Narra el desgraciado romance de un maqui con una cabaretera agobiada por un despiadado y posesivo protector que se ha hecho rico con el estraperlo. Cuando éste descubre a los

[6] *Dirigido por,* núm. 58, 1978, págs. 8-14.

amantes, les mata. Olea hace una espléndida reconstrucción con azules y marrones tristes del hambre, el frío, el racionamiento, los mutilados de guerra y el derrotismo del Madrid de los años 40. La película da paso a la reflexión: la predisposición de la extrema derecha a recurrir a la violencia cuando no logra imponerse con medios de persuasión más sutiles. Sin embargo, el maniqueísmo característico de mucho cine bajo Franco sigue ahí, aunque en este caso el héroe es un republicano y el malo un estraperlista franquista. Como observa Pere Portabella, para hacer un auténtico cine político «no basta con hacer buenos a los que antes salían siempre de malos»[7].

Muchas películas españolas sobre el cambio y a favor del cambio mostraron, tanto desde el punto de vista del estilo como del de la estructura, muy pocos cambios. Había algunos directores, como, por ejemplo, el ganador del Oscar de 1983, José Luis Garci, que probablemente no pudiesen cambiar. A su *Asignatura pendiente* (1977) se la ha llamado «la película clave de la transición»[8]. El argumento captó las frustraciones de toda una generación de españoles. José y Elena estaban enamorados de pequeños. Ella le recuerda como un muchacho que siempre estaba hablando y contando películas y chistes, y ahora se le encuentra en los agitados días de finales de 1975. «Nos han robado tantas cosas», dice pensativamente José en ese tono lastimero tan típico de muchos españoles cuando hablan de la posguerra. «Las veces que tú y yo tuvimos que hacer el amor y no lo hicimos. Los libros que debimos leer... No sé, pero me parece que es como si nos hubiera quedado algo colgado como aquellas asignaturas que quedaban pendientes de un curso para otro.» Como cabe suponer, inician una aventura. Garci relaciona el romance con una experiencia generacional haciendo continuas referencias a acontecimientos o a personajes que estaban en la mente de todos los españoles: Arias Navarro, la muerte de Franco, los cinco manifestantes matados por la policía en Vitoria en 1976, Comisiones Obreras, la detención de intelectuales comunistas como Bardem o Tamames.

---

[7] *Fotogramas,* núm. 1498, 1 de julio de 1977.

[8] Torrents, «Cinema and the Media after the Death of Franco», *Spain Conditional Democracy,* pág. 112.

En los años 70, el cine español se componía en gran parte de películas «generacionales». Se ha criticado mucho a este tipo de cine, porque las claves que permiten interpretarlo están fuera del texto; quienes no capten las referencias no pueden comprenderlo. En *Asignatura pendiente,* el elemento generacional predominante se trata de una experiencia que Garci recuerda de su adolescencia: la de ir al cine, como hacía Garci todos los días, para sentirse trasladado de un Madrid lleno de miseria a un Hollywood esplendoroso[9]. No es de extrañar, por tanto, que el sello del estilo de Garci sea el *master-shot* clásico de Hollywood, un plano general de la escena —como una vista aérea de Madrid con música de «supermercado», como dicen sus críticos, que empieza *Asignatura pendiente*— seguido de una aproximación progresiva al aspecto pertinente de la misma mediante una serie de planos intermedios. «Un campo fílmico y luego el contracampo con referencias», afirma Garci, «tiene toda la magia del cine americano».

Asignatura pendiente es una incómoda mezcla de estilos. Por un lado describe con precisión y, a veces, con sensibilidad un intento frustrado de resucitar el pasado. Como explica Elena, José ve en ella la oportunidad de recuperar una juventud en la que se sentía capaz de cambiar el mundo. Pero, como adultos, no logran mantener la espontaneidad de su amor de juventud; su romance no tarda en adquirir la monotonía de un matrimonio. Al igual que España, no pueden volver al pasado. Por otro lado, esta película, como todas las demás de Garci, es una sublimación de los deseos del director. La descripción que hace Elena de José cuando era niño se adapta casi a la perfección a Garci. Pero mientras que éste se puso a trabajar en un banco, José se hizo un importante abogado laboralista, uno de cuyos clientes es un sindicalista modelado a imagen de Marcelino Camacho. En realidad, el protagonista de *Asignatura pendiente* es el típico héroe de las películas del oeste, que cuando llega la hora de la acción —en este caso la protesta política— lo abandona todo para entregarse completamente a ella. En este sentido, la película de Garci contiene una contradicción que es común a la mayor parte del cine

[9] *Fotogramas,* núm. 1.700, septiembre de 1984. Véase también el número 1.533, 3 de marzo de 1978, donde Garci recuerda las «neveras maravillosas» y las «mujeres maravillosas» de las películas de Hollywood.

Asignatura pendiente, José Luis Garci, 1977. Durante la transición los españoles saltaron al diván —o a cualquier cosa mejor— y hablaban, hablaban, hablaban...

español de transición: el espíritu «progresista» que supone el hecho de comprometerse políticamente se presenta en la más conservadora de las tradiciones cinematográficas «clásicas». Además, igual que John Wayne deja a su chica para marcharse a la guerra, José se olvida de Elena y sale a unirse a la vanguardia democrática. Ni siquiera le pregunta si quiere formar parte ella también de la transición. Elena es, como las muchas mujeres de Hollywood, una mera anécdota en la biografía de los forjadores de la historia.

Los críticos más radicales de España hicieron las mismas objeciones a las películas de Bardem que a las de Garcí: su conservadurismo formal circunscribía y recuperaba elementos radicales del contenido del cine. Considerándolo bien, lo que se creía exclusivo de España con frecuencia no era más que una manifestación de etapas de desarrollo comunes a muchos países. Desde mediados de los años 60 —y, más especialmente, a partir de 1968—, los cineastas europeos —sobre todo en el caso de Godard desde que, en 1965, acabó su periodo de *nouvelle vague* con *Pierrot el loco*— habían estado basando el cine de oposición no en una serie de actitudes contenidistas, sino más bien es un desafío a los modos de representación convencionales del cine. Como ha señalado Richard Maltby, resumiendo la filosofía general de estos directores, «quienes adoptaban posiciones en ambos lados del tema estaban aceptando las condiciones del debate». Tal comentario describe sucintamente el «nuevo cine español» de los años 60. Pero la «política alternativa no se iba a definir mediante posiciones ante los temas como tales, sino que más bien se plasmaba en películas por las actitudes de los autores de éstas hacia el arte de hacer cine en sí mismo»[10]. Los cineastas intentaron utilizar nuevos modos económicos de producción (como las cooperativas). Combatieron la relación autoritaria existente entre película y público rechazando los rasgos del denominado «cine clásico», cuyo más claro ejemplo era la producción de Hollywood de los años 30 y 40. Mientras que ésta favorecía la «transitividad narrativa, la identificación, la transparencia, la diégesis única, el encierro, el placer, la ficción», afirma Peter Wollen en un famoso artículo, los autores del denominado «contracine» buscaron la

---

[10] R. Maltby, *Harmless Entertainment.*

«intransitividad narrativa, el distanciamiento, la autorreferencia, la opacidad, la diégesis múltiple, la apertura, el desplacer, la realidad»[11].

A partir de 1969, tales actitudes fueron adoptadas de un modo no sistemático y con resultados sumamente divergentes por un puñado de cineastas españoles que se movían entre un reformismo «progre» (José Luis García Sánchez, por ejemplo, en su cachondo corto *Loco por Machín,* donde vemos a un divertidísimo paleto, Antonio Gamero, bailoteando y tarareando los ritmos de Antonio Machín sin que parezca notar la miseria tercermundista de la choza que habita) y un rupturismo austero (por ejemplo, Paulino Viota en *Contactos).*

La amplitud de perspectivas políticas de la transición hizo que se resucitaran algunos de estos experimentos, normalmente en forma de largometrajes, a la vez que se volvía a pedir un cine «popular». Los cineastas se preocuparon no sólo de explorar nuevos temas como de construir una relación más democrática entre película y público. Ésta fue la verdadera revolución cinematográfica de la transición.

Un cine de arte radical: Elías Querejeta

En 1976, Elías Querejeta tuvo un sueño. Vio películas del futuro:

> Películas de cuatro, de seis, de diez horas. Pequeñas salas de proyección: cien, doscientos espectadores.
>
> La contemplación de cine se transforma, se hace más creadora, más exigente. Su ritmo y su tiempo se modifican. Surge una nueva mirada frente al cine en busca no tanto de la significación como de la expresión. Los viejos esquemas saltan por los aires. Un río de imágenes acabará anegando las cansadas ilustraciones de la novelística del siglo XIX[12].

Aunque impresionistas, las breves notas que Querejeta escribió a manera de epílogo del guión publicado de *Pascual Duarte*

---

[11] P. Wollen, «Counter-Cinema: Vent d'est», *Afterimage,* núm. 4, 1972.
[12] *Pascual Duarte,* Madrid.

nos muestran al productor sobrepasando la *nouvelle vague* que le inspiró en general desde los años 60 hasta mediados de los 70. «De los movimientos cinematográficos habidos en los últimos quince años es el *underground* el que más enseñanzas puede ofrecer. Sí, desde luego, por sus resultados; pero más por sus métodos.» Estos últimos sugieren a Querejeta una especie de contracine libre y espontáneo, «un cine más inmediato, más libre..., un cine naciendo al margen de la estética tradicional, un cine que invente su propia estética mientras surge espontáneamente»[13].

El significado que ha tenido esta nueva actitud en la práctica queda demostrado por la evolución de la obra de Saura desde *Cría cuervos* (1975) hasta *Elisa, vida mía,* cuyo guión es de 1976. La primera de estas películas es comparable a muchas de las de Ingmar Bergman (*Fresas salvajes,* 1975; *El silencio,* 1963) o, menos específicamente, a las de Federico Fellini. Es un ejemplo clásico de «cine de arte», en el sentido que da a tal término David Bordwell: la sociedad se presenta por medio de unos personajes que son individuos sensibles, más que tipos sociales; el placer que siente el espectador se deriva, en parte, del hecho de que se puedan reconocer las marcas características del autor de la película —los detalles autobiográficos, el retroceso desde el presente (un Madrid hipotético de 1995) hacia el pasado (una infancia austera en una España conservadora de 1975)—; las aparentes confusiones de la película se pueden atribuir a los sueños y recuerdos subjetivos de la protagonista, Ana, por lo que el filme tiene una especie de «verosimilitud subjetiva», si bien es la ambigüedad lo que hace que el espectador piense, porque —y en este punto alcanza el cine de arte su filosofía central— el cine no puede dar verdades absolutas ni respuestas fáciles[14].

Si los modelos de *Cría cuervos* son Bergman y Fellini, *Elisa, vida mía,* está mucho más cerca del Godard, emplazado entre la *nouvelle vague* y el contracine. De hecho, esta película de Saura recuerda en concreto a *Pierrot el loco* (1965), sobre todo en algunos detalles: los personajes están «partidos» (entre una figura paterna y una mujer que va a visitar a su padre: sus entidades ficticias y

---

[13] *Ibíd.,* págs. 142-143.

[14] Cfr. David Bordwell, «The art cinema as a mode of film practice», *Film Criticism,* vol. 4, núm. 1, 1979. Un ensayo importante.

reales se mezclan); la narrativa se ramifica, al ser interrumpida por la lectura de un diario; los personajes muestran cómo está construido el arte (un diario), convirtiendo así toda la película en una crítica del proceso creativo.

Saura no fue el único director de «cine de arte» que se inclinó hacia la radicalidad (la cual alcanza su punto álgido en *Los ojos vendados,* 1978). En *El corazón del bosque,* Manuel Gutiérrez Aragón parte en ciertos aspectos de la filmografía del japonés Yasujiro Ozu. Si el bosque de esta película es algo omnipresente, como afirman muchos críticos, ello se debe a que el director ha destacado en él diversos objetos (el vaso de leche, la vaca que avanza torpemente por el sendero con las ubres llenas, el saxofón) que compiten con la acción narrada para llamar la atención del espectador. Asimismo, y también al igual que Ozu, ha filmado el bosque dando giros de 360° y desde ángulos que impiden la orientación. Aun cuando Gutiérrez Aragón utilice el contracampo del cine de Hollywood, como en la bellísima secuencia en que el militante Juan P. espía a su hermana a través de una multitud en el baile del pueblo, la intimidad romántica de tales escenas queda calificada, en este caso al saberse que los personajes son hermanos.

Aunque sin renunciar a la influencia del cine clásico de Hollywood, algunos directores de «arte», como Pedro Olea en *Pim, pam, pum... fuego* o Pilar Miró en *La petición* (1976), muestran una radicalidad temática que desentona con el delicado decorado de época —el cual estaba destinado, en el primer caso, a satisfacer los deseos del productor José Fradé de dotar a la película de un ambiente nostálgico y en el segundo, a constituir la tarjeta de visita industrial de Pilar Miró.

Las explicaciones de este paso hacia la radicalidad son varias. Los productores innovadores, como Querejeta, habían amasado capital suficiente en taquilla con las películas de arte como para arriesgarse a hacer experimentos de bajo presupuesto: *Cría cuervos,* por ejemplo, costó 17 millones de pesetas, pero había recaudado ya 75 millones a finales de 1976. Los productores más preocupados por los aspectos comerciales se dieron cuenta de que se podía hacer un buen dinero dejando que los valores «nuevos» o «políticos» obraran a su antojo. Esta actitud provocó tensiones en los rodajes: entre Pilar Miró y Miguel Echarri en *La pe-*

tición («mis relaciones con este productor fueron absolutamente traumatizantes»), entre Angelino Fons y Luis Sanz (quien presionó para que se recalcaran los aspectos sexuales de *Emilia, parada y fonda,* o entre Alfredo Matas y Cecilia Bartolomé en la feminista *Vámonos, Bárbara* (1976).

Más que nada quizá los directores españoles estaban ansiosos de ponerse al día con la cinematografía europea reciente antes de que sus refrescantes experimentos dejaran de ser viables desde el punto de vista económico. «... Cuando la terminé», recuerda Gutiérrez Aragón de *El corazón del bosque,* «le dije a Luis [Megino]: "nos la comemos con patatas. Hasta hace poco este tipo de cine podía 'colar' en el sentido de que era un cine fantástico, raro, y había un sitio para él en los espectadores. Esta película ha llegado tarde, está fuera del mercado del cine y no tiene mucho sentido"»[15].

Querejeta alcanza su máxima radicalidad con las dos películas de Saura mencionadas, con su segunda y tercera producción con Jaime Chávarri (*A un dios desconocido,* 1977, y *Dedicatoria,* 1980) y con el filme de Emilio Martínez-Lázaro *Las palabras de Max,* que iba a ganar el Oso de Oro de Berlín en 1978. Esta última es una completa negación de un efecto clave de Hollywood: el de que cuando en un primer plano de campo/contracampo hay dos actores mirándose uno al otro existe una comunicación entre ellos.

En *Las palabras de Max,* un poco como en la vida real, esta comunicación no existe. Max es un tipo sensible. Escritor. Conversador. Ha sondeado en la poesía los abismos del alma humana. Maravilloso. Pero cuando intenta comprender a las personas que le rodean, no tiene ni p. idea. Así, intercambia miradas sonrientes y recuerdos agradables en un ameno plano/contraplano con un viejo amigo mientras toman una copa, pero de pronto éste le dice: «He pasado dos años en un manicomio, ¿no lo sabías?» Poco después se entera, asombrado, de que su bonachón amigo se ha arrojado de una manzana de pisos. El único campo de Max es el suyo propio, el que llena con el sonido de su voz solipsista.

---

[15] Una cuidadosa exhibición en el cine Alpahville de Madrid y varias reseñas entusiastas lograron que la película estuviera en cartel unos cinco o seis meses y que recaudara 25 millones de pesetas sólo en ese cine.

La película empieza con un plano medio fijo de varios minutos en el que él, sentado en un sofá ocupando completamente el campo y desesperado de hablar con alguien, llama por teléfono a una mujer, a su dentista, a un amigo intelectual, a una antigua novia, a un cura que le enseñó Religión treinta años antes. Al final de la película, su hija, una adolescente con la que ha ido a pasar el fin de semana a un chalet en el campo, le deja solo. Max contempla la llanura vacía que se extiende ante él. El contracampo sigue ahí, pero ya no hay nadie, ni siquiera alguien a quien no pueda comprender.

La absoluta normalidad de las situaciones expuestas en la película —como, por ejemplo, la hostilidad de Max para con el novio de su hija («¿te has acostado con él?», le pregunta, espantado, a la muchacha, sin conseguir que ella, en el contracampo, le responda)— y la naturalidad con que actúan los protagonistas —Max está interpretado por el sociólogo Ignacio Fernández de Castro, y la chica, por la hija de Querejeta, Gracia— dotan a la película de una familiaridad perturbadora. Pero el filme sigue siendo una de las producciones más experimentales de Querejeta, pues se rodó por etapas, y el guión de las últimas escenas se escribió a partir del material que ya estaba filmado. Por consiguiente, la película se desarrolla según su propia lógica interna, lo que constituye un concepto clave del trabajo de este productor[16].

Las películas de Querejeta dirigidas por Chávarri, cuyo guión es obra del primero (completamente, al parecer, en el caso de *Dedicatoria* y en su totalidad, salvo una escena, en el de *A un dios desconocido),* mantienen esta misma radicalidad. Aunque en la segunda de dichas películas se describe cómo un pasado franquista y represivo impresiona el presente, hay partes enteras de ella que, de acuerdo con la imagen que se formó Querejeta del cine del futuro, están rodadas «en busca no tanto de la significación como de la expresión». Al igual que *Sonámbulos,* esta película combina claras imágenes temáticas con zonas pobladas de sugerencias y alusiones. *Dedicatoria,* por su parte, es un «melodrama

---

16 Sobre *Las palabras de Max,* véanse la entrevista de Juan Carlos Rentero publicada en *Dirigido por,* núm. 54, 1978, págs. 54-57 y *Fotogramas,* números 1.523, 1.532 y 1.535.

en sorda», pero en el que las claves del drama, en particular las de las emociones de los personajes, son un misterio hasta el final. Así pues, mientras que las películas de Hollywood dependen de la claridad con que están explicadas las actitudes de unos personajes entre los que existe un conflicto y cuyo comportamiento genera la acción, en la de Chávarri se rechaza este efecto.

A un dios desconocido se rodó en la primavera de 1977 y refleja el ligero aumento del optimismo generado por la inminencia de la democracia. El modo en que describe a un personaje que se confronta con buen humor de la soledad que él mismo se había creado posee una elegancia raras veces igualada en el cine español.

La película comienza en el jardín de una próspera familia de Granada en el caluroso verano de 1936. En una ventana que se ve al fondo está García Lorca, invitado de la casa, tocando piezas en el piano. José, el hijo del jardinero, es amante ocasional del señorito, Pedro, y una noche en que se encuentra con éste ve cómo unos hombres irrumpen en el jardín y matan a su padre. Cuarenta años después, José trabaja haciendo números de magia en un cabaret de Madrid y vuelve a Granada para visitar la casa y el jardín donde Pedro murió de enfermedad poco después de estallar la guerra civil. Mientras toma el té con la hermana de su antiguo amante, Soledad, le roba una fotografía sin que ella le vea. La fotografía es un retrato, pero no de Pedro, sino de Lorca; el resto de la película describe las sutiles modulaciones de carácter que este hecho simboliza.

A un dios desconocido fue, en muchos aspectos, un bello reflejo de su época. En 1977, la necesidad de hacer películas estridentes no era tan imperiosa como unos años antes. Ufano del inmenso éxito de taquilla de las últimas obras de Saura, Querejeta podía dedicarse ya a experimentar con un estilo más experimental. Comparando la película de Chávarri con *La prima Angélica,* Marsha Kinder señala muy bien que Saura «explora los procesos mentales en la medida en que reconstruyen el pasado y el presente», mientras que el protagonista de *A un dios desconodido* es mucho más «complejo y polifacético»[17]. Un ejemplo de esto es la secuen-

[17] Kinder, «The Children of Franco», pág. 68.

cia en la que José seca el cabello a su hermana Mercedes mientras ella, sentada frente al espejo con los pechos desnudos, cuenta lo que siente cuando hace el amor con un hombre. La franqueza de la mujer muestra que el contacto de José con los demás es cada vez mayor a medida que deja de reverenciar esa imagen idealizada de su adolescencia en Granada que le mantiene aislado. No obstante, la escena alude también a los obstáculos que impiden escapar totalmente del pasado o de la soledad. La descripción de Mercedes pone de relieve la naturaleza solipsista del placer físico, que puede ser apreciado por los demás, pero nunca totalmente compartido. El hecho de que deje que otra persona le seque el cabello revela la existencia en ella de una dependencia que arrastra desde la infancia. La continuidad del plano medio de Chávarri dota a la escena de una atmósfera casi religiosa, pues da a entender que la vida está modelada inevitablemente por el rito. Las escenas del film contienen numerosas resonancias de ese tipo.

Un segundo aspecto de *A un dios desconocido* que refleja la época en que se hizo es el tratamiento que se da en ella a la figura de Lorca. «La mal explicada muerte de Lorca en Granada», escribe Robert Graham, «acabó simbolizando el asesinato de un renacimiento cultural vivido en España durante la República, que había situado a los artistas españoles en la vanguardia europea». Tal renacimiento fue «cortado de raíz por la barbarie de los nacionales»[18]. En 1977, la muerte del poeta —más que sus escritos— era todavía un tema que despertaba especial interés. Chávarri no lo filmó, pero es evidente que el fusilamiento del padre de José crea un paralelo. La poesía de Lorca, también determina en gran medida la película. José escucha todos los días la *Oda a Walt Whitman* como parte de un ritual que sigue siempre antes de acostarse. Asimismo, aparecen numerosos motivos claves de los poemas de Lorca —los claveles, los olivares, los juegos infantiles tradicionales, el cante jondo, etc. Y si las imágenes de Lorca consisten a menudo en contrates de luz y oscuridad, día y noche, natural y artificial, lo mismo ocurre con las de Chávarri; en el moderno Madrid, José aparece casi siempre en interiores oscuros y con luces muy fuertes, y la naturaleza se reduce a las flores que compra

---

[18] Robert Graham, *Spain, Change of a Nation,* Londres, Michael Joseph, 1984, pág. 33.

o riega, o al jardín del convento que espía desde el piso de su hermana y que es completamente ajeno al ambiente urbano que le rodea.

José comparte, además, el sentido de la moral expresada en la *Oda a Walt Whitman*. Lorca, aunque defiende el derecho del homosexual a tener experiencias sexuales, relaciona la homosexualidad casta de Whitman con «una comunión de inocencia con la vitalidad elemental de la naturaleza» y la opone al mundo de la homosexualidad sin escrúpulos, cuyos habitantes intentan corromper la pureza del amor de Whitman[19]. José no reprime sus tendencias sexuales, pero se niega a aprovechar la oportunidad que le ofrece el hijo de una vecina, quien, al ver que recibe siempre visitas masculinas, se deja caer un día por su piso con la esperanza de ser seducido.

En general, José se enfrenta al problema planteado en *Poeta en Nueva York*: la lucha del individuo por la supervivencia espiritual en un mundo deshumanizado. El poeta de Lorca encuentra consuelo en la naturaleza: José logra una vacilante regeneración mediante, como señala Chávarri, «la destrucción de un pasado sentimental, asumiendo un pasado histórico y poético que le relaciona con su presente»[20]. Al robar la fotografía de Lorca en vez de la de Pedro, José da un primer paso en esta dirección; el segundo se produce cuando, en un viaje a Granada, descubre que su antiguo amante le fue infiel y quema las cartas que guardaba de él. El último paso es la creciente franqueza con que se muestra a los demás, manifiesta en el hecho de que deje que su amante, un político prometedor, presencie el ritual de antes de acostarse. Cuando la cinta en la que está grabado el poema de Lorca llega a los versos «tu lengua está llamando camaradas que velen tu gacela sin cuerpo», José, ya en la cama, sonríe levemente a su amigo. El interés del protagonista en Lorca implica que su conciencia política es cada vez mayor, pero es este sentido de la ironía manifiesto en el acto de revelarse a sí mismo con un sentido de humor lo que indica que ha llegado a dominar el pasado idealizado que le mantenía aislado.

---

[19] Citas tomadas del análisis de Derek Harris de *Poeta en Nueva York*, Londres, Grant and Cutler, 1978.

[20] Véanse las declaraciones de Chávarri publicadas en *Fotogramas*, número 1.512, octubre de 1977, pág. 28.

Rodada por fin en 1980 después de muchos retrasos, *Dedicatoria* combina la radicalidad formal con la queja, tan corriente entre la izquierda española de finales de la década, de que, al menos socialmente, el país no había dejado atrás su pasado franquista. Juan, periodista diletante y rico, investiga el encarcelamiento de un viejo amigo, Luis, e inicia una aventura con la hija de éste, Carmen. Luis muere en la cárcel tras ingerir una dosis de píldoras, pero le deja a Juan unas cintas grabadas donde dice que fue Carmen quien le denunció a las autoridades y quien le dio las píldoras con que se suicidó. Al parecer, padre e hija habían estado manteniendo una relación incestuosa que ella no quería continuar y él no podía olvidar.

No es sólo el hecho del incesto en sí, sino el silencio en que se mantiene, lo que actúa como metáfora de realidades históricas más amplias. En *Dedicatoria* un estilo indirecto no es una estrategia para burlar la censura, sino más bien una confirmación de que tal censura todavía existe. La película implica que son muchas las cosas que quedan aún por decir. En el plano personal, los personajes están simbólicamente separados por barrotes (como cuando Juan habla con Luis en la cárcel) o vallas (Juan le da a Carmen las cintas de Luis a través de una valla). Asimismo, eluden la verdad. «Cuéntame cómo fue la primera vez», le dice quedamente Carmen a Juan cuando vuelven de la cárcel en el mismo coche-cama; pero, en vez de eso, él empieza una historia que es una versión disimulada de cómo la conoció a ella. Bromeando con Carmen, una sombra de tristeza cruza sus ojos (en una de esas rápidas observaciones interiores que tan bien sabe reflejar Chávarri); en este pequeño acto de retracción, Juan confirma su soledad esencial.

Pero, por encima de todo, el pasado de España se deja envuelto en el misterio. Los antecedentes de los personajes no se mencionan (Juan, por ejemplo, tiene un piso maravilloso: ¿de dónde saca el dinero para mantenerlo?). Es evidente que la influencia y el poder no han cambiado de manos tras la muerte de Franco —Paco (el jefe de Juan), Carmen y el mismo Juan asistían a cacerías con la alta sociedad; ahora, Paco dirige una importante agencia de noticias y Juan es uno de sus principales redactores. Ambos personajes se dedican a filtrar (es decir, a censurar) información. Juan habla con el chófer de un aristócrata; en un determinado momento, Luis propone dar a Juan los nombres de diversas personas relacionadas con la tortura policial, pero nunca los facilita.

En esta película clave de principios de los años 80, el amor, el placer e, incluso, la comunicación continúan reservándose para momentos especiales, adornados por espléndidos motivos musicales. Un claro ejemplo es la fiesta de cumpleaños de Luis, que se celebra en la cárcel. Carmen y Juan le llevan un acordeón, instrumento que solía tocar de joven. Claramente emocionado, Luis toca una habanera, cuyo tono, bonachón y *naïf*, tiñe de alegría la existencia gris de la prisión. No obstante, detrás de la puerta se alza la figura de un guardia, espléndida metáfora del hecho de que, en 1980, la autoridad, el control y la censura probablemente fueran menos explícitos, pero todavía ejercían una influencia crucial entre bastidores[21].

La comunión de los cachondos: Un cine español popular y nacional

Durante la transición, algunos cineastas aislados se esforzaron por inscribir la cultura popular de España en una auténtica cultura cinematográfica española y popular.

Uno de los principales impulsos fue el que dieron la carrera y los comentarios de Luis Berlanga, al que apoyaban los críticos de la izquierda radical (en especial, Julio Pérez Perucha, cuyo seminario sobre Berlanga, celebrado en el Festival de Cine de Valencia de 1980, constituye el primer estudio académico sobre un cineasta español realizado con rigurosidad). El cine de cruzada, declaró Barlanga con su lucidez característica en Pesaro en 1977, se quedó estancado por el simple hecho de que aburría a los espectadores. «Prefirieron ver *Currito de la Cruz* o *Nobleza baturra,* un tipo de cine populista, divertido. Había un determinado gusto populista y un cine que atendía a ese gusto, a esas necesidades», un cine que «procedía de los años de la República y como expresión de unas clases sociales no explícitamente vinculadas a

---

[21] Sobre *Dedicatoria,* véanse la reseña y la entrevista publicadas en *Contracampo,* núm. 17, diciembre de 1980.

los vencedores de la Guerra Civil... Vuelvo a insistir en la necesidad de escoger como terreno de cultivo este cine que provocaba largas colas en las taquillas», un cine que logra «una auténtica comunicación con el pueblo...; si aquel cine sainetero provocaba una fascinación en el público, la obligación de un cineasta consciente sería la de introducirse en esa especie de globo de colores... y, por una especie de ósmosis..., elaborar su propio discurso»[22].

Las declaraciones de Berlanga son uno de los comentarios más perspicaces que se han hecho sobre la cinematografía realizada durante el franquismo. Su «propio discurso», que iba a desarrollar consciente y coherentemente tras la muerte de Franco, se deriva básicamente de los cambios de estilo que tuvieron lugar a finales de los años 50.

«A partir de 1956», escribe David Gilmour en *The Transformation of Spain*, «un régimen que se había jactado más que nada de haber mantenido la paz y el orden se encontró a sí mismo declarando continuos estados de excepción y suspendiendo numerosos artículos de sus estatutos»[23].

Como ha indicado Julio Pérez Pencha, una nueva acerbidad se adueñó entonces del cine español a medida que fue descubriendo y asimilando una tradición realista particularmente española, que ofrece inmensas posibilidades y que ha ejercido una influencia clave en películas recientes como *Maravillas* (1980), posiblemente la mejor obra realizada por Gutiérrez Aragón hasta la fecha, y *La corte del Faraón* (1985), de García Sánchez, que, aunque no la más interesante, sí es una de la más populares de las películas subvencionadas por el Gobierno socialista desde 1985. El ímpetu del cambio vino en parte del extranjero: la llegada a España en 1955 del italiano Marco Ferreri en calidad de vendedor de objetivos Totalscope. Ferreri y Berlanga descubrieron a su mutuo guionista, Rafael Azcona, casi a la vez. Este genial maestro del humor negro coescribió dos de las tres películas españolas de Ferreri; las doce dirigidas por Berlanga desde *Se vende un tranvía* (codirigida con Juan Estelrich en 1959); cinco de Saura, realiza-

---

[22] L. Berlanga, «El cine español de posguerra», publicado en *Contracampo,* número 24, págs. 15-18.

[23] D. Gilmour, *The Transformation of Spain,* pág. 29.

das entre *Peppermint frappé* (1967), y *La prima Angélica* (1973); el *sketch* de Víctor Erice de *Los desafíos* (1969), *El Anacoreta* de Juan Estelrich (1976), *El bosque animado,* de José Luis Cuerda (1988), y tres de García Sánchez desde *La corte del Faraón.* A Rafael Azcona, le han retratado como el *eminence noire* de la industria cinematográfica española; no, asegura él, no soy más que un *agent provocateur:* «No tengo nada que decir», señala, «sólo inicio o coopero en algo que otra persona distinta a mí lleva a su término»[24]. Sin embargo, el repaso que ha hecho Fernando Lara de la ficción narrativa de Azcona de los años 50, desde *Cuando el toro se llama Felipe* (1954) hasta *Pobre, paralítico y muerto* (1960), revela que es ahí donde se han incubado muchos de los grandes temas del cine contemporáneo español: «la tragedia de un personaje obligado por unas condiciones sociales a ser algo que él no desea»; «la crítica de una pequeña burguesía encerrada en su mitología particular»; «el humor negro»; «una deficiencia económica, corporal, intelectual, mental o la deficiencia total que supone la muerte, sirve... como espejo cóncavo donde se reflejan las fallas mucho más profundas y dañinas de una sociedad que impide la realización —tanto individual como comunitaria— de ser humano»[25].

Sirva una amena historia para ilustrar el negro talento de Azona: «Un hombre llega a casa e intenta matar a su mujer..., pero le falla la pistola, se va a la cocina a engrasarla, le entran ganas de comer y se prepara una ensalada, con el aceite de la misma engrasa la pistola, y finalmente va a la habitación y la mata. Después coge un sello de gran valor que tienen guardado y se va.» Se trata de un guión de Azcona y Muñoz Suay incorporada en *Dilinger e muorto* (Ferreri)[26].

Es muy probable que la acentuada agresividad manifiesta en la hostilidad que siente Marco Ferreri hacia «estupidez colectiva» haya pasado a Berlanga a través de Azcona.

Al margen de ciertas diferencias radicales en lo que a la di-

---

[24] En la interesante introducción de Fernando Lara, «El mundo de Rafael Azcona», *Dirigido por,* núm. 13, mayo de 1974, págs. 26-31. Berlanga siempre ha hecho hincapié en la influencia de Ferreri transmitida por Azcona. Cfr. *Casablanca,* núm. 4, abril de 1981, págs. 23-29.

[25] Lara, «El mundo de Rafael Azcona», pág. 28.

[26] Recogido por Ricardo Muñoz Suay, *Dirigido por,* núm. 15, julio-agosto de 1974, pág. 17.

rección se refiere, Ferreri, Berlanga y Fernán-Gómez han recurrido en sus mejores obras a la misma tradición española de humor negro, la que surgió del concepto de esperpento que definiera y desarrollara Valle-Inclán. «El sentido trágico de la vida española», dice el autor en *Luces de Bohemia* (1920) en boca de Max, «sólo puede darse con una estética deformada». Y eso se debe a que «España es una deformación grotesca de la civilización europea». El esperpento es lo grotesco, lo ridículo, lo absurdo. Inscrito en los intereses de un realismo histórico y esencial, pone de manifiesto, para burlarse de él, el abismo anómalo que separa la tradición sublime de España de su deprimente realidad. Los personajes esperpénticos de Valle-Inclán hacen muecas y gestos, hablan con gruñidos y actúan mecánicamente, como si fueran marionetas humanas. Les arrastra una corriente de malentendidos, imbecilidad y caos. Se esfuerza por trascender la dañina banalidad biológica, social, psicológica y accidental de la vida en general y del lamentable estado en que se encuentran en particular. Pero fracasan. Y «a ninguno de ellos», señala Anthony Zahareas en su excelente introducción a *Luces de Bohemia* «parecen importarle nada los demás»[27]. Sin embargo, aunque técnicamente trágicas, las derrotas de los personajes son demasiado ridículas, demasiado insignificantes, como para trascender la farsa. Nada, ni siquiera la muerte, es sagrado. En *Rosa de papel* (1924), por ejemplo, la mujer de un herrero muere y se la amortaja para el velatorio. El marido se muestra totalmente indiferente a la muerte hasta que se entera de que la angelita había estado atesorando dinero durante años. Urgido, se queda contemplando la pálida belleza del cadáver y gritando que está en su perfecto derecho, intenta meterse en la cama ante la mirada escandalizada de los vecinos.

Berlanga admite que el esperpento es una de las características de su cine. Fernán-Gómez incluyó a Valle-Inclán entre sus modelos literarios, junto con «[Wenceslao] Fernández Florez, pasando por el sainete y Arniches»[28]. Asimismo, el esperpento da forma a una magnífica serie de películas españolas: las morda-

---

[27] A. Zahareas, *Luces de Bohemia,* Edinburgh University Press, 1876, página 7.

[28] *Contracampo,* núm. 35, pág. 66.

ces obras neorrealistas de Berlanga, Fernán-Gómez y Ferreri realizadas entre 1958 y 1964. La carrera posfranquista de Berlanga reanuda esencialmente la temática de tales películas. Sus protagonistas, por ejemplo, siguen siendo unos desgraciados. En *La escopeta nacional* (1977) el engomado Canivell, que es una visión paródica del catalán pesetero, acude a una cacería con la clase alta franquista para tratar de convencer a un ministro falangista de que patente sus cerraduras automáticas. El pobre hombre da coba a todo el mundo; se arrastra ante ellos e incluso persuade a su mujer para que contribuya con un mechón de vello púbico a la colección de conquistas internacionales del marqués.

Pero el desgraciado no consigue nada. *La escopeta nacional* ironiza sobre la transición describiendo los obstáculos insalvables impuestos por el poder mismo: los que lo tienen siempre oprimirán, cualquiera que sea su naturaleza, a los que carecen de él.

La película de Berlanga está inspirada en un suceso que causó una gran conmoción en los sectores políticos españoles: el accidente de la hija de Franco, a la que Fraga, durante una cacería, le disparó, por equivocación, una perdigonada en el culo. Asimismo, se observa en ella un considerable aumento de la salacidad (una actriz principiante se entrega al sadismo y un marqués colecciona vello púbico de mujer), y hay un cura blasfemo, cuyo diálogo (el hombre ataca el monasterio de Montserrat por haber «jodido» España) no hubiera pasado la censura antes de 1976.

La escopeta nacional muestra que un director español con un estilo que parecía estar ya perfectamente definido no iba a abandonar éste por el simple hecho de que tuviese la oportunidad de expresarse de un modo más directo. Berlanga permanece fiel a sus temas y técnicas. En 1962, por ejemplo, consideraba que había que hacer un cine que fuese «revulsivo» y que consiguiese «inquietar y espolear»[29]; así que, en 1977, en un momento en que Cataluña estaba de plena actualidad, incluyó en su película al personaje de Canivell. Asimismo, en 1957 definió su «panorama social» como «individualístico, mudable y sentimental»[30]; por eso, en 1977, centró su película en la figura del servil Canivell, que se aviene a toda clase de pactos ultrajantes con tal de vender

---

29 *Nuestro cine,* núms. 6-7, diciembre-enero de 1962.

30 *Film Ideal,* núm. 12, octubre de 1957.

sus cerraduras automáticas. Por último, el estilo coral que Berlanga patentó en *Plácido* (1961) y que da lugar a esa constante intrusión de una realidad en otra, presente en *El verdugo* (1963), actúa en *La escopeta nacional* a manera de metáfora de la condición/estatus esperpéntico del protagonista: cuando Canivell consigue convencer por fin al ministro de que comercialice sus cerraduras, se produce una reorganización del Gobierno y un importante miembro del Opus pasa a ocupar el puesto del anterior; el pobre Canivell tiene que adoptar una estrategia completamente nueva para engatusar al nuevo ministro[31].

En las películas posfranquistas de Berlanga, al igual que en las que hizo durante el franquismo, España continúa retratada como si fuese una «deformación grotesca de la civilización europea». ¿Cómo reacciona el hijo del marqués de Leguiniche, ya miembro de la democracia española, al golpe de Tejero? En *Nacional III* (1982) se va a ver una película porno que lleva el inefable título de *La muerte tiene los ojos azules*. ¿Y cómo intenta su adinerada familia evadir su capital de España? No mediante sutiles transferencias bancarias ni con la ayuda de un experto en finanzas, sino poniendo el dinero en la escayola del hijo cuando éste cruza la frontera en calidad de peregrino, camino de Lourdes.

El resultado sigue siendo siempre el mismo. Los personajes fracasan, y lo hacen de un modo ridículo. Las casualidades, los contratiempos, el caos, el inmenso egoísmo de los demás se alían para dejarles visceralmente frustrados. En este sentido, *La vaquilla* no es tanto un retrato de la guerra civil como una muestra del estado esperpéntico de España. También es una reanudación del estilo utilizado por Berlanga en los años 50, ya que está basada, con muy pocos cambios, en un guión que escribió el director junto con Azcona en 1957. En ella, los nacionales, apostados en las laderas de una montaña desde la que se domina un valle, van a celebrar una corrida. Los republicanos deciden entonces

[31] El «número cirquense de enanos» de Ungría *Gulliver* (1976) plantea más o menos lo mismo. Una compañía de espectáculos compuesta por enanos recoge a un fugitivo que de perseguido pasa a convertirse en amo; al final, los enanos se rebelan contra él. El poder cambia de manos, pero la opresión sigue siendo la misma. Véanse *El cine de autor en España* y una entrevista con Ungría y Fernán-Gómez (que colaboró en el guión e hizo el papel del fugitivo) en *Fotogramas,* núm. 1.447, julio de 1976.

aguarles la fiesta robando la vaquilla, y mandan un pelotón al pueblo donde se guarda el animal. Al igual que en *Plácido,* los «personajes se desplazan de un lado para otro sin llegar jamás a un sitio; gritan, se insultan se agreden incluso, en la más desoladora soledad colectiva que imaginarse pueda»[32]. El guía de la expedición, que vivía en el pueblo antes de la guerra, da un inmenso rodeo para ver unos almendros; un soldado que se jactaba de sus habilidades taurinas se deja dominar por el pánico en cuanto ve la vaquilla; el oficial que manda el pelotón se escabulle para irse a un burdel. Ningún otro director español se deleita tanto como Berlanga en destacar el bullicioso egocentrismo del carácter español y sus consecuencias. La expedición es un fiasco, porque la vaquilla se escapa: los nacionales se quedan sin fiesta y los republicanos ven frustrada su misión. Decepcionados, los soldados de ambos bandos empiezan a dispararse a través del valle.

Las películas de Berlanga tuvieron cierta resonancia a finales de los años 70. «En Francia, las salas se están cerrando», afirmaba José Luis García Sánchez en 1978, «... ¿qué tiene que ver un ganadero provenzal con las películas de Godard? Al hacerse un cine de *qualite* ya no se produce el hecho maravilloso de que el cine sea entretenimiento y cultura... Tenemos que definir el arte como una fiesta en la que participe todo el mundo»[33].

Basando sus películas en la realidad española del momento, procurando tener un impacto popular mediante el uso de formas populares como el sainete, el costumbrismo, el esperpento y la zarzuela, y tratando de dar una visión satírica e irreverente de la realidad del país, unos cuantos directores españoles descontentos y con diversos grados de conciencia política y estilística intentaron construir lo que Julio Pérez Perucha ha calificado de «sainete cinematográfico» o «cine popular nacional»[34]. Entre ta-

[32] José Luis Guarner, sobre *Plácido,* en «Notas sobre el concepto de espacio en el cine de Berlanga», *En torno a Berlanga I,* pág. 44. Sobre el Berlanga posfranquista, véanse «Saura y Berlanga atacan de nuevo», en *El País Semanal,* 21 de septiembre de 1980, y una entrevista con Enrique Alberich, «La vaquilla, Berlanga, otra vez», en *Dirigido por,* núm. 124, abril de 1985, págs. 50-57.

[33] J. L. García Sánchez, *El cine de autor en España,* pág. 254.

[34] En la tercera parte, «Costumbrismo/Sainete/Esperpento o el otro lado de la frontera», del ensayo escrito con Vicente Ponce, en «El cine y la transi-

les directores figuraban José Luis García Sánchez —en dos comedias generacionales, *El love feroz* (1974) y *Colorín colorado* (1976), que vinieron a ser una especie de glosa satírica y sainetesca de las películas de la Tercera Vía y cuyas formas populares se desarrollaron todavía más en *Las truchas* (1977)—, Francesc Betriu —en su famoso corto *Bolero de amor* (1970) y en todas las películas que realizó hasta *Los fieles sirvientes* (1980)—, Francisco Regueiro —en dos visiones del matrimonio estimulantemente esperpénticas *Duerme, duerme, mi amor* (1974) y *Las bodas de Blanca* (1975)—, Fernando Fernán-Gómez —en la zarzuela burlesca *Bruja, más que bruja* (1976); en la fábula mordaz *Mambrú se fue a la guerra* (1985), donde un republicano sale de su escondite a la muerte de Franco, y en los falsos recuerdos de un cómico de la legua *Viaje a ninguna parte* (1986)— y Berlanga —en todas sus películas.

Cuanto más vaga es la definición de esta tendencia, mayor es el número de películas que cabe incluir en ella[35]. Incluso se podría hablar de un sainete de sexo, como sería el caso de *Sábado, sabadete* (José Lara), película en la que, con planos de Colón y la Castellana y con música de la *belle-époque,* nos presenta a seis cachondas madrileñas —evidente pastiche de *Las chicas de la Cruz Roja*— que se van a pasar el fin de semana a la sierra y se tiran a todo tipo de tipos (un agresivo cabrero, un *hippy* porrero, un catalán adicto a la butifarra, etc) con descarado entusiasmo («¡qué salchicha!», dice a grito pelado una de las chicas a la vez que aterriza sobre el cabrero), y recurriendo continuamente a la jerga y la sabiduría populares. «Todas tenemos la castañita para que nos la pelen de vez en cuando», dice, pensativa, una de las chicas, resumiendo así el tono y la filosofía de la película.

La descripción del cine español, especialmente cuando la hacen críticos extranjeros, suele estar centrada en el contenido te-

---

ción política», pág. 37. Para Perucha, el «sainete cinematográfico» es «harto diferente del teatral o literario». El ensayo de Perucha presenta la primera visión global de este crucial concepto. Me parece simplemente escandaloso que este ensayo y más escritos de Perucha no hayan disfrutado de mayor difusión o apoyo en España.

[35] Perucha añade alguna que otra película. Cfr. «El cine y la transición política», páginas 37-39.

mático (censurado o no) y en la filosofía política subyacente. La razón de tal interpretación es evidente. Para muchos críticos extranjeros, la crítica de cine es una continuación de la política por otros medios, y la historia del cine español se aviene perfectamente a condenar la dictadura franquista. Con la tendencia popular-nacional, esta actitud no le sirve a la crítica de mucho. Los tiros no van por ahí.

En *Esa pareja feliz,* donde Bardem dirigió a los actores, y Berlanga, los desplazamientos de la cámara, la división de las responsabilidades entre ambos directores no fue en absoluto casual. Aunque se haya hablado de un estilo de «las dos Bes», en lo que a su modo de hacer cine se refiere Bardem y Berlanga son completamente distintos[36]. La dirección del primero bebe a veces de muchas fuentes. *Cómicos,* por ejemplo, tiene escenas que recuerdan a Antonioni (los personajes hablan en primer plano de perfil, mirando hacia la izquierda, sus rostros ocupando el lado derecho del campo, expresan su incomunicabilidad) y a Welles (ángulos picados y profundidad de campo), mientras que su hilo argumental se parece mucho al de *Eva al desnudo,* de Mankievitz. De todos modos, si cabe hablar de una influencia dominante, habría que referirse al teatro burgués. Como han señalado Mitry, Balzac y Bazin, el teatro presenta el drama del hombre contra el hombre, pero el cine presenta el del hombre contra el mundo. Mediante una serie de encuentros episódicos entre dos personas, las películas de Bardem votan por lo primero. Las posiciones y miradas de los actores son tan simbólicas como afectivas, el diálogo es «significativo» más que expresivo y todas las imágenes están al servicio de la construcción de la historia[37].

Nada podía ser más ajeno a Berlanga o al cine nacional-popular en general. A pesar de su carácter sociológico, lo que realmente distingue a éste son los aspectos relacionados con la *mise-en-scene* —una de las más elaboradas del cine español— y la relación entre película y espectador, que es muy diferente de la

---

[36] Cfr. el relato de Berlanga de las tensiones en el plató. L. Berlanga, citado por Juan Hernández Les y Manuel Hidalgo, *El último austro-húngaro: conversaciones con Berlanga,* Barcelona, Anagrama, 1981.

[37] Sobre el teatro en la teoría del cine, véase J. Dudley Andrew, *The Major Film Theories,* Londres, O.U.P., 1976.

tradicional del cine de Hollywood. Los aspectos formales varían radicalmente de película a película, pero entre ellos figuran:

Disminución o negación del espacio fuera de campo. En *Se vende un tranvía* (1959), Estelrich y Berlanga construyeron «un espacio con características propias, en el que el encuadre cerca a unos personajes que se debaten en el único lugar que pueden, en la profundidad del campo fílmico, con una frenética y desesperada actividad, las más veces sin sentido ni perspectiva histórica alguna»[38].

Patrimonio nacional y *Nacional III* son desarrollos estilísticos y narrativos de este principio. El clan Leguineche llega a Madrid, se supone que para formar parte de la corte posfranquista del rey don Juan Carlos. Sin embargo, el monarca anuncia que no piensa crear tal corte. Antaño propietaria de una inmensa finca, visitada por una élite fisípara (en *La escopeta nacional),* la familia —al igual que las clases franquistas en general— se ha visto obligada a vivir en el limitado y autónomo espacio físico e histórico de un palacete desvencijado de Madrid. El mundo de oportunidades democráticas que queda fuera de campo, en el paseo de Recoletos, apenas hace acto de presencia en *Patrimonio nacional*[39].

Comparaciones entre el fondo y el primer plano. Si la cultura popular española se opone a menudo a la optimista visión oficial de la realidad del país, las comparaciones entre fondo y primer plano permiten que aparezcan ironías sarcásticas y puntos de vista contrarios. Así, en *Duerme, duerme, mi amor,* José Luis López Vázquez interpreta a un personaje, Mario, que entra a una barra americana e invita a todo el mundo. El hombre está celebrando una idea estupenda: cómo deshacerse de su esposa, quien esta drogada y a la que no puede aguantar más. Ha pensado meterla en un cubo y arrojarla luego al camión de la basura. Pero ¿sirve su generosidad para unir a los que se encuentran allí?, ¿les va a hacer más amables o más felices? En absoluto. Un momento después, en el fon-

---

[38] J. Pérez Perucha, *Contracampo,* núm. 24, pág. 21.

[39] Para un análisis más sostenido, véase Santos Zunzunegui, *Contracampo,* número 22. Aunque la familia se muda a Extremadura y a Francia en *Nacional III,* los espacios encerrados simbolizan una vez más su decadencia y falta de perspectivas, o son un *huit-clos* aristocrático: una iglesia, un casino de Biarritz y, finalmente, una ambulancia.

do del bar, tres de las chicas se pelean para ver de quién es el turno para echar unas dados mientras que la *madam* se queda egocéntricamente absorta lavando un vaso. En primer plano, los clientes se colocan alrededor de la máquina de discos (en la que han puesto *su* canción). En el plano medio, Mario discute por el cubo de basura que necesita para llevar a cabo su plan. En vez de generosidad mutua, lo que muestra la escena es un *collage* de egocentrismo[40].

Plano secuencia. El propio Berlanga explicó que su preferencia por este tipo de plano era para ahorrar costes y también un intento de crear un realismo esencial: «Entre un plano y un contraplano siempre hay algo que se escamotea, algo que no está, que ha desaparecido»[41]. Ese «algo» no es tanto aquello sobre lo que trata la película como una visión social de España, que está condicionada por el mismo uso del plano secuencia y que condiciona a éste. La alternativa estilística mayor es, como siempre, el estilo clásico de Hollywood, basado en un plano general que va dando paso a una sucesión de campos y contracampos de dos personajes conversando. Este estilo se perpetuó en el cine popular americano desde las primeras películas sonoras hasta los años 60, cuando fue adoptado por la televisión (cfr. por ejemplo, *Dinastía* o, de un modo más monótono, *Falcon Crest*). Su filosofía que le da origen consiste, en parte, en que la proximidad física está acompañada de un contacto emocional privilegiado y «significativo» (independientemente de que sea en el amor o en la agresión) que queda realzado por el hecho de que los actores se estén mirando a los ojos. Tal filosofía se deriva a su vez de ciertos supuestos sociales. Uno de ellos no es ni más ni menos que la

[40] Desde Cervantes y Quevedo, la mejor cultura española ha tendido siempre a adoptar actitudes contra «oficiales». En la escena de *Duerme, duerme, mi amor,* fondo y primer plano repiten la ironía central de la acción. Estas perspectivas podrían ser un comentario sobre el drama, contrastar y subvertir su validez (como en el episodio de las Cuevas del Drac de *El verdugo*) o, en los melodramas españoles, proporcionar una «estética de lo doméstico» que nos revela lo que está en juego. Así, en *El mundo sigue,* cachivaches descolocados ocupan el primer plano en casa de los padres, mientras que un bolso de mujer y un paraguas de caballero son puestos en primer término en los planos de la tienda de la hermana para exteriorizar sus ambiciones sociales.

[41] En una conversación con el autor, repetida en *Casablanca.*

idea de que los personajes, al igual que las personas en la vida real, sólo se miran a los ojos en momentos excepcionales de contacto personal en los que éste se expresa a través de la mirada. Otro guarda relación con el hecho de que, en una sucesión de planos y contraplanos, primero habla un actor, y luego otro que ha estado escuchándole y reacciona así a sus palabras. En una conferencia magistral titulada «Acting in Film» («La interpretación en el cine») Michael Caine incluso llegó a afirmar que ese acto de escuchar era el eje de la profesión de actor: «Uno se limita a mantener la mirada de otra persona y a escuchar. En eso, en escuchar, es en lo que consiste en realidad la interpretación en el cine. No es como en el teatro»[42].

En las películas de Hollywood, los personajes primero hablan, luego escuchan y después reaccionan. El origen último de este modelo es la visión jeffersoniana, predominante en las películas de Frank Capra, de que la sociedad consiste en una comunidad de individuos honrados y de la misma mentalidad que respetan (es decir, en el plano físico, escuchan) las opiniones de los demás. Después de todo, fue Jefferson quien adoptó la máxima de Voltaire de «desapruebo lo que dices, pero defenderé hasta la muerte tu derecho a decirlo»[43].

Nada podía estar más lejos de la visión esperpéntica que tiene Berlanga de España. Y una visión distinta precisa de una forma de expresión distinta. Por un lado, para Berlanga, como para la mayoría de los españoles, el hecho de mirarse a los ojos no implica momentos privilegiados de contacto emocional: en España cualquier sujeto, un cartero o un portero, mantendrá la mirada de su interlocutor aunque no estén hablando más que del tiempo. El no hacerlo se consideraría no sólo anormal, sino también insociable[44].

---

[42] Michael Caine, «Acting in Film», *BBC 2,* 1987.

[43] Sobre la relación de los ideales jeffersonianos con la práctica cinematográfica norteamericana, véase Maltby, *Harmless Entertainment*.

[44] Gerald Brenan escribió (en *The Face of Spain,* Londres, Penguin, 1987) tras haber vivido décadas en España, que los franceses e ingleses son «más reservados en sus sentimientos y carácter porque tiene una conciencia de sí mismos moderna. Lo cierto es que los españoles son una raza más simple...». Los sentimientos de un español son patrimonio público, algo que tiene que expresarse para que todo el mundo lo vea (véase como queja un futbolista español

Por otro lado, la diferencia de un personaje para con otro implícita en la sucesión de campos y contracampos (aunque sólo se trate de un hábito de la comunicación, más que de las emociones que la inspiran) es bastante ajena a la visión de Berlanga, pues en ésta todos los personajes hablan de diferentes cosas a la vez. La proximidad física ya no implica solidaridad emocional, y el plano secuencia revela perfectamente esta tensión al ir trazando un retrato ininturrumpido (y, por ello, carente de ambigüedad) y cada vez más caótico del egoísmo colectivo, un retrato en el que los personajes entran en el campo sólo para frustrar, insultar y, sobre todo, ignorar a los demás en un mundo en el que la solidaridad se ha rendido a la soledad, la cual nunca es tan evidente como cuando se está acompañado[45].

Hollywood resalta la importancia del individuo y da idea de progreso. Su *star system* permite que el individuo domine la narrativa, la cual se convierte en una serie de situaciones consistentes en una exposición y en una resolución que conduce a su vez a la siguiente situación. Lo que impulsa esta progresión en el cine (y, se sugiere, en la vida real) son las actitudes y actos consecuentes de individuos libres y, por tanto, desarrollados. Mediante el primer plano, la estrella gozaba del privilegio de tener centrada en ella la atención dramática, la belleza, la iluminación, etc., y de este modo se hacía hincapié en la importancia del individuo y se alentaba al espectador a sentirse identificado con los *alter egos* ideales propuestos.

Pero el plano secuencia de Berlanga disiente totalmente de esta visión del mundo. Con la sucesión de primeros planos, la narración va progresando a medida que los personajes expresan opiniones contrapuestas hasta llegar a una síntesis fructífera. Pero el plano medio ininterrumpido hace que un coro de personajes contrasten opiniones que les conducen mucho más allá de

---

después de una dura entrada). El corazón de un inglés es un cuarto cerrado con llave. Gris, amorfo, irónico, el inglés necesita mucho más del primer plano que el español para poder insinuar emociones levantando una ceja, o por el leve brillo de emoción en los ojos, etc.

[45] El uso que hace Berlanga de planos secuencia cada vez más largos dificulta también la sutura e impide el acceso directo del espectador al espacio de la ficción. Cfr. *The Cinema Book,* Londres, BFI, 1985, págs. 242-250, para más detalles de sutura.

su objetivo original. Así, en el plano secuencia de *La vaquilla* en que la partida de asalto va avanzando por el valle, Berlanga desarrolla las obsesiones divergentes de los miembros de la expedición, los cuales conducirán al desastre la expedición. Entonces, en vez de presentar a unos individuos que dominan la narración, la historia gira alrededor de los intentos de individuos de dominar a los demás, lo cual tiene un paralelo casi físico en el hecho de que los actores se disputen el centro del campo como si fuesen jugadores en un partido de *squash*. La sensación de movimiento febril, de desperdicio de energía, presente en tantas comedias de Berlanga, se deriva, entre otras cosas, de la frustración impuesta por el director a los actores, que se ven privados del medio más apropiado —el primer plano— para convertirse en «estrellas».

Sentimiento de compenetración. De vez en cuando en España, los espectadores todavía tararean las canciones de la película (en un cine de Pozuelo en el que se proyectaba *Deprisa, deprisa,* en 1982, cada vez que sonaba una canción la gente se ponía a cantar); se entra al cine cuando ya ha empezado la proyección[46]; los niños corretean por los pasillos (incluso en una sala «X»); un domingo, en un cine de barrio, al ver desnudarse a una actriz en la pantalla, un chico con cuello de buey y cerebro de nuez protestará entusiasmado, «¡pero... qué puta!»; en Barcelona, en los años 70, los vecinos solían echar gatos al cine Oriente por el tejado corredizo de la sala que se dejó abierto en el verano[47].

El ambiente bullicioso de los cines de España no se debe tanto al lamentable trato que reciben los gatos como al hecho de que el cine español tenga su origen en el teatro popular. Éste continúa influyendo no sólo en el placer que buscan los españoles en las películas, sino también en el modo en que una película establece una relación con el espectador, especialmente en el caso de las películas populares nacionales.

Un ejemplo de tal actitud se encuentra en las películas de Fernán-Gómez[48]. En la transición, este director todavía no se

[46] L. Lee, citado por C. B. Morris, en *That Loving Darkness,* hace una magnífica descripción del bullicioso público cinematográfico español de los años 30.

[47] Buena anécdota de Roger Mortimore, *The International Film Guide,* 1978, página 283.

[48] La extraordinaria valía de Fernando Fernán-Gómez se ha destacado ya

había repuesto (¿por qué habría de hacerlo?) de la desastrosa acogida que dieron los distribuidores y el gobierno español a *El mundo sigue* y a *El extraño viaje*. La primera de estas películas, cuya producción financió él mismo para celebrar sus bodas de plata con la profesión de actor, le dejó tan arruinado, que un amigo tuvo que ayudarle a pagar el alquiler de su casa. Y en cuanto a la segunda, los elogios de la crítica vinieron con siete años de retraso. Las obras clave realizadas por Fernán-Gómez entre 1964 y 1976 pertenecen al teatro (*Un enemigo del pueblo,* de Ibsen, dirigida en 1971), a la televisión (una serie cuyo guión escribió, *El pícaro,* y el drama de una hora *Juan Soldado*) o la interpretación en cine de *El espíritu de la colmena* y *Ana y los lobos*.

Pero en 1976, Fernán-Gómez dirigió una película extraordinaria, *Bruja, más que bruja*. Fue «una parodia, una sátira de la zarzuela, una reflexión sobre lo que ocurriría si se fundiese el mundo de la realidad con el de la zarzuela en un ambiente tan español como el de un pueblo»[49]. El argumento es muy breve; trata de un chaval de pueblo memo (excelentemente interpretado por Paco Algora) que deja a su novia (Emma Cohen) para irse a la mili. Cuando vuelve se la encuentra casada con un tío suyo que es un verdadero patán. Entonces asesinan al marido de la chica con ayuda de una bruja. El telón de fondo que proporciona un pueblo real hace que la artificialidad de las escenas de zarzuela resul-

---

muchas veces. Pero dada la frecuencia con que se olvida, especialmente fuera de España, volvamos a la carga. Aunque se le conoce sobre todo por su labor de actor (en 138 películas como mínimo hasta 1984), Fernán-Gómez es un director de desiguales y, a veces, magníficos logros. En más de una ocasión hizo cáusticas críticas de la España franquista, como demuestra, por ejemplo, *La vida alrededor* (1959), cuya escena final de la sala de justicia es una recreación imaginaria de lo que ocurriría en España si alguien dijera realmente la verdad: se ven manos con maletines cerrados con cadenas, piernas anónimas y elegantemente vestidas que se precipitan hacia unos aviones que les aguardan y para llevarles al extranjero. La inventiva formal de Fernán-Gómez es anterior a la *nouvelle vague*. Su obra maestra, *El mundo sigue* (1963) está a la altura de *El verdugo* y *Viridiana*. Véanse el expediente de *Contracampo,* núm. 35; Manuel Hidalgo, *Fernando Fernán-Gómez,* Huelva, Festival de Cine Iberoamericano, 1981; Diego Galán y Antonio Llorens, *Fernando Fernán-Gómez,* Valencia, Fundación Municipal de Cine y Fernando Torres, 1984; Diego Galán y Fernando Lara, *18 españoles de la posguerra,* y los reportajes de *Fila 7,* «El largo viaje de Fernando Fernán-Gómez» y «El regreso de Mambrú», TVE, 1986.

[49] Citado por Manuel Hidalgo, *op. cit.,* pág. 57.

te absurda. Un ejemplo: cuando el protagonista vuelve de la mili, todo el pueblo va saliendo por casualidad por los rincones y escondrijos de las calles y sube tras él la cuesta que conduce a la plaza cantando alegremente y en filas cuidadosamente dispuestas. En un escenario, esto hubiera estado bien; en un pueblo real, resulta incongruente y, por tanto, un cachondeo.

Pero Fernán-Gómez no se limita a desenmascarar la falta de verosimilitud de las zarzuelas —que, pensándolo bien, es bastante obvia—, sino que juega con los convencionalismos de la representación realista. Los títulos de crédito son bromas: el de «vestuario», por ejemplo, va acompañado de una imagen congelada de Emma Cohen completamente desnuda. Al principio de la secuencia de los títulos se oye el sonido de una orquesta afinando los instrumentos y da la impresión de que la banda sonora está grabada en estudio; pero al final de la película se ve una orquesta real tocando fuera del pueblo. No obstante, esto es un doble juego: aunque en la película se descubra la fuente real de una música que parecía artificial, la distancia de la orquesta con respecto al pueblo indica que, seguramente, la música no se ha grabado «realmente» (con sonido directo), sino que se ha añadido «artificialmente» en la posproducción.

Es evidente que esta película bebe de varias fuentes. Por un lado, Fernán-Gómez es uno de los cineastas más radicales que han trabajado en España. En su penúltimo filme, *Mambrú se fue a la guerra* (1986), utiliza un sainete superficial para presentarnos a un republicano que quiere salir de su escondite al morir Franco. Su familia se opone a que abandone su *sejour* de treinta y cinco años en el sótano: ¿cómo cobrarán la pensión de viudedad si se descubre que él está vivo? Al final, tratan de matarle. Al poner de manifiesto el poder motivante del dinero durante la transición (y en tiempos de Franco, mediante la amarga rivalidad entre las dos hermanas de *El mundo sigue,* donde la tragedia de la una es que recurre a la prostitución para hacerse rica, mientras que la tragedia de la otra es no ser capaz de hacer ésta), Fernán-Gómez alcanza una lucidez (para muchos, honestidad) de la que más de un comentarista de la historia reciente de España carece por completo.

A Fernán-Gómez no suele atribuírsele una gran radicalidad formal; sin embargo, sigue siendo uno de los cineastas españoles más innovadores desde el punto de vista formal. Francisco Llinás le recuerda hace años aprovechado el tiempo libre entre las tomas de un rodaje para leer un libro sobre el estructuralismo francés[50]. Bertold Brecht es una de las influencias que mejor ha asimilado. En sus películas rompe continuamente el tono, distanciando así al espectador (cfr. los cambios de ritmo que se producen al principio de *Mambrú se fue a la guerra*). Muy propio de las obras de Brecht, *Juan Soldado* acaba con un coro de niños, cuya canción es un melancólico homenaje al soldado justiciero homónimo: «Juan Soldado pasó por aquí y yo no le vi, y yo no le vi.»

Pero los rasgos modernistas de Fernán-Gómez están ligados, sin duda, a la influencia del teatro popular español, el cual todavía moldea el temperamento de gran parte de la cinematografía de España. Como señala Julio Pérez Perucha, «el espectáculo teatral.... debe considerarse como una significativa fuente nutricia de nuestro más reivindicable populismo cinematográfico..., se vinculaba a los medios populares..., café concierto, juguete cómico, variedades, sainetes, zarzuelas..., que requerían un continuo contacto con el público y una sensibilidad extrema en sus intérpretes para mostrarse receptivos ante las modificaciones de texto y gesto que hiciera aconsejable la temperatura y ánimo del público de la sala en cada representación»[51].

Este «continuo contacto» con el público a menudo se inspira en un sentido de la comunidad cultural, que es mucho más agudo en España que en la mayoría de los países del norte de Europa, en una conciencia común que quizá esté influida por unas estructuras sociales diferenciadoras. Las divisiones de clase (al contrario que las regionales) son mucho más débiles en España. En un estado que carece todavía de información pluralista, las

---

[50] Y afirmar, con típica modestia/humor/honestidad, que no había entendido ni una palabra.

[51] J. Pérez Perucha, *El cine de José Isbert*, Ayuntamiento de Valencia, 1984, página 71. Fernán-Gómez se ve a sí mismo adoptando un estilo de interpretación conscientemente español cuando el director italiano Rafael Matarazzo le dijo que estaba demasiado influido por las películas americanas y que debería ser «más español, consejo que desde luego, a partir de esta película intenté seguir». Entrevista con Fernán-Gómez, en *Fila 7*, «El largo viaje de Fernán-Gómez», TVE, 1986.

noticias provienen de un número limitado de fuentes: la prensa popular del estilo de *Hola; El País, Diario 16* y sus iguales regionales, la SER y TVE, especialmente los telediarios. Las ciudades dormitorios se encuentran todavía en la infancia, por lo que millones de españoles se sienten pertenecer a los centros metropolitanos relativamente pequeños de Madrid y Barcelona. Mientras que, en otros países, una lucha de siglos por las libertades ha conducido a una sociedad que se distingue por su «complejidad y diversidad», como ha señalado Gerald Brennan refiriéndose a Inglaterra, en España la falta de libertades ha hecho que las opciones sociales tradicionales sean bastante más limitadas.

La recreación de escenas familiares madrileñas abarca desde los decorados que representan El Retiro en filmes saineteros hasta la recreación de la Verbena de la Paloma en la película del mismo nombre realizada por Benito Perojo en 1935, desde el itinerario de *Las chicas de la Cruz Roja* (1958) hasta las escenas que dan comienzo a *Asignatura pendiente* o a *Ópera prima*. La fuerza emocional de esta película de Garci, por ejemplo, depende no tanto de que el espectador reaccione a los acontecimientos narrados como de los hechos históricos de la transición y de que el público vea un paralelo entre lo que eran sus experiencias y las de los personajes de la película.

Así se explica en parte el éxito de las recientes películas nacionales-populares españolas. *La vaquilla* fue vista por 1.793.999 personas sólo en 1985. Del primer grupo de películas subvencionadas según la ley Miró y estrenadas juntas en septiembre de 1985, la única realmente taquillera fue *La corte del faraón* (García Sánchez, 1985), que trata de una compañía de teatro amateur de los años 40 que pone en escena una zarzuela algo picante ambientada en Egipto. La popularidad de estas dos películas se debe, entre otras cosas, al localismo de sus alusiones; la canción que pone broche final a *La vaquilla*, por ejemplo, es «La hija de Juan Simón», la misma que canta Angelillo magníficamente en la película que realizaron Buñuel y Sáenz de Heredia en 1935. El hecho de que el público español reconociese la canción y disfrutase de su grandiosidad romántica confirma la supervivencia de los gustos populares a lo largo de los años y la pertenencia (casi atávica) de dicho público a esa comunidad amorfa que es la «España popular».

En Fernando Fernán-Gómez, la influencia del teatro popular y del género teatral en general es aún más profunda y explica en parte la riqueza de su cine. Mientras que sus obras están a veces escritas como películas (una de las razones por las que se concedió el premio Lope de Vega a *Las bicicletas son para el verano* fue que el jurado creyó que estaba escrita por alguien nuevo en el teatro: «No es ninguna novedad», comenta Fernán-Gómez, «yo trataba de hacer un estilo de teatro fundamentalmente cinematográfico»), sus películas a veces establecen relaciones con el espectador de una manera más normal en el teatro que en el cine. *La vida alrededor* y *Sólo para hombres* (1960) comienzan con un plano medio de Fernán-Gómez que se dirige a la cámara para presentar un tipo de prólogo. En *Bruja, más que bruja,* se ha incorporado un público a la banda sonora. «Qué alegría, que alegría el saber que mi tío se moría», entona Paco Algora en el floreo final de una canción, después de llegar con un carro al pueblo para recoger al médico porque su tío parece estar muriéndose. «Bis, bis», vocifera el público de la banda sonora. Así que Fernán-Gómez empieza otra vez la escena del viaje en carro.

El elaborado juego de teatro y realidad que impregna la magnífica película de Fernán-Gómez *El viaje a ninguna parte* (1986) provoca en el espectador una respuesta sumamente compleja.

La historia arranca de una manera bastante normal. En el tiempo ocioso de la vejez, un famoso actor, Carlos Galván, hace recuento de los escalones que tuvo que subir hasta alcanzar el éxito: sus comienzos en la compañía de teatro de su padre, pateándose España; los papeles de figurante en los estudios de cine de Madrid; su primera función de noche en un teatro de la capital; el día que se fijó en él el mismísimo Miguel Mihura; las fastuosas fiestas de entrega de premios del Círculo Cinematográfico Español; los festivales de cine; ocho años enteros en la cima antes de que finalmente los papeles comenzaran a escasear. La forma de la película parece la de una *biopic* americana, referencia que se pone de manifiesto cuando el viejo actor se imagina estar actuando con Marilyn Monroe en una escena de amor de plano/contraplano.

El problema planteado por Fernán-Gómez es que la realidad española —y, más en concreto, la del teatro español— no puede adaptarse a unas escenas narrativas y formales tan propias de

Hollywood. Así que Carlos Galván viene a ser una especie de antiestrella. Físicamente no es muy atractivo (está interpretado por José Sacristán), más que a las envidiosas fantasías del público, da expresión a sus propias fantasías, porque al final descubrimos que se ha inventado todo su glorioso pasado y que nunca ha sido más que un pobre cómico de la legua. Y en vez de ser quien hace avanzar la trama, como un héroe de Hollywood, desempeña siempre un papel pasivo (le deja la novia y le seduce su prima, quien después se disculpa por no haber sabido controlarse).

Asimismo, la posición del espectador de *El viaje a ninguna parte* es diferente de la del que está viendo una película de Hollywood. Los continuos faroles del actor —dice haber actuado con Arturo Fernández y Toni Leblanc, e incluso haber estado en Venecia con Berlanga— remiten constantemente al espectador a una realidad histórica que está fuera de la ficción. Sobre la película vaga la persona estelar del propio Fernán-Gómez, quien interpreta el papel de un rimbombante cómico, padre de Galván. Este personaje recurre a dos aspectos de la persona de Fernán-Gómez: el quijotismo de los españoles, la tenacidad con que se aferran a las ilusiones en las circunstancias más penosas, y la categoría de Fernán-Gómez como actor, su posición como uno de los mejores actores del cine español. Así, aun cuando estemos admirando cuán buen actor es, se nos sigue recordando que aparece en la película como actor. De hecho, es un actor interpretando a un actor (el jefe de la compañía) que actúa también en la vida real que empieza cuando las representaciones de la compañía acaban. Como señala Charlotte Doyle en *The Actor and his Role*[52], Fernán-Gómez afirma (en «El actor y lo demás») que en la escuela de interpretación naturalista «el comediante procura comportarse en la representación como lo hacen las demás personas en la comúnmente llamada vida real». Según esto, todos los personajes de *El viaje a ninguna parte* hacen una representación social: Carlos Galván y su padre, por ejemplo, fingen estar encantados con la llegada del hijo del primero, pero con la cara que ponen al abrazar al muchacho dan a entender, como si se dirigieran a un público imaginario, que en realidad no lo están. Mientras que los actores norteamericanos mitifican la realidad de su

[52] Parte de un doctorado sobre el cine español.

país, el actor Fernán-Gómez y sus criaturas desmitifican rotundamente la realidad española y el lugar que ocupan en ella su teatro y su cine. Lo crítico (creado por artistas míticos) opuesto a lo mítico es una consumada característica del mejor arte nacional.

¿Ésa fue la revolución que fue?: El fracaso del rupturismo cinematográfico, 1976-1980

> Cuatro o cinco entierros con asistencia de escaso duelo y dos o tres supervivientes a las puertas de la jubilación anticipada.
>
> Julio Pérez Perucha comenta la defunción de los rupturistas del cine español a finales de los años 70[53].

«Si la situación política no cambiaba totalmente», dijo Fernán-Gómez, a principio de los 70, lo mejor que podría hacer un cineasta era dedicarse a mejorar su vida privada: «Sólo así, descargando su afecto sobre su vida íntima y sobre las partes frívolas de su existencia, en vez de cargarlo sobre sus inquietudes profesionales, podrán encontrar un agujero en el círculo. Creo que todo el que haga lo contrario, hoy, tropezará con un muro sin salida»[54].

Sin embargo, elogiada por García Duenas en *Triunfo,* la película de Fernán-Gómez *El extraño viaje* iba a convertirse en el grito de guerra de una nueva generación de cineastas, defensores de un contra-cine progre/radical, alumnos de la Escuela Oficial de

---

[53] «La república de los radicales», parte inestimable de «El cine y la transición política española», págs. 40-43. Sobre la cinematografía radical en España desde los años 60, véanse también Vicente Ponce (ed.), *Pere Portabella,* Diputació de Valencia, el excelente ensayo de Perucha, «Cortometrajes 1969: El retorno de la Ficción», *Cortometraje Independiente Español,* Francisco Llinas (ed.), Certamen Internacional de Cine Documental y de Cortometraje de Bilbao, 1986, y Vicente Molina Foix, *New Cinema in Spain,* Londres, BFI, 1977, primera monografía en inglés sobre el cine español.

[54] En una entrevista con D. Galán y F. Lara, *18 españoles de la posguerra,* página 22.

Cine o miembros del ecléctico «cine independiente de Madrid», que, por múltiples motivos, lanzaron un ataque implacable, aunque infructuoso, contra las actitudes adoptadas hacia la cinematografía en España. La izquierda radical, origen tradicional de algunas de las iniciativas más refrescantes tomadas en el país durante el franquismo e inmediatamente después de éste, nunca se recuperó totalmente de tal derrota.

La causa directa de este contra-cine fueron la bancarrota económica total y la quiebra artística parcial que sufrieron el «nuevo cine español» y su caldo de cultivo, la E.O.C.[55]. La crisis de la industria cinematográfica y gran reducción del número de plazas de la Escuela en 1969 hicieron que ésta no pudiera ya garantizar el acceso a sus aulas ni la subsiguiente inserción en la industria. Debido a las huelgas de estudiantes exigiendo una reestructuración de las clases en el curso 1969-1970, el director de la Escuela, el reaccionario Juan Julio Baena, realizó expulsiones *en masse*.

La famosa presentación al público de los cortos de fin de curso realizados por los alumnos había quedado interrumpida en 1967. Era evidente que los jóvenes cineastas necesitaban campos de entrenamiento alternativos para presentar su tarjeta de visita industrial. Y dada la falta de medios económicos, sus primeras películas tenían que ser cortos. El infatigable Augusto M. Torres fundó Búho Films en 1968 e intentó repetir en 16 mm el cine *underground* norteamericano. Un año después, Francesc Betriu creó una productora de cortos bastante más progre, INSCRAM. Barcelona no tardó en dar una respuesta con las películas de Segismundo Molist, Ramón Font, Enric Vila-Matas y Francesc Bellmunt. Y los cineastas de Búho Films —entre los que destacaban Martínez-Torres, Emilio Martínez-Lázaro y Alfonso Ungría— no tardaron en ampliar sus filas hasta formar un grupo mucho más amplio, aunque no muy compacto, entre cuyos nuevos miembros figuraban Álvaro del Amo, Carlos Rodríguez Sanz, Ricardo Franco y Jaime Chávarri.

---

[55] Cfr. Vicente Molina Foix, en *Nuestro Cine,* noviembre-diciembre de 1968, artículo bandera de jóvenes directores, que argumenta que la «renovación estética» que la *nouvelle vague* llevó a cabo en Francia en España «quedó por hacer» y la está realizando ahora el «cine independiente español». Un importante artículo.

La creación de un movimiento cinematográfico basado en el cortometraje no carecía de sentido. Sus producciones podían cubrir los gastos gracias a la exhibición en las Salas de Arte y Ensayo, abiertas en 1967 y carentes del material de «interés especial» suficiente para ocupar su programación. Sin embargo, los cortos eran víctimas de contradicciones esenciales: insitir en la radicalidad en una época de recrudecimiento reaccionario; «hacer cine contra el régimen en las condiciones impuestas por el régimen»; «entrar en la industria haciendo películas que rompen todos los esquemas industriales al uso»[56].

Por consiguiente, algunos cineastas optaron por salirse del sistema[57]. Y aunque las estratagemas indirectas de los cortos siempre parezcan inteligentes, se arriesgaron a pasarse de listos. Como escribió Ángel Fernández Santos en *Nuestro Cine,* las «nuevas» películas estaban obligadas a «situar cualquier clase de ruptura en un plano semioculto», con el peligro de convertirse en un «cine para iniciados, para la élite intelectual, en un cine de cine-clubs»[58]. Tales temores no eran infundados. Para muchos jóvenes cineastas el precio de sus complejas artimañas fue que se quedaron sin público. *Estado de sitio* (Jaime Chávarri, 1970), por ejemplo, pretendía «contar cómo la educación fascista termina con la espontaneidad de una niña»[59], pero sus doce minutos son el retrato de una niña que parece haber envejecido por medios sobrenaturales (en realidad, la actriz es una mujer hecha y derecha con coletas) y que corretea por una casa muy bonita (la de Chávarri) aburriéndose de vez en cuando. Mientras tanto, su hermana lee cartas. En cuanto a qué aspectos de la realidad se hacía referencia, eran los entendidos quienes tenían que decidirlo, porque la película en sí no lo manifestaba.

Tal voluntarismo no debería desacreditar el movimiento de cortometrajes de ficción, que era una respuesta a la represión po-

---

[56] Francisco Llinas, *Cortometraje Independiente Español,* pág. 7.

[57] Por ejemplo, Portabella, Viota, José Antonio Maenza y Antoni Padros, quien en 1975 acabó el alabadísimo *pastiche* de cultura *pop Shirley Temple Story.* Otros cineastas emigraron —Adolfo Arrieta— o no quisieron volver a casa —Celestino Coronado.

[58] A. Fernández Santos, *Nuestro Cine,* citado en *7 trabajos de base sobre el cine español,* Valencia, Fernando Torres, 1975, pág. 250.

[59] J. Chávarri, en *Cortometraje Independiente Español,* pág. 66.

lítica mucho más compleja que la del «nuevo cine español», inspirada a veces en el cine de Ferreri y Fernán-Gómez. En el contexto del «cine independiente de Madrid», en concreto, Alfonso Ungría hizo una película, *El hombre oculto* (1970), que se inspira en una estética miserabilista defendida por Enrique Brasó desde las páginas de *Fotogramas* y desarrollada también por Martínez-Lázaro, quien retrata los intentos de ligar de dos pobres chicos en *Circunstancias del milagro* (1968)[60].

Aparte de la complejidad formal, había en estos directores un ingenio, frescura, brío, seguridad e, incluso, disposición a cometer errores que brilla por su ausencia en gran parte de la cinematografía española actual. Los jóvenes cineastas estaban desarrollando las nuevas ideas planteadas por una corriente contra-cinematográfica que recorría Europa: ruptura de la línea argumental, feísmo radical, negación de la verosimilitud o de la identificación con los personajes[61]. Profesional, política, socialmente, (y sexualmente), las cosas sólo podían ir para mejor.

Esta vitalidad personal y artística impregna muchas películas. En la comedia casi muda de Ricardo Franco *Gospel* (1969), el héroe se viste en gabardina de pervertido sexual, tiene un amigo mongólico, persigue lasciviamente a monjas, y patalea a la policía. La película constituye una denuncia esperpéntica de la frustración sexual y la miseria moral de la vida durante el franquismo. *Bolero de amor* (Francesc Betriu, 1970) es un *pastiche* de fotonovela deliciosamente contado. *Qué se puede hacer con una chica,* de Antonio Drove, iba a influir en la «nueva comedia española» con su modo de narrar la historia de dos cinéfilos, con cara de una pizza de granos, que se pirrian por la misma chica, salen con ella, no se les ocurre nada que decirle y, al final, descubren que están mejor los dos solos, hablando de películas. Ambos prefie-

---

[60] En *El hombre oculto* (1970), Ungría (que también hizo un largo no estrenado que llevaba por título *Tirarse al monte,* 1971) comienza haciendo la crónica de un republicano que se escondió después de la guerra civil para evitar ser fusilado. Poco a poco, la rutina de este hombre se va pareciendo a la de un español normal, por lo que su estado se convierte en una metáfora de todos los españoles, cuya vida era, según Ungría, «subterránea, agitada, oscura, casi inconfesable». Cfr. A. Ungría, *Los hombres ocultos,* Barcelona, Tusquets, 1972.

[61] Véase más atrás, pág. 187, para la definición que hace Peter Wollen de un contra-cine, basándose en las prácticas narrativas de Godard.

ren la belleza de las ilusiones a la monotonía y la fealdad de la existencia[62].

Pero en 1972, el movimiento del cortometraje ya estaba en decadencia. Una de las causas era su propio éxito. Es significativo que *Circunstancias del milagro* se rodara en casa de Cristina Almeida y que estuviese protagonizada por una actriz que fue novia de Felipe González. Los directores de cortos formaban parte de una generación que se iba a dividir en dos tendencias, una que desviaría hacia arriba, y otra que no se desviaría por nada. Así, mientras que cineastas como Paulino Viota, Iván Zulueta, Antonio Artero, Carlos Rodríguez Sanz y Pere Portabella mantuvieron el rupturismo estricto, otros se pasaron a la televisión (Ungría; Martínez-Lázaro, con la serie *Los libros,* de 1973; Jaime Chávarri, con la serie *Los pintores del Prado*), al cine *mainstream* (Antonio Drove) o al cine de arte contestatario, ya fuera para hacer películas progres (Betriu y José Luis García Sánchez) o los experimentos cada vez más radicales de Elías Querejeta (Gutiérrez Aragón, Ricardo Franco).

Las diversas películas radicales realizadas entre 1976 y 1980 señalan no tanto la aparición de una iniciativa nueva como el intento de dotar a lo que ya había sido de una distribución y exhibición más *mainstream* mediante la producción de largometrajes y la búsqueda de exhibidores. Los «nuevos» cineastas comenzaron a llamar la atención de los productores, quienes se daban cuenta de que las películas más polémicas del cine español estaban empezando a ser las más taquilleras. La *intelligentsia* radical consideraba que el cine esencialmente liberal de la oposición mantenida hasta 1976 no había experimentado más que un cambio superficial. O como declaró Marta Hernández:

> La *lumpen-intelligentsia* cinéfila acoge alborozada un «nuevo» cine progresista (reformista), que le permite obviar contradicciones: consumidor, ahora, de productos «combativos», cree descubrir finalmente... la ideología *en* el film, al tiempo que sigue ignorando la ideología *del* film[63].

---

[62] Sobre la obra de Antonio Drove en TV y su excepcional corto, véanse *Contracampo,* núm. 12, págs. 11-33, donde viene una reveladora entrevista, y Roger Mortimore, «Reporting from Madrid», *Sight and Sound,* vol. 49, núm. 3, verano de 1980.

[63] Marta Hernández, *El aparato cinematográfico español,* pág. 19.

La ideología de una película o de la representación en general se destacarían en un floreciente cine documental. Este desarrollo se inició a modo de reacción contra el NO-DO y contra los reportajes de TVE, que en los años 60 comenzaron a desempeñar la función de principal proveedor visual de ideología franquista. Centrados en banquetes, estrenos y reuniones de alto nivel, estos reportajes relegaban a un segundo plano la participación del pueblo llano en la historia. Los cineastas radicales, sin embargo, normalmente vinculados al Partido Comunista —Andrés Linares, José Luis García Sánchez, Miguel Hermoso, Roberto Bodegas y Juan Antonio Bardem—, comenzaron a filmar acciones populares, como, por ejemplo, la huelga de Vitoria de marzo de 1976. Este material no tenía en ese momento la menor posibilidad de pasar a la red de distribución comercial, pero, como señala Bardem, fue como «crear un recuerdo para el futuro»[64]. La ausencia de televisión privada después de la Transición hizo que los cineastas tuvieran que seguir encargándose de dar versiones de las figuras, periodos o acontecimientos históricos clave distintas de las oficiales. En *El oro del PCE,* Andrés Linares filmó las dos inmensas fiestas organizadas en 1976 y 1977 por el Partido Comunista a fin de disipar la imagen de fanatismo de éste valiéndose de escenas de cachondeo y de moderación ejemplar, y Linares y García Sánchez entrevistaron a la Pasionaria en *Dolores* (1980); Imanol Uribe reconstruyó el famoso juicio que se hizo en 1970 a varios activistas de ETA en *El proceso de Burgos* (1979), y Cecilia y José J. Bartolomé reflejaron en las dos partes desiguales de *Después de...* (1981) los acontecimientos ocurridos en España desde mayo de 1979 hasta mediados de 1980 para explicar, en particular, la apatía política de finales de los años 70.

Si el NO-DO evitaba lo perturbador, en *El asesino de Pedralbes* (1978) Gonzalo Herralde muestra a un violador exponiendo con todo detalle lo que hacía con sus víctimas de siete años; *Cada ver es* (Ángel del Val, 1981) narra un día en la vida de un empleado de la morgue, y en la memorable *Animación en la sala de espera,* la cámara de Manuel Coronado y Carlos Rodríguez Sanz enfoca los rostros idos de los pacientes de un hospital psiquiátrico, siendo

[64] Entrevista con Peter Evans y el autor, abril de 1986.

quizá el desorden formal de la película un débil reflejo de la desorientación de sus personajes.

La interpretación de los políticos se convirtió en un tema clave durante la transición, debido a la calidad y el impacto de la actuación de Felipe González y Adolfo Suárez en televisión. En ese momento, las personalidades políticas despertaban tanto interés como los proyectos que defendían. Según un estudio del partido socialdemócrata alemán, la última aparición de Suárez en TVE la víspera de las elecciones de 1979 le permitió ganar casi un millón de votos indecisos. Torcuato Luca de Tena dijo una vez que el drama de la transición contó con un empresario (el rey Juan Carlos), un guionista (él mismo) y un actor (Adolfo Suárez)[65].

El carácter ficticio de la representación fue también un importantísimo tema de interés para los críticos del contra-cine. Como señala Santos Zunzunegui: «todo film, documental o histórico, obliga a escoger entre dos vías, una que aspira a reproducir lo más fielmente posible la realidad, mostrándola tal cual es..., y aquella otra que... pretende multiplicar los efectos de ficción..., declarándose abiertamente productora de sentido». Pero, en realidad, sólo existe la segunda opción, ya que «toda operación manipuladora de los materiales que componen un film (por secundarios que parezcan) puede definirse como un arbitraje, como una selección, indudablemente significativa»[66].

La representación en un contexto documental político, histórico o, incluso, familiar es uno de los intereses más complejos del cine de la transición. En *Raza, el espíritu de Franco* (1977), Gonzalo Herralde presenta con formatos del cine de ficción —fundamentalmente narrativos— el material documental, que en este caso se compone de entrevistas a la turulata hermana de Franco y al sagaz primer actor de *Raza,* Alfredo Mayo. En la combinación de entrevistas y extractos de la película original de Sáenz de Heredia en que consiste el documental, la ficción (la cronología narrativa de *Raza)* estructura los «hechos» (las observaciones de los entrevistados ordenadas de modo que contrasten

[65] Sobre ese otro film de TV clave de la transición, el que grabó el asalto de las Cortes que llevó a cabo Tejero, véase *Contracampo.*

[66] S. Zunzunegui, *El cine en el País Vasco,* pág. 255.

con los extractos de película). Herralde hace un magnífico comentario estructural sobre el efecto de las ficciones en el propio Franco, quien, a pesar de ser muy pragmático, se identificaba (Herralde lo deja bien claro) con la imagen de héroe que da el personaje de José Churruca en *Raza*.

Las primeras obras de Pere Portabella tratan a menudo del modo en que el cine crea significado, mostrando, por ejemplo, una realidad consumista a través de una estética consumista (el estilo de anuncio publicitario de *No contéis con los dedos,* 1967) o los convencionalismos del género de terror (en *Cuadecuc-Vampyr,* 1970). En su desigual *Informe General,* estrenada en 1977, pero compuesta de una serie de entrevistas con políticos filmadas a lo largo de 1975 y a principios de 1976, Portabella jugó con la retórica visual de las entrevistas políticas sentando la anciana y fofa figura de Gil Robles en un sillón que destaca su estatus patricio, pero colocando a Tamames en un despacho universitario para confirmar, explicó el director, su «contexto teórico»[67]. El decorado no es tanto un fondo «real» como una parte de la *mise en scène.*

Pero quizá sea en *La vieja memoria* (Jaime Camino, 1977) donde más se advierten los efectos de la utilización de técnicas del cine de ficción. En este documental, Camino entrevista a destacados personajes de la sociedad española sobre la guerra civil. José Luis de Vilallonga recuerda que un comandante nacional solía invitar a almorzar a la aristocracia de la zona donde estaba destacado y a presenciar, al mismo tiempo, ejecuciones. Otros son bastante menos francos, ya que estuvieron mucho más implicados en los acontecimientos que narran. Camino utiliza hábilmente planos medios para mostrar la actitud teatral y la elocuente reserva de los entrevistados. En una determinada secuencia, que, según él, es la más significativa de la película, se ve a La Pasionaria, entrada ya en los ochenta, sentada con el cuerpo hacia delante mientras cuenta cómo eran las Cortes poco antes de la guerra, cómo se insultaban y se amenazaban los diputados unos a otros..., pero, de pronto, se calla y, recostándose en la silla, como si con este acto físico se estuviera censurando a sí misma, declara que todo eso pasó hace mucho tiempo y no es más

[67] *Fotogramas,* núm. 1498, junio de 1977.

que niebla del pasado de muy poco valor. Sin embargo, la división existente en las Cortes fue uno de los factores que provocaron la guerra civil[68].

La representación es también un tema clave del más rico de los retratos de la transición realizados por el cine español: *La verdad sobre el caso Savolta* (1978), de Antonio Drove. El guión data de 1976, cuando Suárez no era aún más que ministro del Movimiento, y —a pesar del llamativo (y quizá no del todo casual) parecido físico con Suárez de Charles Denner, el actor que interpreta al absolutamente falto de principios Lepprince— no se concibió con la intención de establecer analogías con la todavía hipotética transición española. No obstante, a la luz de este acontecimiento, la película constituye una interpretación fascinante.

La verdad sobre el caso Savolta está ambientada en Barcelona, en el periodo comprendido entre 1917 y 1923, cuando los antiguos métodos de control paternalista —el despido o una buena paliza— estaban siendo sustituidos por los pistoleros contratados por los industriales para contener el auge del movimiento obrero. El interés de la obra de Drove radica en la diversidad de formas con que rompe con casi todo el cine político español anterior. En primer lugar, es una película de ideas políticas, tomadas en su mayoría de Brecht y Lukács. Drove estiliza los personajes para crear no personalidades arquetípicas, sino diferentes modelos de acción política. Savolta es un fabricante de armas que prefiere tratar a los obreros con paternalismo. Lepprince, su arrivista ayudante, dice ser partidario de una política más liberal, pero no le importa recurrir a contratar pistoleros si lo cree necesario. Pajarito de Soto es un achaparrado y caótico panfletista cuyo romántico individualismo le inspira la idea de sacar a la luz los negocios ilegales de Savolta. Javier Miranda es un oficinista acobardado que no logra decidirse entre Lepprince y De Soto.

Al igual que muchos otros cineastas españoles, Drove considera que la política es teatro: «el actor representa, trabaja delante del público, mientras que el político no representa a quienes le

[68] Camino situó también la cámara de manera que los distintos entrevistados dieran la impresión de estar respondiéndose unos a otros. Véase *Fotogramas*, número 1.570, noviembre de 1978.

han votado, sino que representa delante de los que le han votado»[69]. Los gestos y la acción muestran cómo son realmente los personajes en un mundo de engaños donde, en una secuencia que es la mejor de la película, Savolta es muerto a tiros en un baile de máscaras por encargo de Lepprince. Asimismo, en esta película Drove rompe radicalmente con el cine español al proponer que los acontecimientos históricos retratados pudieron haber sido evitados. Para reforzar esta tesis utiliza una estrategia típica de Fritz Lang que consiste en describir los acontecimientos de manera que parezcan el resultado de una sucesión mecánica de actos cada uno de los cuales es consecuencia de otro; así, las reacciones de los personajes forman un engranaje histórico que va girando poco a poco hasta entrar en el reino de la violencia política. Pajarito de Soto tiene pruebas de un cargamento ilegal de armas de Lepprince, pero en vez de confiárselas a sus compañeros se las guarda. Este hecho es un error crucial: el engranaje comienza a girar. Entonces le da las pruebas a Miranda, quien, por supuesto, no es nada de fiar; Lepprince mata a Savolta y a De Soto: el engranaje continúa girando. Miranda entrega las pruebas a Lepprince y, rindiéndose a su carisma, acaba trabajando para él la organización de sus asesinatos a traición. Drove, resumiendo a Brecht, comenta: «no somos víctimas por buenos, sino por débiles»[70]. Un aspecto muy preocupante de la cinematografía española posterior ha sido su tendencia a invertir este razonamiento[71].

En *Dos* (1980), el director Álvaro del Amo se interesó también por la representación, en este caso en un contexto doméstico. En blanco y negro y teniendo por decorado el *huis-clos* de una casa de elegancia espartana, la película nos muestra a dos actores (Joaquín Hinojosa e Isabel Mestres, ambos excelentes) interpretando diversas permutaciones de la pareja: dos amigos, dos primos, hermano y hermana, amantes, marido y mujer, padre y madre. Dos actores representan a dos personajes en toda una gama de papeles. Para Del Amo, la vida doméstica está muy relacionada con el teatro:

---

[69] *Contracampo,* núm. 12, págs. 11-33.
[70] *Ibíd.,* pág. 29.
[71] Por ejemplo, en *Réquiem por un campesino español* (1985).

> La vida cotidiana es, sobre todo, lenguaje, y por eso, el teatro tiene mucho más que ver con ella, porque, además, se trata de un lenguaje muy difuso, muy literario, muy impreciso y alusivo[72].

Así que los personajes-actores de *Dos* no hacen otra cosa que hablar. Cada secuencia es delimitada por entreactos tan artificiales como planos fijos de una habitación vacía o primeros planos de muñecas o perros de porcelana; mientras tanto, en la banda sonora suena una música. En su serenidad, ritmo, vaciedad de la *mise-en-scene* y sentido de la vida cotidiana como costumbre, *Dos* traza un ligero, pero elegante, retrato de lo que Del Amo ha definido como «ese inmenso ritual que invade el acto más nimio»[73].

Fuera del interés por la representación, hay muy pocos paralelos entre las demás iniciativas radicales o rupturistas. Los cineastas y los críticos carecían de modelos que les indicasen claramente qué clase de películas se podrían hacer en una España posiblemente nueva. «Toda vez que la dinámica histórica asegura la toma del poder por dichas clases», escribió Fernando Lara en «El cine español ante una alternativa democrática», refiriéndose a las «masas populares», «su cultura será algo nuevo, distinto, ya que tal situación no se ha producido anteriormente, o de manera muy limitada. Por ello, resulta difícil predecir con un mínimo de exactitud cómo será esa *nueva* cultura»[74]. Hubo también agria división de opiniones, como la discusión entre los cineastas regionales sobre si habría que relacionar o no las reivindicaciones nacionalistas con la lucha de clases. Por encima de todo, se advierte que muchas figuras del movimiento del cortometraje de principios de los años 70 tuvieron que esperar tanto para realizar su primer largo, que cuando tuvieron la oportunidad de hacerlo estaban determinados a realizar *su* película. La materialización de las ideas del contra-cine varió en consecuencia.

Véase, por ejemplo, el caso de Ricardo Franco. Precoz —hizo *Gospel* a los diecinueve años—, pintoresco —salió con Jean

---

[72] Sobre Alvaro del Amo, véase *Contracampo,* núm. 19, 1981, págs. 13-22.

[73] *Ibid.*

[74] *7 trabajos de base sobre el cine español,* págs. 221-243, representativo ensayo sobre el entusiasmo político de la transición.

Seberg, por ejemplo—, combativo —estuvo en la cárcel a consecuencia de un incidente político ocurrido en el Festival de Cine de Benalmádena—, esperpéntico —su obra inacabada *Los crímenes de la tita María* «se trataba de una vieja que un día mataba a una niña a la que odiaba, entonces la tiraba por la ventana para ocultar su crimen y descubría que nadie sospechaba de ella, lo que le resultaba maravilloso, y se dedicaba a hacer una vida criminal, a matar a todo el mundo que le caía mal, que por supuesto era el 93 por 100 de la sociedad, y acababa desde el balcón de su casa disparando a la calle y luego venía un ángel y la subía al cielo»[75].— Franco siempre fue, claro, un maldito. *El desastre del Annual* estuvo rotundamente prohibida. *Los crímenes de la tita María* no se acabó y *Pascual Duarte* fue el resultado de un trabajo en equipo, en el que intervinieron como coguionistas Querejeta y Martínez Lázaro, aunque Franco fue el único responsable de la dirección.

La personalísima y lírica *Los restos del naufragio* (1978) se rodó quizá en compensación. Es una atractiva mezcla de extravagancia, historia de amor y contracorriente política en la que se describe la amistad entre el jardinero de una residencia de ancianos, Mateo (interpretado por el propio director), y un director de teatro retirado, Pombo (encarnado por Fernando Fernán-Gómez). La película trata de la capacidad para crearse ilusiones. Tanto Mateo como Pombo están «quemados»; el uno por el desencanto (al principio se le ve deshaciéndose de sus discos de Bob Dylan) y porque le ha dejado su novia, y el otro por una aventura que tuvo hace años con una voluptuosa cabaretera del Caribe. Ambas historias podrían ser en gran medida pura fantasía: las primeras escenas de Mateo en la residencia están rodadas de frente y en habitaciones casi cuadradas, por lo que parecen puestas en escena, y ambos actores son excesivamente teatrales en los recuerdos del Caribe de Pombo. La actitud de Ricardo Franco hacia la ilusión presenta una delicada ambigüedad: decididos a sacar provecho de sus recuerdos, Mateo y Pombo ponen en escena una obra de piratas en la residencia y luego salen en busca de los tesoros del Caribe. Sin embargo, esta atolondrada aventura y la obra

[75] *Fotogramas,* núm. 1.501, julio de 1977. Sobre la carrera de Ricardo Franco en los años 80, véase *Cinevídeo 20,* núm. 41, abril de 1988, págs. 29-37.

misma tienen sus orígenes en las historias románticas en alta mar y en los sueños de aventuras épicas en que se basan las fantasías imperialistas. El papel del galán de la obra de Pombo está interpretado por Alfredo Mayo, el héroe de las películas franquistas. Bajo esta perspectiva, los sueños de amor, aventura e imperio resultan igualmente quijotescos.

Con mucho cariño (1977), de Gerardo García, es igualmente singular. Desaliñada, rodada sin esmero en lo que al acabado se refiere, esta película debe mucho a Ferreri (en la sórdida atmósfera familiar) y a Berlanga (en las escenas corales en que las iniciativas individuales quedan anuladas, en el plano, secuencia y en el redescubrimiento del excelente actor Luis Peña y de la no menos magnífica actriz Elvira Quintillá, la joven esposa de *Esa pareja feliz).* La película estudia la familia. Por un lado, ésta reprime a sus miembros: muchos de los personajes son muy parecidos. Por otro lado, es también teatro: cuando la familia se reúne en el chalet para celebrar una fiesta, García mantiene la cámara fija, en medio plano enfocando a la madre (¿o es la tía?), mientras los demás personajes entran y salen precipitadamente de campo, como si se tratara de un escenario. Asimismo, la familia es una metáfora de estructuras sociales más grandes, aunque el paralelo es a veces algo forzado —como en la comparación que se establece entre la dirección paternalista de la fábrica por parte del padre y el modo en que éste controla a su familia[76].

Con uñas y dientes sigue siendo una de las películas más ambiciosas realizadas en la transición y sobre la transición. En ella, un dirigente sindicalista se esconde en el piso de una maestra después de que unos matones le hayan dado una paliza con el fin de romper una huelga que había organizado. Entonces se lía con la maestra, a pesar de estar felizmente casado, y se guarda para sí las pruebas de la corrupción del director de la empresa. Pero le matan, la corrupción no se descubre, la huelga fracasa y el jefe corrupto es sustituido por otro que parece más progresista y que pone fin a la película explicando a los trabajadores que, señores, hay que apretarse el cinturón.

Esta película de Viota fue muy poco convencional por mani-

---

[76] Véase *Contracampo,* núm. 2, mayo de 1979, para una opinión de Gerardo García y Paulino Viota sobre la cinematografía radical en general.

festar cómo los intereses económicos consintieron la transición, por su insistencia en el papel desempeñado por las masas en ese momento y por el uso que hace del género.

En un penetrante ensayo, Julio Pérez Perucha señala cómo distintas acciones reciben un tratamiento formal diferente: las contradicciones internas del capitalismo español están descritas mediante las tradiciones del cine de autor europeo, con un toque de *film-noir* (en la exposición gradual de los trapicheos de la cúpula empresarial); la huelga se desarrolla como en una película americana de aventuras (persecuciones de coches, puñetazos, una cómplice que consuela al héroe); la aventura amorosa contiene escenas de sexo (desnudo integral, coito). Pero Viota trastoca estos modelos para señalar el conservadurismo de la sociedad española y su entretenimiento preferido (Hollywood). Así, el tosco individualismo del héroe se revela como carencia de solidaridad de clase; es la mujer quien salva al hombre en la persecución de cohes; el sexo no se presenta como un espectáculo, sino como «una práctica asumida y normalizada y no como agobiante drama ni como fascinante romance»[77].

Con uñas y dientes fracasó en la taquilla; *Arrebato,* de Iván Zulueta, se convirtió en un *cult-film*. Más que una película de vanguardia, se trata de una recuperación original de elementos clásicos del género de terror. El protagonista, Luis, un director de películas «B» de terror, recibe una cinta grabada, acompañada de una película, de un tal Pedro, a quien conoció en cierta ocasión en una extraña casa con vigas de roble que podría ser perfecto escenario para un relato de Poe. La historia de Pedro, contada en la grabación, también imita el estilo del escritor: sostiene que, cuando está dormido, su cámara se pone por sí sola en funcionamiento y le filma; al despertarse, tiene la cara ensangrentada, y la película de la cámara es roja, como si le hubiera estado chupando la sangre. Una tercera relación con Poe es la ampulosa excitación que se percibe en la voz del narrador de estos sucesos. Zulueta crea tensión valiéndose de un *crescendo* de elementos sobrenaturales, simbólicos colores rojos, y la sugerencia de que Pedro es el doble de José. Como en Poe, el *doppelgänger* trae la muerte. La cá-

[77] J. Pérez Perucha, núm. 4, julio-agosto de 1979, pág. 11.

mara de Pedro acaba absorbiéndole enteramente, o eso es lo que parece; cuando José trata de repetir la experiencia, la cámara le dispara y le mata.

El personaje de Pedro es una de las creaciones más originales del cine español; el de José es más familiar. «José se prepara para dejarse arrebatar como un niño o como Pedro», comentó Zulueta. Sin embargo, no es «ni uno ni otro, y para que estas cosas funcionen no basta con desearlas»[78]. La última secuencia de la película, en la que se ve a José sentado frente a la cámara con los ojos vendados mientras ésta le filma cada vez a más velocidad las fotos sonando a disparos, hasta que parece que él está muerto, confirma la enajenación del personaje (su distanciamiento de su yo infantil), así como su intento frustrado de absorción en el cine. Tal empeño le mata.

«Pretendo un cine narrativo», declaró el director, y la película estuvo meses en el cine Alphaville, de Madrid. Sin embargo, *Arrebato* es también una síntesis de la obra *underground* de los comienzos de Zulueta. Gran parte de la carrera de este director en el subformato o el cortometraje pertenece ahora a la leyenda o quizá a la policía, ya que ésta se incautó de muchas de sus películas y nunca se las devolvió. Otras simplemente se han perdido. Por las que quedan y por lo que se cuenta, parece que exploraban los motivos de la subcultura popular (por ejemplo, *Frank Stein* es un hipnotizante *collage* de escenas seleccionadas y aceleradas del *Frankenstein,* de James Whale), registraban la represión franquista (en su fragmento del corto colectivo en Super 8 *En la ciudad,* donde se ve a la policía disolviendo una manifestación) o plasmaban experiencias alucinantes (como en *Souvenir,* al parecer película de una fiesta de cumpleaños de niños celebrada en la cima de una montaña marroquí).

En *Arrebato,* Cecilia Roth baila una danza a lo Betty Boop, y, en una secuencia que recuerda una película *underground* neoyorquina, Pedro se convierte en líder del Madrid *scene* (*shades,* pantalones ajustados, drogas, *cool, punkis* pululando a su aldedor). Los

---

[78] *Fotogramas,* enero de 1980, pág. 55. Sobre Zulueta, véanse Juan Bufill, «Entrevista con Iván Zulueta», *Dirigido por,* núm. 75, 1980, págs. 38-41; la crítica de *Arrebato* de Julio Pérez Perucha publicada en *Contracampo,* núm. 16, página 61, y Eugeni Bonet y Manuel Palacio, *Práctica fílmica y vanguardia artística en España,* 1925-1981, págs. 46-49 y 109.

momentos de *arrebato (de jouissance)* [79] están memorablemente rodados en Super 8 refilmado y ampliado, como si los hubiera tomado Pedro: nubes que se deslizan vertiginosamente por un cielo granoso, imágenes de Nueva York y del Taj Mahal proyectadas por la linterna mágica que atraviesan la pantalla; José mirando un cómic para niños de las Minas del rey Salomón mientras en la banda sonora palpita el sonido selvático de un tambor.

A pesar de su virtuosismo, *Arrebato* ofrece una visión muy sombría de las opciones que se les presentaban a los cineastas radicales en la España de 1979: trabajo en el cine comercial o absorción (como en este caso) en la cinematografía marginal, mal remunerado, lo que (también como en este caso) venía a ser una especie de suicidio profesional. La desaparición del radicalismo cinematográfico en España es fácil de explicar. En el país no existían circuitos de distribución especializados que pudiesen ocuparse de tales productos. Debido a la crisis de la industria cinematográfica española, todas las películas nacionales, y no digamos ya las experimentales, tenían grandes problemas de exhibición. El gobierno de Suárez apenas se molestaba en fomentar un cine que hacía mofa de su reformismo: *Con uñas y dientes* y *Con mucho cariño,* sólo consiguieron un punto en la escala de subvenciones del Ministerio de Cultura (mientras que la radicalidad de «calidad» de *Los ojos vendados* obtuvo siete, lo que quizá se explique en parte por el hecho de que su contenido crítico fuese dirigido contra la derecha). O el gobierno de Suárez se ocupaba un poco de desalentar esa radicalidad. *Después de* y *El proceso de Burgos* se vieron privadas de la subvención del 15 por 100 de la recaudación de taquilla por el detalle técnico de que no eran material cinematográfico substancialmente original.

---

[79] «*Jouissance* es un término intraducible utilizado por algunos psicoanalistas para referirse a un "más allá del placer" en el que están estrechamente ligados el deseo y la muerte, siendo el instinto de muerte la parte dominante. El placer se localiza en el momento de la homeostasis entre la tensión y su liberación, en el cero entre el antes y el después. Pero mientras que el placer se fundamenta en la (cuasi) repetibilidad de tales momentos... *jouissance* se relaciona con la congelación de ese cero, con la representación de la anulación irreversible (es decir, la muerte).» Paul Willemen, «Notes Towards the Construction of Readings of Tourneur», *Jacques Tourneur,* P. Willemen y C. Johnston (eds.), Edimburgo, 1975.

La calidad de acabado de gran parte de la cinematografía radical de finales de los años 70 a menudo dejaba mucho que desear. Se corre el peligro —que la mayoría de los críticos españoles han evitado por el simple hecho de hacer caso omiso de las películas radicales— de aplaudir una película por estar de acuerdo con ciertos recursos formales y sin juzgar la habilidad, accesibilidad o cuidado con que estos conceptos se ponen en práctica. *Con mucho cariño* da a veces la impresión de que se hubiera producido con audacia, pero sin un céntimo; las escenas de aventuras de *Con uñas y dientes* se hicieron con la mejor intención, pero resultan paupérrimas comparadas con las norteamericanas del mismo tipo que se pretendían cuestionar (compárese, por ejemplo, el oropel multimillonario presente en las persecuciones de coches de la semiparódica *Driver,* de Walter Hill, con la austeridad de las de la película de Viota, cuyo presupuesto era tan bajo, que casi cabe sospechar que se limitaron las tomas para ahorrar gasolina).

Pero, por encima de todo, lo que ocurría con la cinematografía radical era que, al igual que su paralelo político, carecía de público. En este aspecto, el legado de las multinacionales norteamericanas, para bien o para mal, se ha cobrado un precio. Educados en la escuela de Hollywood, los espectadores españoles consideran que ir al cine es única y exclusivamente un entretenimiento, y para los que han asistido a las más austeras aulas del cine europeo y recibido las enseñanzas de Bergman o Fellini, el cine es un modo de perfecionamiento humanista. Pero ninguno de estos dos tipos de espectador va a ver una película para que le recuerden las bases económicas o clasistas en que se fundamenta el cine en tanto que práctica significante[80].

Las anécdotas que ilustran la indiferencia u hostilidad del público español para con el cine no puramente hollywoodiano o

[80] Un cine radical en una sociedad no radical crea inevitablemente problemas: el hundimiento de un cine supuestamente «de oposición» en una práctica «alternativa», la insistencia en los determinantes económicos dentro de las películas, pero la ignorancia de tales factores dentro de la producción y distribución de esas mismas películas, el rechazo del placer que comporta normalmente el hecho de ir al cine sin pensar en nada con que sustituirlo. Cfr. Sheila Whitaker, «Declarations of Independence», *British Cinema Now,* Londres, BFI, 1985, páginas 83-98.

de arte son legión. Cuando Santos Zunzunegui fue a hablar de *Sonámbulos* en un cine-club universitario de Bilbao descubrió que *nadie* había oído hablar de Gutiérrez Aragón y que, después de haber visto la película, muy pocos de los presentes parecían dispuestos a corregir su ignorancia desconocida. Pero esto no es nada comparado con lo que pasó con *Dos.* El día que se puso en Valencia, sólo *once* personas había en la sala, en su mayoría paradas que, a los pocos minutos de empezar la proyección, pidieron «en armónico alboroto, que se les devuelva el dinero y/o se suspenda la sesión», comenta con suma gracia Vicente Ponce, para añadir:

> Tras el inmerecido desastre de *Dos,* Álvaro del Amo estaría históricamente justificado para pasar de realizador estudioso a censor maldito, salteador de viejecitas pías o viajante de productos para la limpieza doméstica. O furtivo incendiario de cines[81].

Como era un niño bueno, Álvaro del Amo prefirió dejar de hacer cine. Así acabó, sin haber disparado apenas tiros, la revolución romántica de la cinematografía española.

Dando en los cojones: Eloy de la Iglesia y el populismo radical, 1977-1986

> En esta época hay que dar en los cojones
>
> Ken Russell

Las películas de Eloy de la Iglesia abordan la política de la transición desde un común denominador con el público: el sexo. En la iconoclasta *La criatura* (1977), por ejemplo, convencido de que presentar perversiones sexuales era una buena forma de acabar con el estupor crónico del público español, este originalísimo director mezcló el esperpento y la inversión de papeles para describir el extremismo con que una mujer reacciona a la marginalización y a lo que Eloy de la Iglesia considera la «falocracia»

[81] *Contracampo,* núm. 19, 1981, pág. 11.

del macho. En la pareja de clase alta que protagoniza la película es el marido quien va a la iglesia, mientras que la mujer controla el dinero de la casa y está siempre sexualmente insatisfecha. Pero en vez de a su esposo —un político que pertenece a un partido de derechas cuyo nombre, Alianza Nacional Española, alude, claro está, a Alianza Popular— la señora utiliza a su perro para satisfacer sus deseos sexuales. Al final acaba embarazada y ladrando.

La otra alcoba (1975) y *La mujer del ministro* (1981) atacan a la clase alta española poniendo de manifiesto el modo en que se aprovechan del proletariado para mantener o ampliar su poder. También en este caso se hace una interpretación polémica de la transición fundamentada en el narrativo sexual, aunque su paralelo político es evidente. A las películas de Eloy de la Iglesia se las suele juzgar conforme a los criterios del cine de arte. Desde esta perspectiva, resultan, claro está, vulgares y sensacionalistas. Ofrecen alegorías de cine de barrio para espectadores de cine de barrio. Esto lo hacen también las de Ozores. Pero hay diferencias. El cine de Eloy de la Iglesia no sólo es más profundo que el de su colega (hecho que han ignorado los críticos), sino que tiene otras actitudes hacia la democracia española. Las películas de Ozores de finales de los años 70 dan a entender que esa época no era mejor que la de la dictadura[82]. Fomentan el boicot político. Implícita o explícitamente, las de Eloy de la Iglesia también hacen esto, pero aclaran que la democracia no es mejor que el régimen anterior porque sigue en las mismas manos que antes. Aunque cutres, ofrecen una visión democrática y merecen ser respetadas.

La coherencia del cine de Eloy de la Iglesia se advierte muy bien en *La otra alcoba,* por ejemplo. En esta película, la esposa forrada (Amparo Muñoz) de una joven promesa política de tendencias vagamente ucedeístas (Simón Andreu) va de un lado a otro, desconsolada, porque su marido dedica todas sus energías a la política y muy poco a satisfacer a su mujer. Además es estéril. Al final, engancha a un empleado de gasolinera pobre y grasiento (Patxi Andión) y decide tener un hijo con él.

---

[82] Véase más adelante, cap. VI, «¿Qué hace un bienpensante como usted...».

La película (al igual que la idea) causó una verdadera conmoción. Algunos críticos se aturullaron al ver el hirsuto trasero de Patxi Andión en una escena de sexo en que éste yace sobre una exuberante y bien dispuesta Amparo Muñoz, quien en ese momento era no sólo su mujer (¡qué horror!, ¡podrían estar haciéndolo de verdad!), sino también Miss Universo 1974 (es decir, ¡patrimonio nacional!). En este caso, como en los demás, Eloy de la Iglesia no se queda en la mera excitación que, de todas formas, al espectador de sexo femenino, tan mal atendido por el cine español, puede que le resulte divertida. En primer lugar, si Patxi Andión se presenta a los ojos del espectador como un objeto de deseo, es porque la posición de la cámara coincide con la de la señora ricachona que le está tratando como un objeto de deseo. El momento de su triunfo sexual, simbolizado por el hecho de encontrarse encima de ella, es, por tanto, irónico (más tarde y confirmando este hecho, la señora contrata a unos matones para que le impidan verla cuando esté embarazada). Otro de los puntos implicados por esta escena es que, incluso en el placer, la clase alta deja que sea el proletariado el que haga el trabajo (punto que se constituye en tema de la película más que en una idea casual mediante una escena anterior en que un libertino amigo de la señora se lleva a ésta a un sórdido bar de *shows* de travestidos para que pase un buen rato), y el proletariado, ya sea un dependiente de gasolinera, una regordeta y atenta criada o un fiel caballerizo, se dará por contento con que se cumpla lo esperado.

La mujer del ministro es igualmente sarcástica, aunque al tener una estructura similar a la del *film-noir,* el sarcasmo se desprende de la trama. En ella, un camarero de afilados rasgos y vistoso culo (tic de *auteur* del director) es explotado: por una marquesa ansiosa de carne joven; por la mujer de un ministro, que se acuesta con él; por unos terroristas que planean secuestrar al marido de la anterior; por el ministro, que ha preparado el secuestro para evitar un escándalo financiero, y por el jefe de operaciones especiales de la policía, que acaba involucrándose en el secuestro para beneficiarse profesional y personalmente. Seducido, jodido, molido a palos, detenido, engañado y utilizado por una España supuestamente democrática, el pobre chico pobre no tiene vida propia ni voluntad para impedir que acabe formando parte del sistema como agente de la policía.

«No es culpa del espejo si muestra a una virgen que está embarazada», dijo una vez el pintor George Grosz. Pero a Eloy de la Iglesia se le ha culpado de lo que reflejaba. *La mujer del ministro* se calificó de «S», categoría reservada normalmente para las mediocres películas españolas de porno suave. El distribuidor se tomó la revancha exhibiendo el filme en un cine situado justo enfrente de las Cortes.

Durante el franquismo, Eloy de la Iglesia hizo un cine de protesta social muy violento, del que son claros ejemplos *La semana del asesino* (1972) y *Una gota de sangre para morir amando* (1973), película esta última que, según José Luis Guarner, es comparable y mejor que *La naranja mecánica.* Después de hacer *Los placeres ocultos* (1976), ha tendido hacia un estilo más realista en el que el melodrama social se combina con una sofisticación cada vez mayor. *Los placeres ocultos, El diputado* (1978) y *Otra vuelta de tuerca* (1985) giran en torno a la homosexualidad del protagonista. La primera contrasta el destino de los homosexuales de diferentes clases sociales. La segunda critica la hipocresía de la democracia española, que hace gala de sus libertades, pero rechaza la homosexualidad. La última, mucho más ambiciosa que las anteriores, es una elegante adaptación de la novela homónima de Henry James que, tras convertir a la institutriz de la obra literaria en un preceptor, deja entrever una atracción homosexual entre éste y su pupilo y sugiere que los fantasmas que ve el preceptor son ilusiones, producto, al igual que el terror que le produce su homosexualidad latente, de una educación represiva y tergiversada en el seminario. Adoptando el punto de vista del preceptor y presentando sus alucinaciones como si fueran reales, Eloy de la Iglesia consigue con indiscutible astucia que el espectador tarde en advertir la naturaleza ilusoria de los fantasmas.

Los dramas familiares de Eloy de la Iglesia también presentan una creciente complejidad. En *Colegas* (1982), el paro y la hostilidad de la familia empujan a dos jóvenes amigos a la delincuencia. El protagonista, José, se niega a casarse con su novia, a la que ha dejado embarazada, a pesar de que la quiere, y esta actitud se nos presenta como una decisión positiva. *El pico* (1983) es más ambigua. La familia continúa siendo una fuente de opresión. En la fiesta de cumpleaños de su hijo, un guardia civil celebra la emancipación del muchacho —que cumple dieciocho

Colegas, Eloy de la Iglesia, 1980. Novia embarazada y piso íntimo con vistas espléndidas de la M-30. ¿Qué más podría querer una joven pareja española?

años— de una institución social (la familia) proponiendo su ingreso en otra (la Guardia Civil), para lo cual pide al chico (que, en una llamativa ironía típica de Eloy de la Iglesia, está enganchado a la heroína) que se ponga su uniforme y un bigote, emblema del autoritarismo. Sin embargo, la película describe también el amor entre padres e hijos que fomenta la familia. Debido precisamente a esta ambivalencia, el final resulta, sin lugar a dudas, excelente. Al descubrir que el chico es drogadicto, el padre se le lleva a lo alto de un acantilado y arroja la heroína, metida dentro de su tricornio, al mar. Su responsabilidad como guardia civil está subordinada no sólo al amor a su hijo, sino también a la supervivencia de su familia, de la que cabe pensar que sea aún más opresiva. Es una saludable ironía.

El pico II lleva este sarcasmo aún más lejos, valiéndose de la metáfora de la toxicomanía para dar a entender la imposibilidad de «desengancharse» de situaciones sociales más amplias en una España posfranquista. Las ansias de libertad, expresadas al principio de la película con la rumba de la banda sonora «Vuela, paloma, vuela», resultan así una verdadera ironía. Paco llega a Madrid decidido a dejar atrás su pasado, pero no puede desengancharse de la heroína; avergonzado, se marcha de casa; va de cabeza a Carabanchel, acusado de asesinato (del camello de *El Pico*), y no tarda en encontrar otra familia, la que forman sus compañeros de celda: un robusto ex etarra apodado «el Lendakari», su velludo amigote transexual (esperpéntica figura materna) y la figura del hermano que aporta su colega el Pirri (interpretado por el Pirri).

Ya hay dos familias en la vida de Paco: la respetable, simboliza por su padre, el teniente Torrecuadrada (nombre apropiadísimo para un cariñoso patriarca de cara chupada que es símbolo de la autoridad social) y la delincuente, que constituye un contexto mucho más natural para su toxicomanía. El resto de la película describe cómo los mantenedores del orden de España intentan recuperar a Pablo para un sistema social corrupto e hipócrita del que no hay forma de escapar. El encargado de esa recuperación es el teniente Torrecuadrada, quien intenta arrestar personalmente a su hijo para evitar que muera en algún tiroteo con la policía. En las escenas finales, los guionistas Gonzalo Goicoetxea, Eloy de la Iglesia y el dramaturgo Fermín Cabal, tratan de aclarar lo sugerido en *El Pico*. Así, el paralelo que existe entre la toxicomanía del Pablo y las fuerzas irreparables del determinismo social, simbolizadas por la familia, se hace patente en la secuencia culminante en que Torrecuadrada sube a la casa donde se han escondido su hijo y el Lendakari. En ella se alternan planos de la heroína pasando de la jeringuilla a la vena de Pablo con otros de ráfagas de luz que, como rayos de Zeus, son un claro símbolo de la vengativa e implacable autoridad patriarcal.

Y así es. Aunque los padres biológico (Torrecuadrada) y adoptivo (el Lendakari) de Pablo mueren en el tiroteo, él encuentra una nueva familia en las fuerzas del orden de España. Pablo cumple su condena y luego hace la mili: «Fue como el reencuentro con el ambiente militar de mi infancia. Al final uno siempre acaba recurriendo a la familia, y eso era mi familia», dice su voz en *off*, mientras se le ve besando la bandera nacional, como podría estar besando la mejilla de un padre. Todavía heroinómano, acaba pasando droga que le proporciona la policía. La trinidad ejército-patria-policía se convierte así en una forma de neofamilia de una España que está cambiando, pero que sigue esencialmente patriarcal.

Las películas de Eloy de la Iglesia plantean problemas formales que en el cine izquierdista se suele hacer caso omiso. ¿Hasta qué punto, por ejemplo, son típicos de España en general los acontecimientos particulares narrados en un filme? La mayoría de las películas españolas confían en el conocimiento que tienen ya los espectadores de lo acaecido en el país para generalizar sus conclusiones. Se trata de una de las peores clases de localismo del cine español. Al contrario, en *El Pico II*, Torrecuadrada, cuya desilusión va en aumento, discute con su superior sobre si los guardias civiles corruptos de la pelícua son típicos del Cuerpo en general.

> *Torrecuadrada:* Le puedo citar cantidad de ejemplos —de reportajes—, de libros y sobre todo de películas que han tenido un gran éxito por el simple hecho de que aparece un tricornio o un cierto ataque hacia nuestra institución. Claro que lo más prudente es utilizar casos como el mío, donde siempre se puede decir que se critica a las personas en particular y no a todo el cuerpo en general.

Superior: ¿Y usted piensa que merecemos ese trato?
Torrecuadrada: Convencido, he conocido personas repugnantes, indignas de llevar este uniforme.

La representatividad de los acontecimientos narrados en *El Pico* y su continuación no está decidida, pero al menos se ha sacado a colación. Y el hecho de que Torrecuadrada esté en ese momento bailándole el agua a su superior para que le permita detener a su hijo da a entender que su opinión es más diplomática que honesta.

Las películas de Eloy de la Iglesia son auténticos melodramas. *Navajeros* (1980) es un claro ejemplo de ello. Está atiborrado de arquetipos sociales. *Biopic* de un mega-delincuente, nos muestra a una prostituta mexicana de buen corazón, con la que el protagonista se entrega al sexo de modo no traumatizado durante buena parte de la película, hace moralizaciones simplistas y busca el escándalo (policías que son chulos, visitan a prostitutos y echan pestes de la democracia). Y lleva un caso extremo (la vida del famoso delincuente apodado el Jaro) a una conclusión extrema: el cadáver del protagonista con heridas de bala en la cabeza y el rostro.

Al igual que la mayoría de los melodramas, las películas de Eloy de la Iglesia tratan de cómo la estabilidad social inicial (entiéndase la familia) se desmorona por causa del deseo sexual, cuyo objeto es un marginado social (el chico alquilado de *El diputado,* la novia embarazada de *Colegas,* el hijo toxicómano de un *abertzale* de *El Pico,* y el ex etarra que busca su reintegración social de *El Pico II*). Las dificultades que encuentran estos individuos para integrarse en el nexo social de la familia o sus correlativos miden la falta de integración democrática de los grupos minoritarios de la España democrática: las ironías de la integración ponen de manifiesto las hipocresías y las máscaras detrás de la retórica oficial con que se habla a veces de la unidad o de la democracia en España.

Si las películas de Eloy de la Iglesia no son «realistas» en el sentido normal del término, ello no es debido a su radicalidad, sino a su género. Acusar a este director de, por ejemplo, representar mal a los homosexuales porque les retrata como a maricones (así aparecen en sus películas) equivale a hacer una interpretación equivocada del género de la película, a tomar el melodrama por la representación más normal de la protesta social: el neorrealismo. Y no se deben pedir peras al olmo...

Nunca ha descrito el cine español a la nueva España de un modo tan brusco. Los diálogos constituyen un buen barómetro del cambio. En una escena de *Navajeros,* por ejemplo, el Jaro está sentado es una discoteca mirando a una chica de la pista de baile. Entonces, la cámara enfoca agresivamente los muslos de la muchacha, que se contonea provocativamente, consciente de su sexualidad. La chica, Toñi, resulta ser la hermana de un colega. El Jaro le pasa una copa y empieza a ligársela:

> *Toñi:* Así que tú eres el Jaro... Nunca creí que fueras así. Tienes cara de niño bueno.
>
> *El Jaro:* Vale. Y tú cara de tía buena. No te rías así, que me cortas.
>
> *Toñi:* ¡Qué me da la risa!
>
> *El Jaro:* Lo que pasa es que llevas un pedo así que no te aclaras. ¿Qué... te apetece salir en un buga para dar una vuelta? ¿Te camela?

El lenguaje barriobajero, incluso en el más macarra de los españoles, raras veces viene tan atiborrado.

En *Navajeros,* Eloy de la Iglesia se sirve de la estilización para llamar la atención sobre el atractivo de una cultura joven que es indefectiblemente contraria a la cultura de la clase media. A fin de destacar esta oposición, cuando el Jaro y su banda atracan a la gente, destrozan cabinas de teléfono y rompen cristales, Eloy de la Iglesia combina las imágenes con la delicada música de *La Bella Durmiente,* de Tchaikovsky. Otra incongruencia intencionada es el hecho de que, cuando el Jaro y sus esbirros escapan de la policía, pasen zapateando y riéndose por una clase de ballet para «niñas bien». El atractivo de esta cultura joven queda expresado principalmente en la misma figura del Jaro. Desdeñando el realismo, Eloy de la Iglesia exagera la fuerza del héroe del melodrama, acentúa el modo en que «da la bienvenida a cualquier situación con un impulso individual inquebrantable que absorbe toda su personalidad. Si hay peligro, él es valiente...; no le perturba la cobardía, la debilidad ni la duda, el egoísmo ni la idea de proteger su vida»[83]. El Jaro muere mientras camina, sin miedo, con una navaja en la mano, hacia un ciudadano de clase media que le apunta con una escopeta de dos cañones. El final de la película confirma tanto la enemistad de clases como esa identificación total con el momento presente, que hizo que los delincuentes y la cultura que representaban fuesen figuras tan atractivas para los españoles amedrentados por su pasado y por las dudas del desencanto.

[83] James L. Smith, *Melodrama,* Londres, Methuen, 1973, págs. 7-8, describiendo el héroe de un melodrama.

V

Carlos Saura, 1975-1984

El caso de Carlos Saura es especial. Es el único director que durante el régimen de Franco podía decir, por ejemplo, que controlaba sus películas y que, desde *La caza,* «en cada momento he hecho lo que pensaba que podía hacer»[1]. Saura insistía en que era un *auteur*[2]. En una época en que la censura coartaba de un modo tan manifiesto la libertad de expresión, tal afirmación no tenía visos de ser cierta, e incluso resultaba peligrosa. Sin embargo, en la carrera de Saura durante el franquismo se advierte la presencia de un enfoque personal que se mantiene de una película a otra, lo cual únicamente cabe observar también en las filmografías de Edgar Neville y Luis Berlanga.

En el caso de éstos, la independencia era el resultado de su buena situación económica. Tan buena, que podían permitirse el lujo de rechazar cualquier proyecto de carácter puramente comercial, elegir lo que querían hacer, prepararlo cuidadosamente y capear la censura. De todos modos, tenían que armarse de paciencia: Berlanga asegura que los productores o la censura le rechazaron más de treinta guiones. Saura afirmó una vez que no sabría hacer cine comercial[3]. Gracias a sus relaciones con Geral-

---

[1] Citado en Enrique Brasó, *Carlos Saura,* Taller de Ediciones JB, 1974, página 319. Esto no significa que Saura trabajase con absoluta libertad, sino más bien que procuró tener siempre en cuenta los límites de esa libertad y que, después de *Llanto por un vandido,* decidió «no hacer más una película que yo no pudiera controlar a todos los niveles» (Brasó, pág. 97).

[2] Por ejemplo: «Me resisto a hacer una adaptación literaria. Es una forma de imponerme a mí mismo el que se me ocurra la idea motriz, es como una obligación para un director que se considere "autor", esto es una especie de obligación», Brasó, *Carlos Saura,* pág. 72.

[3] «A veces», decía Bardem, «pienso que sería preciso exigir una cuantiosa

dine Chaplin, que, desde el punto de vista cinematográfico, se mantuvieron desde *Peppermint frappé* (1967) hasta *Mamá cumple cien años* (1979), nunca se vio en la necesidad de tener que hacerlo. De hecho, cuando en 1973 le preguntaron a su colega y amigo Francisco Regueiro cómo pensaba sortear su difícil futuro económico declaró: «Hay [otra] solución que vengo preparando desde que terminé mi último guión, y se trata de secuestrar a Geraldine Chaplin, y no por hacer la puñeta a Carlos, sino porque Geraldine gana mucho dinero y así yo tendría más libertad»[4].

Pero la singularidad de Saura no se debe sólo a su seguridad económica, sino también al hecho de que fuese el único director español con fama mundial. Algunos críticos afirman que el prestigio internacional de Saura estaba basado en una «excelente operación publicitaria»[5]. En el caso de Querejeta, se puede asegurar, no obstante, que si ha hecho buenos negocios es porque hacía buenas películas, no al contrario. De cualquier modo, el hecho de que Saura atrajera la atención internacional durante el régimen de Franco es perfectamente explicable. En primer lugar, su obra era sensible a las teorías archiconocidas de Freud. «Nada de lo que hay en mis películas es casual», declaró en cierta ocasión. «Los más pequeños detalles tienen un sentido»[6]. Pero él no siempre estaba seguro de cuál era este sentido. Atribuía múltiples motivos a las acciones de sus personajes, ahondaba en el pasado y el presente de éstos y veía represiones sexuales que provocaban celos (*La caza; Stress es tres, tres,* 1968), fantasía (*Peppermint frappé),* interpretación de papeles (*Ana y los lobos,* 1972) e inmadurez emocional (*La prima Angélica).* Al igual que en la teoría de los sueños de Freud, los personajes de Saura relacionan y condensan sin ningún tipo de barreras la fantasía, las alucionaciones y los recuerdos. Padecen del complejo de Edipo (*La ma-*

---

fortuna personal, a todo señor que intentase dedicarse al cine, sobre todo en este país». A. Castro, *El cine español en el banquillo,* Valencia, Fernando Torres, 1974, pág. 67.

[4] *Ibíd.,* pág. 350. Otra importante fuente de ingresos era Stanley Kubrick, quien se empeñó en que Saura dirigiera el doblaje de sus películas al español.

[5] V. Hernández, en *Le cinéma de Carlos Saura,* Burdeos, Presses Universitaires de Bordeaux, 1984.

[6] *Dirigido por,* núm. 31, mayo de 1976, pág. 17.

driguera, 1969), fetichismo *(Peppermint frappé)* regresiones y transferencia de las figuras paternas *(El jardín de las delicias,* 1970). Pocos directores han tratado de mostrar con tanta convicción o consistencia lo que Saura denomina «lo más importante..., lo que ese señor piensa, lo que imagina, los fantasmas que tiene en la cabeza»[7].

Otro aspecto de Saura que atrajo la atención del público internacional fue su particularidad, la presencia palpable de España. En *Los golfos* (1959) hay corridas y flamenco, y *Llanto por un bandido* tiene una ejecución por garrote vil, retrata el ascenso al poder de un bandido español del siglo XIX y contiene escenas inspiradas en Goya y en una serie de dibujos realizados por Gustave Doré tras un viaje que hizo a España. Igualmente —aunque no tan obviamente— españoles son la insistencia de Saura en la teatralidad de los personajes *(La madriguera),* la confluencia de fantasía y realidad y un realismo crítico basado en la alegoría y la distorsión *(El jardín de las delicias).* Aunque tales técnicas se desarrollaron más que nada debido a la necesidad de evitar la censura franquista, Saura considera que se encontraban ya en el esperpento y en Goya y que tienen su origen en el Siglo de Oro, cuando escritores como Gracián, Quevedo, Calderón y Cervantes comenzaron a «transfigurar la realidad en la imaginación... debido a la presión de la Inquisición sobre la vida intelectual de la época»[8].

Fue su conciencia del carácter español, unida a una asimilación de la obra de Freud, lo que vinculó a Saura con Buñuel. Descubrió a éste en los Rencontres de Cinéma Hispanique de Montpellier. «Entonces yo pensaba que se debía hacer un cine con un tipo de cine realista en el sentido amplio del término, pero no sabía cuál. En Montpellier, «conocí el cine de Buñuel; *Él* y *Subida al cielo...* Ésa era la solución fantástica: por un lado, el entroncamiento con todo un proceso histórico, cultural, anterior; por otra parte, porque era un hombre que trabajaba sobre una realidad, y además una realidad española, y en tercer lugar y por encima de eso, que él tenía un mundo personal que expresar y un sentido crítico, si se quiere moral... de ver las cosas»[9].

[7] Brasó, *Carlos Saura,* pág. 243.
[8] *Thousand Eyes Magazine,* vol. 2, núm. 2, octubre de 1976, pág. 10.
[9] Brasó, *Carlos Saura,* pág. 40.

La descripción que hizo Saura de Buñuel era una prescripción para su propia carrera. El sentido moral de sus primeras películas hizo de él uno de los principales portavoces de la oposición a Franco desde dentro del país. En diversas ocasiones ha negado que su obra tuviera fundamentalmente un carácter político, asegurando (en 1972) que «si yo fuese ante todo político, no haría películas, sino que me dedicaría a otra actividad en la que la política pudiera desempeñar un papel más importante». Los aspectos políticos de su cine constituyen «un reflejo de lo que veo cada día en mi vida, un elemento fundamental, un telón de fondo siempre presente»[10]. Sin embargo, el sofisticado naturalismo de los argumentos de Saura destruye la distinción entre fondo y primer término. En todas las películas que hizo durante el franquismo, el ambiente represivo que sirve de fondo proporciona no sólo un contexto particular, sino también una explicación de los estallidos de pasión de los personajes, de sus fantasías íntimas. En el cine de Saura no existe nada parecido a un ser presocial. Los traumas que sufren sus personajes constituyen una acusación indirecta, aunque a menudo sumamente cáustica, a la sociedad creada por Franco.

El antifranquismo de Saura fue otra de las razones por las que despertó el interés del público internacional. De hecho, los críticos extranjeros hicieron hincapié en las alusiones políticas de sus películas en detrimento de los aspectos psicológicos, que eran mucho más sutiles. Además, la oposición de Saura a Franco se convirtió en el contexto cultural más inmediato de su cine. Al examinar los filmes de Saura en el posfranquismo, la cuestión no es sólo: «¿Qué le sucede a un artista cuando de pronto encuentra su libertad?», sino «¿Qué le sucede a un artista cuando de pronto pierde alguna de sus coordenadas?».

«Cría cuervos»

Secuencia de créditos: Aparecen los títulos de crédito. Se ven fotografías de un álbum familiar: una madre (Geraldine Chaplin) en la cama, riéndose, y junto a ella una niña recién nacida. La pe-

[10] *Ibid.*, pág. 140.

Cría cuervos, Carlos Saura, 1975. Ana (Ana Torrent) y su madre muerta (Geraldine Chaplin), «el recuerdo reconstruido de una alucinación basada en un recuerdo reconstruido anterior». Así de simple

queña, Ana, algo mayor, vestida de blanco, en la playa y en una plaza con palomas. Ana con su madre; luego con sus padres, la madre con un vestido negro floreado, el padre de uniforme montado en un magnífico corcel blanco. Ana corriendo por el jardín con sus dos hermanas.

Secuencia 1: La luz del alba penetra en una habitación con sobrios retratos, grandes sofás, paredes empapeladas en tonos oscuros, techos altos; es el sombrío salón de la clásica familia de clase media alta española. Ana baja por la escalera, es una niña de ocho años. Oye jadeos de placer y, luego, un grito de asombro. Una mujer a medio vestir sale precipitadamente de la habitación de su padre. Ana encuentra a éste tendido en la cama, está muerto; en la mesilla hay un vaso de leche vacío.

Secuencia 2: Ana lava un vaso en la pila de la cocina. Su madre se acerca a ella a hurtadillas y la regaña con ternura. La niña sonríe a su madre.

Secuencia 3: La madre peina a Ana frente a un espejo; la besa e intenta mordisquearle el cuello. Ella se aparta. Las niñas bajan por la escalera para despedirse de su padre muerto. Ana le dice a una de sus hermanas que le oyó jadear. «Entonces... Apareció mamá.» «Mamá está muerta», responde la hermana.

Cría cuervos presenta los recuerdos, alucionaciones y percepciones de Ana a los ocho años tal como ésta los recuerda de mayor (en 1995), en unas cuantas escenas en que la cámara la descubre meditando sobre su infancia, en especial sobre un verano que pasó en Madrid en 1975. Por consiguiente, la aparición de la madre en las secuencias 2 y 3 es «el recuerdo reconstruido de una alucinación basada en un recuerdo reconstruido anterior»[11].

Aunque la película se concibió en 1974 y fue rodada en 1975, con Franco todavía vivo, Saura estaba más o menos convencido cuando la hizo de que «el franquismo estaba muerto antes de la muerte de Franco»[12]. *La prima Angélica,* señaló en 1977, «limpia por completo el ciclo de compromiso conmigo mismo y quizá, ¿por qué no? con los demás. Un compromiso ético, moral»[13]. En cuanto dejó de escribir los guiones de sus películas con

---

[11] Marsha Kinder, «The Children of Franco», *Quaterly Review of Film Studies,* primavera de 1983, pág. 65.

[12] En conversación con el autor.

[13] Citado por Jean Tena, en *Le cinéma de Carlos Saura,* pág. 27.

Azcona[14], Saura dotó a su obra de una nueva sutileza, de una complejidad mayor, y abandonó los sarcasmos y el tosco estilo parabólico de *El jardín de las delicias* y *Ana y los lobos*. Ya no sentía la necesidad de ser tan accesible. La tendencia autobiográfica de *La prima Angélica* también se agudizó considerablemente en *Cría cuervos*.

En *Cría cuervos*, la familia de Ana es un claro ejemplo de esa clase media tradicionalista que fue el principal apoyo social que recibió Franco y que se caracterizaba por su «catolicismo, un número elevado de hijos, las hipocresías sexuales..., ética rígida..., un aburrimiento ritualizado y convencional»[15]. Sin embargo, estos rasgos culturales no están recogidos en un solo individuo, y la descripción de los personajes nunca es trivial. El padre de Ana perteneció a la División Azul, pero lo que le distingue en la película no es el fascismo, sino el adulterio, la prerrogativa del cabeza de familia franquista. «Soy lo que soy», le dice a su mujer cuando ésta le reprocha su infidelidad.

Las palabras del padre no son gratuitas. La tesis política planteada por Saura en esta película es que el franquismo, en calidad de régimen político, desaparecería, como desaparecen los padres de la protagonista, pero sus legados psicológicos no. Una de las razones de esto radica en el hecho de que, en cualquier sociedad conservadora satisfecha de sí misma, tal como la familia de Ana, las cosas no tienen más sentido que su propia existencia. Como no se le explica nada, Ana es víctima de confusiones traumatizantes, malentendidos y terrores irracionales que, según da a entender la película, son reprimidos más que resueltos a medida que el individuo madura. La madre de la protagonista, María, se convierte en una fuente no sólo de cariño, sino también de horror. Ana piensa que su madre la quiere, pero en sus alucinaciones y recuerdos la retrata como una especie de vampiro que pretende morderle el cuello, con una palidez sepulcral y enferma de algo que la hace sangrar copiosamente. Nadie parece haber ex-

[14] Azcona y Saura tenían «discusiones muy violentas» cuando escribían juntos. Uno de los motivos era el concepto tan distinto que tenían de la mujer: la misoginia de Azcona es notoria.

[15] R. Carr y J. P. Fusi, *Spain: Dictatorship to Democracy*, Londres, Allen & Unwin, 1979, pág. 82.

plicado a la niña que los vampiros no existen y que los muertos no pueden volver a la vida.

Una educación franquista traumatiza y, además, reprime. Ana se encuentra en una situación muy similar a la de Leopoldo Panero en *El desencanto:* se esfuerza por ser ella misma en una sociedad que prepara a sus miembros para representar papeles sociales en vez de enseñarles a desarrollar su individualidad. Su rebelión es confusa, tiene inclinaciones asesinas y parece estar condenada al fracaso. Confundiendo una caja de bicarbonato con veneno, echa un poco del contenido en la leche de su padre (le culpa de la enfermedad y la muerte de su madre) la misma noche en que éste muere de un ataque al corazón. Ana se inventa historias, sueña con volar, y trata de envenenar a tía Paulina, mujer autoritaria que está siempre enseñando a sus sobrinas las normas de la buena educación. La dosis de bicarbonato con que intenta esto último no tiene, claro está, ningún efecto, y el rebelde mundo de fantasías de Ana se derrumba. Las vacaciones escolares se acaban. Cuando su hermana Irene cuenta un sueño en el que salen sus padres, es a Ana a quien le toca aclarar que éstos están muertos.

Raras veces la represión —su escenario cotidiano, sus mecanismos y consecuencias— ha sido tan bien descrita. Como observa Peter Evans, en la escena de la comida en que Paulina se presenta a sí misma a las niñas, «sólo dos veces... se encuadra a la tía junto con los demás personajes, y en ambas ocasiones se hace con un plano general, por lo que queda eliminada toda impresión de intimidad entre ella y los demás miembros de la familia»[16]. Saura juega también con la «mirada» de los personajes. En casi todas las películas, la cámara pasa de los ojos de un personaje a los de otro, estableciendo así una relación entre ambos. En *Cría cuervos,* sin embargo, los planos del rostro de Ana suelen dar paso a uno de sus ensueños, aislando a la niña, por tanto, en la soledad de su imaginación. Además, la mirada de Ana es opaca, completamente neutral; está enmarcada en una palidez cerosa que le resta expresividad y la convierte no tanto en un medio para establecer contacto como en una defensa pasiva contra la curiosidad de

[16] Peter W. Evans, «Cría Cuervos and the Daughters of Fascism», *Vida Hispánica,* vol. 33, primavera de 1984, págs. 17-22.

los demás. «Cría cuervos y te sacarán los ojos.» Evidentemente, el título de la película hace referencia a la rebelión de Ana contra la educación que está recibiendo (Paulina llama a sus sobrinas «crías»). Pero, al mismo tiempo, la educación familiar de las niñas les priva de la capacidad de utilizar los ojos para comunicarse. La primera vez que Paulina aparece en la película lleva, como señala también Peter Evans, una capa de maquillaje que oculta sus ojos.

También las palabras constituyen un vehículo de represión. Como observa Vicente Molina Foix, para Ana «los fantasmas del mundo pensado se desvanecen con el fin de las vacaciones y el contacto de realidad al mundo *verbal* por medio del pacto con las palabras que "dicen la verdad"»[17]. Cuando al final de la película dice a Irene que sus padres están muertos, Ana ha capitulado, aunque lo ha hecho no tanto a la realidad (después de todo, sus padres pueden aparecerse «realmente» en un sueño a pesar de que están muertos) como a los convencionalismos, es decir, accede a decir lo que se espera que diga una huérfana, a trazar una línea divisoria entre lo que piensa y lo que dice. Ana ha aprendido la lección de una educación represiva: las palabras no son para comunicarse, sino para dar o recibir órdenes en relaciones que están basadas no en el afecto, sino en jerarquías de poder. Así es al menos como Paulina utiliza las palabras: «Si todos ponemos un poquito de esfuerzo, terminaremos por llevarnos bien», dice, pero «desde este momento se acabó el desorden». Más que cariño, Paulina ofrece un orden político autoritario que combina el esfuerzo común con una estricta jerarquía.

Tras haber descrito la represión franquista en *La prima Angélica* mostrando a un falangista azotando a un niño. Saura sorprende al espectador con *Cría cuervos* por la delicadeza (y mayor precisión) con que muestra los mecanismos del conformismo social. En sus juegos (donde Ana hace de madre, pero adopta el nombre de Amelia y trata a la hermana pequeña como a una criada), las niñas practican y contrastan los papeles que asumirán de mayores. Colocados discretamente en el fondo de la escena o manifiestos mediante acciones secundarias se encuentran

---

[17] Vicente Molina Foix, «El cine de la distancia» en el guión editado de *Cría cuervos* (Madrid, 1975), pág. 135.

una serie de detalles que evocan estereotipos de feminidad; la mujer como madre, esposa, ama de casa, virgen u objeto sexual[18]. Y la represión y la soledad se manifiestan mediante una sensación de parálisis física producida por el uso que hace Saura de espacios cerrados, aislados o fríos: todas las mujeres están confinadas en la casa (la abuela va en silla de ruedas); gran parte de la acción tiene lugar en habitaciones con la puerta cerrada; Ana levanta una casa imaginaria en una piscina vacía, y la hermana pequeña, Maite, evoca la imagen de la fría existencia de un pez cuando lee en voz alta un tebeo cuyo personaje principal es una tal «Señora Merluza».

Aunque hace hincapié en los aspectos represivos de la educación franquista, Saura no es en absoluto dogmático. De hecho, en *Cría cuervos* se advierte una tendencia a la ambigüedad mayor que en las películas anteriores. El papel doble de Geraldine Chaplin, que interpreta a la madre de Ana y a ésta de mayor, hace que, como señala Marsha Kinder, el espectador no esté «seguro de si la imagen querida de la madre ha configurado el desarrollo de la hija o si la propia imagen de Ana se ha superpuesto a la de la ausente»[19]. Por otro lado, los recuerdos de Ana no son muy de fiar. Si las cosas pasaron tal como las recuerda, entonces en el comentario que hace de cara a la cámara se muestra demasiado indulgente con su padre, lo que, como señala Peter Evans, es señal del *embourgeoisement* que tuvo lugar en ella después de 1975. Pero si hemos de creer lo que dice ante la cámara, entonces sus recuerdos no son fiables y no pueden ser utilizados en contra de su padre. También cabe la posibilidad de interpretar su indulgencia como un signo de que el padre era aún más despreciable de lo que ella recuerda, pero lo cierto es que la crueldad del padre para con la madre es, según la recuerda Ana, algo estereotipada. La discusión entre los padres se rodó a propósito contra un sencillo fondo de cortinas blancas y marrones, como queriendo dar a entender que la protagonista tiende a reducirlo todo a bueno o malo en sus recuerdos. El origen de esta escena podría estar en la

[18] Rosa enseña a Ana sus enormes pechos, ambas doblan las sábanas y la niña aprende a coser, en la casa hay una madona e Isabel recorta fotos de mujeres ligeras de ropa de una revista.

[19] Kinder, «The Children of Franco», pág. 65.

criada, Rosa, ávida lectora de fotonovelas que dice a Ana que todos los hombres son iguales y que un día le contará cómo fue de verdad su padre[20].

Cría cuervos provoca en el espectador una sensación continua de incertidumbre, le mantiene en tensión desde el mismo principio con la secuencia del álbum de fotos familiar. «Al hacer una fotografía», señaló una vez Saura, «la realidad se convierte automáticamente en pasado». Por consiguiente, las instantáneas de la familia, vistas a la vez que oímos una música de piano, son una fuente de nostalgia de un pasado que, como ellas mismas dan a entender, tuvo que haber sido bastante gris. Las fotografías dan constancia de la represión —evocando las mismas imágenes estereotipadas de feminidad de las que *Cría cuervos* se lamenta— y son una fuente de misterio: las emociones que se ocultan tras las poses son inescrutables. Las ambigüedades de la película, más que difundir la protesta que va implícita en ella, distancian sus pasiones políticas, haciéndolas más sutiles y convincentes.

En busca de valores: «Elisa, vida mía» y «Los ojos vendados»

En septiembre de 1976 Saura afirmaba que «las cosas que me molestan de la España de hoy [no] son tan claras como en la época del franquismo»[21]. En esa época se le planteaba un problema al que tuvieron que enfrentarse la mayoría de los cineastas españoles tras la muerte de Franco. Sus películas, al igual que gran parte del cine español, habían tenido siempre un gran sentido moral, pero ahora ¿qué es lo que merecía la pena filmar?

La respuesta inmediata de Saura consistió en afirmar que hacer cine era una actividad que merecía la pena por sí misma. *Elisa, vida mía* puede ser considerada como una metáfora de los me-

[20] Al igual que en las películas de Buñuel, en *Cría cuervos* hay detalles que resultan muy difíciles de explicar. Uno de ellos es el de las patas de pollo que Ana ve tres veces en la nevera. A lo mejor: a), son una imagen de la muerte; b), en Aragón, donde nació Saura, las patas de pollo simbolizan la mala suerte; y c), están puestas ahí con el objetivo de confundir a los críticos y espectadores que consideran que las películas deben ser totalmente comprensibles.

[21] *Fotogramas*, núm. 1.457, 17 de septiembre de 1976, pág. 4.

canismos y los valores de hacer cine. El tema más evidente de esta película es la búsqueda de valores en un mundo complejo. Saura lo conecta con la tradición española del desengaño iniciada en el siglo XVII, cuando comenzó a manifestarse una tendencia a apartarse de las distinciones mundanas para encontrar valores esenciales. Es esta búsqueda lo que hizo que Luis, el protagonista de la película, abandonase hace ya veinte años la lujosa comodidad de un hogar de clase alta de Madrid y se retirase a una granja aislada donde vive solo. No conserva nada de valor, así que la puerta de la casa siempre está abierta.

A fin de dar a entender las inmensas dificultades que comporta la búsqueda de valores de Luis, Saura utiliza como referencia una obra de la literatura española muy significativa: *El gran teatro del mundo,* de Calderón, que van a representar unos alumnos de la escuela en la que él enseña. En esta alegoría del siglo XVII, la vida es comparada a una obra de teatro cuyos actores son los hombres y cuyo productor es Dios, y en la que el papel que le toca representar a cada actor dentro de la estructura social le ha sido asignado de acuerdo con sus capacidades individuales. Puesto que no existe ningún texto escrito, los hombres son libres de cumplir o desobedecer las instrucciones dadas en un principio por el productor[22].

Al no estar limitado por ningún tipo de creencia religiosa, la libertad del protagonista de *Elisa, vida mía* es tan grande como lo es, por consiguiente, su incertidumbre. Lee *El criticón,* de Gracián, donde la experiencia y la razón le hablan sobre el desengaño[23]. Y lleva un diario donde simula que la persona que lo escribe es su hija Elisa y cuya lectura da a entender que los únicos «absolutos» que hay en Luis son la incertidumbre («Este hombre no tiene ni la seguridad para enjuiciar las cosas que dicen se adquiere con la edad») y la obsesión con la muerte. En la secuencia más larga de la película se escenifica una parte del diario en la que Luis se describe a sí mismo en el lecho de muerte, en su antigua

---

22 Un buen estudio sobre *El gran teatro del mundo* es A. A. Parker, *The Allegorical Drama of Calderón,* Oxford, Dolphin, 1968.

23 Sobre la influencia de Gracián, en *Elisa, vida mía,* así como sobre las técnicas formales de la película, véase Emmanuel Larraz, «Elisa et l'Androgyne», en *Le cinéma de Carlos Saura,* págs. 211-231.

casa de Madrid, soñando con cabezas de caballo ensangrentadas que cuelgan de ganchos en un matadero un *memento mori* surrealista.

La narrativa de *Elisa, vida mía* es mínima. Luis recibe la visita de sus dos hijas y de su yerno. Invita a Elisa a quedarse algunos días, y ella acepta, viendo en ello la oportunidad de evadirse de la crisis en que se encuentra su matrimonio. Padre e hija descubren entonces una afinidad imaginativa, y comienzan a contarse historias. Ella asiste a las clases sobre Calderón que da Luis, y le sustituye cuando cae enfermo. Muerto su padre, Elisa continúa el diario, escribiendo como si fueran suyas las palabras con que empieza la película —un comentario sobre la crisis conyugal de su hija que Luis escribe en el diario y lee sobre una imagen del coche de sus visitantes acercándose a la granja. Esta misma imagen, acompañada ahora por las palabras de Elisa, pone fin a la película, cuya estructura ha descrito así una elegante espiral.

Uno de los muchos atractivos de *Elisa, vida mía* es la eficacia con que se utiliza en ella el espacio simbólico, característico del cine de Saura. Recluida en un matrimonio convencional, Elisa suele aparecer confiada en espacios convencionales —una cabina de teléfonos, un coche— siempre que habla con su marido[24]. Cuando rompe con él, sale del coche y echa a andar sola por los amplios espacios abiertos de la llanura castellana, y en esta imagen quedan expresadas su nueva libertad y su nueva soledad. En esta película, como en toda las demás de Saura, los espacios abiertos dan una idea de misterio, paradoja y muerte. Es paseando por el campo, por ejemplo, cuando un dolor que anuncia su fin le hace a Luis caer al suelo. Tras él, un nuevo amanecer se extiende sobre Castilla.

Pero lo que da fuerza a *Elisa, vida mía* es su capacidad para describir y comunicar el placer y el valor del arte en sí mismo. Las estudiantes de Luis lo pasan pipa representando la alegoría de Calderón, y Luis cita la poesía de Garcilaso de la Vega, de la que toma su título[25]. El reencuentro de Elisa con su padre, las

---

[24] Larraz, *Elisa et l'Androgyne.*

[25] «¿Quién me dijera, Elisa, vida mía, / cuando en aqueste valle al fresco viento / andábamos cogiendo tiernas flores, / que había de ver, con largo apartamiento, / venir el triste y solitario día / que diese amargo fin a mis amores?»

clases y el diario de éste, son elementos que la conducen a su regeneración espiritual. Al principio adopta una actitud pasiva y escucha a Luis contar la historia de un hombre que mata a su amante y vuelve cada año al lugar del crimen para dejar allí unas flores; pero pronto comienza a narrar experiencias para estimular la imaginación de su padre y, cuando éste muere, se convierte en sucesor activo de su creatividad.

La formación de la imaginación de Elisa que lleva a cabo Luis le saca de su soledad. Y su diario le proporciona un sentimiento de autenticidad. «He pasado toda la noche escribiendo», dice en su último paseo, «y ahora me siento liberado. Me gustaría prolongar estos momentos de plenitud, en que me siento vivo, vivo». Al escribir, así como en su relación con Elisa, Luis adopta en cierto modo la figura de un director de cine. Se inspira en el ambiente que le rodea para crear una obra en la que expresa sus puntos de vista por medio de unos personajes ficticios, y luego convence a personas reales para que representen a estos personajes. Su «dirección» se convierte así en un acto de autodefinición y enriquecimiento mutuos. De hecho, Saura ha admitido que «una cosa que es apasionante es... mostrar al actor cómo es él mismo»[26]. Asimismo, su empeño en rodar siempre siguiendo un orden dota de particular importacia al desarrollo del papel de los actores a medida que la película avanza. La formación de la imaginación de Elisa y el descubrimiento del contacto humano y del placer de escribir por parte de Luis constituyen metáforas de las satisfacciones derivadas del proceso de hacer una película.

Como película sobre el cine, *Elisa, vida mía* explora algunas de las posibilidades menos investigadas del medio. La voz en *off* de Luis, oída continuamente cuando lee sus escritos, dota a la película de un suave ritmo musical. Asimismo, Saura contrasta a veces la voz en *off* con la imagen que la acompaña para mostrar la dualidad de la película —lo que se oye, lo que se ve[27]. Del mismo

---

(Egloga I). La influencia de este poema de Garcilaso en *Elisa, vida mía,* es evidente: el contraste entre un escenario natural maravilloso y la pena del individuo, y el sentido del tiempo y de la naturaleza siguiendo su curso insensibles al sufrimiento humano.

[26] *Cinestudio,* núm. 119, abril de 1973, pág. 24.

[27] En la primera secuencia, por ejemplo, el espectador relaciona automáticamente la voz en *off* con la imagen, dando por supuesto que uno de los ocu-

modo, rebelándose contra la idea del cine como símbolo, en ocasiones reduce las imágenes al mínimo —presentando a menudo un solo personaje en un fondo indiferenciado— de modo que expresen la idea del cine como connotación, es decir, que cada imagen admita diversas interpretaciones.

Elisa, vida mía no sólo describe el valor del arte, sino que además da a éste valores nuevos. El diario del protagonista no explica la realidad totalmente, pero al menos pone en orden sus incertidumbres. Luis califica su afición a escribir de «terapia ocupacional». El valor de un arte «difícil» —ya sea desde el punto de vista de su creación o del de su interpretación— radicaría entonces en el hecho de que tal arte trae consigo el descubrimiento de un orden aparente en un simulacro de realidad. Esto es lo que se da a entender en *Elisa, vida mía,* donde las historias, fantasías y recuerdos de los personajes, así como los escritos de Luis, se mezclan de un modo sumamente complicado. Los recuerdos de Elisa de su infancia en el hogar familiar desembocan en la representación visual de un texto de Luis en el que éste habla de cuando abandonó ese hogar. Pero en el montaje no hay nada que indique dónde terminan los recuerdos y comienza el texto o, en otras palabras, que la secuencia es obra de dos imaginaciones distintas.

Elisa, vida mía deja ver de un modo bastante convincente sus valores intelectuales y estéticos, pero hay un aspecto de la película que inquieta. Se trata del valor moral de la imaginación creativa. Saura no parece sentirse del todo seguro respecto a la dominación que la figura de Luis como padre/director ejerce sobre Elisa. Hay algunas alusiones a un complejo de Electra no resuelto que vuelve a manifestarse. Por ejemplo, cuando Luis se recuerda haciendo el amor con su esposa, ésta está representada por Elisa.

---

pantes del coche que se aproxima a la cámara, está describiendo una crisis conyugal. El hecho de que la voz en *off* sea masculina y la identidad de la persona que habla femenina nos desconcierta. En realidad, la voz en *off* es uno de los textos de Luis, lo cual era de esperar dadas las discrepancias existentes, entre ella y la realidad.

Para una explicación coherente de las complejidades del filme, véase Raúl Beceyro, «Lectura de *Elisa, vida mía*», en *Le cinéma de Carlos Saura,* páginas 87-113.

Aunque se trata de una obra menor, *Los ojos vendados* puede ser considerada como una respuesta a algunas de la ambigüedades e insuficiencias de *Elisa, vida mía*. Está inspirada directamente en una serie de acontecimientos ocurridos en España en 1977: los asesinatos de Atocha; la agresión de un grupo ultraderechista al hijo de Saura, Antonio, a quien está dedicada la película, y un simpósium sobre la tortura en Latinoamérica en el que las declaraciones de una víctima de la misma hicieron reflexionar a Saura sobre el valor que puede llegar a tener la representación de un papel en un acto de protesta política: «Me preguntaba si aquella mujer no estaría interpretando el papel de víctima de la tortura que le había sido asignado. Y si yo, sentado en la mesa presidencial —lo que me situaba en una posición ventajosa ideal—, no formaría parte también de la obra de teatro que se estaba representando en calidad de espectador y actor al mismo tiempo»[28]. En la película desarrolló estas especulaciones. El tema no es la tortura, sino su representación. «Saura muestra», comenta el crítico Marcel Oms, «que no es el dolor físico lo que despierta o mata la conciencia, sino la reacción imaginativa ante tal horror»[29]. *Los ojos vendados* también trata, por tanto, el problema de los valores, así como un tema de gran importancia para cualquier director que fluctúe entre la expresión política y la puramente «artística»: el valor moral y político de la imaginación creativa.

Los ojos vendados comienza con una escena en la que se ve al protagonista, un director de teatro llamado Luis, en un simpósium sobre la tortura. Al igual que Saura, concibe la idea de recrear el acto en una obra que piensa dirigir. Su problema radica en imaginarse el horror de la tortura, en representárselo a sí mismo. Lo resuelve mediante una simple analogía consistente en suponer que la víctima de la tortura es Emilia, la esposa de un amigo dentista y la mujer que ama. Sentado en la silla del dentista imagina que unos torturadores raptan a Emilia y, en ese momento, el médico le toca un nervio y siente mucho dolor. Aburrida y atrapada en un matrimonio convencional, Emilia comienza a

---

[28] Citado en Román Gubern, *Carlos Saura,* Huelva, Festival de Cine Iberoamericano, 1979, pág. 44.

[29] Marcel Oms, *Carlos Saura,* París, Edilig, 1981, pág. 74.

asistir a las clases de teatro de Luis, y éste la convence de que interprete el papel de víctima de la tortura en su obra. La película acaba con una escena en la que se la ve a ella en el escenario tal como se le había imaginado Luis en el simpósium como víctima de la tortura que cuenta su experiencia. «Espero», concluye Emilia, «que este testimonio sirve para alertar a la opinión pública para que condene a los regímenes militares, autoritarios y represivos para que no vuelvan a suceder hechos como éste». De repente, dos jóvenes se levantan y arrasan al público, a Emilia y a Luis con una ráfaga de metralla.

La matanza se constituye en su propia condenación. Asimismo, se ajusta al intento de Saura de presentar la tortura al espectador. «Casi sin darnos cuenta», señaló en cierta ocasión, «vivimos en un mundo dominado por una violencia que, visible u oculta, limita nuestra libertad»[30]. La tortura y el terrorismo son puntos extremos en la escala de violencia de la película: a Luis le agreden unos extremistas, a Emilia la pega su marido y en su relación con él vive la «tortura» del remordimiento y el miedo. Por otro lado, Saura involucra hábilmente al espectador en los mecanismos del «compromiso». Nos incita a identificarnos con Luis y Emilia, a hacer nuestros sus sentimientos. Hace de Luis un sustituto del espectador, enfrentándose a problemas similares a los de cualquiera de las personas que están viendo la película.

La matanza del final puede ser real o parte de la obra, aunque también es posible que Luis se la imagine durante la representación de la obra o en el simpósium original. Tales ambigüedades no son gratuitas. El interés de *Los ojos vendados* radica principalmente en que es una película donde se reflexiona acerca del papel que desempeñan la representación y la imaginación no sólo en política, sino también en el arte y en la realidad cotidiana. En *Elisa, vida mía,* una relación «normal» se utiliza como metáfora de un proceso artístico; en *Los ojos vendados* ocurre al contrario. En las clases de teatro de Luis, Emilia aprende que para comprender a un personaje es preciso buscar experiencias análogas en la pro-

[30] Citado por Marsha Kinder en «The Political Development of Individual Consciousness», *Quarterly Review of Film Studies,* vol. 32, núm. 3, febrero de 1979.

pia vida de uno. Y averigua también cómo presentar las emociones de su personaje al público.

El modo en que funciona la relación de la pareja no es tan diferente del de *Elisa, vida mía*. Luis se siente atraído por primera vez por Emilia cuando se desploma porque sufre un cólico y ella se inclina con comprensión hacia él. Y cuando Emilia llega al apartamento de Luis, al parecer completamente fuera de sí porque su marido la ha atacado, de pronto deja de llorar y pregunta: «¿Qué tal te parece mi interpretación?» El problema que se plantea Saura en esta película está implícito en toda su obra: es muy posible que el conocimiento, consciente o inconsciente, que tiene uno de la experiencia de otro esté completamente basado en la inferencia. Las relaciones con los demás suponen un acto doble de «representación»: la representación de los propios sentimientos a los otros y la representación de tales sentimientos que los otros se hacen a sí mismos. El simbolismo de la obra de Saura —presente en este caso en las gafas oscuras de la víctima de la tortura, en los gestos teatrales de Emilia, en la obra de Luis, en el simpósium, etc.— no es sólo una estratagema para burlar la censura, sino también una característica observada en la vida normal[31].

EL MODERNISMO: «MAMÁ CUMPLE CIEN AÑOS» Y «DEPRISA, DEPRISA»

La filmografía posfranquista de Saura sugiere que a los directores españoles establecidos les costó mucho cambiar.

La lentitud con que cambió Saura reflejaba una incertidumbre por los sentimientos contradictorios con que consideraba la transición: creía que todavía existían cuestiones por resolver, pero que, a pesar de todo, en 1979 eran muchas las cosas que habían cambiado en España. Sin embargo, él tenía una ventaja ex-

[31] *Los ojos vendados* describe también la regeneración en una era explícitamente posfranquista. Un cartel visto unos instantes en la película anuncia una manifestación franquista con motivo del primer aniversario de la muerte de Franco; Emilia pide a Luis: «Vamos a empezar desde cero.» Su regeneración depende de que se representen el uno al otro lo que fueron y lo que son.

traordinaria con respecto a los demás cineastas —el carácter sostenido y desarrollado de su filmografía hasta entonces. Trazando la distancia que ahora lo separa de su obra anterior, podía presentar la evolución de España y, al mismo tiempo, dar a conocer la suya propia como artista. En una época de descolocación general, esta autorreferencia le fue de gran ayuda para definirse a sí mismo y a España.

La primera película en la que Saura se remitió a su obra anterior fue *Mamá cumple cien años* (1979), que establece distancias con *Ana y los lobos* (1972). Esta última es una acerada crítica a tres atributos de la sociedad franquista —el militarismo, la lascivia y la hipocresía religiosa— que están personificados en la película por los tres hijos —José, Juan y Fernando— de una mujer efusiva, epiléptica y tiránica. Una nueva institutriz, Ana (Geraldine Chaplin), llega a la aislada y extravagante casa de la familia para enseñar a las hijas de Juan, pero su presencia excita a los hermanos. Juan quiere seducirla, José se pavonea por la casa vestido de militar para que ella le vea y Fernando pretende convertirla en una anacoreta. Al ver que la competencia entre sus hijos aumenta día a día, la madre se empeña en que la chica tiene que irse. Ana se marcha, pero cuando sale de la casa los tres hermanos se apoderan de ella: Fernando le corta el pelo, Juan la viola y José le pega un tiro.

Saura afirma que, después de *Los ojos vendados,* se sentía «completamente seco: necesitaba hacer algo más abierto, más extrovertido, e incluso más divertido». Pensando en hacer un corto en homenaje a Luis Cuadrado, decidió tomar algunos de los personajes de una película que había rodado con éste, *Ana y los lobos,* y «ver qué pasaba con ellos». La idea dio lugar a *Mamá cumple cien años,* donde reaparece el personaje de Ana, volviendo a casa de Mamá con su marido, Antonio.

Las escenas iniciales de *Mamá cumple cien años* recupera a la mayoría de los personajes de la película anterior, les describen con quince años más de los que tenían entonces y construyen una alegoría de la nueva España. En un ensayo sobre la película, Susan Tate enumera la mayoría de los cambios que Saura pone de manifiesto[32]. Se ha producido, por ejemplo, una desaparición

---

[32] Susan Tate, «Spain and Mama Turns One Hundred», *Cinema papers,* número 37, abril de 1982.

simbólica de la autoridad: Ana es ahora una ex institutriz; José ha muerto, y sus uniformes se han vendido al Ejército de Salvación Español. Juan ha abandonado a su mujer por la cocinera, hecho que indica el relajamiento de las costumbres en lo que al matrimonio se refiere y la casi desaparición del servicio doméstico en la España posfranquista. La hija mayor, Natalia, se ha convertido en una mujer sexualmente liberada que seduce a Antonio, fuma hierba y ha decorado su habitación como si fuera la de un sultán: representa a la nueva juventud española, que era socialmente «progresista», pero con tendencia al abstencionismo político.

Mamá cumple cien años da a entender que, al igual que España, Saura ha cambiado. Esta película es su primer film cómico. Fernando, por ejemplo, se ha convertido en un entusiasta del vuelo sin motor y aletea por el jardín como un pingüino torpe aprendiendo a volar antes de lanzarse al aire y darse de narices contra el suelo. La acentuada calvicie y el cuerpo enjuto del actor Fernando Fernán-Gómez, combinadas con la jerga técnica de Fernando (cuando habla sobre reajustar el centro de gravedad de su planeador), hacen de este personaje una especie de Don Quijote moderno. Desde el punto de vista del rodaje, el estilo de Saura también ha cambiado. Numerosas escenas filmadas con la cámara sostenida a mano, planos tomados con gran angular y secuencias fluidas dotan a su dirección de una nueva libertad espacial. La iluminación es más cálida, más alegre, e incluso sensual. El *huis clos* de las películas anteriores (el valle de *La caza,* la casa del ingeniero industrial de *La madriguera,* la mansión familiar de *Ana y los lobos* y *Cría cuervos)* marca cuidadosos límites entre los interiores y el mundo externo. En *Mamá cumple cien años,* sin embargo, la frontera entre interior y exterior (en este caso, las paredes de la casa) siempre está siendo cruzada por movimientos de la cámara o por las miradas de los personajes. Por ejemplo, aparece un amanecer que, implícitamente, se está viendo desde la casa; Antonio contempla la finca desde el balcón mientras se fuma perezosamente un porro; a la mañana siguiente, Natalia se asoma ventana para saludar a Antonio, que mira hacia ella desde fuera de la casa. Igualmente nuevo es el espacio interior, que está dividido en lo que, desde el punto de vista del decorado y el comportamiento, constituyen zonas autónomas, de las que la habitación de Natalia no es más que el ejemplo más evidente[33].

Sin embargo, la mayoría de los críticos sólo consintieron en admitir cambios no esenciales en la visión de la nueva España que había dado Saura en esta película. Marcel Oms señala que las hijas han heredado los vicios de su padre y de sus tíos: la mediana se pone un uniforme militar que encuentra en un baúl y la pequeña pasea su melancolía por la casa leyendo *Los hermanos Karamazov*. Mamá prohíbe que se vendan tierras de la familia para urbanizarlas, por lo que Luchy, Fernando y Juan comienzan a elaborar un plan para matarla. «Muerto el fiel militar», ironiza Julio Pérez Perucha, y «traicionada por los venales "civiles" que ella misma amamantó y relegados a un interesado y mercantil olvido los principios e inmutables valores que ella les inculcó, la madre bien parece ser el espíritu franquista en persona»[34].

Lo que ocurre con las interpretaciones completamente alegóricas de *Mamá cumple cien años* es que conducen a algo que, desde el punto de vista histórico, es absurdo: el «espíritu del franquismo» recurre a la «ayuda extranjera» no mercenaria (una interpretación alegórica de Ana) para tratar de evitar su destrucción final a manos de la clase capitalista. Tales explicaciones no tienen en cuenta, además, los intrigantes cambios emocionales experimentados por Saura desde finales de los años 70, cuando comenzó a manifestar la influencia de sus orígenes andaluces y levantinos. «Me sentí muy a gusto con *Mamá cumple cien años»,* señaló en cierta ocasión. «Hay algo levantino-andaluz en ella: Levante me

[33] Es muy posible que en tales cambios de estilo influyera la sustitución de Luis Cuadrado por Teo Escamilla como cámara. «Luis es una persona como más castellana, y Teo es andaluz. El trabajo de Teo es más alegre que el de Luis. El de Luis ha sido más profundo en algunos momentos, pero el de Teo tiene más ventajas porque es más imaginativo, más rápido y se arriesga mucho más» (Saura a José Luis Guerin, «El cumpleaños de Saura»), *Cinema 2002,* núm. 56, enero de 1980, pág. 61. Escamilla ha filmado todas las películas de Saura desde *Cría cuervos*. Según Agustín Sánchez Vidal, las familias castellanas suelen ser patriarcales, las aragonesas matriarcales. Este hecho, además del mucho tiempo que pasan las madres con sus hijos mientras el padre está trabajando, contribuye a explicar la importancia de la figura de la madre en las películas de Saura, especialmente cuando deja de satirizar a la familia franquista (como en la castellana *Ana y los lobos)* e, inspirándose en el famoso sentido del humor aragonés, describe un matriarcado.

[34] *Contracampo,* núm. 6, octubre-noviembre de 1979, pág. 71.

atrae, la madre, los hijos...»[35]. Resulta difícil comparar *Ana y los lobos* con *Mamá cumple cien años* si tenemos en cuenta que existen claras diferencias sociales entre las familias de ambas películas: la de la primera es puramente franquista; la de la segunda es, como Saura ha señalado, típica de la burguesía del sur de España[36].

Como cabe esperar de un cineasta para el que el franquismo eran cuarenta años de aberración cultural, la visión que dio Saura de la España de 1979 reflejaba no sólo el estado pasajero en que se encontraba el país nada más salir de la dictadura, sino también su naturaleza permanente. Saura consideraba que esta naturaleza estaba encarnada en las tradiciones culturales más duraderas de España, las cuales utilizó para regular los acontecimientos y el tono de su película. En *Mamá cumple cien años* hay un sinfín de referencias culturales. La escena en que Ana oye la voz de Mamá en la gruta está inspirada en San Juan de la Cruz; el regalo de cumpleaños de Mamá consistente en bajarla desde el techo en su silla alude al Misterio de Elche, y la escena en que Mamá aparece muerta y resucita al sentir una ráfaga de viento sobrenatural fue inspiración del grandilocuente diseñador teatral Rambal[37]. Pero lo que ocurre con las observaciones de Saura sobre el estado pasajero de España y su naturaleza permanente es que las referencias a uno de estos aspectos —por ejemplo, la resurrección de Mamá— pueden ser tomadas por alusiones al otro[38]. *Mamá cumple cien años* refleja los numerosos problemas a los que tuvo que enfrentarse un cineasta después de la muerte de Franco al intentar abandonar una tradición antifranquista en favor de un contexto cultural más amplio.

---

[35] Citado por Oms, *Carlos Saura,* pág. 81.

[36] *Télérama,* núm. 1.556, 10-16 de noviembre de 1979.

[37] «En Semana Santa, se hacían los cuadros de la pasión de Cristo en todas las ciudades, y yo recuerdo que en Huesca una vez Rambal hizo una cosa hermosísima. Ya sabes que las figuras estaban completamente inmóviles, pero los efectos, rayos, truenos, vientos, etc. eran maravillosos». Saura citado por Antonio Castro, en *Dirigido por,* núm. 69, diciembre de 1979, pág. 48.

[38] Otro ejemplo es el uso que hace Saura de motivos religiosos tradicionales —la voz sobrenatural y el rayo de luz provenientes del cielo— para describir la comunicación sobrenatural de mamá con los demás. La idea de Saura era presentar «las relaciones misteriosas que tienen las madres con sus hijos» (*Télérama,* 10-16 de noviembre de 1976).

Mamá cumple cien años, Carlos Saura, 1979. Mamá, la inimitable y entrañable Rafaela Aparicio

Uno de los factores que más han influido en la segunda parte de la carrera de Saura ha sido la oposición que mostró hacia él la prensa cinematográfica española. A finales de los años 70 se le acusaba de un «narcisismo tan exacerbado como inútil» y de ser demasiado serio, «monótonamente repetitivo» y pretencioso. Tales críticas le impulsaron a tomar un camino que, en realidad, ya había iniciado: dar una nueva personalidad a su cine[39].

En *Deprisa, deprisa,* Saura dio una nueva orientación al tema y a la clase social de los personajes describiendo la vida de cuatro delincuentes madrileños que cometen atracos, toman heroína y roban coches movidos por un vago, pero visceral, sentido de la «libertad» y por un desprecio a los convencionalismos de la clase media. Asimismo, adoptó nuevos métodos de trabajo: se olvidó del guión original y se puso a recorrer los bares y las discotecas de los barrios obreros de Madrid a fin de basar sus personajes en sujetos reales[40]. La película es un documento sobre delincuentes juveniles en el que se muestra a éstos tal como son, con su flamenco *pop,* sin las lacras de la guerra civil y con ese acento entre gitano y castizo que les caracteriza. Incluso el diálogo suena natural.

La otra base de *Deprisa, deprisa,* también es ajena a Saura: el formato de las *crime movies* americanas. Los delitos de los delincuentes son cada vez más complicados y violentos; los pequeños detalles predicen que acabarán mal —el coche de color rojo san-

---

[39] Citas de Esteve Riambau, en *Dirigido por,* y Carlos Boyero, en *La guía del ocio.* La izquierda radical de *Contracampo* acusó a Saura de no saber rodar sus películas formalmente.

Durante una visita que hizo a Londres en 1986 para asistir a un homenaje que se le dedicó en National Film Theater, Saura se alojó en el Savoy. Cada vez que entraba al hotel, un recepcionista de origen extranjero le daba la llave de la habitación llamándole «Mr. Carlosawa». El paralelo es curioso. Mientras que a Kurosawa se le acusó en su país de occidentalizar su herencia japonesa, a Saura le acusan en el suyo de explotar tradiciones nacionales que ya tuvieron su momento. Ya sea en lo referente a la mezcla de fantasía y realidad o en lo que toca a la violencia, Saura siente diferir. Sobre la visión que se tiene de él en el extranjero, véase mi «Mr. Carlosawa», en *Sight and Sound,* otoño de 1986.

[40] *Deprisa, deprisa* se hizo después de que Saura se separara de Geraldine Chaplin y se mudara a un piso en un barrio obrero del Madrid antiguo. El delincuente real que iba a interpretar a Pablo murió de un tiro de la policía pocas semanas antes de que comenzara el rodaje.

gre que Pablo compra a la chica, Angela—, y el ambiente social que les impulsa a delinquir no es analizado, pero hay un vago deseo de escapar, simbolizado por los trenes que se ven pasar desde el piso de Ángela y que ni ella ni sus amigos tomarán nunca.

Saura opone el documento a la ficción. En el primer atraco, por ejemplo, Ángela se queda vigilando al guardia de seguridad en la entrada de la fábrica. El bigote postizo que lleva se le empieza a caer, y el guardia le dice que sus amigos la han abandonado. Este tipo de tensión dramática está realzada por convencionalismos formales del cine documental tales como los planos tomados con la cámara sostenida a mano, el encuadre descentrado y el diálogo naturalista de los sujetos filmados (como cuando Pablo expone el plan del atraco con su acento de macarra). Pero Saura dota al material documental de una impresionante forma cinematográfica.

Saura tomó como punto de referencia para estas técnicas su primera obra, *Los golfos* (1959), «especie de documental y película», como él mismo señala, donde se narra la historia de un grupo de jóvenes de clase baja que, decididos a escapar del ambiente sin futuro en el que viven, forman un equipo de novilleros y se ponen a reunir dinero con el que pagar el debut profesional de su matador. Hundidos en la miseria, sin trabajo o muy mal pagados cargando cajas en el mercado, acaban robando. Uno de ellos es reconocido. La gente se lanza tras él, se mete en una alcantarilla y se ahoga. Cuando por fin llega la ansiada corrida, es una carnecería.

Deprisa, deprisa se inspiró en *Los golfos* para retratar la disidencia social. La primera película de Saura empieza, como señala Brasó, «ya en marcha». Presenta el catalizador que produce la reacción —la necesidad de reunir dinero con que lanzar a un torero— más que las causas sociales de ésta: la crisis económica de finales de los años 50, y la urbanización incontrolada en un país que carecía de un sistema de bienestar social. En ambas películas hay una serie de sutiles pero significativos detalles de los que se deducen las causas de la delincuencia. Cuando Pablo y Ángela llevan una televisión a la abuela del muchacho, por ejemplo, la cámara pasa del aparato a la torre de una iglesia. La secuencia rodada en el Cerro de los Ángeles comienza con la cruz del monumento en primer plano y los delincuentes al fondo, empequeñecidos —esta composición, típica de Saura, sugiere que los personajes están dominados por su ambiente[41]. En ese momento llega un coche de la policía y los muchachos son alineados contra la pared y cacheados. ¡Oiga, pero qué democracia es ésta!, comenta uno de ellos. «¡Aquí el que habla soy yo!», responde un policía. Estas escenas sugieren que en España ha desaparecido la represión religiosa tradicional, pero nuevas formas represivas, como la policía y los medios de comunicación —en los que sólo tiene voz la autoridad— han ocupado su lugar. De regreso en su piso con Pablo, que está herido de muerte por un disparo de la policía, Ángela pone la televisión. Es la hora del telediario. Después de una noticia sobre el Papa y las escuelas católicas, informan del atraco a un banco que han cometido ellos. El presentador habla en un tono neutro e imparcial. Pero la descripción de los hechos no se atiene del todo a la verdad, y los «ciudadanos normales» que presenciaron el suceso describen a los delincuentes como si se tratara de «monstruos», lo cual contrasta radicalmente con la idea que nosotros, los espectadores de la película, nos hemos formado de ellos. Los españoles, el Estado y el ciudadano medio aparecen en esta escena condenando algo que no conocen.

Deprisa, deprisa muestra una simpatía similar hacia los individuos rechazados por la sociedad. En realidad es una doble historia de amor. Por un lado está la relación de Pablo con Ángela, expresada con declaraciones afectadas y tranquilas escenas de cariño desinteresado; por el otro, la relación del director con los personajes, en especial con Ángela. La clave de la nueva actitud de Saura está en el flamenco *pop* de los delincuentes. Es la música lo que da vigor y emoción a la película. Además, la mayoría de las canciones románticas van acompañadas de un primer plano de Ángela. Tales planos normalmente no representan la mirada de un personaje. La única vez que uno de ellos se ajusta a la mirada enamorada de Pablo es cuando éste lleva a Ángela a la costa, tarareando mientras conduce la canción «Me quedo contigo», y se vuelve a mirar a la muchacha. *Deprisa, deprisa* anuncia un nue-

[41] El Cerro de los Angeles fue escenario de un famoso sacrilegio durante la guerra civil, cuando un grupo de milicianos «fusiló» a la estatua de Cristo. El episodio le causó gran impresión a Buñuel; sin embargo, otra vez marcando distancias del pasado, Saura deja claro que los delincuentes no han oído hablar de él.

vo y romántico Saura. Aunque velada a veces por ironías, esta actitud ha permanecido con él hasta ahora.

El musical español: «Bodas de sangre» y «Carmen»

Con *Bodas de sangre* y *Carmen,* Saura culmina su propia transición, después de la muerte de Franco, de cineasta de la oposición a cineasta de las tradiciones, costumbres y cultura de España. Con *El Dorado* (1988) y *La noche oscura* (1989) daría a estos temas un enfoque histórico.

La puesta en escena de *Bodas de sangre* realizada por Alfredo Mañas omite los personajes sobrenaturales de Lorca y dramatiza la pelea con navajas del final, pero reproduce el argumento melodramático de la obra original con una economía de medios que se repite en la coreografía sencilla, pero elocuente, de Gades. Una madre baila con su hijo mientras le viste para ir a pedir la mano de su futura esposa. Se horroriza al ver que el muchacho se dispone a coger una navaja: su marido y su otro hijo murieron en una pelea y no quiere que a éste le pase lo mismo. En el segundo dúo, otra madre mece una cuna; aparece su marido, Leonardo, y le abraza, como implorándole, pero él la aparta de sí con un gesto desdeñoso y altanero. En el tercer dúo se explica por qué: Leonardo y la futura esposa bailan juntos, se separan para retorcerse en el suelo víctimas del dolor que les produce reprimir sus sentimientos y vuelven a unirse en un apasionado abrazo. Llegan los músicos anunciando la mañana de la boda; Leonardo merodea alrededor de los invitados y la novia sólo tiene ojos para él. Más tarde, la mujer de Leonardo irrumpe en la escena y dice que su marido y la novia se han escapado juntos; la madre del novio exige venganza y pide a su hijo que salga tras ellos. En la escena final, los dos hombres sacan navajas y se matan, dejando a la novia sola, llorando la desgracia.

Saura adapta a Gades filmando un ensayo, no una representación, y añadiendo un prólogo en el que se ve a los bailarines maquillándose, haciendo ejercicios para entrar en calor y, por último, cambiándose para el ensayo general. Esta adaptación de la adaptación que hace Gades de Lorca permite al espectador hacerse una clara idea del modo en que los efectos son transcritos de un medio a otro. El teatro, según Lorca, era poesía que se tomaba de un libro y se hacía humana[42]. El teatro «poético» de Lorca utilizaba contrastes de color, elementos sobrenaturales y un verso lleno de imágenes, a menudo tomadas de la naturaleza. La «poesía» de Gades radica en los movimientos armoniosos de la danza clásica española y en una coreografía a veces surrealista que Saura capta en el prólogo: un plano general muestra a los bailarines levantando las manos y girándolas al unísono, lo que produce el efecto de un bosque de brazos mecidos por el viento. La «poesía» de Saura consiste en establecer una relación de danza entre la cámara y el bailarín, de modo que los movimientos de uno determinen las posibilidades del otro. Si en el campo hay movimiento, la cámara suele permanecer fija; si un bailarín se queda en un sitio, tiende a moverse. Pero hay otras transcripciones igualmente elocuentes. El ballet crea tensión castañeando los dedos, y Saura consigue un efecto similar vaciando el encuadre de figuras y haciendo que los bailarines irrumpan de pronto en el plano[43].

La mayor cualidad de *Bodas de sangre* es su impacto visual; la clave de los elementos, más cerebrales, en que se basa la película está en el modo en que se utilizan en ella los espejos. En una de las primeras secuencias, Gades baila delante de un espejo, y luego se pone al frente del ballet y mira más allá de la cámara hacia el espejo, en el que se reflejan los bailarines situados detrás de él. Colocar la cámara delante del espejo la equipara, como ha señalado Saura, a «un espejo donde ellos están ensayando, o un público, que de alguna forma es un espejo imaginario»[44]. Más tarde, los bailarines vuelven a posar delante de la cámara, pero esta vez para una fotografía de boda. Durante unos instantes la imagen queda congelada, mostrándoles en posiciones convencionales —al novio, por ejemplo, con las manos en las rodillas, como imponiendo su machismo.

---

[42] Citado por C. B. Morris en una útil guía crítica, *Bodas de sangre,* Londres, Grant and Cutler, 1980.

[43] Otra transcripción es la del ambiente andaluz de Lorca. Gades utiliza accesorios estilizados, y los bailarines parecen gitanos; Saura escucha sin la menor discreción el jolgorio flamenco de los músicos cuando éstos están en los camerinos charlando.

[44] *Cine cubano,* núm. 104, 1983, pág. 40.

Existe una clara similitud física entre la actitud artística de los bailarines y la actitud social de los personajes de la obra. Tanto el ballet como las ceremonias sociales son ritos que comportan restricciones. Los personajes se visten para la boda; los bailarines, para el ensayo. Los componentes del ballet repiten en cada actuación los mismos pasos; lo mismo hace la sociedad. Gades dice a los bailarines que «contengan» el cuerpo; Leonardo y la novia tratan desesperadamente de contener sus emociones. No obstante, *Bodas de sangre* deja claro que la importancia social de los acontecimientos o las figuras difiere substancialmente de su importancia artística. El autocontrol y la disciplina de los bailarines da lugar a un ballet de gran belleza; la continencia de Leonardo y de la novia genera el mayor de los tormentos. Similar ambivalencia presenta la figura clave de *Bodas de sangre:* el círculo. El novio toma a su madre en brazos y danza con ella dando vueltas; la película traza un círculo al comenzar y acabar con una imagen congelada de la fotografía de boda. Desde el punto de vista estético, tales repeticiones resultan sumamente bellas. Sin embargo, el significado social de estos círculos es absolutamente negativo: el mundo del novio gira de un modo malsano alrededor de su madre; con el rebelde Leonardo eliminado, *Bodas de sangre* acaba con una imagen irónica de la armonía social.

En *Carmen,* Saura contrasta la danza y la realidad social de los bailarines mostrando que se asemejan lo suficiente como para dejar ver que las relaciones hombre-mujer siguen siendo básicamente iguales a como las describió Mérimée en el siglo XIX, cuando, como señala Saura, España era un país «tradicionalmente católica, dominada todavía por el honor y la honra, donde los crímenes pasionales se justificaban por irracionales celos y por el sentido de la "posesión" que durante siglos parece marcar las relaciones hombre-mujer»[45].

Al principio de *Carmen* se ve al coreógrafo y director Antonio (interpretado por Antonio Gades, que realizó el guión y la coreografía junto con Saura) buscando una chica capaz de desempeñar el papel principal en una versión bailada de *Carmen*

[45] Carlos Saura, «Historia de nuestra película», en *Carmen,* Barcelona, Círculo/Folio, 1984, pág. 54. El libro contiene la novela de Mérimée, declaraciones de Gades y una historia de las Cármenes de la pantalla.

que está haciendo. La encuentra por fin en un tablao: se llama, cómo no, Carmen, y es, cómo no, una mujer independiente y decidida. Antonio se enamora inmediatamente de ella, y Saura aprovecha la relación que se crea entre ambos para hacer un comentario irónico sobre el machismo en la España actual. Al igual que su equivalente en la ficción, Don José, Antonio cae pronto presa de los celos y hace todo lo posible para apartar a la muchacha de los demás hombres: ni siquiera habla con el representante de Carmen. Abusa de su posición como director del ballet y como bailarín que interpreta el personaje de Don José para hacer que la chica se muestre cariñosa con él en los ensayos. Asimismo, la idealiza: la trata como si fuera la encarnación de un arquetipo en vez de una persona. Pero, por otro lado, antepone el orgullo al amor. En la escena final del ballet, él y el torero pelean por Carmen. Cada uno trata de bailar mejor que el otro, y la mujer no tarda en quedar relegada en lo que se convierte en una competición de baile donde lo importante es quedar bien ante el público.

El machismo impide la comunicación. Además no es más que una mentira. Uno de los grabados de Doré utilizados en la secuencia que presenta los títulos de crédito muestra a una muchacha andaluza vestida de torero; tiene un toro muerto a los pies, y cierto aire masculino que la hace parecer un travestido. Esta imagen es muy significativa, ya que Antonio, aunque hace gala de su virilidad, se ve obligado a desempeñar el papel de subordinado en su relación con Carmen. Ocupa el puesto de ella en los ensayos para enseñarla a bailar, y es la muchacha quien inicia la relación sexual, tanto en la ficción del ballet como en la realidad, yendo al estudio de Antonio una noche en que él se ha quedado allí para ensayar.

La primera noche que Carmen y Antonio pasan juntos es un momento decisivo de la película. Hasta entonces, Saura había estado acumulando diversos elementos o efectos con los que nos daba a entender que las escenas que teníamos ante nosotros eran ficción o tendían a ella, en el sentido de que constituían ensayos o visiones subjetivas del protagonista. Por ejemplo, *Carmen* comienza con una escena en la que se ve a unas cuantas chicas bailando delante de Antonio. Están en un escenario, las luces son bajas y la imagen está difuminada y tomada desde el punto de vista de Antonio, lo que indica que éste ya está «subjetivando» la escena que tiene ante él, imaginándose a las chicas como si fueran su mítica Carmen. En realidad, son muchos los elementos —espejos, montaje, colocación de la cámara, iluminación, decorado, etc.— que contribuyen a convertir en ficción la realidad que tenemos ante nosotros[46].

Cuando Carmen se va después de haber hecho el amor, Antonio se pone a bailar delante de un espejo, para confirmar así su personalidad desde el punto de vista artístico (como magnífico bailarín), de la ficción (como el personaje de Don José) y social (como conquistador). Una vez conseguida Carmen, su machismo hace que de pronto tenga miedo de perderla. Bebiendo del vaso medio vacío que ha dejado ella, se la imagina yendo a la cárcel a visitar a su marido, a quien Antonio ve personificado en un miembro del ballet[47]. Una explicación a las restantes escenas de *Carmen* es que todas son imaginaciones de Antonio. En tal caso, el personaje de Carmen serviría para mostrar que cuando un hombre machista se encuentra con una mujer agresiva tiende a desviar la amenaza que ésta representa convirtiéndola en un arquetipo basado en la ficción. Antonio imagina que Carmen, la chica con la que se ha acostado, morirá como Carmen el mito. Es al mismo tiempo una sublimación y una venganza. También es posible que en las últimas escenas se mezclen fantasías de Antonio (como cuando ve al marido de Carmen, interpretado por un bailarín, llegar a su estudio con el manager de la chica, el cual no parece advertir que el marido es pura «ficción»), representaciones del ballet (como el duelo entre el torero y Don José) que están influidas por la realidad y hechos reales (como cuando Antonio descubre a Carmen haciendo el amor con el bailarín «Tauro») que reflejan la ficción. Por último, una tercera explicación sería que la realidad y la ficción se mezclan inextricablemente. Una vez más, un flujo constante entre distintas realidades llama

[46] Al multiplicar índices de su propia ficcionalidad, *Carmen* refleja el estilo de Jorge Luis Borges, cuya influencia Saura ha reconocido.

[47] Para Borges, y quizá también para Saura, el alcohol es señal de una mente fantasiosa que crea ficciones. Al igual que sus equivalentes en la obra de Mérimée, Antonio y Carmen beben jerez. Durante la puesta en escena del juego de cartas, hay una botella de Rioja medio vacía encima de la mesa.

la atención sobre un punto: el impacto que tienen en la realidad española las «ficciones», dos ejemplos del cual en la España actual serían *Carmen* y el código todavía imperante del machismo.

Pero el flujo de ficción y realidad de *Carmen* tiene otras interpretaciones. Gades y Saura pretendían que esta película fuera un musical español. El segundo manifiesta cuáles eran sus intenciones en una de las primeras escenas: Antonio escucha la ópera *Carmen,* mientras, con admirable espontaneidad, su amigo Paco (interpretado por Paco de Lucía) va adaptando la música de Bizet a la guitarra española. «La *Carmen,* de Bizet», comenta Saura en el guión, «la música de su ópera universal, vuelve al país que fue el origen del mito»[48]. Entre los bailes de la película figuran pasodobles, sevillanas, danza clásica española y una farruca, bailada con movimientos bruscos y austeros por Antonio para expresar su amor por Carmen. En *Carmen,* Saura no sólo personificó la cultura española, sino que destacó también algunas de sus principales características. La escena final muestra a Antonio matando a Carmen con una navaja en un rincón del estudio. En sus fantasías, en la obra bailada y en la realidad, prefiere matarla antes que cedérsela a otro hombre. El hecho de que los acontecimientos, ficticios o «reales», de *Carmen* se atengan al mito de Carmen les dota de un aire de inevitabilidad muy español. Saura y Gades incluyen otro ritual de sangre, pasión y muerte inevitable: la corrida de toros. Tanto la ópera de Bizet como la corrida son parodiadas en la fiesta de la compañía de danza, lo que da a entender que constituyen un elemento central de una cultura fundamentada en el fatalismo.

La mixtificación resultante de mezclar la ficción y realidad se combina con el atractivo visual de la película de un modo que es típico de la cultura católica mediterránea: con sentido del espectáculo, deleitándose en la representación sensual de los acontecimientos, creando un aire de misterio. El *tour de force* de Saura es la pelea de Carmen con otra chica en la fábrica de tabaco, donde

---

[48] *Carmen,* pág. 64. Saura admiraba la novela de Mérimée, pero consideraba que el libreto de la ópera de Bizet era una «traición». El ballet clásico es demasiado «amanerado» para las tragedias, ha comentado Saura, pero el «baile flamenco puede expresar la violencia y está acorde con su pasión». *Image et son,* núm. 386, septiembre de 1983, pág. 24.

mezcla imágenes borrosas, colores cálidos o brillantes, una cámara que se desplaza constantemente, acentuadas diagonales en la composición de los planos, cortes rápidos de planos generales a planos medios y un continuo acercamiento de la acción secundaria —el baile de las demás chicas— a primer término para crear dos exuberantes centros de acción bailada. Igualmente impresionante es la escena que da comienzo a la película, donde el vivo color turquesa, malva y rojo de las ropas de las bailarinas pintan una atmósfera de perfumada sensualidad, un jardín de figuras oscilantes.

Carmen, musita Vicente Molina Foix, «se convierte en la *reflexión* sobre la vida bailada de unos personajes para quienes la música y la danza son los únicos signos y el lenguaje más cierto»[49]. En un mundo de disimulo, pasiones malsanas y comunicación frustrada, ¿qué mejor manera de simbolizar un sentimiento bello que mediante un gesto bello? La danza capta también el tono de los sentimientos de Carmen, pasiones extrovertidas que siente y expresa de inmediato como sensación en el presente. Una de las secuencias más impresionantes de la película es la escena de amor entre Antonio y Carmen, cuando se aman como personas y como personajes. Ella danza para él y él la mira; él danza para ella y ella le mira. Se dan placer por placer.

Carmen da también una visión pesimista y muy española de la libertad. En una España posfranquista, los personajes todavía llevan las huellas de los siglos de gobierno autoritario: para ellos, la «libertad» no es tanto un derecho como una forma de escapar. «Vamos a retirar la escalera», dice Antonio cuando prepara el escenario para bailar su danza de amor con Carmen. «Vamos a poner los espejos en su sitio y vamos a ir cerrando las cortinas muy despacio. Dejadme todo el espacio vacío, ¿eh?» Separado de una realidad hedionda y engañosa, Antonio baila con Carmen. Cuando la abraza, la cámara se acerca lentamente a ellos, dejando fuera de campo incluso un resto de realidad como son las luces de escena. Los brazos de Antonio rodean a Carmen; se miran a los ojos y bailan. Es posible que su huida de la realidad sea una ilusión. Pero el arte da a esta ilusión un «espacio vacío» donde respirar.

---

[49] Vicente Molina Foix, «Música maestra», *Fotogramas,* núm. 1.687, junio de 1983, págs. 83-84.

«Dulces horas», «Antonieta», «Los zancos»

Saura volvió a hacer un musical español y a colaborar con Gades en 1985 con *El amor brujo,* basada en un ballet con música de Falla. Aparte de la trilogía dedicada a la danza, todo el cine que ha realizado en los años 80 se compone de películas interesantes más que de obras importantes. *Dulces horas* (1981) refleja la continua búsqueda de Saura de nuevos modos de expresión. El protagonista, Juan, es un director de teatro, dueño también de una galería de arte, que encuentra la correspondencia que mantuvieron su madre y su padre después de que éste les abandonará y se fugara con su amante a Sudamérica a raíz de un escándalo financiero. Las cartas le inspiran la idea de poner en escena una obra en la que describa su infancia en una familia de clase media en los años 40. Los ensayos le traen recuerdos: los bombardeos de la guerra civil, las atenciones dominantes de su madre, el suicidio de ésta, el cual Juan cree que presenció e incluso contribuyó inconscientemente a provocar. Asimismo, se enamora de Berta, la actriz que interpreta, y se parece (cree él), a su madre, y se casa con ella. Al final de la película, Berta, embarazada ya de varios meses, canta «Recordar» (una canción de la infancia de Saura) mientras baña a Juan y le pregunta en tono maternal: «¿Cómo está mi niño?»

Saura afirma que, en *Dulces horas,* pretendía contar la misma historia de otra manera. Las antiguas formas no han variado, su identidad sí. La dialéctica de Saura se compone ahora de recuerdos que contrastan y se funden con la ficción. Como Juan se interpreta a sí mismo en los ensayos, y su personalidad como personaje de la obra no se descubre hasta muy avanzada la película, al principio parece que su ficción es recuerdo. Al final, se descubre que tanto la ficción como el recuerdo son inexactos y, por tanto, que constituyen otro tipo de «ficciones». Juan recuerda, por ejemplo, a su madre tomando una sobredosis de píldoras; sin embargo, en otro momento declara que nadie sabe cómo murió. En su obra, Juan va al cine a ver *Gilda* y cuando llega a casa su tío está leyendo algo en el periódico sobre la invasión alemana de Rusia; pero *Gilda* se estrenó en España, con gran escándalo, por cierto, en 1947.

La principal innovación de *Dulces horas* radica en su tono. Es una clara parodia de películas anteriores. Cuando el protagonista recuerda su infancia, por ejemplo, la música suena más alta, y la cámara enfoca estáticamente hacia arriba y se pone a vagar entre los árboles. Asimismo, Juan considera que la idealización que hace de su madre es injustificada: fue la «dominación total» de la madre lo que hizo que el padre se fugara. Es posible que las obsesiones del protagonista no tengan base real y sean ridículas, pero la acerba conclusión de la película es que no por ello dejan de tener importantes consecuencias.

Dulces horas confirmó la tendencia modernista de Saura a reflexionar sobre el pasado artístico de España y sobre su propio pasado como director. Pero las críticas a la película que aparecieron en las revistas de cine españolas fueron tan virulentas, que tuvo que abandonar por completo la segunda de estas dos opciones[50]. En 1983 rodó *Antonieta,* en la que una investigadora (interpretada por Hanna Schygulla) trata de descubrir cómo fue la vida y el suicidio de Antonieta Rivas Mercadé (Isabelle Adjani), la bella mecenas mexicana que rompió con los convencionalismos sociales y abandonó a su marido por el político mexicano Vasconcelos. Por primera vez en toda su carrera, Saura rodó en el extranjero y no escribió él mismo el guión. El resultado es una película histórica no demasiado original: una gran producción sin pretensiones intelectuales, un retrato formalmente convencional de la rebelión de un individuo y una lujosa ilustración de la pobreza. Además carece de gran parte del sentido de la psicología femenina y de las fértiles comparaciones entre pasado y presente característicos de Saura[51].

En *Antonieta,* la personalidad de Saura como autor desaparece. Volvió a salir a la luz en *Los zancos* (1984), cuyo principal atractivo es la interpretación de Fernando Fernán-Gómez, que

---

[50] *Elisa, vida mía,* Recherches Ibériques Strasbourg I, 1983, pág. 18. «Lo que me gustaría hacer es contar la misma historia a través de los años, porque seguramente aparecen elementos nuevos y la perspectiva cambia... Si no lo hago más es porque me lo reprochan los críticos... y no me dejan trabajar.» *Elisa, vida mía,* Recherches Ibériques Strasbourg II, pág. 18.

[51] Saura declaró que se fue a México a hacer *Antonieta* «para escapar de mí mismo». Consideraba que Antonieta estaba supervalorada como escritora y que su idea de que la cultura reduce la violencia era bastante absurda. Este escepticismo lúcido no era siempre de agradar.

también colaboró en el guión. El protagonista, Angel, es un profesor de universidad y escritor que, deprimido y solitario tras la muerte de su esposa, está pensando en suicidarse, pero Teresa, su joven y bella vecina, le saca tal idea de la cabeza. Enamorado, Ángel escribe una fábula llamada «El caballero melancólico» para el grupo de teatro en el que trabaja la chica. Se trata de una obra en la que los actores llevan zancos. Teresa quiere consolar a Ángel pero corta los principios de una relación amorosa. Ángel trata entonces de suicidarse con gas, pero le falta el valor. Sale al jardín y ve de lejos a Teresa y a su marido relajados en su sala de estar, ve cómo se aman, ve su juventud. Solo, cercado por la muerte, Ángel reconoce su verdadera condición.

Aunque se trata de una obra menor, repleta de referencias españolas, *Los zancos* muestra cierta evolución. Las ambigüedades respecto a la naturaleza de las escenas —si son ficción o realidad— se han sustituido por incertidumbres acerca de los motivos: ¿Por qué no llega a suicidarse Ángel? ¿Por qué se siente incapaz de hacerlo? ¿O por qué abriga todavía una perversa esperanza de reconciliación con Teresa? Subrepticiamente, pero con éxito, las antiguas ideas encuentran nuevas formas que modifican los significados. Por ejemplo, Ángel tiene una cámara de vídeo. El vídeo reemplaza a la fotografía como registro del rostro humano, tan misterioso a pesar de ser tangible: Ángel amplía una imagen congelada del rostro de Teresa hasta dejarla reducida a una especie de vaho que empaña todo el campo. Sin embargo, es mucho menos fácil adoptar una pose ante una cámara de vídeo que ante una cámara fotográfica: los videoclips que hace Ángel de sí mismo revelan inequívocamente su avanzada edad.

Lo único del estilo anterior de Saura que queda en *Los zancos* es un sentido, a veces muy agudo, de la psicología humana y una constante preocupación por el legado de la cultura española. Los jóvenes actores del grupo de teatro de Teresa ponen a la obra de Ángel una música judeoespañola medieval que sitúa a su identificación del amor con el sufrimiento (de la que la película de Saura simplemente se hace eco) en una dimensión eterna. Abrazando a Teresa, Ángel cita una serie de paradojas de un poema de Quevedo en el que se describe el amor como misterio inefable. Detrás de *Los zancos,* agudizando la triste situación de Ángel, se encuentra el énfasis que se dio en el siglo XVII a la soledad y al desengaño, a la necesidad de reconocer el verdadero estado en que se encuentra uno mismo —en el caso de Ángel, la cruda verdad de que ya es demasiado viejo para atraer a una mujer joven. Saura da un sentido más a estas tradiciones: es posible que el amor sea paradójico, pero hay paradojas que no pueden durar. Una de ellas es la relación entre una mujer joven y un hombre viejo, y Saura pone de manifiesto las incongruencias físicas de la misma utilizando contracampos de Teresa y Ángel o planos en los que la tez joven y fresca de ella contrasta con el rostro surcado de edad de él[52].

En *Los zancos,* Saura trata por primera vez el tema de la edad, de su propia edad. La «realidad» no es ya la represión de la dictadura franquista, ni el legado que dejan a la larga los convencionalismos sociales, ni siquiera «lo que alguien piensa... los fantasmas de su mente». La «realidad» es también el esqueleto que se oculta bajo la carne, la mortalidad humana. La riqueza de matices que adquiere *Los zancos* gracias a las tradiciones prefranquistas indica que Saura volverá a recurrir a éstas en el futuro. Para Joan Miró, el franquismo era una aberración; él veía la cultura española como un algarrobo profundamente enraizado y siempre verde. Un regenerador cultural como Saura tiene que compartir, sin duda, esta imagen.

---

[52] Sobre *Los zancos,* véase la entrevista con Julián Marcos y Esteve Riambau de *Dirigido por,* núm. 119, noviembre de 1984. En ella se descubre a un Saura que piensa en el futuro: «Hasta ahora hemos estado en la prehistoria y que a partir del vídeo podemos hablar de otra cosa.»

VI

El pluralismo cinematográfico español: 1977-1983

El 15 de junio de 1977 se celebraron elecciones libres en España por primera vez en cuarenta años. Las calles estaban llenas de panfletos y los carteles empapelaban paredes y vallas. Desde un mes antes, todos los días tenían lugar diversos mítines políticos. Los españoles y el país entero estaban irreconocibles. Incluso las «pijas» participaron en la campaña electoral recorriendo las calles de Madrid en coche desperdigando propaganda de Alianza Popular. En este ambiente tan politizado, incluso a la pornografía se la quiso hacer pasar por un signo de tolerancia democrática. «Mi postura democrática», declaró en septiembre de 1976 Susana Estrada, la inefable autora de *Sexo húmedo*, «radica en que lo enseño todo para que uno vote como quiera»[1].

Una vez más, los acontecimientos de la transición tuvieron un paralelo en el cine. Si las opciones políticas se abrieron en abanico, adquiriendo cierto carácter específico, lo mismo les ocurrió a las cinematográficas. Si el frente antifranquista multiforme se dividió para librar la batalla electoral, lo mismo le pasó al frente antifranquista cinematográfico, cuyo principal rasgo homogeneizante había sido el público, tan dispuesto a aplaudir la radical *Pim, pam, pum..., fuego* (1975) como la ambigua *Vida conyugal sana* de dos años antes, ya que, en su contexto, ambas películas representaban motores de cambio. Satisfecha la necesidad de cumplir deberes políticos por la llegada de la democracia y relajadas las presiones administrativas, las posturas cinematográficas se diversificaron, se adoptaron actitudes más específicas e identi-

[1] *Fotogramas,* núm. 1.458, septiembre de 1976, pág. 15.

ficables con los partidos que poblaban el espectro político desde la extrema derecha hasta la extrema izquierda o se tendió a abandonar la cinematografía política a fin de dar cuenta de los costes personales del franquismo y de las limitaciones del cambio social en la era posfranquista. Luis Buñuel regresó a España. Los cines nacionales superaron los problemas planteados por el debate ideológico interno y la falta de infraestructura industrial e intentaron la producción a pequeña escala.

Sin embargo, la historia española no dejó que este pluralismo siguiera un curso tranquilo y sosegado. En la historia, como señaló en cierta ocasión Herbert Butterfield, «lo único absoluto es el cambio»[2]. La anulación de las cuotas de distribución del Estado hundió a la industria cinematográfica española en la peor crisis económica de los últimos años, una crisis de la que los cineastas intentaron salir mediante diversas estrategias encaminadas a la conquista de mercados y entre las que destacó especialmente el cine de géneros. Con los cines catalán, de autor (Saura y, en parte, Gutiérrez Aragón), radical, popular-nacional y rupturista en pleno desarrollo, la cinematografía española entró en el periodo más rico en tendencias —aunque no siempre en calidad— de toda su historia.

La quiebra de la industria cinematográfica, 1977-1982, y algunas respuestas: el cine de sexo español, el «film noir», y la nueva comedia española

> El cine, en general, es una mezcla de arte e industria, pero el cine español es una mezcla de arte y falta de dinero.
>
> Pepe Isbert[3].

En los años 70, la economía española se venía vertiginosamente abajo. «El elevado grado de subordinación tecnológica»,

[2] En *The Whig Interpretation of History.*

[3] Julio Pérez Perucha (ed.), *El cine de José Isbert,* Ayuntamiento de Valencia, 1984, pág. 207.

escribe Robert Graham sobre el milagro económico español, «la gran dependencia de la energía importada (todavía barata), el alto nivel de proteccionismo de la industria nacional, el bajo coste de los créditos, la explotación de la mano de obra y la continua prosperidad de las economías del norte de Europa nunca se tuvieron en cuenta. Sin embargo, éstos eran los pilares sobre los que descansaba el milagro económico»[4]. Cuando la recesión mundial de principios de los años 70 hizo que estos pilares se vinieran abajo, la economía española sufrió las consecuencias. En 1983, 2,2 millones de españoles, el 17 por 100 de la población activa estaban en paro. Casi la mitad de ellos eran jóvenes en busca de su primer empleo que no tenían derecho a ningún tipo de seguridad social.

En muchas de las películas de finales de los años 70 y principios de los 80 se advierte un profundo sentimiento de desilusión e impotencia. Sin embargo, «el cine», ha señalado Manuel Gutiérrez Aragón, «no es el medio más apropiado para hacer testimonio, pues ya es testimonial en sí»[5]. La mejor prueba de la crisis económica de España que dio el cine del país fue su propia recesión. La crisis de la industria cinematográfica española tuvo su origen más remoto en la falta de mercados internacionales y en la pérdida de público nacional. El productor Luis Megino ha afirmado que «lo ideal sería que el dinero para hacer películas en España procediese a partes iguales del mercado nacional, las ventas al extranjero y la subvención estatal». Sin embargo, excepto en los años 30, la aportación de el segundo de estos factores ha sido siempre insignificante; en 1970, por ejemplo, ascendió a 160 millones de pesetas, mientras que el mercado nacional produjo 3.650 millones.

Los distintos cambios que se han venido produciendo desde los años 50 han hecho que el mercado nacional haya estado sometido a una presión constante. El boicot de películas impuesto por la Motion Picture Export Association (MPEA) a España desde 1955 hasta 1958 transformó a muchas distribuidoras españolas en sucursales norteamericanas, por lo que la distribución en el país tanto de las importaciones como de las producciones

[4] *Spain, Change of a Nation,* Londres, Michael Joseph, 1984, pág. 86.
[5] Augusto M. Torres, *Conversaciones con Manuel Gutiérrez Aragón,* pág. 72.

nacionales quedó bajo control permanente de las multinacionales. Los distribuidores españoles o bien estaban controlados por éstas o bien tenían acuerdos exclusivos con ellas. A través de las distribuidoras del país, las grandes empresas de distribución norteamericana podían dominar las salas o imponer lotes de películas a los exhibidores españoles recalcitrantes quedándose con exorbitantes porcentajes que, en 1987, ascendían entre el 50-70 por 100 de la recaudación de taquilla. Las películas españolas se exhibían cuando las grandes distribuidoras norteamericanas lo decidían. La práctica del doblaje obligatorio de las producciones extranjeras introducido por Franco en 1941 para excluir de las pantallas españolas toda lengua que no fuese el castellano acabó provocando la ruina de las películas nacionales[6]. Durante la República, el público prefería hacer cola para admirar a Imperio Argentina cantando en español antes que entrar al cine de al lado a ver a Greta Garbo suspirando en inglés. Pero, como ha destacado John Hooper, con Franco «el negocio del doblaje se convirtió en una importante industria... Por lo que al espectador español se refiere, Robert Redford, Steve McQueen y Woody Allen hablan perfectamente español»[7]. «Si en Estados Unidos se hablase español, tendríamos una industria cinematográfica», declaró León Clore respecto al cine británico. Sin embargo, a la industria cinematográfica española le daba lo mismo, porque es como si los norteamericanos hubiesen hablado español cuando venían a España a hacer películas, pero inglés en cuanto los cineastas españoles intentaban venderles las suyas.

Por otro lado, en la mísera posguerra sólo los toros, las iglesias, la radio y el fútbol rivalizaban con el cine como entretenimiento del pueblo, y el Gobierno mantenía intencionadamente las entradas de este último a «precios políticos». Los cines eran el único lugar donde las parejas podían gozar de cierta intimidad

---

[6] Al parecer, el catalizador de la decisión fueron las productoras españolas, que, como Cifesa, por ejemplo, eran propietarias de los estudios de doblaje y no querían que éstos dejaran de funcionar. Véanse las declaraciones de Victoriano López García en S. Pozo, *La industria del cine en España,* págs. 50-51.

[7] Hooper continúa: «y algunos se llevarían una desagradable sorpresa si supieran que "Robert Redford" (Simón Ramírez) lleva gafas y que "Steve McQueen" (Manolo Cano) está medio calvo». En su salada y reveladora obra *The Spaniards,* Viking, 1986, pág. 152.

(de ahí la vieja costumbre, todavía observada en algunas salas en 1987, de encender las luces antes de que acabe la película —estropeando así el final, al anunciar que ya no va a pasar nada— con la esperanza de pillar a los enamorados de la última fila quizá en su momento cumbre). En los años 60, sin embargo, otras formas de entretenimiento, en especial la televisión, comenzaron a arrebatar público al cine. No obstante, lo curioso es que los cines españoles todavía iban a tener uno de los índices de asistencia *per capita* más altos de Europa (141 millones de espectadores en 1983), y mientras que el público cinematográfico en general descendió de 404 millones de espectadores en 1966 a 211 millones en 1977, el de las películas españolas aumentó considerablemente de 1966 a 1968, y el porcentaje de la recaudación de taquilla a estas películas aumentó de 22,42, en 1966, a 27,14, en 1967, y 29,63, en 1968, manteniéndose más o menos a este nivel hasta 1978[8].

El efecto más inmediato de la abolición de la censura en 1977 fue la autorización de películas extranjeras cuya prohibición no había hecho más que aumentar su atractivo misterio. Gracias a títulos como *El último tango en París, El Decamerón* o *Emmanuelle,* el público de las importaciones ascendió de 146 millones de espectadores, en 1977; a 168, en 1978, y 164, en 1979, mientras que el porcentaje de taquilla de las películas españolas descendió drásticamente de 29,76, en 1977; a 21,76, en 1978. La inflación (del 16 por 100 en 1980), combinada con un creciente aumento de los costos de producción impulsado en parte por unos sindicatos más libres, hizo que, a finales de la pasada década, una película española de presupuesto medio que costase 30 millones de pesetas tuviese dificultades para amortizar los gastos sólo con lo recaudado en el mercado nacional. Como señaló el productor José Sámano, a los cineastas españoles no les quedaba más remedio que recurrir a las coproducciones o hacer producciones baratas dirigidas exclusivamente al mercado interior. De

---

[8] Cifras tomadas de *Datos Estadísticos. Año 1985,* Madrid, Ministerio de Cultura, y de Santiago Pozo, *op. cit.* Este último atribuye el aumento de la recaudación de taquilla correspondiente al cine español a «un efecto de la legislación sobre la cuota de pantalla», que había aumentado de 1:6 a 1:4 en 1963, y a otras medidas adoptadas para asegurar su cumplimiento.

ahí el localismo de muchas películas españolas de principios de la presente década[9].

Debido a la escasez de mercados extranjeros y a las pocas ganancias obtenidas en los nacionales, a finales de los años 70 el cine español dependía completamente de las subvenciones estatales para su supervivencia. El gobierno de UCD empeoró aún más esta situación. Es notorio que las ambiciones culturales de Suárez no iban mucho más allá de tener una buena mano en el mus. Durante su mandato, el presupuesto total del Ministerio de Cultura fue inferior al del Centro Pompidou de París, y la mitad del mismo se encargaba de malgastarlo RTVE. En 1978, el Tesoro todavía no había pagado la deuda del Fondo de Protección a los productores, que ascendía a un total de 1.500 millones de pesetas. UCD se vio atrapada también entre dos fuegos ideológicos que ella misma había abierto, pues en teoría apoyaba el patrocinio cultural a la vez que la economía de libre mercado. Ricardo de Cierva, ministro de Cultura en 1980, trató de resolver esta paradoja cual moderno Cincinato. El Estado aseguró:

> No impondrá, ni siquiera en el deporte, el más mínimo dirigismo, pero no tendrá escrúpulo en acudir, cuando se le llame desde el pueblo, para fomentar la vida cultural y deportiva de la nación[10].

Este intervencionismo de *laissez-faire* podría explicar el, como de costumbre, mal concebido decreto de noviembre de 1977 que abolió la cuota de distribución y situó la cuota de pantalla en 2 por 1. Tal medida fue desastrosa. Los exhibidores astutos desempolvaron los viejos bodrios españoles para acatar así la ley o hicieron caso omiso de ésta. A consecuencia de ello, algunos de los grandes cines de España como el Palacio de la Música y el Palacio de la Prensa, de Madrid, fueron multados.

Se rumorea que la verdadera fuerza que motivó el decreto fueron las grandes distribuidoras norteamericanas. Tal explicación resulta bastante lógica. La extraña alianza hecha entre los multinacionalistas y los independentistas españoles a principios

[9] Véase *Cineinforme,* núm. 7, 1 de abril de 1979.

[10] *Cineinforme,* núm. 26, enero de 1980, pág. 3.

de los años 70 se basaba en intereses comunes: la existencia de un cine libre en España permitiría a las distribuidoras norteamericanas colocar sus más permisivas (y, por tanto, alza-taquillas) películas en España, y al mismo tiempo, los productores españoles podrían adoptar un estilo europeo y, por consiguiente, exportable. Pero, ya en 1975, esta dicha conyugal estaba disminuyendo: José Luis Dibildos dijo que los exhibidores habían defraudado a los productores españoles no declarando el 30 por 100 de la recaudación de ese año (unos 1.000 millones de pesetas)[11]. Con la abolición de la censura, ya no había razón para que las distribuidoras norteamericanas y los independentistas españoles siguieran cortejándose. Y para colmo, en julio de 1979 y a petición de la Federación de Empresarios, cuyas espaldas cubrían los norteamericanos, el Tribunal Supremo abolió la cuota de pantalla por considerarla inconstitucional.

«En estos momentos», comentó Alfredo Matas en 1978, «el señor que se pone a hacer una película es un iluminado, un sabio o un loco»[12]. No es que faltasen en España cineastas de tales características; pero la crisis de la industria cinematográfica comportó varios cambios. En primer lugar, las películas centristas respondieron no a movimientos estéticos o a programas políticos, sino a medidas económicas o a acuerdos de producción: «hacer una película barata» (Fernando Colomo, refiriéndose a *Tigres de papel*), para «situarnos en la industria» (el director debutante Francisco Roma hablando de su ligera sátira social *Tres en raya)* o por satisfacer las «necesidades del mercado» (Josep María Forn, explicando los motivos por los que eligió la figura de Companys para su producción, conscientemente catalana, de finales de los años 70). Colomo utilizó planos secuencia, el menor número posible de decorados y actores jóvenes para ajustar *Tigres de papel* a un presupuesto de 9 millones de pesetas; los debutantes Juan Miñón y Miguel Ángel Trujillo dispusieron los *sketches* de su tarjeta de visita industrial, *Kargus* (1980), de modo que el episodio más elaborado —un intento muy emocionante de huir a Francia por

---

[11] Lo que costó una demanda del exhibidor/distribuidor/productor Alfredo Matas.

[12] *Fotogramas,* 1.536, pág. 12.

mar durante la guerra civil, con Patricia Adriani como actriz principal— fuera en primer lugar[13].

En segundo lugar, la creciente diferenciación que se observa en las películas españolas posteriores a 1977 no se debe sólo a que los cineastas españoles comenzaran a explotar las nuevas libertades, sino a la crisis económica, que forzó a una industria desorientada y cada vez más desesperada a experimentar con nuevas iniciativas industriales. «La lucha ideológica de los años 60», escribió Francisco Marinero, «ha sido desviada por la crisis económica en una lucha por la mera supervivencia y apenas se puede encontrar una intención global en el cine español»[14].

Se podría pensar que fue la industria pornográfica española la opción más escogida en esta lucha por la supervivencia. «Nos pasa como a los ingleses», etc., señaló José Luis López Vázquez, comentando el carácter cada vez más explícito de las películas españolas. «Como no les dejan beber, se emborrachan cuando llega el viernes y están así hasta el lunes»[15]. Pero tal observación está un poco fuera de lugar. Más aún, no es del todo cierto que en España se haya desarrollado alguna vez un cine de sexo. Aunque el gobierno de UCD autorizó en teoría las películas de porno duro, nunca se ocupó de la organización de las salas especiales en que el decreto de 1977 estipulaban que se debía exhibir. Tal legalización no se plasmó en hechos hasta marzo de 1984. Hasta entonces, los cines trataron de hacer pasar por porno duro las películas no tan «fuertes» de que disponían mediante llamativas campañas publicitarias. («¡Violadores!», rezaba la cartelera de una de las tales películas, «¡las actrices asistirán al estreno!»)[16]. Frente a esta tendencia, los distribuidores más conservadores, te-

---

[13] Para un análisis de las estrategias industriales comprensiblemente utilizadas en *Kargus,* véase Ignasi Bosch, *Contracampo,* núm. 23, septiembre de 1981, páginas 66-67.

[14] «Tres años de cine español», *Casablanca,* núm. 34, octubre de 1983, páginas 14-18.

[15] José Luis López Vázquez, en *18 españoles de la posguerra,* pág. 105.

[16] Para más información, véase Julio Pérez Perucha, «El porno aquí y ahora: miscelánea», *Contracampo,* núm. 5, págs. 9-12. La exhibición privada era otra cuestión: a mediados de los años 70, escribe John Hooper (*The Spaniards,* página 185), «un grupo llamado Pubis Films estaba produciendo decenas de cintas de porno duro» para consumo doméstico.

merosos de que se diese a sus películas la clasificación de «pornográficas», se tomaron la censura por su mano: el pene de madera de Pinocho fue cortado de todas y cada una de las copias del *Pinocho,* de Corey Allen. El porcentaje relativamente bajo de películas clasificadas como «porno blando» —el 16 por 100 de la producción nacional del periodo comprendido entre 1978 y mediados de 1983— se debió en gran medida al conservadurismo de los directores españoles. «A mí me parece que la pornografía es una conquista cultural erótica de la gente», declaró Gutiérrez Aragón. «Si j'etais Ministre de la Culture, j'imposerais un an ou deux de pornographie dans tout le pays; ça liberait beaucoup de choses»[17], dijo Saura. Pero «¿qué hubiera dicho mi padre?», preguntó Colomo, defendiendo su secuencia no erótica de *Cuentos eróticos* (1979). Los *sketches* de esta película, realizados por destacados directores, son ingeniosos (el relato satírico de Colomo y Trueba sobre Bergman, *Köñensonatten*) e intelectualmente convincentes (el episodio de M. Torres, *Frac,* que concibe el sexo como un rito social que, en esta ocasión, sirve para mostrar a dos jovencitas vistiendose, más que desnudándose), pero nunca realmente eróticos (salvo en el caso de *La vida cotidiana,* de Enrique Brasó).

Incluso los realizadores de películas «S» (categoría creada en la ley de noviembre de 1977 para «aquellas películas que podrían herir la sensibilidad del espectador», pero normalmente reservada para las de porno suavísimo) mostraron una gran dosis de conservadurismo. *Silvia ama a Raquel* (Diego Santilla, 1987), supuesto «canto al amor libre», se transforma en una advertencia contra las desviaciones sexuales cuando las juguetonas lesbianas son descubiertas al final por dos rudos gañanes que están un poco hartos de tirarse cabras. Raquel, que es española, sólo es violada; a la francesa Silvia la matan[18].

Además, en España no había actrices con vocación pornográfica o un entusiasmo irreductible por el sexo exhibicionista[19].

---

[17] Citas de *Contracampo,* 35, y *Cinema,* 75, pág. 180.

[18] Haciendo gala de similar conservadurismo, *La caliente niña Julieta* (Iquino, 1980) da a entender que las mujeres son lo que son porque los hombres son mariquitas.

[19] En una reveladora encuesta realizada por *Fotogramas,* diciembre de 1978, *¿Qué es la pronografía me preguntas?,* ningún cineasta reconoció que estaba haciendo pornografía, Enrique Guevara afirmando que «en mis películas se jode poé-

Casi todas las actrices de las películas «S» españolas dan la impresión de no ser nada eróticas (Bárbara Rey) o de ser estudiantes de arte dramático que se han metido en eso para ganar algún dinerito mientras se les presenta la oportunidad de hacer papeles más serios (las chicas de *L'Orgia,* de Bellmunt). En el mejor de los casos, no hacen mucho más de lo que harían con su novio en la playa. No obstante, cabría señalar dos excepciones, las de Patricia Adriani y Rachel Evans. Aunque destinada a hacer papeles dramáticos, la siempre infravalorada Adriani, que raras veces ha interpretado a personajes dignos de su talento (patente, por ejemplo en *Dedicatoria),* dota de irresistible encanto a la joven que no logra encontrar un hombre sin traumas que la desvirge (en la simplona *Susana quiere perder... eso,* realizada por Carlos Aured en 1977), granjea las simpatías del espectador a la amorosa esposa de un aristócrata *gay* (en *Fraude matrimonial,* 1976, donde la «descubrió» Iquino) y proporciona al menos un espléndido físico al de lo contrario nada espléndido sado-«Thriller» *Desnuda ante el espejo,* dirigido por Humbert Frank.

Buscando una actriz de cine española capaz de echar a Sylvia Cristel de su silla de mimbre, algunas lumbreras se han fijado en Rachel Evans, quizá porque creen que los españoles, como raza, no son muy *sexys.* Neé Raquel Guevara y chilena, la elegida actuó en una serie de películas de su hermano Enrique en las que se utilizaba su aspecto, un equipo artesanal fijo, y el paisaje marítimo, los estudios y una buena peluquería de Lloret de Mar para producir con extraordinaria coherencia una combinación de denuncia social con escenas de sexo *(Jill,* 1978, donde Evans es una actriz que, víctima de abusos sexuales, trata de volver a escena en un mundo del espectáculo sub Julio Iglesias) o desarrollar lo que ella llamó un «erótico-festivo tratado de guante blanco»[20]. En una producción de Ismael González, Evans está excelente en su papel de ama de casa burguesa y *chic* que se marcha a Marruecos a hacer un reportaje y, raptada, drogada y cachonda, se sumerge en un mundo de bellas huríes, frenéticas danzas del vientre, volup-

---

ticamente». A principios de los años 70, Iquino, que poco después iba a dirigir *Orgasmo sobre un cadáver,* aseguró: «soy católico y, por tanto, incapaz de hacer pornografía» *(Fotogramas,* 1.333).

[20] R. Evans, *Fotogramas,* diciembre de 1978.

tuosos cojines, suntuosos palacios, príncipes musulmanes de excesos sibaríticos y torturas tan refinadas como la de verter cera hirviente en su vello púbico. Evans va indiscriminadamente de escena a escena con una sonrisa de dentífrico que cuando no parece una invitación de fellatio recuerda la pavisosa expresión a lo Nancy Reagan de la adorable esposa de un candidato a la presidencia en viaje electoral.

La película española de sexo más importante es, no obstante, *Bilbao* (1978), donde José Bigas Luna retrata con extraordinaria originalidad el deseo sexual personificándolo en un individuo obseso, Leo, que vive con una intimidante compañera, María, pero planea en secreto poseer el cuerpo de una vulgar prostituta llamada Bilbao. Como señala Julio Pérez Perucha, la relación del protagonista con la realidad es la de una película de porno duro con su objeto de deseo. Leo pasa el día inmerso en sus sueños, situación que queda perfectamente reflejada en el obsesivo monólogo interior que se desarrolla a lo largo de la película; y este estado le lleva a fragmentar la realidad, a convertir en fetiches los más mínimos detalles de la misma. *Bilbao* describe la frustración de la pornografía. Leo quiere poseer a la prostituta de todas las formas posibles: compra un billete de tren a la ciudad de Bilbao sólo porque tiene el mismo nombre que la mujer deseada, graba la voz de ésta y, finalmente, la rapta, la ata y le afeita el vello púbico. Pero, mientras tienen lugar todas estas operaciones, Bilbao se golpea accidentalmente la cabeza y muere, por lo que Leo se queda frustrado para siempre, destino simbólico de alguien que mira el mundo a través de las estructuras de la pornografía[21].

No obstante, la estrategia industrial con la que más éxito alcanzaron los cineastas españoles consistió en tratar de ocupar parte del terreno del cine americano, en especial el del género. Los críticos izquierdistas, convencidos de que había que acabar con la monotonía de las películas de consenso, abogaban por un cine de géneros que reflejase una realidad más conflictiva. «El periodo de tránsito político y económico por el que ha atravesado el estado español», escribió Julio Pérez Perucha en 1979, «requiere ficciones que, en lógica concordancia, muestran aventu-

[21] Para el excelente análisis de Perucha, véase *Contracampo*, núm. 5, septiembre de 1979, pág. 34.

ras y luchas, conflictos éstos que pueden ser desarrollados con la mayor eficacia siguiendo fórmulas derivadas del western o del cine negro»[22]. Debido a la falta de una escuela de cine y a la ausencia de instalaciones cinematográficas en la Facultad de Ciencias de la Información que se acababa de crear[23], la formación básica de los nuevos directores españoles —caracterizados por la denominada «Escuela de Argüelles», de Fernando Trueba, Óscar Ladoire, Fernando Colomo y los críticos Carlos Boyero y Manolo Marinero— consistió, simplemente, en ver películas, muchas de las cuales eran producciones de género americanas. Pero, al margen de esto, el cine español de género de finales de los años 70 (que consta de películas de directores establecidos como *Maravillas* y *Deprisa, deprisa)* refleja la marcha de la historia del cine. En Europa, la *nouvelle vague* había empezado a romper con los sacrosantos esquemas de los años 50 que distinguían entre cine de arte y cine popular y estaba celebrando y adaptando ya las convenciones de Hollywood, especialmente mediante el concepto de género que se desprende de las referencias al *thriller* y a las películas de gangsters de *A bout de souffle* (Jean Luc Godard, 1959) o mediante los interludios musicales de *Bande a part* (Godard, 1964)[24].

Terry Lovell atribuye la fascinación que les producía a los cineastas franceses «todo lo americano» al «inmenso influjo ejercido por las películas de Hollywood en el mercado inmediatamente después de la guerra, cuando las circunstancias eran tales, que los aliados norteamericanos eran también los libertadores»[25]. Lo mismo cabría decir del caso de España, donde, para las generaciones que se formaron durante el franquismo, las películas de Hollywood representaban la riqueza material y, si no a los libertadores, sí al menos la libertad. Pero el cine norteamericano también se había desarrollado mucho desde los tiempos de la posguerra. En los años 70, y con el fin de detener el descenso del

---

[22] Véase *Contracampo,* núm. 4, julio-agosto de 1979, pág. 11.

[23] Véase F. Trueba, *Dirigido por,* núm. 74.

[24] Como cuando Arthur, Odile y Franz bailan con la música de la máquina de discos en una secuencia con coreografía.

[25] T. Lovell, «Sociology of Aesthetic Structures and Contextualism», 1972, citado en *The Cinema Book,* pág. 41.

índice de asistencia al cine recurriendo tanto como fuera posible a los propios espectadores, los cineastas norteamericanos comenzaron a desarrollar un «nuevo cine de Hollywood» (por ejemplo, el de Altman, Penn y Coppola), en el que las películas se anuncian con el nombre de los directores («¡*Corazonada,* de Coppola!»); son mucho más ambiguas en lo que la motivación de los personajes se refiere y combinan influencias europeas y norteamericanas. Las películas de género españolas no son tan distintas de, por ejemplo, el cine de Walter Hill, que enfrenta a Jean Pierre Melville con las persecuciones de coches *(Driver),* a Bresson con Peckinpah, como señala Trueba *(Warriors),* o el carácter mítico de la banda de Jesse James con los «hechos» reales de su vida[26]. Del mismo modo y por poner sólo un ejemplo, *Con tripas corazón* (Julio Sánchez Valdés, 1985) equilibra el concepto Howard Hawksiano de la «camaradería» masculina (un delincuente jura amistad eterna a un cínico abogado de clase media que hace que le absuelvan en un juicio) con los «hechos» reales de las relaciones humanas (el delincuente —un excelente Pirri— se toma el juramento en serio; el abogado diletante, no; el primero se antoja de la esposa de su amigo —Patricia Adriani—, pero se reprime por tratarse de la mujer de un colega).

«Nunca adivinarás la basura que he encontrado debajo de la alfombra», le dijo Felipe González al periodista Julián Lago cuando estrenó la presidencia[27]. En la España semiposfranquista posterior a 1977, el *film-noir,* que permitía insinuar la corrupción de las altas esferas, se constituyó en una opción cinematográfica muy oportuna. Las instituciones españolas encargadas de la aplicación de la ley eran en ese momento un buen blanco. Su ineficacia era notoria: Suárez se quejó... de que dos capitanes del servicio de inteligencia especificaban en sus tarjetas de visita cuál era su profesión[28]. Además, la democratización de estas instituciones no era total: en 1978, el entonces ministro del Interior,

[26] Así, a la atención, tan excelentemente contenida, que presta Hill a la exactitud histórica, se contraponen imágenes a cámara lenta de las correrías de la banda que denotan su estatus casi mítico.

[27] Mencionado por Lago en una conferencia leída en el Spanish Institute de Londres.

[28] Véase Paul Preston, *The Triumph of Democracy in Spain,* Londres, Methuen, 1986.

Martín Villa, mencionó que sólo podía confiar en veinte funcionarios del cuerpo de policía.

Fue el miedo a que se produjesen graves actos de indisciplina lo que inhibió los intentos de reformar el cuerpo de policía emprendido durante el gobierno de UCD. El *film-noir* español presenta ciertos matices que parecen estar dictados por temores similares. En *Demasiado para Gálvez* (Antonio Gonzalo, 1981), un periodista, cuyo nombre y falta de luces dan título a la película, se ve envuelto en un negocio sucio de especulación inmobiliaria, pero la violencia brutal que cabría esperar de tal argumento queda mitigada con continuos toques cómicos —por ejemplo, al final atentan contra la vida del protagonista poniéndole una bomba, pero la explosión resulta ser parte del rodaje de una película. En *El crack* (1980), José Luis Garci nos presenta a un taciturno detective, Germán Areta, que investiga la muerte de la hija de un cliente hasta toparse con un importante industrial relacionado con las autoridades españolas. Pero el hecho de que Areta siga al industrial de Madrid a Nueva York, donde la película alcanza el clímax, inscribe el problema de la corrupción en España en un contexto internacional que lo mitiga considerablemente. Garci volvió a tratar temas similares en *El crack II* (1983), pero en esta ocasión fue bastante más irónico: amenazado de muerte, Areta duda entre proseguir las investigaciones o hacer un viaje a Italia con su novia que llevaba mucho tiempo preparando; al final opta por lo segundo.

De todas las películas españolas de *film-noir* realizadas hasta la fecha, la más directa es el prometedor debut de Antonio Zorrilla *El arreglo* (1983). «Interpretación política de la transición», comentó su director, «por primera vez se ve desde dentro la corrupción del Estado»[29]. El protagonista, Cris (interpretado por Eusebio Poncela), es un inspector de policía que vuelve a la Dirección General de Seguridad tras dos años de ausencia para descubrir que, a pesar de la transición, todo sigue prácticamente igual. Un antiguo policía franquista muere simbólicamente al principio de la película; otro, Leo, está a punto de convertirse en el superintendente de policía más joven del país a pesar de que mató a un estudiante en los sótanos de la DGS en tiempos de

---

[29] «El arreglo», *Fotogramas,* núm. 1.689, septiembre de 1984.

Franco. Cris investiga una serie de asesinatos que le conducen a Leo, a quien mata. Al final de la película se insinúa con evidente mordacidad que Cris ha estado siendo utilizado por ciertos miembros de la policía a quienes interesaba quitarse al no muy presentable Leo de en medio[30].

El *film-noir* español se ha frustrado por la falta de dos factores. El primero de ellos, cuya ausencia se debe, en parte, a la pobreza de medios de producción, es el sentido de *film-noir* como *mise-en-scene*. En la mayoría de las películas españolas faltan «la iluminación lateral; el uso amenazador de los primeros planos; el juego expresionista de las sombras...; la composición del encuadre que va contra el equilibrio natural del sujeto; la definición del espacio como sólido y tridimensional mediante el uso de picados o contrapicados, pero sin eliminar la posibilidad de distorsionarlo repentinamente colocando la cámara en una posición inesperada»[31].

En segundo lugar, falta también un sentido del *film-noir* como género establecido, y ello se debe al trato tan sensiblero que se da a la mujer en las películas españolas. Mientras que en el *film-noir* norteamericano los personajes femeninos son seductores y falsos, en el español son sensibleros y buenos camaradas (en *El crack* y su continuación). Incapaz de admitir la sensualidad femenina, el director español no puede admitir tampoco el peligro que comporta, por lo que su obra se ve privada de la sofisticación sexual/social típica del género.

Más éxito tuvo, sin embargo, uno de los únicos géneros cinematográfico nacional de la España posfranquista: la nueva comedia española, cuyo desarrollo se puede trazar con bastante exactitud. Comienza con los cortos de Fernando Colomo (*Lola, Paz y yo,* 1974; *En un país imaginario,* 1975; *Usted va a ser mamá,* 1976, y *Pomporrutas imperiales,* 1976), continúa con los largos de este mismo director y de Bellmunt, alcanza su punto álgido con

---

[30] Diplomático, José Antonio Zorrilla (nacido en Bilbao en 1945) había dirigido anteriormente un corto y una película de mediometraje (*Argeles,* 1978).

[31] Sobre la importancia crucial de la *mise-en-scene* en el *film-noir,* véase J. A. Place y L. S. Peterson, «Some Visual Motifs of Film Noir», en Bill Nichols (ed.), *Movies and Methods,* págs. 325-338. Pese a lo que se cree el *film-noir* español no empezó con el posfranquismo.

La mano negra y *Opera prima* (ambas de 1980) y, tras la realización de un puñado de películas que no mantienen el éxito alcanzado hasta entonces (*Vecinos,* Alberto Bermejo, 1981; *A contratiempo,* Óscar Ladoire, 1981; *Pares y nones,* José Luis Cuerda, 1982) se materializa de un modo más esporádico en las obras de Colomo y Martínez-Lázaro para acabar, en 1985, con *El caballero del dragón* (Colomo) y *Con tripas corazón.*

«El simple hecho de tener algo que ver con la comedia, haber hecho (lógicamente) alguna película en Madrid, que tratara de temas actuales, no es suficiente para que nos metan a todos en el mismo saco», protesta, no sin razón, Fernando Colomo[32]. Pero la nueva comedia española tiene mucho más que estas similitudes. En primer lugar, al igual que cualquier cine de género, posee un homogeneidor impulso económico. Los amigos, la novia, incluso el hermano pequeño de uno, encontraron de pronto una justificación cinematográfica olvidada para intervenir como ayudantes, actores[33] o encargados de localizar exteriores (que casi acababan siendo su propia casa). Si las películas eran «localistas», lo eran tanto por necesidades económicas como por elección artística. Una vez que los realizadores de la nueva comedia española comenzaron a recibir grandes subvenciones gracias a la política cinematográfica del PSOE, el género se difuminó por nuevas geografías (Colomo se fue al Caribe a rodar *Miss Caribe*) o estilos (Cuerda y Colomo derivaron hacia el sainete en las ágiles y populares *La vida alegre* y *El bosque animado,* ambas estrenadas en 1987).

Lo verdaderamente novedoso de la nueva comedia española estaba en su tema y tono. De sus principales figuras, sólo Bellmunt y Martínez-Lázaro habían hecho cine durante el franquismo. Y, a pesar de *Tigres de papel,* de Colomo, todas ellas se muestran optimistas respecto a las oportunidades de España de enterrar su pasado. En la película de Colomo *¿Qué hace una chica como tú en un sitio como éste?,* un ama de casa supera con éxito la transición que supone dejar de ser una esclava casada con un policía para

[32] *La comedia en el cine español,* pág. 43.

[33] Como en el caso de Óscar Ladoire y Antonio Resines, que no tenían ninguna vocación de actores cuando protagonizaron *Ópera prima,* pero que fueron compañeros de Trueba en la Facultad de Ciencias de la Información.

convertirse en la *groupie* de un cantante de rock-punk. En *L'orgia* (Bellmunt, 1978), unos estudiantes de arte dramático se liberan de sus inhibiciones simplemente haciendo una orgía.

En estas películas, un reparto compuesto principal de actores jóvenes y nuevos (Carmen Maura, Silvia Munt, Mercedes Resino, Isabel Mestres, las chicas son particularmente buenas), se combina con un guión que se centra en el tema de la familia, pero no como un ruedo en el que se lidia la represión, sino como un escenario donde se representan distintas formas de ver la vida. En *L'orgia,* por ejemplo, mientras los padres se van a Andorra de compras (como si continuaran el estraperlo de la posguerra), los hijos se ocupan de su liberación sexual. La nueva comedia española procuró romper con las solemnidades del pasado. Los diálogos son coloquiales. La guerra civil y la posguerra están más allá de los horizontes mentales de los personajes: los problemas de éstos son los de las nuevas generaciones españolas, tomar copas, drogas, acostarse con alguien. Al igual que sus creadores, los personajes rechazan la pesadez intelectual del cine de arte de los años 50 y sus secuelas. En una clara referencia a la portentosa conciencia social que, para los jóvenes cineastas, caracterizaba las películas producidas por Querejeta, uno de los participantes en la orgía de Bellmunt observa que hay dos clases de historia: la historia oficial del progreso humano desde la edad de piedra hasta la era espacial y «la historia de la gente viviendo normalmente». La nueva comedia española trata de esta última: sus protagonistas son estudiantes, gente que lleva una vida monótona y sueña con salir de ella (atracando una joyería en *Siete calles,* Javier Rebollo y Juan Ortuoste, 1981), un cartero (el protagonista de *La reina del mate,* 1985, que es seducido por una *femme fatale* para que colabore en un negocio de tráfico de drogas) o reclutas que se dirigen en tren a hacer la mili *(La quinta del porro,* Bellmunt, 1980).

Innovadora en los elementos sociales a los que hacen referencia, la nueva comedia española es totalmente neoclásica en su estilo, que refleja multitud de influencias cinematográficas. Una de ellas es la espontaneidad y la concentración en los personajes jóvenes y marginados propia de los primeros tiempos de la *nouvelle vague*[34].

---

[34] Como señala Román Gubern, Colomo co-escribió la película de Miguel

El atractivo de la nueva comedia española radica hasta cierto punto en el carácter familiar de los personajes, actores (que son personalidades de la vida real tales como Juan Cueto y Gonzalo Suárez, a quienes se rinde homenaje en *A contratiempo* dándoles un pequeño papel) y situaciones. Comienzos como el plano de *Ópera prima* en que vemos a Matías (Óscar Ladoire) subiendo la escalera del metro de Ópera, con una señal de la tarjeta Visa tras él, y dirigiéndose a un puesto de periódicos para comprar *El País* presenta acciones tan familiares que crean un vínculo emocional entre el protagonista y los espectadores. Los personajes de la nueva comedia española pertenecen a una generación identificable. Militantes políticos, quizá, en un remoto pasado (aunque la mayoría son demasiado jóvenes), ahora son víctimas del desencanto: sin curro, sin suerte, sin tía, sin pretensiones trascendentales (especialmente en política), su vida normal y aburrida se ve de pronto interrumpida, sin embargo, por unas aventuras cuyos modelos son las narraciones de cine de género.

Así, el elemento central de las nuevas comedias españolas radica en que son películas de género (hollywoodienses) dentro de un género (la nueva comedia española), películas en las que la acción, aun estando ambientada en la realidad española, se ajusta a: el cine pornográfico *(L'orgia)*, el *film-noir (La mano negra)*, el *western* (en la persecución en taxi del tren que lleva a los reclutas de *La quinta del porro* al campamento), el artista de viaje (como *Sullivan Travels,* de Sturges, que ejerció influencia en *A contratiempo*), el melodrama / *thriller (La reina del mate,* Fermín Cabal, 1985) o el romance medieval *(El caballero del dragón)*. No obstante, es la historia de siempre, tantas veces repetida en la ficción española. La huida de la realidad siempre se queda en utopía: los personajes son devueltos a la tierra por la necesidad de volver al trabajo *(L'orgia);* por el comienzo de la mili *(La quinta del porro);* porque se acaba la carretera (como muestra la excelente fotografía de las

---

Ángel Díez, *De fresa, limón y menta* (1977), «que tiene lugar a finales de los años 60, en el rodaje de una película en la Escuela Oficial de Cine de Madrid. Este decorado, de espíritu muy *nouvelle vague,* permitió a Díez expresar sus ideas acerca de la cinematografía en general y su admiración por Godard en particular». «New Spanish Cinema», *Quarterly Review of Film Studies,* vol. 8, núm. 2, primavera de 1983.

últimas escenas de *A contratiempo);* por un disparo de la *femme fatal,* que nunca amó al cartero *(La reina del mate),* o, más literalmente, por la transformación del héroe extraterrestre en un ser normal (en *El caballero del dragón),* que se queda definitivamente en la tierra para casarse con la princesa del castillo[35]. Si se mantiene la fantasía, es a costa de la verosimilitud. En *La mano negra,* por ejemplo, el talento de Colomo para pasar irónicamente de lo sublime a lo ridículo trasciende los *gags* individuales para poner en duda la realidad de las apariencias. El protagonista, Manolo, lleva una vida corrientísima (padres chapados a la antigua, un coche desvencijado, una novia no especialmente atractiva, etc.) hasta que se encuentra con un antiguo compañero de colegio, Mariano, que dice ser agente secreto y autor de unas famosas novelas atribuidas a un tal Macguffin. Manolo le cree, pero un amigo común sostiene que es un neurótico con dinero suficiente como para entregarse a sus fantasías. A raíz de este encuentro, el protagonista se ve inmerso en un mundo de persecuciones de coches, atentados con bombas y asesinatos. Pero la marcha de Mariano al final de la película, corriendo hacia un helicóptero que le espera en lo alto de un acantilado, raya, al igual que su *nom de plume;* en lo inverosímil.

La diversidad de resultados de las películas de género dentro de género está perfectamente ilustrada en *La línea del cielo,* de Colomo, ligera, pero engatusante comedia en la que el director-guionista recurre claramente al género, en particular a la *biopic* en la conocidísima versión del artista en ciernes que llega a la gran ciudad (como en *Nina*, de Vicente Minelli, donde Lisa Minelli interpreta a una aspirante a actriz que llega a Roma). En tales películas, el éxito profesional está reflejado y medido por el éxito sexual con un compañero que personifica las mejores cualidades

[35] *Todo va mal* (Emilio Martínez-Lázaro, 1985) expone al pie de la letra esta realidad fílmica dentro del film: Dos investigadores de TV entrevistan a un filántropo que muere delante de la cámara y luego presencian en la vida real una serie de acontecimientos que estaban ya grabados en unas cintas de vídeo que encuentran. Los acontecimientos resultan ser puestas en escena del filántropo, que está más vivo de lo que ellos suponen. La deconstrucción cinematográfica como divertimento: en este caso, como en *Lulú de noche* (1985) y *El juego más divertido* (1988), Martínez-Lázaro se halla a medio camino entre la nueva comedia española y las preocupaciones radicales y sociales anteriores.

del mundo al que aspira el artista: cultura, delicadeza, belleza, clase, etc.

De acuerdo con el género, el protagonista de Colomo, Gustavo (Antonio Resines), llega a Nueva York con la intención de conquistar la ciudad vendiendo sus fotografías a la revista *Life*. De ahí el lirismo arrebatador de la música de Manzanita que suena sobre el paisaje urbano, cuando nuestro hombre llega a la vulgar callejuela donde va a vivir o en una excelente panorámica de 180° del horizonte neoyorkino mientras Gustavo, su amigo psiquiatra y la familia de éste están sentados en una terraza tomando una copa y brindando por el futuro profesional del primero en Nueva York (más que por su éxito sexual, que estaría indicado por una cita, etc.). En estas escenas, Gustavo enfrenta su ego artístico a la ciudad. Sin embargo, su atención no tarda en ser atraída por una chica, y cuando volvemos a oír los líricos adornos de la música de Manzanita le vemos en los muelles situados al otro lado de New Jersey, acompañado de la chica, Pat, que le está enseñando la ciudad, y Colomo pasa entonces de un plano medio de los dos a tres primeros planos mucho más íntimos de Pat, vista desde el punto en que se encuentra el ya enamoradísimo Gustavo.

Pero es aquí donde Colomo se desvía de su modelo a fin de indicar la absoluta incapacidad del español arrebatado por las emociones para seguir los pasos hacia el éxito del protagonista de las películas biográficas norteamericanas. Porque la chica de la que se ha prendado no es un personaje típico de Nueva York. Ni siquiera es de Nueva York. Es de Barcelona.

Sigue siendo el contraste con el género lo que lleva a buen término la película. En vez de obtener un éxito estelar en su ambiente extranjero, Gustavo encuentra con que le dicen que sus fotografías llegan con diez años de retraso y que debería fotografiar España («La Alhambra, vascos revolucionarios, los gallegos, gazpacho»). Por encima de todo, su deseo de conquista se concentra totalmente en Pat. Cuando ésta le dice que se va de Nueva York, él no encuentra razón para seguir en la ciudad, entonces hace las maletas y sale de su elegante apartamento en el preciso momento en que el contestador automático recoge una llamada de *Life* comunicándole que han aceptado sus fotografías. Los españoles, parece dar a entender Colomo, no poseen esa confianza en sí mismo y perseverancia en sus ambiciones propia de las películas biográficas de Hollywood y de la sociedad que la genera. Gustavo nunca será un *yuppie*.

El regreso de un español: Luis Buñuel y «Ese oscuro objeto del deseo»

El aspecto más conmovedor de la vuelta de España a la democracia quizá fuera la vuelta al país de los viejos demócratas, de los republicanos de la guerra civil. Entre ellos figuraba Luis Buñuel. El trato que el Gobierno español dio a este cineasta desde la primera vez que volvió a poner pie en España en 1960 es una prueba del limitado liberalismo del franquismo.

A finales de los años 50, las simpatías de Buñuel parecían estar decayendo. «Nunca he sido un adversario fanático de Franco», declaró en *Mi último suspiro*. «Para mí, no era el diablo personificado. Incluso he llegado a pensar que evitó que nuestro exhausto país fuera invadido por los nazis»[36]. En aquella época, el Gobierno franquista consideraba la posibilidad de hacer un acto simbólico de rehabilitación con Buñuel, y, al mismo tiempo, los jóvenes cineastas españoles, como Saura y Portabella, que le conocieron en Cannes en 1960, le consideraban un puente con la cinematografía española de los años 30 y el único director que, si trabajaba en España, podría impulsar el renacimiento de un cine verdaderamente nacional[37].

Aunque con cierta cautela, Buñuel volvió a España para rodar *Viridiana*. En cierto modo, era una necesidad, dada la profusión de temas y ambientes puramente españoles de la película —por ejemplo, el convento de las primeras escenas, que la novicia Viridiana deja para ir a visitar a su tío, don Jaime. Como la muchacha le recuerda a su esposa, que murió en su noche de bo-

---

[36] Luis Buñuel, *My Last Breath*, Londres, Fontana, 1985, pág. 170.

[37] Para más detalles sobre el encuentro de Cannes, véase Francisco Aranda, *Luis Buñuel*, Londres, Secker & Warburg, 1975, págs. 190-193. El hecho de que Ferreri, Berlanga y Fernán-Gómez estuvieran haciendo en ese momento algunas de las películas más «nacionales» de la historia del cine español ilustra la indiferencia crónica que muestra cada generación de cineastas españoles hacia la inmediata anterior.

das, don Jaime le pide que se ponga el traje de novia de la difunta. Viridiana accede, y él la droga con el fin de violarla, pero en el último momento se echa atrás. Rechazado por su sobrina e incapaz de vivir con el remordimiento de haber sido infiel a la memoria de su difunta esposa, don Jaime se suicida. Jorge, su viril y pragmático hijo natural, ocupa entonces su puesto y comienza a modernizar la finca, mientras Viridiana se dedica a recoger mendigos. Un día en que los señores están fuera, el abigarrado grupo de pordioseros de Viridiana se emborrachan, se entregan a la gula y a la lujuria dentro de la casa e incluso intentan violar a su protectora cuando regresa. Con su obra de caridad fracasada, la ex novicia cede a sus instintos sexuales, uniéndose a Jorge y a la criada, Ramona, en un juego de cartas que augura el comienzo de un *ménage à trois.*

Viridiana fue el mayor escándalo cinematográfico de la España franquista. La censura aceptó el guión después de obligar a Buñuel a realizar algunas modificaciones, entre las que figuraba el insinuante final, y la película fue designada para representar a España en Cannes. El director general de Cinematografía, Muñoz-Fontán, recogió personalmente la Palma de Oro y el premio de la crítica francesa. Pero al día siguiente, el órgano de Vaticano, *L'Osservatore Romano,* habló en términos apocalípticos del anticlericalismo de la película. Muñoz-Fontán fue destituido, *Viridiana* se prohibió en España y UNINCI, la productora, tuvo que disolverse.

En general, se da por sentado que, con *Viridiana,* Buñuel «engañó» a la censura española. Pero lo más probable es que no fuera así. Él quería que la película se viese en su país y pensaba hacer una versión especial, más «suave», para España. El escándalo sugiere más bien que existía una incompatibilidad esencial entre el régimen franquista y Buñuel. El Gobierno valoraba su reputación de gran cineasta, pero no podía aceptar muchas de las leyendas en que esta reputación estaba basada, como, por ejemplo, el ateísmo diabólico de Buñuel. Por otro lado, éste no era tan discreto como los demás cineastas españoles. *Viridiana,* por ejemplo, contrasta los valores franquistas con una nueva España en desarrollo y desenmascara una «versión oficial» según la cual las mujeres «puras» no tienen interés sexual. Pero Buñuel sistematiza estas referencias con una evidencia casi sarcástica, de modo que la misma estridencia de sus ironías causa risa. Cuando los mendigos recitan el Ángelus, por ejemplo, el sonido de un camión ahoga sus rezos.

Pero el principal problema que planteaba Buñuel al régimen franquista era que tenía la personalidad y el genio necesarios para fundar una escuela de cinematografía en España. Un país cuyas normas morales estaban dictadas por la Iglesia no podía dejar que sus normas cinematográficas estuvieran dictadas por su ateo más famoso. El gobierno de Franco reconoció este hecho al permitir que se preparase la producción de *Tristana* casi en su totalidad en 1963 y prohibir después el guión por considerar que era una apología del duelo a muerte.

Al final, Buñuel rodó *Tristana* en Toledo en 1969. También filmó en España escenas de *La vía láctea* (1969) y de *Ese oscuro objeto del deseo* (1977); sin embargo, sus películas claves —*Un perro andaluz* (hasta 1974), *La edad de oro* (exhibida por primera vez en 1974) y *Viridiana* (estrenada en abril de 1977)— siguieron prohibidas. Una consecuencia crucial, calculada y duradera de la política cinematográfica franquista es el hecho de que, como escribió Katherine Kovács en 1983, sea «difícil encontrar pruebas directas de la influencia de Buñuel en las corrientes cinematográficas contemporáneas»[38]. La mayoría de los «nuevos» directores españoles ya habían acabado su formación cuando conocieron toda la obra de Buñuel. Hay algo de tal influencia en Aranda, Camus y, aunque sea mucho más posterior, Uribe, pero sólo en Saura y, en menor grado, en Regueiro, se advierte una contigüidad esencial de preocupaciones[39].

Matador (Pedro Almodóvar, 1986) muestra una posible recuperación de Buñuel por parte de los cineastas españoles más jóvenes, que parecen sentirse atraídos por el profundo carácter español de su obra. Las películas de Buñuel están repletas de recuerdos de una infancia vivida en España. El gran precipicio y el

---

[38] *Quarterly Review of Film Studies,* primavera de 1983, pág. 97.

[39] En *La joven casada* (1975), de Camus, varios planos del descuartizamiento de una ballena restan fuerza a una escena romántica; similar paso de lo sublime a lo ridículo presenta *Cumbres borracosas* (1953), de Buñuel, en una escena de amor que tiene de fondo la matanza de un cerdo. Los «cineastas independientes» parecen estar algo más familiarizados con la obra de Buñuel. Véanse *Gospel,* de Ricardo Franco, y *Quizá,* de Ramón Font (cortometraje, 1969).

Luis Buñuel y Carlos Saura en el Festival de San Sebastián de 1977

águila que aparecen detrás del retrete en *El ángel exterminador* recuerdan las curiosas instalaciones sanitarias de las casas colgantes de Cuenca. Incluso un término tan característico de su cine como es la palabra «discreto» se refiere, en realidad, a ese énfasis que se dio en el Siglo de Oro a la discreción no tanto en el sentido de circunspección como en el de capacidad para tomar decisiones correctas en cuestiones prácticas dejándose guiar —no necesariamente para bien— por la razón más que por las pasiones[40].

También el ateísmo obsesivo de Buñuel es típicamente español, pues refleja la manía de su padre, que quería que su casa fuese más alta que la iglesia del pueblo, y esa mezcla de anticlericalismo y miedo visceral al infierno tan propia de España. Y en cuanto a sus duros ataques al engreimiento de la burguesía, es muy posible que tengan su origen en el hecho de él nació en el seno de una familia perteneciente a una de las clases altas más pagadas de sí mismas, crueles y cerriles de Europa. «¿Perdonas a tus enemigos?», le preguntaron a un duque de Valencia del siglo XIX en su lecho de muerte. «No tengo enemigos», replicó, «he mandado que les matasen a todos»[41].

En las obras de un *auteur* siempre sugieren unas cuantas imágenes arquetípicas de su creador. Las de Buñuel evocan un café o un bar, donde, después de beber un buen vino (o unos cuantos martinis secos), se toma coñac y él se encuentra a sus anchas, charlando y bromeando, tan buen *raconteur* como siempre. De hecho, Buñuel contradice a Emil Benveniste, para quien el cine es más *histoire* (el tipo de diálogo típico de una novela impersonal del siglo XIX) que *discours* (ilustrado por una conversación en la que cuenta tanto el que habla como el que escucha)[42]. Con Bu-

---

[40] Don Quijote, por ejemplo, carecía por completo de este sentido de la «discreción».

[41] Citado por Jan Morris, en *Spain,* Harmondsworth, Penguin, 1982, página 47. Retraducido al español. Siempre por la buena posición económica de su familia, Buñuel conservaba todavía peculiaridades propias de la clase alta incluso en los años 30. Una de ellas quizá fuese el menosprecio de la cinematografía popular. En aquel tiempo consideraba que las películas populares sólo se hacían por diversión.

[42] Cfr. especialmente Benveniste, *Problems of General Linguistics,* University of Miami Press, 1971.

ñuel, la *histoire* cede continuamente ante el *discours* mediante el uso constante de, entre otras cosas, digresiones, y la fuerza de las obsesiones personales nos recuerda la presencia de Buñuel tras la película, su gusto por la paradoja y su extraordinaria capacidad para calcular las reacciones de los espectadores.

Tristana ilustra muy bien este último punto. Don Lope invita a Tristana a su habitación; ella le besa y suelta una risita; el perro la sigue y la puerta se cierra. La cámara retrocede a un lado de la habitación y, «atravesando» la pared, nos muestra el interior. Pero entonces don Lope ve al perro. «¿Y tú, qué haces aquí?», dice. Echa al animal del cuarto y la puerta se cierra delante de la cámara. El espectador que, cualquiera que fuese su opinión respecto a la moral de don Lope, esperaba con malicia la escena de la habitación, se queda como el perro, con el rabo entre las patas, en una deliciosa negación de la omnisciencia (aquí visual) típica del ironista verbal. Flann O'Brien podría haber dirigido esta escena. El «discurso» de Buñuel refleja un gusto instintivo en burlarse de todo convencionalismo; pero su agilidad satírica fue sin duda mejorada por una vida social cuyo centro es el restaurante (en París) o la cafetería y el bar (en Madrid)[43].

Buñuel sabía muy bien la importancia que tenía en su obra la influencia de la cultura española. «Los críticos hablan de Goya», señaló en cierta ocasión, «porque ignoran el resto: Quevedo, Santa Teresa, los heterodoxos españoles, la novela picaresca, Galdós, Valle-Inclán»[44]. Lo que tienen en común todos estos autores es una necesidad apremiante de desengañar a los españoles de las ilusiones, ya se traten éstas de intereses carnales o materiales (el tema de desengaño de los escritores religiosos), de las pretensiones de grandeza, religiosidad y opulencia del Siglo de Oro (la picaresca), de la hipocresía pequeño burguesa y provinciana

---

[43] No hay duda de que el humor de Buñuel debe mucho a Ramón Gómez de la Serna, «el hombre que más ha influido en toda nuestra generación» (en Max Aub, *Conversaciones con Buñuel,* Madrid, Aguilar, 1985, pág. 109). Al comparar a Buñuel con el de otros cineastas de esa generación —Eduardo Ugarte, José López Rubio, Edgar Neville, Jardiel Poncela— se advierten sorprendentes semejanzas.

[44] El liberalismo y el anticlericalismo de las novelas realistas de Benito Pérez Galdós (1843-1920) inspiró a menudo a Buñuel. *Nazarín* y *Tristana* están basadas en novelas suyas, y *Viridiana* es una adaptación de *Halma*.

(Galdós) o de cualquier fingimiento en general (Valle-Inclán). Desde el siglo XVII, el paso de lo sublime a lo ridículo, la sátira, el sarcasmo, la parodia y el desdén han sido rasgos dominantes del estilo de los mejores artistas españoles, en lo cual tuvo mucho que ver, sin duda, el fracaso de la mayor aventura de España: la creación de un imperio.

La sátira no es, claro está, privativa de España. Lo que sí parece más específicamente español es la permanente capacidad para generar ilusiones en un país con medios sociales y económicos limitados. Cuando las tropas de Napoleón entraron en España, el alcalde de Móstoles declaró personalmente la guerra a Francia. Los jóvenes ultraderechistas de los años 80 todavía sueñan con un imperio hispánico. Durante los mundiales de fútbol de 1982, una computadora (¿española?) predijo que España se enfrentaría a Brasil en la final; la selección nacional superó por los pelos la primera eliminatoria. «Aunque todos los países tienen su Sancho», comenta Jan Morris, «Don Quijote sólo podía ser español»[45].

Lo mismo ocurre con Buñuel. La dicotomía que presentan siempre sus películas suele consistir en «lo que debería ser» frente a «lo que es», aunque él resuelve la oposición identificando «lo que debería ser» con pretensiones sociales falsas. «Lo que es» queda reducido a unas cuantas verdades evidentes: el deseo carnal del hombre, su frecuente crueldad, su capacidad paradójica para el amor, su codicia. En *Viridiana,* por ejemplo, cuando los mendigos están celebrando la orgía simulan posar para una fotografía adoptando posturas que parodian *La última cena,* de Leonardo. La escena pretende más que escandalizar: intenta también poner de manifiesto la gran diferencia que existe entre las representaciones religiosas de las posibilidades humanas (personificadas por Cristo y sus discípulos) y la forma que suelen adoptar éstas en la realidad (representada por los lascivos, asesinos, ciegos y tullidos mendigos).

Quizá sea en el retrato que hace Buñuel de los pobres y los oprimidos donde más claramente se advierte su temperamento español. La mayoría de los liberales del norte de Europa les considerarían dignos de compasión. Buñuel no lo ve así: una repre-

[45] Morris, *Spain,* pág. 143.

sentación puramente trágica del sufrimiento sonaría demasiado a idealismo. Por consiguiente, el mendigo ciego de *Los olvidados* (1950) es descrito sin sentimentalismos, como una persona cruel y vengativa que golpea a sus jóvenes agresores con un bastón que lleva un afilado clavo en la punta. Como han observado muchos críticos, el precedente literario de este personaje es, sin duda, el granuja, falso beato y avaro ciego de *El lazarillo de Tormes.*

En la película más española de Buñuel —*Viridiana*— la base del «españolismo» habría que buscarla una vez más en el esperpento. Los mendigos se ajustan bastante a la visión que da Valle-Inclán del hombre como marioneta dominada por bajas pasiones. Cuando don Jaime se suicida, la pequeña Rita juega en el jardín, indiferente a los pies del muerto, que se balancean pesadamente por encima de ella. Y el modo en que don Jaime expresa su sincero amor a su esposa —vistiendo a su sobrina con el traje de novia de la difunta para consumar en ella su frustrado matrimonio— está demasiado adulterado por el absurdo para resultar trágico. La razón de que, en Buñuel, como en muchos otros cineastas españoles, la tragedia adquiera a menudo una apariencia tragicómica radica, sin duda, en el hecho de que esté relacionada tan claramente con un «malestar» español más general que, originado por siglos de frustraciones, opresión y desengaños, es tan espantoso, que parece absurdo. «España es un país absurdo», escribió Ganivet, el absurdo era su nervio y su sostén. El cambio a la prudencia supondría su fin[46].

Por último, es posible que el paso casi automático de lo particular a lo general característico de las películas de Buñuel, que normalmente parece ser representativo de situaciones sociales más amplias, sea en sí mismo un rasgo español que refleja siglos de gobierno dictatorial. La falta de intimidad y la represión de la individualidad presentes a menudo en España han hecho que a los personajes cinematográficos españoles les sea muy difícil mostrar de un modo realista situaciones puramente personales. La casa de un inglés es su fortaleza, las perversiones que practique en ella son cosa suya; la casa de un español es, según Buñuel y Saura, un ruedo para prácticas sociales opresivas, y sus perversiones son signos de enfermedades sociales más generales.

---

[46] *Ibíd.*

Un claro ejemplo del modo en que este salto instantáneo a lo general opera en las películas españolas es *Ese oscuro objeto del deseo* (1977), única obra posfranquista de Buñuel, coproducción hispano-francesa y candidata española en 1978 al Oscar a la mejor película extranjera[47]. En la última obra de Buñuel, un burgués de mediana edad llamado Mathieu explica a sus compañeros de viaje, todos los cuales se dirigen a París, por qué arrojó un cubo de agua a una chica que apareció en la estación de Sevilla pidiéndole que no la abandonara. La chica, Concha, trabajó algún tiempo a su servicio y, más tarde, se la encontró por casualidad en Suiza. En París comienza a salir con ella, pero la actitud de la muchacha es contradictoria: se sienta en sus rodillas, pero no le deja acariciarla; acepta sus regalos y luego le acusa de querer comprarla; accede a acostarse con él, pero se mete en la cama con un cinturón de castidad. Desesperado, Mathieu le compra un chalet que ella utiliza para hacer el amor con un amigo ante sus propios ojos. A la mañana siguiente, Concha le explica que lo ocurrido en el chalet era sólo una farsa. Él la golpea con furia. «Ahora, ahora sé que me amas», dice ella, sonriendo. En cuanto Mathieu acaba de contar la historia, Concha aparece en el tren con un cubo en la mano y le empapa de agua. Al final, se les ve a ambos en París. Él observa fascinado a una costurera que cose unas ropas manchadas de sangre. Concha se aleja de allí; Mathieu se dispone a acompañarla, pero ella le aparta. De pronto hace explosión una bomba que llena la pantalla de humo y la película acaba.

En un ensayo sobre *Ese oscuro objeto del deseo,* Katherine Kovács muestra que, desde el punto de vista del argumento, los personajes, los incidentes y el diálogo, la película es una adaptación fiel de *La femme et le pantin* (1898), de Pierre Louÿs[48]. Cabría añadir a esto que *todos* los elementos introducidos por Buñuel —el tren, el tema central del deseo, el papel que desempeña el azar, la subtrama terrorista e incluso la bolsa de arpillera— tienen su origen

[47] Sólo una quinta parte del capital con el que se hizo la película era español, pero esto, más el escenario y los actores, ha hecho que se la incluya en la mayoría de los estudios sobre el cine español posfranquista.

[48] «Luis Buñuel and Pierre Louys: Two Visions of Obscure Objects», *Cinema Journal,* vol. 19, núm. 1, 1979, págs. 87-98.

en el interés por el surrealismo de su juventud. El «españolismo» de Buñuel se limita a dar a su surrealismo un acento especial, que reaparece en otras películas españolas, como, por ejemplo, *Peppermint frappé,* de Saura, y *Tamaño natural* (1973), de Berlanga[49]. Tanto Buñuel como Saura establecen una relación perversa entre la frustración sexual y el deseo. En *Peppermint frappé,* Julián, un médico que vive en el ambiente represivo y provinciano de Cuenca, cree ver su ideal femenino en Elena, la elegante esposa de rasgos nórdicos de su mejor amigo. Como ésta no le hace el menor caso, intenta convertir a su respetuosa ayudante, Ana, en una segunda Elena cambiando totalmente su aspecto —incluso la obliga a teñirse de rubio. Más tarde asesina a Elena en un final lleno de elegantes ambigüedades: Ana es testigo del crimen, estableciendo así una tiranía latente sobre Julián, pero ¿cuánto tiempo seguirá sometiéndose a las fantasías de éste? Para Julián, el futuro es una amenaza, mientras que el pasado le ha dejado en un estado de frustración permanente, ya que ha matado a su verdadero objeto del deseo y, por consiguiente, nunca llegará a poseerlo. Sin embargo, el mismo obstáculo que le impide satisfacer su deseo es lo que lo mantiene vivo, y tal paradoja se halla también presente en *Ese oscuro objeto del deseo,* donde Concha mantiene el interés de Mathieu por ella dándole una de cal y otra de arena, lo cual crea un exquisito sentimiento de frustración.

La lógica narrativa de *Ese oscuro objeto del deseo* rinde homenaje al surrealismo. En *L'Amour fou,* André Breton afirmaba que no hay más que una diferencia cuantitativa entre la tensión provocada por fenómenos «estéticos» y el placer erótico. Mathieu se toma muy en serio la narración de su historia: «¿Seguro que no les aburro?», pregunta a sus compañeros de viaje, y se esmera en contarlo todo bien. El propio Buñuel sostenía que lo más importante de una narración es el suspense, de ahí que el esmero de Mathieu y el suspense sexual reflejan parte de un juego narrativo que reconoce un hecho natural: una vez que Mathieu haya poseído a Concha, nuestro interés en la historia decaerá[50].

---

[49] Filmada en Francia y libre, por tanto, de las restricciones de la censura, la coproducción hispano-francesa *Tamaño natural* es la primera película «posfranquista» de Berlanga.

[50] Como señala Linda Williams, en *Figures of Desire* (Urbana, University of Illinois Press, 1981, pág. 133), en *La edad de oro* «la posibilidad de que finalmen-

Sin embargo, detrás del surrealismo encubierto de Mathieu yace todo el peso de la cultura católica. El placer masoquista que se deriva de la frustración en *Ese oscuro objeto del deseo* se entenderá mucho mejor en los países católicos, donde, por frustrante que sea una prohibición, se procura encontrar en ella un aspecto placentero, lo cual lleva a atisbar, por ejemplo, la tensión sexual extática en el tormento de los mártires o el inmóvil paroxismo de devoción de las estatuas religiosas. Además, en la sociedad española, como probablemente en cualquier país conservador, existe todavía cierta tendencia a considerar que el sexo degrada a la mujer. El culto a la Virgen continúa siendo una manifestación religiosa predominante en muchos lugares de España, y a los españoles que se criaron en pleno franquismo les resultan muy familiares las dos dicotomías siguientes: la mujer o es una virgen o es una furcia, y el amor es una cosa y el sexo otra[51]. «Las mujeres dejaron de interesarle cuando dejaron de ser vírgenes», se leía en la cartelera de la película de Fons *De profesión polígamo* (1975). En *Peppermint frappé,* Julián trata de suprimir la diferencia que separa lo sensual de lo espiritual dando al cuerpo de la virginal Ana el aspecto extranjero de Elena, que se supone que es una mujer liberada.

Berlanga desarrolla un tema similar en *Tamaño natural.* Michel, un destista parisino, se compra una muñeca de plástico para que le haga «compañía». Un día, el marido de su asistenta viola a la muñeca, y él se queda horrorizado ante lo que considera un signo de la sexualidad incontenida de su compañera, a pesar de la evidente pasividad de ésta. Para Michel, la muñeca ha pecado, así que, en una escena en la que se expone, pero sin llegar a explicarlo, el doble concepto que tiene de ella como compañera y como furcia, la obliga a confesarse. «Te escucho, hija», le dice a la muñeca, haciendo las veces de cura, para espetar después, «¡puta!» La historia de Mathieu en *Ese oscuro objeto del deseo* está concebida de modo similar a fin de presentar a Concha

---

te se satisfaga el deseo del amante tiene el paradógico efecto de mitigar tal deseo».

[51] El mejor estudio de Buñuel sobre la dicotomía virgen/puta es *Belle de Jour* (1967). Séverine ama a su marido, pero no se satisface sexualmente con él, así que lo hace trabajando de prostituta.

como virgen y, al mismo tiempo, como mujer liberada, visión que alcanza su punto culminante con la paradoja de que la muchacha haga el amor con un hombre y continúe siendo virgen.

Pero las películas españolas reflejan no sólo los placeres sexuales perversos de una sociedad reprimida, sino también los temores sexuales de la misma. El más común de todos éstos, en el que Buñuel hace especial hincapié en *Ese oscuro objeto del deseo*, es el complejo de castración. Cuando Mathieu descubre que Concha se ha marchado de París, por ejemplo, se oye el sonido de una sierra eléctrica y, como si se tratara de un juego de palabras cinematográfico, la escena se corta bruscamente para pasar a un restaurante que está decorado casi por completo con felpa roja. Desde un punto de vista simbólico, Concha es una amenaza de castración: arranca hojas de los árboles y vello del pecho de Mathieu, e incluso intimida a éste con afeitarle la barba. El criado, Martin, caza un ratón con una trampa; se oye decir que ha explotado un jumbo —la película está repleta de símbolos de castración[52].

Las películas de Buñuel, al igual que las de muchos cineastas españoles posteriores, están inspiradas en gran medida en las teorías de Freud. Según éste, el fetichismo es un modo de ahuyentar el miedo a la castración. Las películas de Buñuel son famosas por poner en primer término sus fetiches, atribuidos a los personajes (como cuando Mathieu mira fascinado las ropas ensangrentadas al final de *Ese oscuro objeto del deseo*) o el propio Buñuel. En su última película, la cámara «fetichiza» el ambiente turístico en el que se desarrollan las escenas, reduciéndolo a componentes emblemáticos —la Giralda, las palmeras, las procesiones, los mendigos gitanos y el flamenco en el caso de Sevilla, por ejemplo— que constituyen un exótico paralelo turístico del evasivo objeto de interés erótico. De hecho, uno de los aspectos surrealistas más logrados de esta película es la interpretación sexual que se da en ella del turismo.

Según Freud, el miedo a la castración tiene su origen en los

52 En la primera secuencia de la película se ve una valla publicitaria donde dice «Puros Preciados», entonces la cámara corta la frase para encuadrar sólo «... dos».

vínculos edípicos que aún subsisten en la persona, en la incapacidad de poner en duda la figura de los padres y desarrollarse al margen de ellos, lo cual hace que el individuo vuelva a sentir miedo al castigo o sufra complejos de culpa y tema o anhele la reprobación. Pero el factor fundamental es la autoridad de que está revestida la figura de los padres, debido a la cual el individuo modela sus relaciones adultas de acuerdo con la jerarquía de poder que vio de niño en la relación padre-hija, en el caso de la mujer, y madre-hijo, en el del hombre. La proteica política personal de *Tristana* es un claro ejemplo de estas relaciones. Don Lope recoge en su casa a una bella huérfana de la que es tutor, utiliza su autoridad para convertirla en su amante y la amenaza en tono patriarcal cuando la muchacha comienza a mostrar signos de querer independizarse: «Soy tu padre y tu marido. Y hago de uno o de otro según me conviene.» Cuando Tristana pierde la pierna, pierde también, según cree ella, su atractivo sexual y vuelve a adoptar el papel asexuado de hija de don Lope. Recuperada así su autoridad, éste pretende otra vez tratarla como esposa, lo que, dada la creciente senilidad de su tutor, otorga a Tristana el papel dominante. Ella es la que mangonea ahora en la casa, haciendo sonar su pata de palo por todos los rincones como si fuera, como observa Gwynne Edwards, una versión grotesca de la Bernarda Alba, de Lorca. Al igual que *Cría cuervos, Tristana* trata de la sustitución de unas relaciones fundadas en el cariño por otras fundadas en el poder.

Algo que falta por completo en *Peppermint frappé, Tamaño natural* y *Ese oscuro objeto del deseo* es el concepto de la mujer como individuo. En estas tres películas, la mujer es la personificación de un papel social o una proyección de los deseos del hombre, una imagen mental idealizada en un mundo en el que, como escribió la pluma misógina de Nietzsche, «en el fondo, se aman los deseos, no lo deseado». Tras este intento de imponer la autoridad, es posible que se oculten otros temores y amenazas, además de la castración. Isabel Escudero sostiene que la muñeca de *Tamaño natural* evoca al protagonista la «vaciedad de lo femenino», su falta de significado. Los juegos de Michel —al vestir a la muñeca, sacarla de paseo e incluso casarse con ella— constituyen un intento de «hacer "representable lo femenino", materializar y manejar aquello indefinido que le trastorna y que de alguna manera le ha llevado a la terrible carga de constituirse en sujeto de la Historia»[53]. Sin embargo, como sostiene Escudero, el único componente de la «feminidad» que Michel capta en la muñeca es el de la sexualidad, lo cual le hace sentir el «masculino terror de acercarse a lo inagotable e infinito de lo que ellos suponen como deseo y placer en las mujeres». Un hecho muy significativo es la agresión fálica con que Michel reacciona a la violación de la muñeca. Tal muestra de sexualidad le lleva a hincarle un dedo en la cara, a cortarle la vagina y a clavarle una aguja en el estómago. En *Carmen,* Antonio también hunde su navaja en el cuerpo de su amada, mientras que, en *Peppermint frappé,* Julián arroja a Elena por un precipicio. El amor traumatizado de las películas españolas no se limita a reprimir a la mujer. A veces llega también a negarla, a olvidarse totalmente de ella como individuo independiente; y si encuentra alguna resistencia a esto puede incluso sublimarla o provocar su absoluta aniquilación.

«Dejadle respirar al feto»: Cinematografía vasca, andaluza y de otras regiones autónomas

«Dejadle respirar al feto.»

Imanol Uribe, 1982,
sobre el cine embrionario del País Vasco[54].

Mientras que Cataluña tenía industria cinematográfica y cineastas con conciencia «nacionalista», las demás autonomías contaban con cineastas «nacionalistas», pero con muy poca industria. La historia del ascenso (y caída) del cine de éstas es la de su financiación[55].

---

[53] «Del amor y la caza en el cine de Berlanga», *Berlanga II,* Festival de Cine de Valencia, 1980, págs. 45-46.

[54] I. Uribe, «Dejadle respirar al feto», Boletín del XXX Festival Internacional de Cine de San Sebastián, núm. 3, 19 de septiembre de 1982.

[55] Sobre los cines autonómicos españoles, véanse Santos Zunzunegui, *El cine en el País Vasco, II encuentro con el cine de las nacionalidades y regiones* (catálogo), Universidad Complutense de Madrid, 1980; Esteve Rimbau, «El cine de las autonomías», *Dirigido por,* núm. 114, abril de 1984, y Carl J. Mora, «Spain's Cine-

La vigorosa y, hasta hace poco, sistemática ayuda recibida por los cineastas vascos del Gobierno Autónomo, establecida conforme a planteamientos sumamente hipotéticos en 1979, ha facilitado el desarrollo de un pequeño pero interesante cine. El principal estorbo con que se encontró la cinematografía vasca cuando se hicieron patentes las primeras secuelas del franquismo fue el de saber qué significaba exactamente tal término. La sombra arrojada por la singularidad radical de la nación vasca eclipsaba los debates. ¿Qué otros pueblos, continúa el razonamiento, podrían jactarse con razonable probablidad de ser los últimos supervivientes de la raza preindoeuropea que habitó en un principio Europa? ¿Cómo podía un cine vasco digno de llamarse así no hacer hincapié en este hecho, especialmente cuando el pueblo vasco era reprimido por la dictadura franquista?

En un notable libro *El cine en el País Vasco,* Santos Zunzunegui ha demostrado cómo este sentido de unicidad ha dominado todos los intentos de hacer cine realizados hasta 1979 de manera que se insistiese en «imágenes de resistencia» (como la de la ikurriña que ocupa nueve minutos del corto *Ikurriñaz Filmea,* realizado por Aurelio Garrote y Juan B. Heinink en 1977), en la reivindicación de una Arcadia rural vista como normativa del estilo de vida vasco, en el fomento del *euskera* (estos dos últimos rasgos son patentes en los documentales turísticos realizados en 16 mm por Gotzon Elorza, el primero de los cuales, *Ereagatik Matxitxako'ra,* 1958-1959, marca el comienzo de la cinematografía vasca actual) y en la exploración de «imágenes típicas» que revelan la influencia de las ideas de Jorge Oteiza sobre cómo la cultura vasca engendra formas nacionales.

Estos intentos de definir el «espíritu vasco» confluyen en *Ama Lur* (1968, Fernando Larrusquert y Nestor Basterrechea), el primer largo vasco realizado después de la guerra civil, que fue producido por suscripción popular y rodado en el formato 1:2,35 de Techniscope y que muestra costumbres vascas mediante la notable cinematografía de Luis Cuadrado, quien utilizó filtros, planos inclinados y ángulos poco corrientes (como en una escena en que una hilera de cruces llevadas en procesión parecen

ma of "the Autonomies"», *New Orleans Review,* Loyola University, vol. 13, número 2.

los mástiles de una gran flota) para dar la impresión de distorsión, angustia y claustrofobia. La insistencia en las pesadas esculturas de Chillida y en las pruebas deportivas de fuerza —carreras de remos, tala de troncos— indican la existencia en la cultura popular vasca de una decidida y característica voluntad de supervivencia.

Uno de los problemas inherentes a estas búsquedas de «idealecto estético» radica en que tendía a concentrar formas estéticas puramente vascas que eran insensibles a los cambios. La cuestión de qué es lo que constituye la cinematografía vasca se volvió a plantear en las Primeras Jornadas de Cine Vasco, celebradas en febrero de 1976, cuando se definió aquélla como un cine hecho «por y para vascos», «en euskera», sobre problemas vascos e influido por «una estética vasca». Esta postura se radicalizó en los meses siguientes al añadir a tales características la de que la cinamatográfica vasca tenía que adoptar estrategias del contracine y «andar lo más lejos posible de los mercados capitalistas»[56]. «Si hubiera que titular la historia de estos debates en torno a los años 77-79», comenta Zunzunegui, «no sería deficil: Intolerancia»[57].

El fracaso de las posturas maximilistas y del rupturismo cinematográfico condujo a los críticos radicales a plantear la hipótesis de trabajar dentro de las estructuras del cine capitalista. El resultado fue la aparición de los 20 cortos *Ikuska,* rodados entre 1977 y 1985, y dedicados a ilustrar varios aspectos de la vida vasca, pero viciados por una visión completamente anacrónica de la cultura que describen, pues vinculan a ésta casi exclusivamente con el campo. *Euskal Herri Musika* (Fernando Larruquert, 1978) insiste con similar intensidad en este punto dramatizado laboriosamente por medio de imágenes, canciones tradicionales vascas.

Algo de lo que la mayoría de los cineastas vascos hicieron caso omiso fueron los cambios sociológicos radicales, que tuvieron lugar durante el franquismo, fenómenos, como la urbanización y la modernización, que habían transformado radicalmente quizá no lo que la cultura vasca debería ser, pero sí lo que fue.

---

[56] Santos Zunzunegui, *op. cit.,* pág. 385.
[57] *Ibid.,* pág. 386.

El proceso de Burgos (1979), de Imanol Uribe, fue la primera película vasca que despertó el interés del público en general. En su siguiente proyecto, *La fuga de Segovia* (1981), Uribe decidió acercarse más a la ficción y puso en escena un libro de Ángel Amigo sobre la fuga de treinta prisioneros, la mayoría de ellos etarras, de una prisión de alta seguridad en 1976. Ex miembro de ETA, Amigo había participado en la fuga, y el hecho de que fuese productor y coguionista de la película de Uribe y de *La conquista de Albania* (Alfonso Ungría, 1983), reflejó la nueva postura política adoptada por muchos radicales vascos, que pasaron de la resistencia armada del franquismo a la militancia cultural de la democracia. «Antes solía disparar 9 mm», declaró, bromeando, Amigo en cierta ocasión, «ya disparo en 35 mm»[58]. Tanto él como Uribe vieron en las películas vascas un modo de engendrar una cultura vasca actual, no de resucitar un folklore desaparecido. Para Amigo, «Euskadi todavía se está construyendo. La existencia en un futuro no muy lejano de su propio cine es un elemento más del proceso»[59].

La fuga de Segovia es un claro ejemplo de cómo funciona la política resultante de la asociación Amigo/Uribe. Trata un tema vasco, pero su modelo cultural es universal: el trillado argumento cinematográfico de la fuga de una cárcel. Desde el punto de vista de la retórica política de la película, el formato resultó sumamente eficaz, pues, gracias a él, el espectador se pone enseguida de parte de los personajes. Uribe y Amigo explotan la deprimente realidad de los etarras encarcelados: la ingenuidad con que engañan a los guardias, su sentido del humor, su sufrimiento. Uno de los presos, por ejemplo, está casado, lo que le da un motivo puramente personal para fugarse. El público de toda España se encontró simpatizando con unos hombres a los que no le hubiera importado ver encarcelados o fusilados en la vida real.

---

[58] En una entrevista con el autor, junio de 1983.

[59] Cfr. «¿Por qué un cine vasco?», en «Desidencias», *Diario 16,* 24 de junio de 1983. Imanol Uribe hizo una observación similar en su introducción a la cinematografía vasca, «Dejadle respirar al feto», Uribe y Amigo tienen una entrevista juntos en el panorama sobre el cine vasco publicado en *Contracampo,* núm. 27, 1982.

Tras invertir 10 millones de pesetas en *La fuga de Segovia,* el gobierno autónomo vasco inició su propia política cinematográfica. A cambio de subvenciones a fondo perdido de hasta una cuarta parte del presupuesto de las películas, los cineastas tenían que rodar principalmente en el País Vasco, presentar una copia de la película en euskera (pero no rodar necesariamente en esta lengua, ya que muchos directores, como por ejemplo, Uribe, no la hablan) y utilizar, en la medida de lo posible, actores y técnicos vascos. Los primeros beneficiarios —si cabe el término con parámetros tan vagos— de esta política fueron Pedro Olea, con *Akelarre* (1984), que es un relato bastante pedestre sobre la brujería y la tortura en la Edad Media, y Alfonso Ungría, con *La conquista de Albania* (1983). Esta película cuenta la historia de una expedición navarra apenas conocida que llegó a Albania en 1370. Película irregular, situada a medio camino entre el retrato histórico y el cine de aventuras para niños, también se la puede considerar como un cuento aleccionador sobre los actos sin sentido del engrandecimiento nacionalista como, por qué no, la violencia ciega de ETA.

Pero, hasta la fecha, el punto álgido del cine vasco continúa marcándolo *La muerte de Mikel* (1984), también de Uribe. En esta película se narra la historia de Mikel, un farmacéutico de izquierdas que va aceptando poco a poco su propia homosexualidad. Uribe evita caer en el fariseísmo de gran parte del cine nacionalista. Su sarcasmo, por ejemplo, abarca todo el espectro político. Cuando el protagonista pasea abiertamente por la calle con su compañero, le borran de la lista de candidatos al gobierno autónomo que presenta su partido. Los izquierdistas vascos no deberían oponerse a la homosexualidad, pero sí lo hacen. La policía somete a Mikel a un violento interrogatorio sobre su relación con ETA durante el franquismo. La policía española no debería investigar los delitos bajo Franco, pero sí lo hacen.

No obstante, la fuerza de la película radica en su sutil reserva, la cual queda patente en la descripción de la muerte del protagonista. Cuando la policía le deja en libertad, Mikel regresa con su familia. En un determinado momento se le ve mirando al mar desde lo alto de un promontorio cercano a su casa. Su madre, que ha llegado a prohibirle que manifieste su homosexualidad, le observa desde una ventana. Cuando oscurece, la cámara enfoca la casa: en el cuarto de Mikel se apaga la luz. Al día siguiente, un plano secuencia nos muestra a la madre en primer término, desayunando, mientras su otro hijo se dirige hacia el fondo de un pasillo que queda a espaldas de ella para volver después, lentamente, y decir que su hermano está muerto. En la siguiente escena, la del funeral, el mismo partido político que había condenado a Mikel al ostracismo le declara ahora mártir de la tortura policial. El montaje y el encuadre destacan los factores que han inducido a Mikel a suicidarse: la policía, la madre (su asesino), la política; pero es el público quien ha de buscar el porqué.

Realizada también en 1984, *Tasio* se encuentra, tanto desde el punto geográfico como económico, en los límites del cine vasco. La película está ambientada en Navarra; fue subvencionada por los gobiernos autónomo y central; la dirigió un cineasta residente en Pamplona, Montxo Armendáriz, y la produjo Elías Querejeta, que, aunque es vasco, está establecido en Madrid. Tasio es una atractiva puesta en escena de la biografía de un carbonero, encarnado por tres actores. Al principio vemos a un Tasio niño haciendo novillos; después, a un Tasio adolescente en un baile de pueblo, y por último, a un Tasio adulto que juega a la pelota vasca, corteja a una chica, se casa, es cazador furtivo y acaba convertido en un hombre viejo que sigue construyendo carboneras y no quiere irse a vivir con su hija a la capital.

Querejeta calificó a *Tasio* de «himno a la libertad». Pero no se trata de una libertad absoluta, sino más bien de una elección del destino delimitado por el medio ambiente. Los factores que determinan el destino de Tasio están plasmados con precisión casi profética. Planos con gran profundidad de campo nos muestran impresionantes vistas de los montes y bosques navarros, mientras que continuas panorámicas del paisaje sugieren la existencia de espacios simbólicos para la acción individual dentro de un contexto social más amplio. Y, como señala Vicente Molina Foix, Armendáriz «aísla (y fija) un gesto de los personajes con un *zoom* lento que les deja encuadrados, solos, en la Naturaleza... y subraya la propiedad inalienable de *su mundo*»[60]. Como en la escena del baile en que el joven Tasio felicita a una chica por su vesti-

[60] En su crítica de *Fotogramas; «propiedad»* se emplea en todos los sentidos del término.

Tasio, Montxo Armendáriz, 1984. Después de clamar la necesidad de cambio, un nuevo espectro aparece en el cine español: el deseo de continuidad

do y la cámara se acerca a la pareja, tan absorta en ellos como el uno en el otro.

Viendo *Tasio,* se tiene la impresión de que algo ha cambiado en la cultura española. Una de las características clave de la película es un sentido de la continuidad que en el cine antifranquista habría denotado monotonía, falta de perspectiva. En *Tasio,* esta continuidad es atractiva; el hecho de que los mismos personajes, conversaciones y paisajes aparezcan una y otra vez realza el encanto de la película. Con Franco, la relación entre el ambiente y el individuo era represiva; ahora es mucho más simbiótica. Tasio alimenta las carboneras que construye y les da vida. La forma piramidal de estas estructuras, el humo que sale de ellas y la gran importancia que tienen en la vida del protagonista las dota, como señala Molina Foix, de un significado totémico. En vez de reprimir al individuo, el ambiente es una fuente de identidad y seguridad.

Armendáriz y Querejeta se asociaron una vez más en *27 horas,* que ganó la Concha de Plata de 1986. La película nos muestra a un heroinómano vasco buscando una papelina por todo San Sebastián. Su novia toma una dosis adulterada y muere. Al final, él sigue su ejemplo, menos por adición que por un pacto suicida oscuramente percibido. Aunque con menos substancia dramática que *Tasio* y sin la atmósfera, creada o no, de experiencia personal de ésta, *27 horas* confirmó la pertenencia de Armendáriz al pequeño grupo de directores españoles que no quieren reducir su cine a una mera anécdota transparente en la que el director está relegado a un mero ilustrador de guiones. «Intento de realismo poético», como la calificó su autor, la película selecciona los rasgos de la juventud y la toxicomanía en el País Vasco, que realmente le interesan —la vitalidad sin porvenir de unos adolescentes de San Sebastián; la normalidad de las drogas (parece ser que hay más drogadictos en el País Vasco que en toda California)— y encuentra mecanismos formales equivalentes con que describir estos detalles sociales: una estructura episódica sin el menor sentido del desarrollo dramático y con una circularidad que pone fin a la película con la misma imagen que la dio comienzo: el reloj de un edificio; el amplio uso del *zoom* y de los desplazamientos de la cámara, lo cual crea un movimiento nervioso y apresurado que no conduce a ninguna parte y que refleja la precipitación de los personajes cuando bajan al puerto o recorren los bares de la ciudad sin poder escapar de la mirada de la cámara, como no pueden hacerlo de su ambiente ni de la heroína. La dirección de la cámara se convierte así en una metáfora social.

Si *El proceso de Burgos* hizo que el cine vasco abandonara el uso exclusivo del euskera y *La muerte de Mikel* confirmó que, como observa Santos Zunzunegui, «la realidad ha quedado definitivamente configurada como algo más rica que la mera consideración de sus aspectos políticos», la última película realizada por Uribe hasta la fecha, *Adiós, pequeña,* rompió con los objetos originales de los cineastas vascos, ya que trata de un *film-noir,* género del que ni siquiera los vascos más patriotas se atreverían a decir que se originó en Euskadi.

Uribe se ha embarcado ahora en la preproducción de un proyecto de varios años, *Dos orillas,* producido por TVE y ambientado en Latinoamérica. La última producción de Ángel Amigo, *A los cuatro vientos* (crónica personalizada de las secuelas de Guernica dirigida por José Antonio Zorrilla en 1987) fue un rotundo fracaso de taquilla[61]. La intención del Gobierno vasco de sustituir las subvenciones a fondo perdido calculadas en tantos por ciento de acuerdo con el presupuesto de las películas por sumas globales fijas amenaza con destruir la variedad de la producción cinematográfica vasca. Pero, a pesar de ello, este cine está mucho mejor de salud que el de las demás regiones autónomas, que empieza con la transición y, curiosamente, acaba con la llegada de los socialistas al poder. Como observa Julio Pérez Perucha, los largometrajes canarios tienen su principio y fin en las películas de Patricio Guzmán de 1978 y 1983 (*Isla somos* y *Españolito que vienes al mundo*), mientras que las producciones aragonesa y gallega se limitan a *Esta tierra* (Loren, 1980) y *Malapata* (Pineiro, 1979), respectivamente[62].

Es en el cine andaluz y en la obra de Gonzalo Garciapelayo donde se produce el intento más interesante de plasmar cinema-

---

[61] En una entrevista con el autor, septiembre de 1986.

[62] La producción autonómica o regional era muy pequeña. Perucha y Ponce, *op. cit.*, pág. 35, la limitan, hasta 1983, a 8 largos, en Valencia; 12, en Andalucía; 13, en el País Vasco; 1, en Galicia, y 1, en Aragón.

tográficamente el sentido de la cultura regional. *Rocío y José* (1982), historia de amor adolescente entre dos rocieros, salpicada de imágenes documentales de la romería, lo ilustra a la perfección. Garciapelayo describe continuamente el romance como parte de una cultura andaluza más amplia. Así, Rocío se nos presenta, más que como una novia, como una protomadre idealizada en la que confluyen la Virgen del Rocío (viste de blanco, y a la Virgen la llaman la Blanca Paloma; la imagen de ésta se alza por encima de la multitud, y en la primera conversación importante que mantiene con José, la chica está significativamente filmada en contrapicado) y la madre de José, llamada también Rocío. Cuando él dice que quiere casarse con ella, no aclara que la quiere, sino que más bien insiste en que desea que le dé hijos.

La estructura de la romería dicta la de la película y el curso de la historia de amor. Ambos se convierten esencialmente en rito, haciéndose recuento del resultado del encuentro de los jóvenes amantes al principio de la película, en un prefacio: «Aquella romería sería inolvidable. En todos aquellos días sintieron una fuerza misteriosa y arrolladora que iba más allá de la inspiración, más allá incluso del amor. Esta película cuenta cómo sus vidas fueron arrebatadas por la gracia.» Incluso en la romería, la naturaleza imita la cultura, su curso, como el romance sigue a la lírica de las sevillanas («La niña mira al chaval»).

El problema de todos los cines autonómicos sigue estando, sin embargo, en que su público natural es muy pequeño. Vinculados al contracine embrionario de principios de los años 70 por la oposición que compartían con él a una ideología dominante, su destino ha sido el mismo que el del cine alternativo: la indiferencia del público. No basta con doblar las películas al castellano para atraer a los espectadores de otras autonomías. Un panorama de cine vasco presentado en la Filmoteca Nacional en 1984 apenas atrajo a un puñado de espectadores, y en la mesa redonda que se organizó a la vez era imposible no sentir que muchos de los participantes, así como gran parte del público, estaban allí no para alabar el cine vasco, sino para enterrarlo.

Al no tener asegurado el público, los cineastas autonómicos tienen que recurrir a productores de fuera (como hizo García Pelayo, que se valió de Andrés Vicente Gómez para realizar *Corri-*

das de alegría, 1980, intento vigoroso, pero desigual de combinar el género de aventuras con el genio andaluz). A consecuencia de ello, hay una carencia crónica de bases industriales independientes en las regiones autónomas. Y también por este motivo, la definición de los cines autonómicos depende de la cantidad de dinero con que sus creadores jueguen. Para la Generalitat catalana, son películas autonómicas, en especial las que se hacen y estrenan en catalán (les concede premios extraordinarios); para el *establishment* vasco de Amigo, sólo las que se hacen en la región; para los desesperados aficionados del cine andaluz, bien pudiera ser que ni siquiera tengan que ser producidas allí (como *Corridas de alegría,* acogida en 1980 como parte del nuevo cine andaluz, que fue temporalmente el último grito). Una solución final es que los gobiernos autónomos subvencionen las películas. Todos están llegando a esto, con toda la gama de manipulaciones políticas que comporta, tales como que la película tenga que hacer patente su *modernidad, pertinencia* nacionalista y *seriedad* (tan a menudo confundida con sobriedad). El debate a que están sometidos los cines nacionales de España no es muy diferente del que gira en torno a otro cine nacional: el propio cine español.

¿Qué hace un bienpensante como usted en una democracia como ésta?: El cine de Rafael Gil y Mariano Ozores, 1979-1985

Donde mejor se advierte la reaparición de un cine de derechas en España es en la película de Rafael Gil *La boda del señor cura,* de 1979. Industrialmente conservadora, ya que se aprovecha de la popularidad de la novela de Vizcaíno Casas para asegurarse los espectadores de un mercado natural numéricamente pequeño, esta película es también anacrónica desde el punto de vista estético, pues utiliza símbolos sobrecargados, una moral vinculada a una vida ejemplar y un montaje paralelo para que los espectadores no se machaquen las entendederas descubriendo la moraleja.

La política de las últimas películas de Rafael Gil gira más que nada en torno a un sentido subterráneo del sadomasoquismo. *La boda del señor cura* comienza mostrándonos a un cura de rígidos principios que da clases en un colegio jesuita y que decide salirse de la Orden tras recibir una reprimenda por haber criticado el adulterio de la madre de uno de sus alumnos con el presidente de (¡qué casualidad!) el banco que iba a conceder el crédito necesario para ampliar el colegio. Nuestro hombre ha actuado correctamente. A continuación se hace cura de pueblo y protesta de la subordinación de la Iglesia al Estado, ilustrada por el hecho de que el alcalde del lugar se apropie del derecho de la Iglesia a elegir a la reina de las fiestas. También en este caso ha obrado con rectitud; pero le echan del pueblo. Luego se hace cura obrero y apoya una huelga de mineros. Vemos que su comportamiento es justo, pero, una vez más, se ve obligado a marcharse. Entonces se une al Partido comunista. Y es en este momento, en el que, para disgusto de su futura novia, cuelga la sotana en medio de un servicio religioso, cuando comenzamos a sospechar que en su conciencia social hay cierto sentimiento egoísta de superioridad.

Una monstruosa elipsis nos traslada entonces a una época posterior en que los antiguos alumnos del ex padre Camin, ahora capitalistas respetables, encuentran a éste convertido en un *progre* barbudo y miope, que está saliendo con una mujer que hace *striptease.* La película acaba con un montaje paralelo. En su boda, la esposa de Camin baila mostrando sus encantos prenupcialmente; a la misma hora, unas excavadoras están derribando el viejo colegio.

La boda del señor cura presenta el franquismo, más que como un proyecto político viable, como un ejercicio de nostalgia. De ahí el alargado prólogo dedicado a las bromas y manías de una banda de alumnos de jesuitas en los mejores años de su vida. La película de Gil recurre al placer de dar rienda suelta a los prejuicios. El destino del padre Camin es ser juzgado no desde su punto de vista (en cuyo caso hemos de suponer que no tiene nada que objetar a que su mujer haga *striptease,* ya que de lo contrario no se hubiera casado con ella), sino desde el punto de vista del espectador de derechas, quien, alumbrado por su autoritarismo moral, le ve hundido en los abismos de la vergüenza.

Lo que empuja al protagonista por la pendiente de la perdición es su razonable oposición al adulterio de una madre. Pero la película da a entender que es un error ser razonable; como le dice a Camin su superior, en la Compañía de Jesús no hay una «obediencia razonable», sino «simplemente una obediencia». Además de propugnar la obediencia ciega, el final, con su correspondencia entre la decadencia moral del protagonista y la decadencia material del colegio, refleja del modo más evidente no tanto la simplicidad inconsciente de la película, como los deseos de un sector, cada vez más impotente, de infligir un castigo lo más claro, exacto y humillante posible a un enemigo político (el aspirante a dirigir los destinos de España, el *progre*) que en la vida política de ese momento estaba gozando de un creciente triunfo[63].

Esta humillación se calculó siempre en función de lo que la derecha consideraba como los sentimientos naturales de las personas de bien. ¿Permitiría que su hija hiciera eso?, plantea *Vota a Gundisalvo* (Pedro Lazaga, 1977) al describir la vileza de un ex constructor, cuya ambición política le lleva a aprovecharse incluso de su virginal hija, a la que pide que haga un *striptease* con el fin de ganar votos.

Así como la preocupación por el honor de una hija se considera justa y conveniente, en *Vota a Gundisalvo* la política se nos presenta como una actividad antinatural y corruptora. Este tema iba a ser desarrollado con gran intensidad a partir de 1979 por el ex reformista Mariano Ozores. Los críticos tienden a despachar enseguida las películas de este director: «Se trata de las más acabadas muestras de subproductos cinematográficos», dice de ellas el *Diccionario de directores, 1951-1978*[64]. Sin embargo, Berlanga ha afirmado que le gustan bastante. Su entusiasmo no es del todo sorprendente. Por un lado, las películas de Ozores son la típica muestra de la producción en serie orientada al mercado. Más que formular los gustos del público, responden a ellos. Así como la transición tendió a diluir el tinte de atraso cultural que revestía las películas de Alfredo Landa dirigidas por Ozores, en su etapa posfranquista éste recurre a una conciencia cultural centrada en

[63] *De camisa vieja a chaqueta nueva* (Gil, 1982) está concebida con el fin de atribuir a un neo Suárez-ex falangista-tecnócrata-aperturista-monárquico demócrata-comunista tanta falta de moral como sea humanamente y cómicamente posible. Por consiguiente, la película lleva el sarcasmo hasta la monotonía.

[64] En Ángel A. Pérez Gómez y José L. Martínez Montalbán, *Cine español, 1951-1978, Diccionario de directores*, Bilbao, Mensajero, 1979.

la televisión o el cine —de ahí el género burlesco presente en el simulacro gótico *El liguero mágico* (1980) o los detalles anacrónicos introducidos en las paródicas *La loca historia de «los tres mosqueteros»* (1983) y *Al este del oeste* (1984)— o a acontecimientos históricos de actualidad tales como las elecciones de 1982 (*Que vienen los socialistas,* 1982), la intentona golpista de Tejero (*Todos al suelo,* 1982) o a la desesperada necesidad de mantener el puesto de trabajo (*El recomendado,* 1985).

Estas ideas produjeron variaciones superficiales sobre temas, argumentos y estilos que suelen estar vinculados a una especie de estructura propia del sainete o la revista y en la que un público indulgente conoce bien el blanco de los chistes. Así, *El erótico enmascarado* (1980) nos muestra a Fernando Esteso convertido en una estrella porno pre-Perpiñán que trata ahora de recuperar su potencia sexual para casarse con la hija de un director general y que habla de Gibraltar, de Abril Martorell («Yo entiendo de todo», dice Esteso, «soy como Abril Martorell), de senadores (uno de éstos llega al chalet donde tiene lugar el multitudinario final: «¡Ah!, ¿pero es senador de verdad? Yo no le había tomado en serio», dice alguien, abriéndole la puerta. «No me extraña», contesta el recién llegado, «a ningún senador se le toma en serio»). Como en la revista, los actores tienen una serie de recursos con los que definen su personaje con tan pocos medios como sea posible, a menudo recurriendo a estereotipos (Esteso, con su boca de pez encerrado en su pecera, recuerda al soplagaitas que no tiene ni idea del mundo; Antonio Ozores, con su tono de llorica, al cuarentón desgastado). Hay un aire de improvisación (en especial en la dirección de Ozores), el ridículo aspecto físico de los actores se presta a la parodia, pero hay apartes que interrumpen la narrativa y el tono («Por cierto», dice Esteso en *El erótico enmascarado,* después de haber atribuido su impotencia a una descarga eléctrica causada por una inglesa que se pegó a él y, al levantar los brazos en contoneante éxtasis, tocó un enchufe, «¿se ha fijado usted que los ingleses del único sitio que no se mueven... es de Gibraltar?»)

Pero, por encima de todo, el objetivo del cine de Ozores consiste en dar a los espectadores lo que esperan ver: una sucesión de planos de culos y tetas que, por floja que resulte su inclusión en el argumento, son en realidad el eje narrativo de la película. Se fomentan el voyeurismo sexual a expensas de la política, y para ello se aprovecha sin el menor escrúpulo del sentimiento de desencanto. La política democrática no ha cambiado España (al comienzo de *Los energéticos* [1979] se ve a las mismas familias campesinas disputándose un pozo en 1901, 1940 y 1980), y todos los políticos son corruptos (en *Que vienen los socialistas,* la joven esposa de un diputado socialista incita a éste a forrarse de la venta de favores, diciéndole que todos los demás políticos de la ciudad lo hacen), y Antonio Ozores inicia *El erótico enmascarado* dando una clase de política en la que declama: «Democracia, palabra compuesta de los términos griegos pueblo y autoridad», hasta que su verborrea se atasca en la incipiente turgencia del escote de una bella púber.

Todos al suelo llega aún más lejos al proponer que se debería perdonar a los hombres de Tejero, y para ello narra una historia comparable en la que Esteso y Andrés Pajares, cansados de hacer equilibrios para vivir, asaltan un banco. Unas humanitarias fuerzas del orden deciden extrajudicialmente que los asaltantes son dos «pobres diablos» y levantan el cordón policial formado alrededor del banco.

Privadas de las excelentes dotes de actor de Alfredo Landa, cada vez más chapuceras en cuanto a la dirección y producidas con presupuestos bajísimos, las películas de Ozores estaban ya en decadencia antes de que la política de subvenciones del PSOE le excluyera definitivamente de los circuitos de distribución en cines comerciales. Sin la financiación necesaria, Ozores no ha podido seguir el cambio de los gustos populares en España, de tetas y referencias contemporáneas (estilo *Interviu)* a sexo y materialismo para la familia (estilo *El precio justo*). Además las audiencias naturales de las películas de Ozores sólo ven televisión. Las películas de Ozores sólo se producen en 1988 para vídeo hogar[65]

[65] Director de 19 de las 75 películas más populares de la historia del cine español, Ozores ha rodado unas ocho películas, entre junio de 1986 y mayo de 1988, con el productor distribuidor Carlos García Cascales con un presupuesto medio de 40 millones de pesetas. Tales películas van dirigidas sobre todo al mercado del vídeo de alquiler, del que Cascales dice que saca el «70 ó 75 por 100 de los ingresos».

El cine pre-PSOE, 1976-1982

Estrenada con todas las de la ley, la democracia dejó a los creadores de cultura españoles sin saber qué hacer. «Yo me malicio —y me faltan muchas cosas para afirmarlo de una vez—», planteó Juan Benet en *La inspiración y el estilo,* «que así como la lírica, el drama y la pintura de Francia rara vez se han visto en la necesidad o se han tomado la molestia de descender los escalones de la taberna, en España —en contraste— a partir de una cierta fecha situada en el siglo XVI no se ha salido de ella sino para ir a la iglesia». Desde esa fecha, los artistas españoles adoptaron siempre un «procedimiento metafórico, irónico y simulado» que escogió «como objeto de burla... cualquier cosa —salvo el propio Estado defendido por la censura— que a través de una conducta impersonal, autoritaria, ridícula, inoportuna e impertinente se emparentará con la representación física de la máquina estatal»[66].

¿Cómo podía sobrevivir esa fuerza central e impulsora de la cultura española en una España democrática en la que, por definición, gran parte de los ciudadanos apoyaban o, al menos, respetaban los poderes elegidos para dirigir el Estado?

La respuesta que dio la oposición cinematográfica liberal —así como la oposición política del PCE y el PSOE— consistió en declarar que con el gobierno de UCD, cualquiera que fuese su mandato político, España no había desarrollado todavía una democracia moderna y completa. Las objeciones derivadas de esta declaración adoptaron dos formas, ambas influidas por un modelo de industria cinematográfica moderna que era principalmente europeo y estaba basado no sólo en la libertad de expresión (conseguida oficialmente en España con la abolición de la censura en 1977), sino también en una racionalización económica de tal industria y en el concepto de cine como patrimonio nacional merecedor de protección estatal.

Una primera objeción fue la relativa al estado anacrónico del cine español en tanto que industria. En junio de 1978, y tras la celebración en febrero de ese mismo año de un Simpósium Cul-

---

[66] J. Benet, *La inspiración y el estilo,* Barcelona, Biblioteca Breve, Seix Barral, 1973, págs. 95 y 97.

tural, el PSOE hizo un llamamiento encaminado a organizar el Primer Congreso Democrático del Cine Español. Apoyados por el PCE, AP, y CCOO y UGT, UCD boicoteó los preparativos en cuanto se hizo evidente, en julio de 1978, que los partidos de la oposición querían utilizar el Congreso para elaborar una versión alternativa de la polémica ley de cine que habían ido componiendo los diversos gobiernos habidos en el país desde 1974. No obstante, al final se celebró, del 14 al 17 de diciembre de 1978, y se leyeron en él nada menos que 169 ponencias de cinco áreas de trabajo distintas —«Cultural», «Socio-profesional», «Industrial», «Mercado» y «Cine y Administración»— y conformaban la estructura de una ley de cine alternativa. Las conclusiones, aceptadas por todos los partidos políticos representados, exigían el «reconocimiento y defensa de los derechos de los cines de las nacionalidades y regiones..., libertad de producción..., que el Estado vele por el patrimonio cinematográfico»[67].

La heterogeneidad de los participantes en el Congreso demostró que en la industria cinematográfica española podrían trabajar juntos, aunque siempre a expensas de cualquier rigor o coherencia. Un congreso en cuyo apartado de Cine y Administración se recomienda la «no intervención del Estado en el proceso creativo» al mismo tiempo que se exige la «defensa de la cultura cinematográfica española» tiene muy poco valor preceptivo.

A medio plazo, el boicot de UCD configuró una división entre ésta y el PSOE en lo que a política cinematográfica se refiere, que estaba basada no tanto en las conclusiones acordadas en el Congreso —la mayoría de las cuales eran demasiado vagas como para resultarle inaceptables a Suárez— como en el hecho de que UCD no estuviese allí. En efecto, el PSOE salió del Congreso convertido en un partido que había aceptado un compromiso público, al menos dentro de la industria española, con una estrategia cinematográfica alternativa. El Congreso creó, por tanto, esperanzas político-culturales que debieron verse cumplidas, una vez que el PSOE accediese al poder en 1982, gracias al nom-

---

[67] Citas tomada de una transcripción de las *Conclusiones del Congreso Democrático del Cine Español* incluida en la utilísima obra *4 años de cine español*, Francisco Llinas (ed.), Imagfic, 1987, págs. 12-15.

bramiento de un director general de Cinematografía de alto relieve publico, mujer y cineasta perseguido, además, que aprobase una ley de cine igualmente de alto relieve público. En este sentido y más que por las conclusiones acordadas en él (que diferían acentuadamente de la Ley Miró en la cautela con que contemplan el tema del intervencionismo estatal y en que no hacían ninguna mención de *avances sur recettes)*, cabe decir que el Primer Congreso Democrático del Cine Español previó, e incluso determinó, la política de protección cinematográfica seguida por el PSOE desde 1982.

Una segunda objeción, hecha mediante las propias películas, fue que la España posfranquista no era todavía una democracia *social*. Esta protesta recorre todo un cuerpo de películas realizadas, claro está, por figuras que eran miembros, *fellow travellers* o *yellow travellers* del PSOE[68]: Pilar Miró, en *Gary Cooper que estás en los cielos* (1980) y en *Hablamos esta noche* (1982); Mario Camus, indirectamente, en *Los días del pasado* (1977); Roberto Bodegas, en la notable y pocas veces notada *Libertad provisional* (1976) y en la más pedestre *Corazón de papel* (1982); José Luis Garci, en *Asignatura pendiente* (1977), la lacrimógena *Solos en la madrugada* (1978), *Las verdes praderas* (1979), *El crack* (1980), *Volver a empezar* (1982) y *El crack II* (1983); José Luis Borau, en *La Sabina* (1979); Jaime de Armiñán, en *Nunca es tarde* (1977), *Al servicio de la mujer española* (1978), *El nido* (1980) y *Septiembre* (1981); Fernando Colomo, en *Tigres de papel* y en *¿Qué hace una chica como tú en un sitio como éste?* (1978), y el más radical Vicente Aranda, en *La muchacha de las bragas de oro* (1980) y en *Fanny Pelopaja* (1984).

Aunque sus películas tienen connotaciones políticas, la mayoría de estos cineastas modulan su protesta en un plano social y, particularmente, sexual. Incluso en las que tienen coordenadas históricas (como *Los días del pasado),* observó el crítico Esteve Riambau, «la referencia política... ha adquirido un carácter secundario o incluso totalmente marginado en aproximaciones psicológicas donde el contexto intimista va sustituyendo a la di-

---

[68] «Los comunistas están matando americanos en Corea. Los *fellow travellers* mantienen a los comunistas. Los *yellow travellers* mantienen a los *fellow travellers.* No seas un *yellow traveller.»* (Cartel de un piquete del Wage Earners Committee protestando contra una película producida por Dore Schary.)

mensión colectiva»[69]. Lo que ocurrió fue, sencillamente, que las películas «políticas» dejaron de ser un buen negocio después de las elecciones de 1977. Una vez alcanzado el objeto básico de la democracia, los españoles centraron su atención en cuestiones más personales. *Raza, El espíritu de Franco, Caudillo,* y *La vieja memoria* fueron muy poco taquilleras.

El *boom* político de mediados de los años 70 fue una especie de espejismo causado por la popularidad excepcional y la calidad ocasional de unas cuantas películas que presentan temas nunca vistos en España y hacían alusiones polémicas, especialmente a la guerra civil. Sin embargo, muchos directores españoles evitaron tratar este tema clave por cuestión de principios. Todos ellos pertenecían a la misma generación, a la de los nacidos después de 1939 —que en 1977 constituían el 80 por 100 de la población— y no tenían, por tanto, experiencia directa de las hostilidades. Saura, al igual que Berlanga (que sirvió primero a la República, como enfermero, y combatió después en la División Azul), es un caso aparte. Los directores más jóvenes no quisieron tratar un tema que no conocían directamente.

Alfonso Ungría es un claro representante de este grupo. No había vivido la guerra, pero podía describir sus consecuencias, la «frustración tremenda» de los vencidos[70]. En *Soldados* (1978), la parda adaptación que hizo de *Las buenas intenciones,* de Max Aub, Ungría invirtió significativamente los términos de modo que fueran la guerra misma y el periodo inmediatamente anterior a ella los que alegorizasen los años de la posguerra, y no al revés. La retirada republicana de 1939 y la vida que llevaron antes de la guerra tres de los muchachos españoles que huyeron después de la derrota —un asesino, una prostituta y un muchacho acobardado que está enamorado de su madrastra— dan expresión, en parte por medio de la feísta fotografía de Ungría, a las separaciones, persecuciones y tristezas que llenaron los días de la posguerra.

Fue la posguerra lo que iba a caracterizar inevitablemente al cine español posfranquista. En 1977, cumplidos ya sus deberes políticos más urgentes, los directores españoles podían hacer un cine más individual o, al menos, expresar una opinión más per-

---

[69] «Cine español, 78/80», en *Dirigido por,* núm. 77, págs. 31 y ss.

[70] *Dirigido por,* núm. 60, 1979, págs. 38-45.

TABLA

Mito y realidad en el cine español contemporáneo

Película	*Viejo mito franquista*	*Triunfalismo del desarrollo*	*Realidad española*	*Fuera de España*
Surcos (J. A. Nieves Conde, 1951).		Familia representativa emigra a Madrid.		
			Encuentra paro, mala vivienda, estraperlo, asesinato.	
	Así que regresa a los campos de trigo de Castilla.			
		Pero la hija se vuelve a la capital.		
			Moraleja falangista: la emigración divide a las familias, pero es inevitable; así que hay que controlarla.	
Los golfos (Carlos Saura, 1959).		(Realidad extracinematográfica: Ullastres «insistía en que la nueva política económica iba destinada a integrar a España en el floreciente mundo capitalista de los países avanzados de Occidente»).		

			La segunda generación de emigrantes vive en chabolas y no trabaja en la industria, sino descargando camiones en los mercados, por ejemplo. Los golfos tienen ambiciones precapitalistas (ser un gran torero), pero sin dinero y sin esperanza.	
Nueve cartas a Berta (Basilio Martín Patino, 1965).	Según el primo de derechas del protagonista, los campesinos de España son el baluarte de las tradiciones nacionales.		Pero los campesinos están emigrando a Alemania y ni siquiera se acuerdan de las canciones tradicionales.	
			hace que el protagonista, Lorenzo, piense que él ha estado «viviendo en el país de los sueños» en España.	La iconoclastia de la londinense Berta
¡Vivan los novios! (Berlanga, 1969).		Los españoles son «nuevos europeos».	Leo, de Burgos y bastante calvo ya, no sabe hablar ningún idioma extranjero. (A una chica alemana le dice: *«¡You looka... cordon bleu,* karate, muy greande, *baby!*	

Película	*Viejo mito franquista*	*Triunfalismo del desarrollo*	*Realidad española*	*Fuera de España*
Vivan los novios Berlanga, 1969.		España se está modernizando rápidamente.	España sigue siendo una mezcla medieval de represiones, hipocresía, Iglesia y muerte. Por tanto...	
				mientras los extranjeros hacen el amor por todas partes,
			Leo no «hace» nada en su despedida de soltero...	
				y mientras una pareja se revuelca en la playa...
			la madre de Leo cae muerta en un estanque para niños.	
Los nuevos españoles (Roberto Bodegas, 1974).		Las ventajas de fusionarse con una multinacional...		
			no compensan el cansancio, el *stress,* los problemas familiares y la muerte...	que comporta el estilo de vida americano de los empleados de la empresa-estado totalitario Bruster & Bruster.
			Moraleja: Más vale ser un español chapado a la antigua; la armonía neofalangista (¿) es mejor que la competitividad capitalista.	

Camada negra (Manuel Gutiérrez Aragón).	Heroísmo en un contexto triunfal.		El heroísmo del protagonista es el resultado de su adhesión a una causa perdida: el fascismo en España.	
¿Qué he hecho yo para merecer esto? (Pedro Almodóvar, 1984).	Estereotipo católico de la mujer como fundamento de la familia.		La heroína es un ama de casa que mantiene a la familia a costa de su farmacomanía y de vender a uno de sus hijos.	
		El marido ha trabajado en Alemania...		pero el *boom* europeo ya se ha acabado y la única forma que tiene de conseguir un dineral es falsificando el diario de Hitler.
		Los españoles se están modernizando.	Tres generaciones de españoles crean contrastes surreales: la abuela da la tabarra con su pueblo y tiene un lagarto domesticado; el padre está obsesionado con su época de emigrante; uno de los hijos es drogadicto y decide volverse al pueblo con la abuela —la modernización superficial de España.	

sonal sobre temas generacionales. Retomando la tradición central y liberal (desde el punto de vista artístico) de la cinematografía española de oposición que, iniciada con Bardem, reaparece con el «nuevo cine español» y nuevamente al comienzo de la transición, estas películas surgidas de la oposición posfranquista conectan también con otro eje central de la cinematografía de oposición realizada durante el franquismo —la tendencia a oponer el mito a una realidad social más pesimista (véase la tabla: «Mito y realidad en el Cine Español Contemporáneo»). La única diferencia verdadera está en que, a partir de 1976, el blanco de los ataques de los cineastas ya no es el triunfalismo del desarrollo, sino el triunfalismo de la transición, que se compara con una realidad social más atrasada.

Pocos testimonios de la huella indeleble que dejó la posguerra y de la monotonía que introdujo en la vida de quienes la vivieron son tan elocuentes como la limitación de temas y la comunidad de obsesiones observadas en tantos cineastas españoles. Este consenso a la hora de dar expresión a una insatisfacción acumulada durante años reveló también los legados menos visibles de la dictadura: un deseo frustrado de regeneración, una sensación todavía vigente de pérdida de libertad y un arraigado sentimiento de soledad. Estos fueron, al menos en un primer momento, los grandes temas del cine posfranquista:

Las dificultades de la regeneración: Una de las acusaciones formuladas contra la transición fue la de que la mentalidad de los españoles, al menos de los más viejos, no había cambiado. Basada en una novela premiada del mismo título de Juan Marsé, la fascinante película de Vicente Aranda *La muchacha de las bragas de oro* (1980), por ejemplo, describe a Forrest, un ex falangista supuestamente reformado que está escribiendo sus memorias con la ayuda de su sobrina, Mariana. Todo lo que cuenta es recogido por la cámara, pero muchas de las escenas de su pasado no son dignas de crédito. La fraudulencia de Forrest se advierte también en la falsedad y el caos con que vive el presente. Como señala José Luis Guarner, la vida de Forrest es una larga *mise en scène:* pasea por la playa perorando teatralmente y su fotografía en una revista está trucada[71]. La película deja claro que Forrest es y será

[71] Cfr. José Luis Guarner y Peter Besas, *El inquietante cine de Vicente Aranda,* Madrid, Imagfic, 1985, un sucinto retrato.

siempre un hombre sin voluntad y que, tanto en su pasado falangista como en su presente, hace caso omiso de lo que sucede a su alrededor. Como un ejemplo más de su despreocupación y sometimiento a las presiones, se deja seducir por Mariana, como se dejó seducir por la madre de ésta (entonces, incluso sonaba la misma música), aunque él no se acuerda ya de ello. Sólo se da cuenta de que se ha acostado con su propia hija cuando ya lo ha hecho.

En esta película, Aranda hace un análisis serio y penetrante. Aunque no lleguemos a conocerlo con absoluta certeza, el pasado puede ser inferido del presente. El falangista no es simplemente un fanático o un pequeño tirano —visión simplista que, desgraciadamente, fomentan muchas películas izquierdistas, como, por ejemplo, *Réquiem por un campesino español* (Francesc Betriu, 1985)—, sino que se ajusta más bien a la penetrante descripción de los falangistas de los años 40 que hace Gerald Brenan, según la cual son «funcionarios del Gobierno, *nouveaux riches,* intelectuales de segunda clase, abogados, médicos y toda esa tribu de necesitados y ambiciosos que en todo el mundo (pero especialmente en un país pobre como España) se afilian a los partidos que tengan puestos de trabajo que ofrecer»[72].

La película de Aranda va mucho más lejos que ninguna otra a la hora de poner de manifiesto las ironías de la transición. Un antiguo falangista como Forrest vive impunemente, con las riquezas conseguidas gracias a su ideología política intactas. Incluso le alaban por las concesiones que hizo en el pasado, en vez de atacarle por haberse situado en una posición de poder que le permitía hacerlas. En una determinada escena, Forrest se encuentra con su antiguo jardinero, a quien pegó un tiro en la mano por orinar en la pared. El pobre hombre le está sinceramente agradecido por no haberle disparado al estómago. Ahora, ambos votan al mismo partido político. Para Aranda, la escena sugiere «el grado de nefasto deseo de olvido de una situación muy dramática vivida en este país no hace tanto tiempo... Se pretende ironizar sobre la situación que vivimos ahora, les estamos dando las gra-

---

[72] Brenan se refiere a las Camisas nuevas, los falangistas que ingresaron en el partido después de 1936, cuando vieron que éste estaba en alza. Véase *Spanish Labyrinth,* Cambridge University Press, 1943, pág. 330.

cias a Suárez y demás componedores del pasado de que no nos estrangulasen a todos»[73]. Pocas películas españolas se expresan con tanta lucidez.

La piedra angular de más películas españolas es «volver a empezar». En *Los días del pasado* (Mario Camus, 1977), una maestra, Juana, viaja a las montañas del norte de España para reunirse con su novio, Antonio, un ex republicano que regresa al país en 1945 para luchar con los maquis. *Tigres de papel* (1977), comedia de costumbres agridulce de Fernando Colomo, está ambientada en el periodo inmediatamente anterior a las elecciones de 1977; *Solos en la madrugada* (José Luis Garci, 1978) se desarrolla en los albores de la democracia, en esa Semana Santa de 1977 en que se legalizó el PCE; la película con la que Garci ganó el Oscar, *Volver a empezar* (1982), comienza con un amanecer en el verde paisaje de Asturias y un tren que trae al exiliado Premio Nobel Antonio Miguel Albajara de regreso a su ciudad natal, Gijón, y a su antiguo amor, Elena.

En estas películas suele haber placeres negados por el pasado, asignaturas pendientes: Antonio y Juana no se han visto desde hace seis años, y Antonio Miguel y Elena, desde que empezó la guerra civil; el protagonista de *Solos en la madrugada* es un locutor de radio que intenta remediar la falta de comunicación que ha destruido su matrimonio; los personajes de la película de Colomo —una madre separada; su marido, que reúne todas las características del progre de la época, y un tercero que aspira a convertirse en amante de la mujer— rompen con los tabúes del pasado jugeteando con el sexo, las drogas blandas, las nuevas ideas y la militancia política.

Pero la búsqueda de los placeres perdidos fracasa, aunque hay un sutil cambio de énfasis explicando el porqué en las películas realizadas después de 1977. El título de la película de Camus está inspirado en un pasaje bíblico: «Las arenas del mar, las gotas de la lluvia y los días del pasado... ¿quién podrá contarlos?» Ahora es el tiempo, tanto o más que el franquismo, el verdadero enemigo. Lo más terrible de la dictadura no fueron sus represiones, sino su longevidad, por culpa de la cual la libertad llegó demasiado tarde.

---

[73] Aranda, en *Dirigido por,* núm. 8, 1980.

El grito de «demasiado tarde» dota a muchas películas españolas de un patetismo integral. En la de Camus, Juana se siente demasiado vieja para seguir esperando a Antonio hasta que acabe la lucha. Al final, rompen. La película está llena de símbolos del paso del tiempo —especialmente, el fluir incesante de los ríos. El locutor de radio de Garci llega a entenderse mejor con su esposa, pero ella ha encontrado ya a otro hombre y no vuelve con él. Los personajes de Colomo se dan cuenta del absurdo de las viejas costumbres (por ejemplo, la de que el matrimonio es para toda la vida), pero son incapaces de adaptarse a las nuevas (en este caso, la de la infidelidad conyugal, por ejemplo). Antonio Miguel Albajara está escribiendo un ensayo sobre Jorge Manrique y tiene bien presentes los famosos versos de éste, «Nuestras vidas son los ríos / que van a dar en el mar / qu'es el morir», porque, al llegar a Gijón y contemplar por fin el mar de su juventud, ya padece una enfermedad incurable. La nostalgia de los años 30 de Antonio Miguel, la banda sonora de la película —el «Canon» de Pachelbel— y la melancólica presencia del mar en todas las escenas secundarias aportan una «obviedad sentimental», como dice David Thompson, que al público español le resultó fastidiosa[74].

La pérdida de libertad: A pesar de la democracia, las películas españolas no abandonaron su fatalismo. *Los días del pasado,* que en muchos aspectos es semejante a un *western,* se sirve del paisaje natural para desarrollar el tema. Los maquis son atormentados por el frío y la lluvia, tienen que vadear ríos y siempre están corriendo monte arriba montañas (como en el crucial y magnífico encuentro con la Guardia Civil en lo alto del monte). La película sugiere que la derrota final de estos guerrilleros antifranquistas es la de unos hombres que tienen contra ellos incluso a la naturaleza.

El fatalismo del cine posfranquista tiene varias explicaciones: es una actitud española tradicional; refleja una tendencia general a acentuar el carácter inevitable de la historia para que, de este modo, el pasado adopte la forma de una tragedia de la que nadie es responsable; consciente de la imposibilidad de cambiar

---

[74] Véase la crítica de David Thompson, en *Time Out,* 7 de junio de 1984.

el pasado, los cineastas españoles tienden a describirlo como si, incluso cuando fue presente, ya estuviese determinado.

Con un desaliño muy acorde con la época, *Sus años dorados* (1980) nos presenta a un personaje, Luis, que sufre de la pasividad, gana algún dinero recogiendo chatarra y conoce a una chica que se deja llevar igualmente por las circunstancias pasando de un hombre a otro. Tras actuar en una película porno y pasar una desapasionada noche juntos, se separan. En un final quizá algo forzado, Emilio Martínez-Lázaro calcula el coste de esta pasividad. Luis pasea por un parque y ve a un conocido, que es un activista político, a lo lejos; pero observa también que le sigue un hombre armado. Presa del pánico, sale corriendo, mientras su amigo muere de un tiro en la espalda. Su pasividad instintiva ha costado una vida.

El hombre de moda (Fernando Méndez-Leite, 1980) trata temas similares de un modo más sutil. Profesor de literatura en un instituto, Pedro habla en clase sobre la novela de Torrente Ballester *Los gozos y las sombras,* cuyo protagonista, Carlos Deza, es «liberal, abstencionista y ascéptico, y se limita a ver los toros desde la barrera». Lo mismo le ocurre a Pedro. Niega ayuda a su padre, que se encuentra cada vez más desorientado por la vida moderna, y huye de una relación problemática con Aurora, una argentina exiliada que es alumna suya. Comentando esta pesimista y elíptica película, Méndez-Leite señaló que «quería describir el desconcierto de toda una generación en ese momento»[75].

Basada en otra novela de Marsé, *Libertad provisional,* de Roberto Bodegas, también revela con lucidez que el fin de la dictadura franquista no supone en absoluto el de las limitaciones sociales impuestas a la libertad individual. Así el Pijoaparte de Marsé (en la película, Patxi Andión) sale de la cárcel y se queda prendado de una prostituta de lujo (una excelente Concha Velasco) que vende enciclopedias a sus clientes por el precio de un «servicio» y que utiliza sus ganancias ilícitas para pagar un buen colegio a

[75] Nacido en 1944, hijo de un especialista en historia del cine Fernando Méndez-Leite von Hafe, expulsado de la EOC a causa de sus actividades políticas, crítico de cine y teatro, director de películas para TVE (*Niebla,* 1975; *El club de los asesinos,* 1976; *El rey monje,* 1977, y *Sonata de estío,* 1981), Méndez-Leite escribió y presentó *La noche del cine español* desde 1983 hasta convertirse en director del Instituto del Cine y de las Artes Audiovisuales, 1986-1988.

su hijito. Delincuente y amante tratan de enderezarse, pero la ineludible necesidad de salir adelante en una sociedad en la que es imposible ganar un duro siendo honrado les empuja por los caminos de siempre. Al final, rompen.

Ni tampoco desapareció de repente la represión de la familia y del ambiente de provincias, como deja bien claro *El nido* (1980). Esta película, una de las más famosas de Jaime de Armiñán, describe, como señala John Hooper, «el poder del amor y el encanto de lo irracional»[76]. Goyita, una adolescente de trece años, vive un inocente idilio con un hombre ya maduro llamado don Alejandro. Cuando el sargento de la Guardia Civil deja en libertad a un águila que tenía la chica y manda a Goyita a vivir en otro pueblo, Goyita pide a don Alejandro que le demuestre su amor matando al sargento. El hombre accede, pero incapaz de cometer un crimen, dispara al sargento con balas de fogeo. Éste, sin embargo, responde a la agresión con fuego real y le mata.

El nido tiene todos los rasgos distintivos de Armiñán: personajes muy pulidos, para representar a los cuales Héctor Alterio y Ana Torrent hacen uso de toda su capacidad interpretativa; imágenes bellas y muy cuidadas, y la improbable aplicación de una tesis creíble aunque algo académica, centrada en este caso en cómo las presiones de la familia y el Estado acentúen el drama edípico de una adolescente. Como escribe Marsha Kinder, en *El nido* «los deseos incestuosos y patricidas de la niña precoz están brutalmente presentes en el drama»[77]. Montado en su caballo blanco, don Alejandro tiene todo el aire de un caballero andante, pero su barba canosa le dota de rasgos patriarcales. Goyita se siente atraída, sin duda, por ambos aspectos. Don Alejandro ve por primera vez a la muchacha interpretando el papel de Lady Macbeth en una obra de teatro que van a representar en el colegio, y Marsha Kinder observa que la obra de Shakespeare guarda relación con el drama edípico de Goyita.

La España democrática ha sido testigo de un vasto aumento de la libertad individual. Sin embargo, una prueba de que el cine no ha evolucionado de la misma forma es el hecho de que la vi-

---

[76] Hooper, *The Spaniards,* pág. 152.

[77] «The Children of Franco», Quarterly Review of Film Studies, primavera de 1983, pág. 66.

sión que da Armiñán de la libertad sea muy semejante a la de Buñuel. Por un lado, el individuo está encadenado por sus pasiones: en un acto de amor simbólico, don Alejandro le da a Goyita la cinta de republicano que llevaba en el campo de concentración para que se la cuelgue al cuello. Por otro lado, el contacto humano comporta inevitablemente que el oprimido (la madre de Goyita) oprima a otros (Goyita), los cuales oprimen a su vez a los que son aún más débiles que ellos (don Alejandro). La única salida es la fantasía. Si don Alejandro se parece a Don Quijote no es sólo por su demacrado aspecto, sino también porque acostumbra a imponer sus fantasías mentales al ambiente que le rodea, imaginándose, por ejemplo, que está dirigiendo a Haydn en medio del bosque. Sin embargo, a pesar de tales fantasías, se siente completamente solo hasta que conoce a Goyita. Como en tantas otras películas españolas, el precio de la libertad es la soledad[78].

Soledad: La sombra de Freud se proyecta sobre gran parte del cine de oposición. Relacionando una película con otra, descubrimos que el cine español proporciona una visión muy coherente de España en tanto que pesadilla sexual en la que los traumas de una película encuentran una explicación apropiada en otra (véase la tabla).

La clave de la soledad presente en tantas películas españolas es la crisis de las relaciones entre hombre y mujer. En las parejas casadas, el marido suele estar ausente, ya sea literal *(Furtivos, Dulces horas)* o emocionalmente (el hombre que deja a su mujer a cargo de los niños en la película de Josefina Molina *Función de noche,* 1981). O también puede ocurrir que el marido no posea las cualidades masculinas suficientes para satisfacer a su esposa *(Camada negra, El nido* y la película de Regueiro *Duerme, duerme, mi amor,* 1974).

Como señala Carmen Méndez, la mujer, frustrada como esposa, amante y madre, adopta una actitud matriarcal, malvada o histérica[79]. Este tema fue muy común en el cine que se hizo du-

[78] Buñuel pensaba que la libertad debería usarse para adquirir compromisos. «Sólo los cripto-fascistas fingen ser ideológicamente libres», señaló en cierta ocasión, e ilustró tal observación en una de sus más bellas películas, *Cela s'apelle l'aurore* (1956).

[79] En conversación con el autor de este libro.

rante el franquismo. A los hermanos *(El extraño viaje)* o a la novia *(El pisito)* se les trata como si fueran niños, a la vez que se refuerzan los lazos familiares en detrimento de las señas de identidad individuales. «¿Estáis casados?», les pregunta a dos jóvenes con complejo de madre una enfermera que anda buscando novio en *La visita que no tocó el timbre* (Mario Camus, 1965), «no», responde, cabizbajo, uno de ellos, «somos hermanos». La espantosa situación en que se encuentra Juanita en *Vida perra* (Javier Aguirre, 1981) no es muy diferente. Es una solterona que vive sola, tiene conversaciones imaginarias con sus difuntos padres, se viste con la ropa de su madre y culpa a ésta de todo lo que le pasa, aunque reconoce que ya es «¡demasiado tarde para pecar!». Cuando pierde la fotografía de su madre se da cuenta de que se ha quedado completamente sola. El soberbio monólogo que mantiene la actriz Esperanza Roy durante toda la película y la tortuosa lentitud de los planos dotan a la obra de Aguirre de un memorable sentimiento de estancación vital absoluta.

Es lógico que, en un país en el que la mayoría de los colegios privados eran de curas o de monjas, el sexo estuviese desvalorizado. Las relaciones hombre-mujer fracasan en muchos casos debido a la falta de franqueza sexual, la cual genera simulación y decepciones. En el drama documental de Molina *Función de noche,* 1981, la actriz Lola Herrera recibe la visita de su marido, Daniel Dicenta. Hace poco que ha presentado una petición de divorcio, y al verle aparecer pierde por completo los nervios. Tratando de calmarla, él le dice que en la cama es la mejor de todas las mujeres que ha conocido, a lo que ella responde confesando que nunca en todo su matrimonio ha tenido un orgasmo, que siempre ha estado fingiendo. Gran parte de la fascinante ambigüedad de esta película se debe al hecho de que el espectador nunca sabe con certeza si Lola Herrera y Manuel Dicenta están actuando o si son ellos mismos, ni siquiera en esta escena, que se supone que es enteramente real. La representación de papeles delante de los demás es, al igual que cuando se hace delante de la cámara, un modo de comunicación, pero también una barrera a la comunicación.

El amor a la mujer es sustituido por el miedo y el resentimiento. El hombre teme el fracaso sexual; la mujer posee un apetito sexual insaciable, e incluso llega a comparársela con una loba (en *Furtivos* y en *Duerme, duerme, mi amor*)[80]. La mujer sobrevive, el hombre, no. En *Tamaño natural* y en *La Sabina,* el protagonista masculino se suicida, mientras que la figura femenina continúa viva. En muchas comedias españolas recientes (*Sal gorda,* Fernando Trueba, 1984; *A la pálida luz de la luna,* 1985), la pareja se separa, ella encuentra enseguida otro amante, pero él, fiel a su amor, no.

Entre la misoginia, el machismo, la escasez de sexo y el rechazo a la agresión fálica, las relaciones de pareja se convierten en batallas entre sexos, tema que José Luis Guarner saca a la luz sirviéndose de la siempre intrigante obra de Vicente Aranda. Los «hombres y mujeres pueden amarse u odiarse, pero se agreden casi siempre: con palabras o con actos, cuando no con objetos contundentes, por no hablar de cuchillos y pistolas»[81]. En *La novia ensangrentada* (1972), por ejemplo, una joven esposa que acaba de perder la virginidad sueña con castrar a su marido. Y en *La muchacha de las bragas de oro,* Mariana jura meterse una cuchilla de afeitar en la vagina para que Forrest no pueda violarla por las noches.

La violencia y el amor confluyen inevitablemente. Así, en *Vértigo en Manhattan/Jetlag,* la mejor película realizada por Gonzalo Herralde hasta la fecha y un excelente ejemplo de la emprendedora producción de Pepón Coromina, Elena, a la que ha abandonado su novio, vuela a Nueva York para buscarle y convencerle de que vuelva con ella. Sin embargo, cuando por fin le encuentra, le mata: un acto de amor se torna en acto de violencia. En cambio, en la excelente, glacial y turbulenta combinación de *thriller* y *film-noir* de Aranda, *Fanny Pelopaja,* la macarra Fanny busca a Ángel Gallardo, ex poli que disparó a su novio y la violó, rompiéndole, además, los dientes con la culata de la pistola. Pero cuando por fin da con el tipo, hace el amor con él antes de matarle. Un acto de violencia se torna en acto de amor y vuelve a ser violencia.

---

[80] La siguiente película de Regueiro, *Las bodas de Blanca* (1975), también es una antología en clave de humor negro de las fobias españolas.

[81] Guarner y Besas, *El inquietante mundo de Vicente Aranda,* pág. 12. Las connotaciones sexuales de las escopetas, navajas y demás armas proporcionan a las películas españolas una larga tradición de connotaciones psicológicas no intencionadas.

La vida como batalla es la idea tácita de la película de Pilar Miró *Gary Cooper que estás en los cielos* (1980); sin ella, el comportamiento de la protagonista resultaría bastante estrafalario. En vísperas de una operación en la que puede morir, la directora de televisión Andrea Soriano visita a su madre, a un periodista con el que mantiene relaciones, a sus amigos y a un antiguo amante, pero no les cuenta lo de la operación. Inmersos en sus propios problemas e inconscientes del estado de Andrea, todos ellos muestran una absoluta indiferencia hacia ella. La directora de televisión ingresa en el hospital sintiendo «esta profunda soledad» y con una fotografía amarillenta de Gary Cooper, el compañero de las fantasías de su infancia, en la mano. Aparte de los afilados dardos lanzados contra el machismo en las relaciones laborales, el quid de la película de Pilar Miró está en el silencio aparentemente masoquista de la protagonista respecto a su enfermedad. Esta reserva pone de manifiesto el dilema que se le plantea a la mujer en un mundo dirigido por hombres. Al no seguir el modelo femenino tradicional de subordinación económica y emocional al varón, Andrea tiene que competir continuamente con hombres en el propio terreno de éstos para poder prosperar en la vida, para conseguir, por ejemplo el «Premio Especial» que le conceden por su obra cinematográfica o la vasija funeraria romana que adquiere en una subasta con el fin de que guarden en ella sus cenizas si muere. Andrea tiene que demostrarse a sí misma —comprobando la indiferencia de las personas que deberían amarla— que hizo bien al rechazar una vida basada en la dependencia. «Quiero no necesitar a nadie para que nadie me decepcione», confiesa. Pero la clave de su comportamiento tiene precisamente el sentido opuesto: quiere que todo el mundo la falle para no querer necesitar a nadie[82].

Se ha dicho que la causa de gran parte de las neurosis femeninas radica en la incapacidad del hombre para desear a la mujer por amor, en vez de por voluntad. En tal caso la mujer, o bien se convierte en admiradora narcisista de sí misma y, ejerciendo su voluntad, sólo se entregará a un hombre fuerte capaz de infun-

---

[82] Después de *Gary Cooper, que estás en los cielos,* Pilar Miró hizó la desigual, pero muy interesante, *Hablamos esta noche,* donde ataca sin contemplaciones el comportamiento varonil.

dirle respeto y admiración, o bien adopta el carácter opuesto y se somete sexualmente al hombre sin convertirse totalmente en un ser capaz de amar. Tales motivos dan cuenta de la relación de Andrea con el influyente periodista, interpretado con la típica masculinidad asertiva por John Finch.

Esencial en esta obra de Pilar Miró es la película más famosa de Gary Cooper, *Solo ante el peligro.* Tal hecho constituye uno de los ejemplos más claros del modo en que la tradición liberal y central de la cinematografía española inscribió el cine norteamericano en que se inspiró.

En *Solo ante el peligro,* Gary Cooper siempre está decidido a justificar sus actos. Se muestra despreciativo con la comunidad en que vive y acaba quitándose la insignia. Lo mismo hace Andrea. El personaje de Cooper antepone su creencia en un principio abstracto al matrimonio y a la vida. De igual modo, Andrea está decidida a demostrar algo —su indispensable soledad— por mucho daño que pueda causar a sus relaciones. A Cooper se le está acabando el tiempo —la cámara enfoca las manecillas del reloj. A Andrea también— la cámara nota el detalle manriqueño del agua corriendo. Zinnemann calificó una vez como parte esencial de la película, una escena de *Solo ante el peligro* en que, partiendo de un medio-primer plano de Cooper, la cámara coge altura para mostrar éste de pie en una calle completamente desierta. La escena deja claro que el protagonista está solo y que la ampliación del espacio no altera este hecho. La pluralidad de ambientes de Miró produce el mismo efecto: cualquiera que sea el amigo o el sitio donde esté —TVE, el estudio, el periódico, su casa, conduciendo para ver a su ex amante, en la camilla que la conduce al quirófano— la sensación visceral de soledad permanece.

Una fuente de descontento podría ser el hecho de que, en España, como en cualquier otro sitio, no se hayan desarrollado nuevos modelos de amor que sustituyan a los antiguos. Borau plantea esta cuestión en *La Sabina* (1979). Ambientada en la Andalucía contemporánea, esta coproducción de alto presupuesto con el Instituto Sueco de Cinematografía que se realizó con el fin de entrar en los mercados internacionales constituye una crítica al amor romántico que evoca, como señala Roger Mortimore, «la Andalucía de esos viajeros del siglo XIX como George Borrow... la Andalucía legendaria y misteriosa»[83]. Michael, un escritor inglés que vive en un pueblo andaluz y está escribiendo un libro sobre un poeta romántico, Hyatt, que desapareció allí en el siglo pasado, se enamora románticamente de la chica que le limpia la casa, Pepa. Ésta, sin embargo, le rechaza, debido, en parte, al respeto que le inspira Daisy, la amiga americana del escritor. Un día llegan la esposa y un colega de Michael, Philip, y poco después descubren que Hyatt se arrojó a La Sabina, un abismo del lugar en el que dicen que vivía un dragón, porque estaba enamorado de una muchacha del pueblo que no le hacía caso. Al final, Philip seduce a Pepa, quien dice que es como hacer el amor con Michael por medio de un sustituto; Michael se lleva entonces a aquél al abismo y le empuja al fondo, arrojándose luego él. La llama que desprenden sus lámparas rotas da la impresión de ser el fuego de un dragón que se hubiese comido a los dos hombres.

El final de *La Sabina* confirma diversos mitos o tradiciones: el de la profecía (representada, en este caso, por la muerte de Hyatt); el del doble (Philip), que tradicionalmente es un presagio de la muerte, y, sobre todo, el de la mujer como fuente de amor, pero también como criatura destructora y devoradora de hombres, lo cual queda realzado por la equiparación que hace Borau de La Sabina con un dragón hembra y con Pepa: en el plano final se ve a ésta enmarcada por la entrada del abismo (que tiene, además, la forma de los genitales femeninos) y con el paisaje salvaje de Andalucía a sus espaldas. Sin embargo, la exposición de estos mitos es sumamente irónica, y la dirección de Borau hace hincapié en las fuerzas sociales e individuales que determinan las acciones de los personajes: la rivalidad de Philip hacia Michael, que le lleva a robarle la esposa, y las incuestionables barreras culturales y de clase existentes entre Michael y Pepa, las cuales quedan patentes en su modo de expresarse (Michael habla como corresponde a alguien educado en un buen colegio), en su actitud hacia el sexo (Pepa rechaza a Michael por respesto a Daisy, quien no tiene ningún reparo, sin embargo, en ordenar al hermano subnormal de aquélla que le muestre el pene) y su posición social

---

[83] «Reporting fron Madrid», *Sight and Sound,* vol. 49, núm. 3, verano de 1980.

(el novio español de Pepa trabaja en Londres, pero no es más que un simple camarero). «Las mujeres destruyen a los hombres», comentó Borau, «porque previamente éstos las han destruido. Las mujeres viven en un mundo hecho por los hombres... Pepa sabe que... no tiene perspectiva alguna de futuro [con Michael] porque él nunca llevará a Inglaterra a una mujer que no sabe quién es, pongamos, Virginia Woolf»[84]. Ante tales barreras, la relación entre Michael y Pepa tiene que acabarse irremediablemente.

---

[84] *Contracampo,* núm. 8, enero de 1980, pág. 7. Sobre la carrera de este emprendedor cineasta a finales de los años 70, véanse *Fotogramas,* núm. 1.622, noviembre de 1979; Katherine S. Kovács, «Nuevo cine español: José Luis Borau», *Suplemento Cultural de la Opinión,* 30 de marzo de 1980; José María Carreño, «Entrevista con José Luis Borau», *Casablanca,* núm. 30, junio de 1983; Miguel Marías, «Borau en la frontera», en *Cine español, 1975-1984,* y la entretenida biografía de Agustín Sánchez Vidal, *José Luis Borau,* Teruel, Instituto de Estudios Turolenses, 1987.

Círculos freudianos en el cine español

Como siempre, el detonante es la continuación del dominio de los padres una vez pasada la infancia, aunque los filmes no siempre exploran esta causa. Las flechas interrelacionan los traumas.

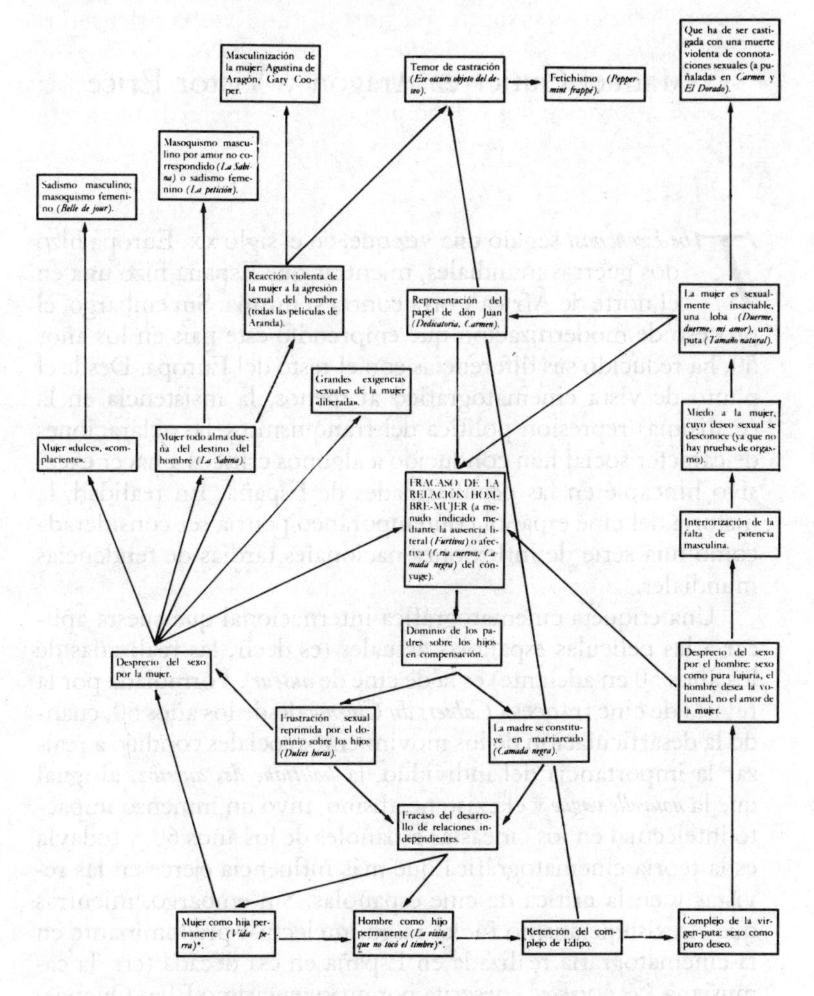

* Estas condiciones pueden conducir a:

i/ Aceptación de la situación y conversión de la hermana (*El extraño viaje*) o de la esposa (*El pisito*) en madre.

ii/ Rebelión contra la situación —el drama familiar clave del cine español liberal: *La joven casada, Furtivos, El desencanto, Mi hija Hildegart, Soldados, El dorado*.

iii/ Castigo de la rebelión (*El Dorado, Furtivos, Mi hija Hildegart*).

iv/ Descubrimiento de que incluso la rebelión está condicionada por el dominio de los padres (*El desencanto*).

VII

Manuel Gutiérrez Aragón y Víctor Erice

The Economist señaló una vez que, en el siglo xx, Europa hizo dos guerras mundiales, mientras que España hizo una en el norte de África y otra contra sí misma. Sin embargo, el proceso de modernización que emprendió este país en los años 50, ha reducido sus diferencias con el resto del Europa. Desde el punto de vista cinematográfico al menos, la insistencia en la (realísima) represión política del franquismo y las aclaraciones de carácter social han conducido a algunos críticos a hacer excesivo hincapié en las peculiaridades de España. En realidad, la historia del cine español contemporáneo podría ser considerada como una serie de inflexiones nacionales tardías de tendencias mundiales.

Una etiqueta cinematográfica internacional que cuesta aplicar a las películas españolas actuales (es decir, las realizadas de los años 50 en adelante) es la de cine de *auteur*[1]. Formulada por la revista de cine francesa *Cahiers du Cinema* desde los años 50, cuando la desarticulación de los movimientos sociales condujo a realzar la importancia del individuo, la *politique des auteurs*, al igual que la *nouvelle vague* y el existencialismo, tuvo un inmenso impacto intelectual en los cineastas españoles de los años 60, y todavía es la teoría cinematográfica que más influencia ejerce en las revistas y en la crítica de cine españolas. Sin embargo, mientras que el existencialismo fue el rasgo intelectual predominante en la cinematografía realizada en España en esa década (cfr. la camusiana *Los inocentes,* coescrita por un jovencísimo Elías Querejeta, y *La caza,* cuyos planos de los personajes tomados de dos en

[1] Para una definición de *auteur,* cfr. nota 38, capítulo II.

dos y evitando la mirada de los demás están basados en el concepto sartriano de «vergüenza»), el intento de aplicar en España los preceptos de la *nouvelle vague* no resultó tan fácil (cfr. «Querejeta y otro intento de *nouvelle vague»*), y costó todavía mucho más implantar la *politique des auteurs*.

Por una vez no cabe echar toda la culpa a la represión política franquista. Después de todo, al Gobierno de Franco le interesaba fomentar en España un cine de «autor». La promoción de un cine de arte minoritario hubiera granjeado muchas simpatías al responsable de ella (en los años 60, el régimen franquista), al proporcionar un espacio seguro y autorizado donde desarrollar la actividad artística marginal y, por tanto, neutralizar la capacidad que pueda tener el artista para hacer oír su voz crítica en la sociedad. Aún más, al dar continuidad a la expresión que de sí mismo realiza el director en sus películas, el cine de *auteur* destaca la libertad con que, en el fondo, cualesquiera que sean las restricciones superficiales, trabaja ese director.

Como en el caso de casi todas las demás características del cine español, a la hora de explicar la ausencia relativa de *auteurs* en España los factores económicos son de tanto peso como los políticos. Desde sus comienzos en 1897, la industria cinematográfica española ha sido una de las más frágiles de Europa occidental. Muchos *auteurs* potenciales, que podrían haber estampado un sello de creatividad personal bien madurado en una carrera cinematográfica en continua evolución, se encontraron, por el contrario, con que la crisis industrial interrumpió su carrera hasta el punto de frustrarla por completo. Y a los cineastas en paro difícilmente se les puede calificar de *auteurs*.

Los *auteurs* que hubo en España han sido por lo general creaciones temporales de los fogonazos de protección cinematográfica del Estado (el «nuevo cine español»), creadores lo suficientemente ricos como para «pasar» del paro (Edgar Neville, Luis Berlanga), o figuras que han colaborado en proyectos internacionales para aumentar los ingresos nacionales en una industria permanentemente inestable (Querejeta en *Belleza negra* y *Diabólica malicia*, de 1970 a 1971; Azcona en los guiones de las películas italianas de Marco Ferreri).

La transición cinematográfica española de los años 70 apenas afectó para nada a un posible cine de *auteur*. La ligera reforma que comportó el restablecimiento de los pagos del Fondo de Protección a principios de la década, convenció a Querejeta para que volviese a la producción nacional, y en 1973 produjo las películas de dos jóvenes directores de voz claramente individual: Manuel Gutiérrez Aragón y Víctor Erice. El gran número de espectadores que atrajeron las películas de arte de la transición permitió que también hicieran «sus» primeros largos otros jóvenes directores. Pero, paradójicamente, para cuando las libertades individuales hicieron acto de presencia en España, la *politique des auteurs* ya había sido gravemente desacreditada por los escritos estructuralistas franceses (en particular por el ataque de Lacan a la personalidad coherente y por la «teoría del sujeto» de Althusser, que tachaba la libertad artística de ilusión). La crisis de la industria cinematográfica de 1978 excluyó de ésta a los autores en ciernes (Ricardo Franco, Drove, García Sánchez, Herralde, Martínez-Lázaro, Olea, Ungría), o que ya se encontraban, supuestamente, en la madurez (Bardem, Patino, Regueiro, Suárez).

En la creencia de que Gutiérrez Aragón era el único autor que podían salvar, los críticos españoles cerraron filas en torno a él, cual guardia pretoriana. El entusiasmo casi militante con que alabaron *El corazón del bosque* mantuvo la película en el prestigioso cine Alphaville de Javier de Garcillán durante meses, y la indiscutible excelencia de *Maravillas* permitió a su director capear la crisis. Mientras tanto, la taquilla y el aplauso mundiales de *El espíritu de la colmena* convencieron a Querejeta de que se embarcase en un segundo proyecto con Erice, *El sur*, estrenada en 1983.

En este sentido, los primeros *auteurs* que alumbró la transición cinematográfica española de los años 70 fueron también los últimos: Manuel Gutiérrez Aragón y Víctor Erice.

MANUEL GUTIÉRREZ ARAGÓN

«Lo único que sigue apasionándome», declaró Gutiérrez Aragón en 1979, «es el conocimiento»[2]. La circunstancia que, aunque sólo sea desde el punto de vista de una reacción a ella,

---

[2] En una extensa entrevista publicada en *Contracampo,* núm. 7, diciembre de 1979.

permite explicar la obra de este director, es el modo tan concluyente, arbitrario, limitado y simple en que la izquierda y la derecha españolas han concebido siempre el conocimiento. Las películas de Gutiérrez Aragón son el resultado no tanto de la necesidad de tratar un tema como de un temperamento que se deleita en la contradicción, la ironía y la subversión de las expectativas generadas por el hecho de que cada nueva película casi nunca tiene nada que ver con la anterior: «Si hay algo peor que el plagio», afirmó una vez Gutiérrez Aragón, «es el autoplagio». No hay duda de que para él fue un verdadero placer crear una fábula sin moraleja (*Feroz,* 1984), representar reflexiones políticas con historias que tienen elementos propios de los cuentos de hadas o del mito (en la columna vertebral de su obra de la transición —*Camada negra* (1977), *Sonámbulos* (1977) y *El corazón del bosque* (1978)—), o hacer una película sobre el denominado «drama de la delincuencia» —*Maravillas* (1980)— donde música, decorado y personajes se combinan para hablar no tanto de la delincuencia como de la soledad humana.

El espíritu radicalmente independiente de Gutiérrez Aragón se manifestó ya en su primera película, *Habla, mudita* (1973). En un momento en que el resto de los directores españoles estaban adoptando una actitud más contestataria (aunque utilizando todavía mecanismos indirectos), él decidió hacer una comedia de la relatividad, en la que exploró el papel que desempeña el poder en la educación, los inconvenientes del lenguaje y la imposibilidad de la comunicación humana. El protagonista, un editor llamado Ramiro que se encuentra de vacaciones en el norte de España, estudiando al único ejemplar de cárabo (una especie de búho) existente en el país, se pierde un día en el monte y, caminando a ciegas por la niebla, va a parar a una aldea remota donde conoce por casualidad a una chiquilla sordomuda a la que decide enseñar a hablar. Ramiro está convencido de que las palabras no sirven para comunicarse, sino que son un intrumento de dominio. «Di "campo"», dice en cierto momento, con la bella melancolía sentenciosa típica de muchos personajes de Gutiérrez Aragón, «y estará vallado, di "casa" y te mandarán limpiarla, di "maravilloso" e intentarán vendértelo, di "quiero" y te dirán no». Las lecciones de Ramiro están destinadas al fracaso. Cuando su familia, escandalizada, le obliga a volver a la civilización, la mudita se queda encargada de comunicar los frutos de su educación a su hermano, un pobre retrasado mental que se esfuerza en vocalizar una «a». Un gruñido ronco y ridículo resuena entonces en las montañas. «Me gustaría volver a leer otra vez *El Quijote»*, señala Ramiro en el coche que le lleva de regreso a Madrid. La educación, la transmisión de conocimientos, es, como los sueños de Don Quijote, un ideal, pero irrealizable.

El director extranjero que más influencia ejerció en los jóvenes directores españoles de los años 60 fue, probablemente, Antonioni. *Habla, mudita,* presenta una especie de visión esperpéntica de la incomunicación, resumida en la noche que Ramiro y la mudita pasan juntos, temblando de frío y calados hasta los huesos, en un destartalado autobús. La frialdad de la secuencia y su insistencia en las sensaciones físicas hacen de ella una especie de parodia española de *La notte*.

Cuando se estrenó *Habla, mudita,* muchos críticos dieron una interpretación bastante reduccionista a la película. Se dijo que era una alegoría de la distancia que separa a los intelectuales del pueblo[3]; pero su esencia política radica en otra parte. Como señaló Gutiérrez Aragón, «El cine opera directamente sobre el espíritu... su capacidad de subversión es infinita... Un cine subversivo es siempre paradójico... descubre las contradicciones. Es un cine que no pacta con nadie»[4]. Al abandonar su intención original de hacer de *Habla, mudita,* una disquisición bastante uniforme sobre el lenguaje, Gutiérrez Aragón cambia constantemente de estilo para crear paradojas formales. El comienzo de la película presenta una visión bastante distópica de la familia de clase media española. A Ramiro le regañan o le ignoran, nadie le escucha

---

[3] Véase Diego Galán y Fernando Lara, «Manuel Gutiérrez Aragón: ¿hasta qué punto comunican las palabras?», *Triunfo,* 9 de marzo de 1974. Gutiérrez Aragón rechazó tal interpretación.

[4] En una de las entrevistas más reveladoras de Gutiérrez Aragón, con José Carlos Arévalo, en *Lui,* núm. 23, noviembre de 1978. Gutiérrez Aragón, al igual que Saura, ha recalcado que su oposición a Franco, así como su estilo indirecto, es mucho más visceral, mucho menos intelectual de lo que se piensa: «No teníamos otra opción que romper con el cine dominante. No hay nada de heroico en ello: era una necesidad.» La disidencia de las películas de Gutiérrez Aragón es una cuestión de estilo tanto como de estructuras tales como la alegoría.

cuando hace su elegante descripción de la llamada de amor del solitario cárabo y la califica de «lenguaje sin comunicación o comunicación sin lenguaje»; su nieto incluso le pregunta por qué, si es viejo y está calvo, no se muere. Al filmar estas escenas, Gutiérrez Aragón utiliza encuadres y fotografía tonal equilibrados que crean una tensión entre el tema y el estilo que se vuelve a repetir al final de la película, donde la escena en que los aldeanos, indignados porque piensan que Ramiro ha violado a la mudita, tratan de linchar a éste, adquiere un tono propio de sainete.

Habla, mudita, está llena de ironías. Como la necesidad de contacto humano de Ramiro es más fuerte que el deseo de aprender de la mudita, el profesor tiene que pagar a la alumna por enseñarle. El interés de Ramiro por el cárabo causa la destrucción del animal. La mudita piensa que lo que pretende es cazar al pájaro, así que le tira una piedra. Se oye el sonido de algo que aletea y cae al suelo. Ramiro dice con tristeza: «Ya sólo quedan cárabos en el Canadá.» Al final de la película, la mudita y su hermano retrasado parecen abandonar una relación basada en el incesto por otra fundada en lo aprendido por la chiquilla; pero no queda claro si este cambio es un progreso o el inicio de una nueva etapa en la lucha por el poder personal manifiesta en escenas anteriores.

Gutiérrez Aragón vuelve a utilizar ironías similares en *Feroz,* escéptica parábola sobre un muchacho, Pablo, que vive en los bosques del norte de España. Las ironías se centran en si Pablo es un animal, como sostiene un zoólogo del lugar, o un ser humano, que es lo que piensa un humanitario psicólogo, Fernando, que está investigando el caso. Al principio parece tener razón el primero, ya que el muchacho tiene forma humana, pero los perros le ladran, sus uñas son como garras, pasa el invierno en una cueva y, al final, se convierte en oso. Sin embargo, luego es Fernando quien parece estar en lo cierto, pues se lleva a Pablo a su casa de Madrid, una vez convertido en oso, y le enseña a servir el té y a manejar un ordenador. No obstante, aunque actúe como hombre, emocionalmente Pablo sigue siendo un oso, que sueña con su árbol favorito y con juguetear con las mariposas del bosque[5]. Incluso cuando recupera la forma humana continúa co-

[5] Gutiérrez Aragón reconocería el paralelo con el estado de Gregor Samsa en *La metamorfosis* de Kafka: dirigió la versión teatral de Peter Weiss de *El proceso* en 1979.

miendo hojas. La película parece indicar que no se pueden establecer distinciones tajantes.

Al comparar *Habla, mudita* (1973) con *Feroz* (1984) se advierte que Gutiérrez Aragón apenas varió su estilo cuando desapareció la censura. Las razones artísticas de esta continuidad, una de cuyas características principales es el uso de mecanismos indirectos, quedan patentes en *Camada negra* (1977), donde se advierten también los riesgos de dejarse guiar por factores externos a la hora de tomar decisiones estilísticas[6]. Cuando realizaron, antes de la muerte de Franco, un primer bosquejo del guión de esta película, Gutiérrez Aragón y José Luis Borau prefirieron no mostrar claramente que el hermano del protagonista, jefe de una banda fascista, era también policía. Se limitaron a dejar un plano en el que se le ve entrando a la Dirección General de Seguridad. Pero, a finales de 1976, cuando se hizo la película, Gutiérrez Aragón pensó que las circunstancias habían cambiado y que podía indicar de un modo más explícito que el personaje en cuestión era policía. Además, añadió escenas en las que se ve a la banda fascista cometiendo actos vandálicos típicos de la transición: atacan una librería de izquierdas, destrozan pinturas, intentan disolver una reunión política, etc.

Ninguna otra película española pone de manifiesto de un modo tan inequívoco la violencia del fascismo en España. Para entrar en la banda fascista, el protagonista, un adolescente de quince años llamado Tatín, tiene que cumplir tres requisitos que le impone la cabeza moral de la misma, su madre: vengar al hermano caído, guardar el secreto de juramento... sacrificar lo más sagrado si la patria lo ordena. Por cumplir la tercera de estas condiciones mata a su novia Rosa. Gutiérrez Aragón procuró mostrar esta violencia del modo más espantoso posible: Rosa, interpretada por Ángela Molina, es una madre soltera con un crío de cuatro años; Tatín la mata golpeándole el cráneo con una piedra y gritando cada vez que lo hace: «¡España!»

---

[6] Gutiérrez Aragón siempre ha negado que su estilo indirecto sea simplemente una estrategia para burlar la censura: «La gente dice... si ya no hay Franco, si no hay censura. Hable claro, hombre, hable claro. Pero... Yo no hacía el cine que hacía, ni Saura tenía el estilo que tenía por cuestión de camuflaje.» *(Lui,* noviembre de 1978, pág. 6.)

El aspecto testimonial de *Camada negra* no fue muy bien recibido. Prohibida hasta después de las elecciones de 1977, la película provocó, como recuerda Borau, «una terrible reacción: hubo bombas, protestas y amenazas. Incluso ahora, cinco años más tarde, hay muchas ciudades y pueblos donde no se puede exhibir»[7]. Asimismo, se dio una interpretación muy limitada de ella como un mero ataque al fascismo español. Gutiérrez Aragón respondió señalando que «decir que los fascistas son malos... es algo que se puede deducir de los periódicos. Lo que verdaderamente cuesta es hacer una película tratando de comprender a un fascista...»[8]. *Camada negra* se hizo con la intención de describir «aquellos rasgos que pueden definir a un fascista en todo tiempo, condición y partido»[9]. Y más que para evitar la censura, el estilo indirecto de Gutiérrez Aragón sirve para generalizar sus observaciones.

Una primera muestra de esta forma de expresión indirecta es la familia. Tatín, sus hermanos y otros miembros de la banda fascista reciben alojamiento y comida en casa de Blanca, la madre del protagonista, mujer fanática que está inspirada por la «cólera divina» y acusa a sus hijos de ñoños cuando se lamentan de haber matado a un camarero en una cena política. Gutiérrez Aragón explica que el continuo uso que hace de la figura matriarcal es debido a la precisión histórica de la misma: «En *Camada negra*, lo que quería expresar era ese concepto de vestal. En las familias primitivas el concepto del padre está mucho más difuminado y también nuestras sociedades tienen reliquias de esas sociedades primitivas»[10].

Gutiérrez Aragón aprovecha también las alusiones simbólicas de las estructuras familiares, «Una película no puede retratar una sociedad, pero sí una familia. Y de alguna manera, la familia es una especie de estado microscópico, de resumen de las tensiones y las estructuras del Estado.» En *Camada negra,* Blanca hospe-

---

[7] Marsha Kinder, «The Children of Franco», *Quarterly Review of Film Studies,* primavera de 1983, pág. 70.

[8] Véase también *Fotogramas,* núm. 1.474, enero de 1977, donde Gutiérrez Aragón considera *Camada negra* en relación con la política del heroísmo.

[9] En *Contracampo,* núm. 7, diciembre de 1979, pág. 30.

[10] Citado en Miguel Juan Payán y José Luis López, *Manuel Gutiérrez Aragón,* Madrid, Ediciones JC, 1985.

da a sus hijos fascistas en un antiguo laboratorio estatal donde antes trabajaba; les compra jabón, tónica y sandalias; les hace la limpieza y les prepara la comida. A cambio de estos servicios, controla los hábitos de los muchachos (les prohíbe fumar y beber) y les impone deberes morales[11]. Una vez establecida la analogía familia-Estado, los acontecimientos poseen muchas más connotaciones. Desde el punto de vista político, por ejemplo, el crimen cometido por Tatín refleja la renuncia a la independencia de la Madre-Estado impuesta por el fascismo. Psicológicamente, revela la permanencia de un complejo de Edipo. En el plano sexual, significa la negación del placer en que se fundamenta el sistema de valores fascistas. Como Marsha Kinder observa, no es casualidad que cuando Rosa es asesinada, ella y Tatín estén a punto de hacer el amor[12].

Un segundo mecanismo indirecto de *Camada negra* es el uso de elementos de los cuentos de hadas, manifiesto en el hecho de que Tatín tenga que superar varias pruebas, se vaya de casa para enfrentarse a ellas y conozca a una especie de princesa en una de sus salidas. Esta relación entre el argumento de la película y los cuentos de hadas podría tener una interpretación política: los personajes responden a leyes que no son racionales, sino heredadas y tradicionales. De hecho, las películas de Gutiérrez Aragón reflejan las limitaciones de los cuentos de hadas, donde, como sugiere Vladimir Propp en su ya clásico análisis de los cuentos populares rusos, los personajes, aunque muy variados, repiten esencialmente las mismas acciones[13].

Pero, al igual que la película de Borau *Furtivos,* las de Gutiérrez Aragón son cuentos de hadas tergiversados. En *Camada ne-*

---

[11] Estas líneas están inspiradas en la crítica de *Demonios en el jardín* realizada por Vicente Molina Foix, en *Fotogramas,* núm. 1.680, noviembre de 1982.

[12] Kinder, «The Children of Franco», pág. 70.

[13] Cfr. *Morphology of the Folktale,* de Vladimir Propp. Propp consideró que los cuentos populares están compuestos de unidades narrativas estereotipadas que se repiten en todos ellos. La técnica de Gutiérrez Aragón consiste en estructurar el argumento en torno a algunas de las más comunes de tales unidades, como, por ejemplo, utilizando descripciones de Propp: «al héroe se le hace una prohibición» o «el héroe es sometido a prueba, interrogado, atacado, etc., todo lo cual prepara el terreno para que después reciba a un agente o auxiliar mágico». *Maravillas* se ajusta perfectamente a estas descripciones de Propp.

gra, la prueba final de valor del héroe consiste en matar a la princesa. Las perversiones de la ficción son un espejo en el que se reflejan las perversiones políticas. El hecho de que el objeto de la violencia del héroe no sean gigantes, ogros y demás monstruos que suelen poblar los cuentos no oscurece, sin embargo, otra insinuación: a Tatín se le identifica con la figura del héroe de los cuentos de hadas tanto desde el puntos de vista de la historia de amor como del de la tragedia (mediante su adhesión a una causa perdida, en este caso el fascismo español). Tal identificación no parece que sea casual. El hecho de que se utilice una familia para representar el fascismo indica que, en cierto modo, la familia es por naturaleza fascista; y, dado que en Tatín confluyen el carácter distintivo del fascismo y las modalidades del héroe, cabe preguntarse si los héroes no serán también fascistas por naturaleza. *Camada negra* estaría sugiriendo, entonces, que la proposición «héroe de izquierdas» es contradictoria.

En un nivel más profundo, *Camada negra* se nos presenta como una reflexión sobre las dificultades que comporta hacer un verdadero cambio social, como un estudio mediatizado por las ideas sobre la ideología formuladas por Louis Althusser.

La izquierda antifranquista aceptaba en general la idea de que, desembarazada del régimen de Franco, España se vería libre de la «falsa» ideología imperante. Una vez liberados, los españoles podrían hablar sinceramente sobre las represiones pasadas. Althusser y, después de él, Gutiérrez Aragón se muestran en desacuerdo con tan imprecisa idea. Para el primero, la ideología constituía un «sistema de representaciones» cuyas principales esferas eran la familia, la educación y la religión: la lucha social estaba generada por el enfrentamiento de ideologías contrapuestas, ninguna de las cuales ostentaba la verdad, y el lenguaje y los sistemas de representación eran los medios por los que los estamentos dominantes intentaban mantener su poder.

Camada negra está construida de modo similar en torno a varios espacios dramáticos diferentes: una librería izquierdista, la desvencijada casa donde viven Tatín y su familia, el piso céntrico e insulso de Rosa, la terraza de un restaurante donde los izquierdistas celebran la cena, la comisaría. La *mise-en-scene* y la dirección realzan la naturaleza enclaustrada de cada uno de estos espacios. Para llegar a la sala de exposiciones de la librería es preciso bajar por una estrecha escalera; el restaurante está rodeado por una valla; a Tatín le cuesta llegar al piso de Rosa y tiene que saltar un alto muro para salir de su casa; Gutiérrez Aragón filma la entrada de la comisaría y la verja que obstaculiza el paso a la casa donde, al parecer, Blanca trabajaba de portera. Cada lugar posee sus modos de representación distintivos: la pintura modernista de la librería, la cena relajada de los *progres,* el sonido monótono de la televisión en casa de Rosa, las comidas en que Blanca impone su autoridad exigiendo sumisión a la más aparentemente natural de las actividades: comer.

En *Camada negra,* la lucha ideológica es esencialmente una interrupción de los modos de representación de los demás grupos. Así, los hermanos de Tatín atacan las pinturas de la galería (en las impresionantes imágenes que dan comienzo a la película) más que a los obreros que hay allí (hasta que sacan a Tatín), y lo que buscan en la cena es aguarles la fiesta a los comensales (pues cabe deducir que la velada de los izquierdistas comporta placer, lo cual es completamente opuesto a las comidas de Blanca).

Las comparaciones entre *Camada negra* y Althusser estarían de más si no fuera porque sacan a relucir el pesimismo elemental de la película. Para Althusser, la ideología es inevitable; la libertad, una ilusión. Igual que para Gutiérrez Aragón: cuando Tatín lleva a Rosa a los refrescantes espacios abiertos del campo no lo hace para romper con su credo fascista, sino para darle expresión. Para Althusser, ninguna ideología ostenta la verdad: de haber florecido, la infructuosa relación de Tatín y Rosa no hubiera hecho más que sustituir la ideología fascista por los principios del consumo capitalista; después de todo, la chica sólo sigue a Tatín porque le supone con dinero[14]. La verdadera transición, da a entender *Camada negra,* es ideológicamente problemática.

La utilización del cuento de hadas forma parte, también, de una estrategia más amplia y sumamente fértil de Gutiérrez Aragón. Como él mismo ha explicado:

> Hay una cosa que dice Marx que siempre me gusta utilizar

[14] O así lo piensa Gutiérrez Aragón: véase *Conversaciones con Manuel Gutiérrez Aragón,* pág. 75. Para una clara introducción a los escritos de Louis Althusser, véase *The Cinema Book,* págs. 165-166.

> en las películas. Habla de que hay que hacer extrañas las cosas cotidianas y cotidianas las extrañas. Se refiere a que hay muchas cosas cotidianas que se aceptan, como que haya ricos y pobres, y hay que tener una extrañeza de ellas, y hay cosas extrañas, como el amor, que deberían ser cotidianas. En las películas procuro sacar las cosas más obvias como raras y las más raras como obvias[15].

Feroz muestra ambas caras de la moneda. La extraña metamorfosis de Pablo adquiere cierto grado de verosimilitud al reflejar muchos mitos —como por ejemplo, la historia de Moisés— sobre el nacimiento del héroe: Fernando lleva en la parte de atrás de su coche un cajón en el que va Pablo con forma humana; el coche se estrella y va a parar a un río, el cajón cae al agua y, bañado por una luz trémula, flota corriente abajo hasta quedar varado en una cueva[16].

Por otro lado, la metamorfosis de Pablo, al igual que todas las transformaciones fabulosas, arroja fresca y memorable luz sobre su estado humano original. Su existencia, una vez transformado, es muy corriente. No es nada fotogénico, posee un cuerpo que preferiría no tener, siente nostalgia a pesar de estar madurando y busca calor humano en Ana, una amiga de Fernando. Si Pablo se siente desamparado, humillado y solo no es porque sea un oso, sino porque tal es la condición humana.

Gutiérrez Aragón desarrolló esta variación particular del realismo mágico en *Sonámbulos* (1977). El tono onírico de esta notable película se capta al principio de la misma, cuando el espectador no descubre más indicios de narración que el hecho de que la película esté ambientada en el clima de inquietud política generado por el proceso de Burgos de 1970. Una serie de fundidos presentan a Ana, militante en una célula comunista de Madrid, dormida en un pupitre de la Biblioteca Nacional. En la calle, perfilados como sombras chinescas tras un inmenso ventanal

---

[15] Augusto M. Torres, *Conversaciones con Manuel Gutiérrez Aragón,* Madrid, Editorial Fundamentos, 1985, pág. 80.

[16] La misma fantasía de la escena hace que parezca «realista»; la misma vida rutinaria (su día laboral en la oficina, por ejemplo) de Pablo como oso hace que su situación parezca aún más fantástica.

que ocupa toda una pared a espaldas de Ana, unos manifestantes se enfrentan a la policía. De pronto, dos policías a caballo irrumpen en la biblioteca rompiendo los cristales del ventanal y aporreando a los manifestantes. Ana sigue durmiendo.

Sonámbulos gira en torno a una representación de obras de Strindberg, en la que la célula de Ana piensa arrojar panfletos y pronunciar un mitin sobre el proceso de Burgos ante la flor y nata de la sociedad madrileña. Ana, cuya salud empeora día a día, descubre que padece una enfermedad cerebral incurable. Su hijito encuentra un libro de cuentos en el que se narra la historia de una princesa que está mortalmente herida y a la que un mago promete entregar un libro fabuloso a cambio de que mate a la reina. Ana se da cuenta de que, en cierto modo, es esa princesa. Nunca se ha llevado bien con su madre, María Rosa, que es uno de los activistas que están planeando la protesta del teatro, e, interrogada por la policía, la delata.

Las obras de Strindberg, cuyo ensayo y representación vemos en la película, son puntos de referencia en absoluto casuales. Algunos personajes (Ana y la niñera y ama de llaves de su familia, Fátima) y escenas (el ritual de comer lentejas repetido por la familia de la protagonista durante años a pesar de que a nadie le gustan las lentejas), e incluso ciertas partes del diálogo (María Rosa diciendo que quiere despedir a Fátima, pero que ésta no piensa irse), están basados en obras de Strindberg o tomados directamente de ellas, en especial de *La sonata de los fantasmas*[17]. Hay muchas otras similitudes entre la película y la obra del autor escandinavo, en particular los múltiples hilos con que está tramada la narrativa y la conclusión final de que vivimos en un mundo de ilusiones y desatinos.

Desarrollando el tema de la ilusión, Gutiérrez Aragón establece brillantes analogías con las diversas esferas ideológicas, todas dominadas por representaciones falsas y ritualistas de la realidad. Están, como sugiere Julio Pérez Perucha, el mito del conocimiento (la biblioteca donde Ana trabaja y donde se guarda El libro de Todas las Cosas, que contiene su historia de cuento de hadas), «el espacio privilegiado de la representación» (el tea-

---

[17] Asimismo, los personajes de las obras de Strindberg a menudo hacen observaciones que podrían referirse a películas de Gutiérrez Aragón.

Sonámbulos, Manuel Gutiérrez Aragón, 1977. Una biblioteca que parece un taller de teatro (nótese el suelo) y se convierte en un escenario político

tro) y un espacio de ideología doméstica y militancia política (la casa de María Rosa, a la que Ana regresa cuando cae enferma y que sirve de zulo a miembros de ETA).

Sonámbulos es, por tanto, una metáfora cinematográfica. La mayoría de los cineastas españoles prefieren utilizar símbolos, hacer referencias a un determinado elemento de la realidad histórica del espectador con un determinado elementos de la película. Necesariamente inestables y ambiguas debido a la censura, tales referencias tenían que ser establecidas por el espectador, y era éste el encargado de determinar su validez: ¿en qué aspectos era el industrial paralítico de *El jardín de las delicias* como el inmobilista Franco? ¿Eran representativos de toda la Iglesia española los obispos que desfilan en una determinada secuencia de *Nocturno 29*?

En *Sonámbulos,* en cambio, Gutiérrez Aragón construye una metáfora cinematográfica. Tal término suele utilizarse para denotar la relación entre elementos similares yuxtapuestos por el encuadre o el montaje: las madrigueras de conejos y los refugios subterráneos de la guerra civil, en la primera secuencia de los cazadores en el valle, de *La caza.* Pero, en su película, Gutiérrez Aragón da un nuevo sentido a la metáfora cinematográfica, pues la basa en la estructura literaria, donde un elemento metafórico (el mar, por ejemplo) reemplaza a un elemento literal (un campo) en una comparación en la que, más que ser similares, ambos elementos se construyen como si fueran iguales: «el mar de maíz».

Del mismo modo, Gutiérrez Aragón se sirve de la acción y de la *mise-en-scene* para dar idea de la similitud de los espacios ideológicos que conforman la biblioteca, el teatro y el hogar. Cada uno de ellos actúa a modo de metáfora de los demás, y está invadido de sus elementos: todos tienen el guardarropa de cuento de hadas *naïf;* en la biblioteca hay unas cortinas parecidas al telón de un teatro, y la habitación de Ana tiene un suelo de tablas, como si fuese un teatro. Desarrollando esta metáfora de estilo literario, Gutiérrez Aragón ve cumplido el sueño de todo director: tener un tema que le autorice a inventar imágenes. Pocas películas españolas son tan audaces, y en ninguna está la invención tan justificada. Su director incluso llega al punto de hacer que una actriz, Laly Soldevilla, aparezca de pronto en la casa de María

Rosa como si se tratase de un escenario o como si su inexplicable llegada fuera parte de un sueño.

En una soberbia escena final, Ana es llevada a un manicomio con jardines y recibe la visita de su familia (incluida María Rosa, a quien van a meter en la cárcel al día siguiente —dada la imposibilidad de que un colaborador de ETA se encuentre en libertad provisional, esta secuencia podría ser también, como el resto de la película, un sueño—). Todos están sentados en un jardín muy bien cuidado por el que pasean personas vestidas de blanco y donde las regaderas giran y giran sin parar nunca. Ana escribe en su diario: «Quiero a mi madre, y mi color favorito es...» Pero no puede recordarlo. Un funcionario de la Biblioteca Nacional que hace el papel de hada madrina durante toda la película le trae a Ana un Libro del Conocimiento en el que está escrito el final del cuento: «"Guárdate de la reina, porque la reina es la muerte, pero guárdate también del mago, porque el mago es la locura. La reina posee el libro, pero sólo el mago puede descifrarlo; después te destruirá. Si quieres conocer todas las respuestas a todas las preguntas te destruyes, si renuncias a conocer te salvas." La princesa se quedaba dudando unos días y mientras tanto se puso a escribir este cuento que le estoy contando.»

El final podría estar inspirado en un famoso *dictum* de Gutiérrez Aragón: «Las familias de izquierdas siguen teniendo todos los dramas internos personales y familiares... que pueda tener una familia de derechas.» En *Sonámbulos,* «la ideología puede menos que los sentimientos y la vida cotidiana en los que se organiza una familia»[18]. La búsqueda del conocimiento vuelve loco al que la emprende, y, de cualquier modo, el conocimiento es un constructo ideológico independiente de nuestras verdaderas necesidades (de ahí que el Libro del Conocimiento se nos presente como parte de una historia narrada en él). A la vez que se busca el conocimiento, nuestra personalidad está determinada por hábitos, impuestos por una educación ideológica, que enajenan o violan nuestro verdadero ser, pero cuya ausencia comporta locura. La insistencia de Gutiérrez Aragón en la *mise-en-scene* (y nunca se ha utilizado mejor este término) revela continuamente el ca-

---

[18] Citado por Vicente Molina Foix en el ensayo no publicado «Manuel Gutiérrez Aragón and the Resurgence of Spanish Cinema», pág. 4.

rácter ficticio de la película, el hecho de que también ella está representada, y es, por tanto, un constructo ideológico.

Aunque sin secundar por ello la traición de Ana, Gutiérrez Aragón consideró esta película como una «carta de despedida explicando las razones por las que abandoné la militancia de izquierdas»[19]. Para él, el Partido Comunista era el «único luchador antifranquista», y fue miembro del mismo desde 1962 hasta su legalización en 1977; pero el PCE exigía «una gran disciplina de militancia y también una cierta disciplina ideológica. Eso me parece necesario en la misma medida que vital, e intelectualmente me estorba... El papel del intelectual en una sociedad democrática puede ser mucho más plural que el sometimiento al programa de un partido»[20].

Gutiérrez Aragón exploró el abandono de la militancia política en *El corazón del bosque* (1978), donde se exponen varios tipos de mitos —los principios políticos, la vida rural e, incluso, el amor— haciendo ver que son producto de la historia y que, con el tiempo, es inevitable desprenderse de ellos. El patetismo con que está expresada esta idea y el paralelo que se traza en la película entre el compromiso político y las relaciones personales hacen de *El corazón del bosque* la obra más entrañable de Gutiérrez Aragón.

La columna vertebral de la película es la relación que se establece en ella entre el mito, especialmente el de la militancia política, y la historia de España durante el franquismo[21]. En un prólogo ambientado en 1942, la realidad rural armoniza con el mito. El Andarín, jefe de un grupo de maquis que actúan en las montañas del norte del país, se baja todos los años a la fiesta de un pueblo y baila con las mozas, mientras una de ellas, Amparo, le observa fascinada. En 1952, el Partido Comunista ya había abandonado la lucha armada. Juan P., hermano de Amparo, llega de Francia con el encargo de convencer al Andarín de que deponga las armas. A partir de este momento, la armonía entre el mito y la realidad rural va desmoronándose. El Andarín sufre una enfermedad de la piel que le deja todo el rostro picado de vi-

[19] *Ibíd.*

[20] Torres, *Conversaciones con Manuel Gutiérrez Aragón,* pág. 84.

[21] Véase Julio Pérez Perucha, «Dos observaciones sobre el itinerario de Manuel Gutiérrez Aragón», *Contracampo,* núm. 7, 1979. Un ensayo clave.

ruelas, la Guardia Civil localiza a sus hombres y les mata, y la lucha contra Franco pasa ahora a las ciudades. Juan P. avanza con dificultad por el bosque, lleno de barro, y se pierde; entonces se encuentra con un antiguo maquis que, al igual que él, nació en la región, y baja de las montañas.

En este momento, Juan P. está a punto de abandonar la búsqueda del Andarín. El quid de la película radica precisamente en su decisión de volver atrás cuando ya está a punto de marcharse, para localizar al Andarín y matarle. Tal decisión va más allá del cumplimiento de una misión. Explorando el bosque en el que pasó su infancia, Juan P. vuelve a descubrir sus raíces rurales: el canto del jilguero, la vieja historia de la vaca a la que daban de beber cerveza para que produjese más leche. Poco a poco se da cuenta de que el Andarín también pertenece a ese mundo y de que tiene que matarle para salvar al mito de su propio mundo rural de las injurias de la historia. Cumple su cometido. Cuando baja de las montañas, el cuerpo del Andarín ya está fundiéndose con el paisaje.

También el amor está sometido a las presiones del tiempo. Amparo se enamora del Andarín; pero en 1952, casi no soporta mirarle. Cuando Juan P. aparece en el baile del pueblo en 1952, un elegante intercambio de miradas entre él y Amparo, filmado en su mayor parte con planos medios para que se les vea siempre separados por la multitud, establece una complicidad entre ambos que tiene muchos más matices que el simple hecho de que él pertenezca a un partido político ilegal. Para Juan P., el bosque representa el mundo mágico de su infancia, con sus fantasmas, sus sorpresas (una jarra de leche que se encuentra en la ladera de un monte) y sus propias leyes.

En *El corazón del bosque* confluyen cuatro mundos mitológicos: el mundo histórico de los maquis, con su estudio casi antropológico de las montañas santanderinas; el mundo del cuento popular de un príncipe al que se le impone una tarea; la leyenda de Teseo, en la que el héroe, ayudado por su amante (en este caso Amparo) se orienta en el laberinto (el bosque) para matar al minotauro, lo que suele interpretarse como una matanza simbólica de su señor, el rey Minos, figura arquetípica del padre del mito griego; y el mundo freudiano, en el que un hijo se revela contra la figura del padre.

Todos estos mundos se mezclan entre sí. Lévi-Strauss sostenía que los mitos «expresan deseos inconscientes que de alguna manera son incoherentes con la experiencia consciente... El mensaje oculto tiene que ver con la resolución de contradicciones desagradables»[22]. Las connotaciones freudianas de la película constituyen una glosa escéptica de las limitaciones del cambio histórico: una vez más, aunque ahora por medio de Freud más que de Althusser, Gutiérrez Aragón vuelve a tratar uno de sus temas preferidos. Al comienzo de *El corazón del bosque*, el Andarín se halla de pie frente a la estructura resistente, vertical, patriarcal (y con forma de falo) del faro; entonces agita los brazos, y su sombra se proyecta al otro lado del paisaje en que se está celebrando la fiesta del pueblo. El Andarín baja al baile y baila con las mozas ante la mirada fascinada de la que más tarde será su amante, Amparo. Toda esta secuencia evoca una famosa frase de Freud expuesta en *Mourning and Melancholia* y referida a la internalización del padre: «la sombra del objeto se proyectó sobre el ego». Juan P. «se crea la fantasía de salvar a su padre del peligro y de salvarle la vida»[23], relación padre-hijo reiterada por el Andarín cuando, al final, Juan P. le pega un tiro: «te conozco», dice el viejo maqui, «desde que eras así de pequeño».

Al saltar del autobús y volver a las montañas para matar al Andarín, Juan P. confirma su vinculación a una infancia en la que aquél representa la figura del padre y Amparo la de su compañera. Rechaza el saxofón que le regala su cuñado (pago simbólico mediante el que renuncia al instrumento fálico con que sedujo y entretiene a Amparo como compensación por el hecho de que el hermano de la muchacha se vaya) y se adentra en el monte para ejecutar al Andarín. Sin embargo, una vez muerto éste, se identifica con la figura paterna que representaba su víctima y, rascándose como el maqui, regresa a las montañas, cumpliendo

---

[22] Edmund Leach, *Levi-Strauss*, Fontana, Londres, 1974, págs. 57-58; se trata de una introducción muy accesible.

[23] Citas tomadas de *Mourning and Melancholia, The Standard Edition of the Complete Psychological Works of Sigmund Freud*, XIV, Londres, Hogarth Press, 1963-1974, pág. 249, y «A Special Type of Choice of Object Made by Men», publicado en S. Freud, *On Sexuality*, Harmondsworth, Penguin, 1977, páginas 239-240.

ya su objetivo, para vivir con Amparo en una especie de casita de chocolate en medio del campo, con lo que se confirma el lazo elemental que le une a la vida rural, a su hermana y a la pérdida del Andarín, y se da a entender lo difícil que es romper con los primeros vínculos, ya sean personales o políticos. Cabría citar a Scott: «Breathes there the man, with soul so dead, / who never to himself hath said, / this is my own, my native land!»[24]. Tales son los sentimientos que dotan a *El corazón del bosque* de gran parte de su emotividad. Es esta *native land* histórica, social, psicológica e, incluso, sexual lo que yace en el corazón del bosque de Gutiérrez Aragón.

El corazón del bosque estuvo en cartel durante varios meses seguidos en el cine Alphaville de Madrid y convirtió a su director en la figura principal de la generación de cineastas españoles inmediatamente posterior a Saura. Gutiérrez Aragón ha desempeñado un papel muy destacado en la profunda revisión a que ha sido sometido el cine español en los últimos años, la cual ha provocado un importante cambio de perspectivas entre los cineastas más conscientes del país y ha encontrado eco en Erice, García Sánchez, Berlanga y Viota, entre otros. Las fuerzas impulsoras de esa revisión fueron la caída de las cifras de taquilla, el fracaso del cine «rupturista», el creciente anacronismo de las películas de arte al estilo de los años 50 y la necesidad de tener en cuenta un nuevo elemento: el público. Con esta reacción, los cineastas españoles estaban respondiendo no sólo a las necesidades industriales, sino también al cambio de dirección de la teoría cinematográfica marcada por la obra de Roland Barthes *Le plaisir du texte*, que, publicada en París en 1973, trata de los placeres intelectuales, viscerales y eróticos que comporta la lectura. Como ocurriera con la crisis económica mundial, la transición retrasó su impacto en España hasta mediados de los años 70. La oposición de Gutiérrez Aragón a la radicalidad de sus primeros tiempos fue la reacción mejor calibrada de todas las que se produjeron entre los cineastas españoles.

Hablando de la «tensión entre lo expresivo y lo comunicable», Gutiérrez Aragón criticó *Sonámbulos* señalando que era «expresiva», pero bastante ininteligible. *Camada negra* le había con-

---

[24] W. Scott, *The Lay of the Last Minstrel* (1805).

vencido ya de que, «para dar un testimonio sobre la realidad es mucho mejor el periodismo que el cine, la novela o seguramente también el teatro»[25]. Asimismo, dio expresión al desencanto, bastante generalizado entre los cineastas españoles, con el lenguaje cinematográfico que reflexiona sobre sí mismo. Hasta *Sonámbulos,* siempre había pensado que el cine «explora necesariamente su propio lenguaje, al igual que lo han hecho la pintura y la poesía»; pero se dio cuenta del peligro de la transformación de las películas en «arte para cinéfilos», cuando deberían ser arte de masas.

La búsqueda de una mayor comunicación ha provocado varios cambios importantes en la obra reciente de Gutiérrez Aragón. Salvo *Feroz,* que es una producción de Querejeta, todas las películas que ha hecho desde *El corazón del bosque* han sido coescritas y producidas por Luis Megino, quien rivaliza ahora con Querejeta y Andrés Vicente Gómez el título de principal productor independiente de España. Asimismo, tiende a utilizar más estrellas con el fin de atraer la atención del público: la doble atracción que supuso la intervención de Ángela Molina y Ana Belén en *Demonios en el jardín* aseguró el éxito de taquilla de la película en 1982. Por otro lado, las ironías son menos complejas, y el espectador tiene más posibilidades de identificarse con los personajes y de obtener satisfacciones emocionales, ya que Gutiérrez Aragón tiende a aceptar los placeres de un cine más clásico. Finalmente, las estructuras de telaraña continúan, pero la mayoría de las películas se atienen a un género que orienta al espectador: el *thriller,* en *Maravillas* (1980); el melodrama, en *Demonios en el jardín,* o la comedia dieciochesca de intriga romántica, en *La noche más hermosa* (1984).

El nuevo tono de Gutiérrez Aragón está perfectamente plasmado en *Demonios en el jardín.* A primera vista parece un cine histórico, accesible y directo. En 1942, durante la celebración de una boda en un pueblo del norte en la que Ana se casa con el inepto Óscar, el hermano de éste, Juan, seduce a su prima Ángela y, tras dejarla embarazada, se marcha a Madrid para ocupar un

[25] *Conversaciones con Manuel Gutiérrez Aragón,* pág. 72. Véanse, también, la página 97, y J. Hernández Les y M. Gato, *El cine de autor en España,* pág. 278, para más reflexiones.

cargo no especificado junto al Caudillo. Diez años más tarde, la abuela, una mujer muy dominante, pide a Ángela que traiga al niño, Juanito, a vivir con la familia. «Raras veces», comentó Isidoro Fernández, «se ha descrito la historia de España con tan mordaz precisión». En una escena especialmente incisiva, la abuela se lleva a Juanito al negocio familiar (una tienda de ultramarinos llamada «El Jardín») y comienza a hacerle comentarios sarcásticos sobre los clientes, en especial sobre los que tienen un pasado republicano. Una muestra de la hipocresía de la abuela es el hecho de que la familia se esté haciendo rica con el estraperlo.

Pero el interés de *Demonios en el jardín* no radica solamente en la sátira histórica de algunas de las escenas. «Hay que hablar de la posguerra», declaró Gutiérrez Aragón en 1982. Y lo hizo, pero atacando a los sabihondos que decían que ese tema estaba muerto y criticando la costumbre, muy extendida en España tanto entre los representantes de la izquierda como entre los de la derecha, de considerar el pasado en términos de bueno o malo. Gutiérrez Aragón alude indirectamente a este hábito en el título de la película: en muchas sociedades primitivas se creía que en toda pareja de hermanos había un espíritu maligno que ocasionaba males y desgracias. Desde el punto de vista moral, el interés de *Demonios en el jardín* radica principalmente en el hecho de que intente dar una explicación de los «demonios» interiores inculcados en Juanito, en especial de su tendencia a mentir y de la conciencia antifranquista que va adquiriendo. Gutiérrez Aragón los explica presentando la misma polarización que la creencia primitiva y que la interpretación esquemática de la posguerra. Óscar y Juan compiten por Ana; ésta y Angela, por el cariño de Juanito.

Haciendo uso de su característico escepticismo, Gutiérrez Aragón desvaloriza toda simplificación. Casi todos los personajes son hipócritas: Óscar finge un triunfante nacionalismo («los garbanzos españoles son los mejores del mundo») para compensar su ineptitud; Ana finge respetabilidad, pero anhela ser como la *femme fatale* que ve en el cine; Juanito se finge enfermo durante casi toda la película. Ángela, hija de republicanos, no es mucho más atractiva, como personaje, que Ana; y Juanito, dividido constantemente entre el amor a su madre y la creciente atracción que siente por su tía, se niega a decidirse por una de las dos porque ambas le consienten todo.

El uso que hace Gutiérrez Aragón de los géneros es tan intrincado como su actitud moral. Como observa Francisco Marinero, la película combina la fantasía (un toro irrumpe de pronto en medio de la boda), el drama (el hambre de la posguerra, ilustrado en los mendigos gitanos), el melodrama y el humor (angustiada por la pasión adúltera que siente por Juan, Ana acaba disparando a éste con la intención de matarle, pero no consigue más que hacerle una ligera herida), y la reflexión política, expresada en la visita de Juanito al séquito de Franco. Una vez más, la familia y la historia nacional se combinan. En esta visita, el niño descubre que su padre no es un heroico soldado, sino un simple camarero, y además, le presentan al Caudillo (que queda fuera de campo). La desilusión de Juanito no podía ser mayor. «Nosotros no empezamos a ser antifranquistas porque estuviéramos convencidos de que la razón y la historia nos hacían ser antifranquistas» comentó Gutiérrez Aragón, «[sino] por desilusión, porque no nos gustaba ese padre bajito y de voz atiplada que era el Caudillo»[26].

Mas incisiva aún que *Demonios en el jardín* es *Maravillas*. La protagonista, cuyo nombre da título a la película, comete un robo de joyas junto con Loles y Pirri, simpático y desdentado golfillo, este último, que proporciona gran parte de los efectos cómicos de la película por su gracia de macarra de barrio. El cura al que atracaron descubre a Maravillas y ésta se ve obligada a devolver lo robado si no quiere pagar las consecuencias. Pero las joyas han desaparecido, y el tipo a quien se las dieron para que las vendiera aparece asesinado.

Al igual que los fascistas de *Camada negra* (que son pequeños burgueses, cuando en España el fascismo se da más bien entre la clase alta), Maravillas y sus colegas no son típicos del fenómeno español que representan. De hecho, Pirri se niega a aceptar la explicación sociológica que da el cura a sus delitos: «Quizá no seas tú culpable... la sociedad...»: «No, no, es que yo soy muy malo, muy malo. Y si no soy malo, no soy nada.» En realidad, *Maravillas* es un excelente ejemplo de una tendencia que se dio en el cine

[26] Entrevista con Pachín Marinero, *Casablanca,* núm. 23, 1982.

español posfranquista: el abandono de la reflexión sociológica en favor de una renovación de las influencias culturales reprimidas o tergiversadas por el régimen franquista. En este caso, la influencia dominante es Cervantes y, en especial, *El Quijote*. Como ha señalado Gutiérrez Aragón, «Don Quijote discurre por la Mancha, lugar geográfico conocido de todos... en que casi se pueden oler las reatas de mulas y en el que podemos reconocer a todos los personajes que pululan por la obra, es un lugar donde suceden episodios mágicos... Esto es algo propio de la cultura española»[27].

El Madrid de Gutiérrez Aragón es igualmente real y, al mismo tiempo, mágico. Los elementos más conocidos de la ciudad están filmados desde ángulos nuevos: visto desde un descampado, el complejo de edificios de los Nuevos Ministerios parece encontrarse en los mismos límites de Manhattan. Desde lo alto de la Torre de Madrid (donde Buñuel solía residir), la Gran Vía y las calles de los alrededores parecen valles o gargantas, y el Palacio Real, una tarta nupcial. El argumento de la película pasa de un enclave de fantasía a otro como si se tratara de un cuadro cubista. El principio, por ejemplo, muestra a Maravillas durmiendo en unos soportales, tendida en el suelo cuan larga es, mientras cerca de ella un negro descalzo se mueve al ritmo de la ópera *punk* de Nina Hagen *African Reggae*. Más tarde, Maravillas llega a casa y recuerda a sus padrinos judíos sentados al sol en la terraza, hablando de los ingredientes de un licor de dátiles e imitando el sonido de las sirenas de los barcos entrando al puerto de la ciudad del Mar Negro donde nacieron.

Maravillas posee un sentido de la inversión cómica similar al de *El Quijote*. En la obra de Cervantes, un escudero se hace ermitaño, las mujeres cuyo amor no es correspondido se visten de hombre y a la labradora Dulcinea se la trata como a una princesa. En la película de Gutiérrez Aragón, los niños (Maravillas, Pirri) se comportan como adultos, y los adultos (el padre de Maravillas, Fernando, que está en paro y a veces pide dinero prestado

[27] Torres, *Conversaciones con Manuel Gutiérrez Aragón*, pág. 135. El régimen de Franco aceptó *El Quijote* porque era un clásico y porque casi nadie lo leía. No obstante, la sátira que se hace en él de las fantasías militares resultaba bastante molesta.

a su hija) se comportan como niños. Asimismo, en la cama son las mujeres las que llevan la iniciativa.

Cervantes pretendía, entre otras cosas, poner de manifiesto la falta de verosimilitud de las novelas de caballerías del siglo XVI mostrando cuán absurdo era el intento de Don Quijote de vivir aventuras épicas comparables en la vida real. En su obra, el cura y el barbero registran la biblioteca de Don Quijote y condenan a la hoguera todos los libros que carecen de verosimilitud. Casi al final de *Maravillas,* un cura, un magistrado y un psicólogo realizan un escrutinio similar con las revistas pornográficas de Fernando (por considerar que son las causantes del ambiente moral que lleva a su hija a la delincuencia) y queman las más indecentes. Fernando (soberbiamente interpretado por Fernán-Gómez) quiere conservar una fotografía. «He amado mucho a esta mujer», dice, protestando. Pronunciadas en ese tono ligeramente grandioso tan característico de Fernán-Gómez, estas palabras adquieren un profundo significado. En *Maravillas,* el sueño quijotesco del hombre no son las aventuras caballerescas, sino el mero contacto humano en un mundo de soledad[28].

El estilo de la película de Gutiérrez Aragón no fomenta el contacto entre los personajes y el espectador. Los primeros planos son raros. Y ninguno de los utilizados en las primeras secuencias está tomado desde la perspectiva de alguno de los personajes, por lo que el punto de vista de éstos no se fusiona con el del espectador. En ningún momento nos sentimos partícipes de la acción que se desarrolla ante nosotros. Incluso las escenas íntimas —como cuando Maravillas hace el amor con un amigo— poseen un marcado carácter solipsista.

Pero, por encima de todo, *Maravillas* presenta la iniciación de una chiquilla en el mundo. En este sentido, ilustra la tendencia del cine español a reflejar las duras condiciones de la vida en España, la necesidad de ser fuerte, independiente e, incluso, egoísta en un mundo dominado por la soledad y las dificultades. Una vez más, la película sigue la estructura de los cuentos de hadas. Hay un tesoro: las joyas. Hay un bosque laberíntico de compleji-

[28] «La única aventura posible es la soledad», dijo Gutiérrez Aragón. «Somos robinsones del tráfico, del turismo, del televisor.» (Citado por Vicente Molina Foix en su introducción a *Conversaciones con Manuel Gutiérrez Aragón.*)

dades: la acción transcurre entre puertas, pretiles, pasillos, vestíbulos, habitaciones pequeñas, soportales, escaleras, calles. Hay un príncipe: un joven larguirucho salido del reformatorio del que Maravillas se enamora. Hay incluso una ceremonia iniciática: cuando (en una reminiscencia) Salomón, el padrino de Maravillas, pide a ésta el mismo día de su Primera Comunión que camine por un pretil desde el que se domina todo Madrid. Esta escena, aunque bañada por una luz crepuscular que tiñe las cúpulas, tejados y torres de la ciudad del brillo dorado de la ficción, está dominada por un profundo sentimiento de tristeza. Porque la prueba de Salomón no ofrece a la chiquilla ni tesoros ni promesas, sino una dura lección sobre la vida: «Quien no tiene miedo vence. Quien tiene miedo se cae.» Siete años después, para descubrir quién se ha llevado las joyas y ha matado al tipo que las guardaba, Maravillas pide ayuda a su padrino, que trabaja ahora haciendo números de magia en un cabaret. Salomón demuestra que ha sido Chessman, el chico que Maravillas ama. Por salvarse ella, pierde a su amante. Maravillas y todos los demás personajes acaban igual, excluidos, privados de su patria (los padrinos judíos), de un brillante pasado (Fernando, que fue un famoso fotógrafo de la alta sociedad), de su infancia, del amor. Al final, casi todos los personajes se reúnen en la azotea de la casa de Maravillas para quemar las revistas de Fernando. Éste mira al horizonte por encima de los tejados de Madrid y declara: «Se vive como se sueña..., solos.» La luz dorada del atardecer baña la ciudad. La escena está iluminada con la luz de la ficción, pero se sustenta sobre la ironía.

Víctor Erice

Como señalan Eugeni Bonet y Manuel Palacio, la ausencia de un público de clase media sofisticado y de una industria moderna y accesible ha sido siempre un obstáculo que ha limitado el progreso de la vanguardia cinematográfica hasta el punto de convertirla en un ridículo remedo de los movimientos progresistas del extranjero[29]. Los cineastas innovadores, tales como el ex-

[29] Cfr. Eugeni Bonet y Manuel Palacio, *Práctica fílmica y vanguardia artística en España, 1925-1981,* Madrid, Universidad Complutense, 1983, págs. 11-12.

traordinario inventor cinematográfico y realizador de documentales surrealistas José Val del Omar (n. 1904), han trabajado casi siempre solos. En los años 70, los directores con ambiciones artísticas se enfrentan al dilema de hacer lo que todos los demás o vivir en el extranjero. No mucho tiempo antes, dos considerables talentos individuales, Adolfo Arieta y Celestino Coronado, optaron por lo segundo[30].

Víctor Erice es uno de los pocos cineastas españoles conformes con la primera de estas alternativas que se presta a hacer un detallado estudio formal. Se le suele relacionar con el «cine independiente» de Madrid, pero los comienzos de su carrera estuvieron determinados más bien por la intensa polémica que sostuvieron en la EOC y en las revistas *Nuestro cine* y *Film Ideal* los partidarios del neorrealismo y los admiradores del cine de Hollywood. Erice fue uno de los fundadores de *Nuestro cine,* escribió en esta revista e hizo su debut industrial, el episodio de medio metraje de *Los desafíos,* en 1969.

Realizada con el fin de poner de manifiesto «la situación socio-cultural de España», la primera muestra de la obra de Erice presenta a dos matrimonios españoles que llegan a un pueblo abandonado, cambian de pareja y acaban recurriendo a la violencia debido a los celos que este flirteo con la modernidad suscita. Aunque no muy inspirada, la narrativa posee una intrigante mezcla de rasgos culturales españoles (teatralidad, voyeurismo, el toque ligeramente surrealista de un mono que acompaña al grupo) e injertos culturales superficiales tomados en su mayoría del *spaghetti-western* (uno de los maridos impone el amor libre en el pueblo, reta al otro a duelo y prepara una explosión de dinamita para que tanto él como sus amigos salten por los aires). La película sugiere que la «modernización superficial» de España no anula la violencia inherente al país, sino que simplemente la hace más retorcida[31].

---

[30] Sobre las intrigantes películas de Arieta, véase Vicente Molina Foix, *New Cinema in Spain,* British Film Institute, 1977, pág. 29. Coronado hizo una serie de películas en 16 mm en Londres entre 1973 y 1976, y en 1984 realizó el largo *Sueño de una noche de verano.*

[31] Sobre *Los desafíos,* véase una entrevista con los directores en *Nuestro cine,* 1969.

Al productor Elías Querejeta le impresionó el episodio lo suficiente como para aceptar la sugerencia de Erice de hacer una película sobre el monstruo de Frankenstein, proyecto que resultaba, además, perfectamente viable desde el punto de vista comercial, dado el *boom* del cine de terror en España a comienzos de los años 70. Aunque en un principio pensaba hacer una alegoría política, en la que el monstruo regresaría a una España convertida en un campo de concentración dirigido por tecnócratas, Erice no tardó en caer bajo el influjo de un fotograma del *Frankenstein,* de James Whale, que tenía en su estudio y en el que se veía a una niña arrodillada junto al homúnculo a la orilla de un lago. Al final decidió centrarse en el significado que tenía el monstruo para los niños de su generación. «Quizá lo importante en toda experiencia mítica es el momento de la revelación del fantasma, de la iniciación», ha comentado Erice[32]. El *espíritu de la colmena* expone los pasos que va dando Ana, una niña de siete años que vive en un pueblo triste y frío de Castilla, hasta crearse el mito personal de un monstruo de Frankenstein real.

Con sus enormes ojos muy abiertos, receptivos, Ana ve la película de James Whales en el cine del pueblo. Pero no comprende por qué el monstruo mata a la niña y todo el mundo le mata a él. Algo mayor que ella, su hermana Isabel le explica, cuando se van a dormir, que en las películas nadie se muere de verdad. El monstruo, añade con malicia, es un espíritu que puede tomar la forma humana. Ella le ha visto en una casa abandonada que hay cerca del pueblo; para llamarle no tiene más que cerrar los ojos y decir: «Soy Ana, soy Ana.» El siguiente encuentro de la niña con un espíritu sin cuerpo tiene lugar en el colegio, donde durante una clase de anatomía la maestra trata a un muñeco de tamaño natural como si fuera humano (Ana tiene que ponerle los ojos). Más tarde va a la casa abandonada y ve huellas de un hombre; de regreso en casa, Isabel fomenta su interés por el monstruo abriendo las ventanas, gritando y desmayándose —imitando una escena de *Frankenstein* en la que el homúnculo entra a una habitación donde está durmiendo la joven esposa del doctor Frankenstein e intenta estrangularla. Isabel se hace la muerta,

[32] De una rara entrevista con Erice en el guión publicado de *El espíritu de la colmena,* Madrid, Ediciones Elías Querejeta, 1976.

pero de pronto se levanta, confirmando una vez más a su hermana la idea de que la muerte nunca es de verdad. Una noche en que ve hogueras encendidas (que, como señala E. C. Riley, trae a la memoria «la Noche de San Juan, la noche de los espíritus, con sus ritos del fuego»[33], y que probablemente recuerde a la niña la gigantesca hoguera en que el monstruo encuentra la muerte en la película de Whale), Ana decide invocar al espíritu. A la mañana siguiente encuentra a un fugitivo republicano en la casa abandonada. Identificándole con el espíritu del monstruo, le lleva ropas. Por la noche, el huido es muerto a tiros por la Guardia Civil; pero Ana sabe que los espíritus no mueren. Perdida en el campo, tiene una alucinación, en la que se ve junto al monstruo al borde de un estanque. Cuando la encuentran y la llevan a casa, su mito ya se ha formado del todo. Por la noche se acerca a la ventana de la habitación y susurra a la oscuridad: «Soy Ana, soy Ana.»

Dotada, como el propio Erice ha declarado, de una «estructura fundamentalmente lírica», *El espíritu de la colmena* utiliza con indudable éxito el punto de vista de la cámara y el montaje para presentar un mito tal como lo concibe la imaginación de una niña[34]. Erice filma los elementos míticos clave —el cine del pueblo, la pantalla, la casa de Ana— de frente. Tal bidimensionalidad dota a estos elementos de una presencia casi totémica, a la vez que se ajusta al modo en que una mente infantil construye el mundo (piénsese en los dibujos de casas que hacen los niños). Las elipsis del montaje producen una sensación de atemporalidad cada vez más intensa. Cuando las niñas van a la casa abandonada por primera vez, sólo el movimiento de la sombra de las nubes sobre el paisaje, filmado mediante una serie de fundidos, indica el tiempo que las hermanas tardan en llegar a ella desde la cima del monte donde se las ve al principio. Erice filma la casa abandonada con un plano medio. Las niñas se salen del encuadre, pero el plano se mantiene y Ana vuelva a entrar en él. ¿Cuánto tiempo transcurre entre las visitas de Ana? La película

[33] E. C. Riley, «The Story of Ana in *El espíritu de la colmena*», *Bulletin of Hispanic Studies,* LXI, 1984, pág. 494.

[34] Citado por Pablo López, «Las mejores películas de la historia del cine: El espíritu de la colmena», *Fotogramas,* núm. 1.689, septiembre de 1983, páginas 45-52.

ha entrado en el reino del mito, donde la cronología y la geografía se difuminan. Porque lo importante es el acontecimiento en sí, el escenario simbólico en que tiene lugar y, sobre todo, su relación con el personaje principal.

La historia de Ana admite interpretaciones psicológicas, cinematográficas e históricas, todas las cuales están, por supuesto, interrelacionadas. En cierto modo, la clave del comportamiento de la niña es su padre, Fernando. Profundamente trastornado por la guerra civil, en la que desempeñó un papel que no se especifica, este personaje vive retirado en su estudio, escribiendo un diario sobre apicultura. Para su familia, a veces es literalmente una sombra, lo que, como muchos críticos han observado, queda patente con suma sutileza en una escena en la que Fernando se desviste en su dormitorio tras pasar toda la noche en el estudio. Erice filma su sombra proyectándose al otro lado de la cama, donde su esposa, Teresa, finge estar dormida. Necesitada de protección y seguridad, Ana ve en el monstruo una especie de sustituto de su padre, por lo que le da ropas de éste, así como un reloj de bolsillo que, por ser un objeto que organiza la vida cotidiana de Fernando, constituye un símbolo de autoridad doméstica[35].

Pero, en la mente de Ana, Fernando es también una fuente de autoridad. En una determinada escena, las niñas están haciendo sombras chinescas cuando deberían estar ya durmiendo e interrumpen el juego al oír que su padre se acerca a la habitación. «¡Que viene papá!», susurra una de ellas, a la vez que apaga la vela que hay sobre la mesilla. En otro momento, Fernando se va de viaje, y la casa parece entonces más alegre: las hermanas hacen peleas con almohadas y juegan a afeitarse. El encuentro imaginario de Ana con el homúnculo es similar a la escena de *Frankenstein* de Whale en que la pequeña María juega con el monstruo cuando su padre se ha ido a trabajar[36]. Al exponer la actitud de Ana hacia Fernando y hacia el homúnculo, Erice muestra las

[35] Hay muchos otros paralelos entre Fernando y el espíritu. Véase Riley, «The Story of Ana», y Peter Evans, «El Espíritu de la Colmena: The Monster, The Place of the Father, and Growing Up in the Dictatorship», *Vida Hispánica,* otoño de 1982, vol. XXXI, núm. 3. Ambos ensayos son excelentes.

[36] En «The Children of Franco», Kinder señala que la película de Whale multiplica las figuras patriarcales, todas las cuales se oponen al monstruo. Es muy posible que Ana sienta en sí misma el rechazamiento del monstruo.

ambivalencias que presenta normalmente la relación de un niño que está creciendo con el mundo exterior. Como señala Peter Evans, las casas de la película son «lugares seguros y acogedores», pero también «estructuras de decadencia y encierro»[37]. Y lo mismo parece indicar el afán de Ana por salir de casa para, no obstante, buscar una figura lo más parecida posible a su padre, que es el hombre que más relación guarda con su casa[38].

La única objeción que cabría hacer a *El espíritu de la colmena* es que el argumento parece a veces forzado por detalles (tales como la oportuna llegada del fugitivo a la casa abandonada la misma noche en que Ana le invoca) que obedecen más a las intenciones temáticas de Erice que a la conciencia lírica que tiene Ana de los acontecimientos. No obstante, tal crítica carece de valor si consideramos el hecho de que la «experiencia mítica» de *El espíritu de la colmena* no radica solamente en las fantasías del monstruo de Ana, sino también en el carácter mítico de la propia película y en la experiencia que el espectador tiene de ella. Erice señala constantemente que la película es ficción y, en este sentido, un mito. El subtítulo del comienzo reza: «Érase una vez.» Superpuesta a un dibujo infantil de una pantalla de cine que muestra al monstruo de Whale junto a la pequeña María; esta frase da a entender que tanto las creencias de Ana respecto al homúnculo como la película en sí son ficción. Erice establece un paralelo entre la artificialidad de la creación cinematográfica y la fabricación del monstruo, pasando de un plano del momento en que el presentador de la película de Whale describe a Frankenstein como un «hombre de ciencia que intentó crear un ser vivo», a otro plano del proyector de cine. En un cartel que cuelga fuera de la sala se anuncia la película con la frase «El Doctor Frankenstein, autor del monstruo». Y, como ha observado Vicente Molina Foix, a casi toda la familia se la describe desarrollando actividades creativas: Fernando escribe un diario; Teresa, cartas, y Ana hace que escribe a máquina.

En realidad, nuestra experiencia de *El espíritu de la colmena* es comparable a la experiencia mítica de Ana. Ambas comportan

---

[37] Evans, *El espíritu de la colmena,* pág. 13.

[38] Visto desde lo alto del monte, el paisaje que rodea la casa abandonada posee la misma tonalidad verde y amarilla que la luz de la casa familiar.

deducción (de la historia de España a la película de Erice, de las explicaciones de Isabel a la propia experiencia de Ana). Ambas se basan en analogías (fundamentalmente la existente, tanto para el espectador como para Ana, entre Fernando, el monstruo y el fugitivo). «En el cine», le dice Isabel a su hermana con condescendencia, «todo es mentira». Pero Ana no tarda en dejarse convencer por *Frankenstein*. «Érase una vez», nos advierte Erice; pero el espectador enseguida cae bajo el influjo de *El espíritu de la colmena*. La película de Erice no sólo describe una experiencia mítica, sino que posee también las estructuras y la fascinación de tal experiencia.

El segundo subtítulo también advierte del carácter ficticio de la película: «Un lugar de la meseta castellana, hacia 1940.» *El Quijote* comienza así: «En un lugar de la Mancha, de cuyo nombre no quiero acordarme.» Al igual que Cervantes, Erice pretende crear un equilibrio entre lo general y lo particular; aunque la película trata temas generales —la ambivalencia de las relaciones entre padres e hijos es uno de ellos—, él procura relacionarlos con un ambiente histórico particular.

La guerra civil y sus consecuencias son el pan de cada día de la familia de Ana. Una casa del pueblo luce el yugo y las flechas; Fernando busca por las noches emisoras extranjeras para oír las noticias sobre la Segunda Guerra Mundial; una niña del colegio de Ana recita un poema de Rosalía de Castro traducido, claro está, al castellano. Más que un ejemplo realista o un símbolo estilizado del ambiente de la época, la familia de *El espíritu de la colmena* es una consecuencia de él[39]. Fernando es una clara muestra de lo que Erice ha denominado «el vacío» dejado por los españoles que lucharon en la guerra... «una ausencia. Habían muerto, se habían marchado o bien eran unos seres ensimismados desprovistos radicalmente de sus más elementales modos de expresión. Me estoy refiriendo... a toda clase de vencidos, incluidos aquellos que, independientemente del bando en que militaron, vivieron el conflicto en todas sus consecuencias sin tener una auténtica conciencia de las razones de sus actos, simplemente por una

[39] Para una interpretación simbólica de la historia de Ana, véase Kinder, *op. cit.*, donde se compara a «los niños de Franco» con «los niños de Frankenstein».

cuestión de supervivencia»[40]. El bando en el que luchó Fernando queda intencionadamente sin especificar en la película, aunque Teresa escribe cartas a un republicano exiliado en Francia[41]. Absorto en sus faenas apícolas y su diario, el padre de Ana contempla fascinado el derroche de energía de las abejas («alguien que miraba estas cosas», escribe en el diario, «no tardó en apartar la vista en la que se leía no sé qué triste espanto»); tal fascinación podría ser una referencia indirecta a la carnicería febril de la guerra. En Fernando se advierte claramente la consternación, la impotencia y el silencio de los hombres que lucharon en la guerra civil. Como señala Roger Mortimore, el diálogo es mínimo (los padres de Ana nunca mantienen una conversación); sólo dos sonidos perturban el silencio: el del aburrimiento —las notas que Teresa toca al piano— y el de la muerte —los disparos que acaban con la vida del fugitivo[42].

En el ambiente de la guerra civil, el monstruo adquiere un significado especial. En general, como señala Peter Evans, es parte de «lo otro», el mundo misterioso que exploran los niños y que les hace tomar conciencia de sí mismos. Este aspecto queda realzado por los excelentes efectos de iluminación de la película, que están modelados a la manera de las pinturas holandesas del siglo XVII. En una de las primeras secuencias, Teresa está sentada junto a la ventana escribiendo. La celosía de los cristales, el silencio, la luz amarillenta que se filtra en la habitación, «la tranquila existencia de una figura solitaria en un interior suavemente iluminada visto en primer plano», todo contribuye a crear el ambiente de las pinturas de Vermeer[43]. Y, al igual que en los retratos de Rembrandt, los personajes de la película dan una idea de

---

[40] *El espíritu de la colmena* (guión publicado), pág. 144.

[41] Es casi seguro que se encuentra en un campo de concentración, de lo contrario la petición de Teresa de que le conteste diciéndole si todavía está vivo resultaría demasiado dramática. Molina Foix sostiene que Fernando era republicano. Véase su ensayo «La guerra detrás de la ventana», *Revista de Occidente,* núm. 53, octubre de 1985.

[42] Véase la excelente crítica de Roger Mortimore sobre la película en *Sight and Sound,* vol. 43, núm. 4, otoño de 1974, pág. 199.

[43] Erice le mostró a Luis Cuadrado copias de pinturas de Rembrandt y Vermeer antes de rodar la película. Pero, mientras que los personajes de Vermeer parecen felices inmersos en sus escenas domésticas, los de Erice están siempre pensando en cosas ajenas al hogar.

El espíritu de la colmena, Víctor Eriçe, 1973. Ana espera lo monstruoso —aquí, el tren

vida contemplantiva, de pérdida de voluntad, de retraimiento a una oscuridad en la que la luz es un principio animado y una fuente de conocimiento.

Para Ana, la clave del conocimiento está en el misterio de la muerte. Como es de suponer, en un país en el que las represalias por la guerra civil todavía estaban a la orden del día, y donde procuraba no mencionarse, sin embargo, el tema de la muerte, ésta era una verdadera obsesión; por supuesto, manifiesta también en Fernando. En la versión de *Franskenstein* que ve Ana, la famosa escena en que el monstruo arroja a María al lago está cortada. Esta es una de las razones de su curiosidad por saber por qué el monstruo mata a la niña. La película de Whale hace hincapié —mucho más que la novela de Mary Shelley— en que el monstruo está hecho de retazos de cuerpos recogidos en tumbas y en osarios; cuando Ana le invoca está dando expresión a un deseo colectivo de resurrección que es característico de la cultura española de principios de los años 40.

Las dos hermanas de *El espíritu de la colmena* están experimentando constantemente con la muerte. Para Ana, el tren que pasa por el pueblo no es un símbolo de la posibilidad de escapar, sino más bien algo que garantiza la muerte de toda persona a la que atropelle: cuando lo ve aproximarse, se queda quieta en la vía el mayor tiempo posible antes de apartarse. En un determinado momento, Isabel está a punto de estrangular a un gato, pero Erice corta significativamente la escena para mostrarnos un cuadro de San Jerónimo señalando a una calavera. Más tarde, Ana se imagina a su hermana colgada sobre una hoguera que Isabel está saltando con sus amigos.

La figura del monstruo muestra la relación existente entre la mortalidad y el mal. Al igual que Gutiérrez Aragón, Erice se inspira en distinciones maniqueas entre «demonios» buenos y malos. En la habitación de Ana cuelga un cuadro de un espíritu bueno, un ángel que lleva a un niño de la mano. Por el contrario, el monstruo es, según explica el colega de Frankenstein en la película de Whale, «un demonio» y tiene «el cerebro de un asesino». Un día que salen al campo con su padre a buscar setas, las niñas juegan a adivinar si las que van encontrando son buenas o malas y descubren una muy grande que Fernando califica de «auténtico demonio... Al que la prueba, no hay quien le salve».

La observación de Fernando confirma que el encuentro final e imaginario de Ana con el monstruo es, al menos desde el punto de vista de la niña, una confrontación con la muerte. Ana desobedece a su padre y se escapa; entonces se imagina que ha encontrado la seta «demonio» y extiende la mano para tocarla. Cuando el monstruo aparece y se sienta a su lado, ella cierra los ojos y se entrega a su destino. A la mañana siguiente la encuentran junto a un muro en ruinas que recuerda la estructura igualmente siniestra que se ve al principio de *Frankenstein*. E. C. Riley sugiere que el agujero redondo que hay en la base del muro indica que «Ana ha pasado por él al otro lado del muro, con todos los significados simbólicos que esto implica»[44]. La invocación final del monstruo que hace Ana es también una afirmación de identidad, una identificación con un proscrito supuestamente mortífero y malévolo que hace referencia a los que perdieron la guerra y a la conciencia de la mortalidad que adquiere todo niño en una determinada etapa de su desarrollo[45].

Ganadora del primer premio en el Festival de Cine de San Sebastián de 1973, *El espíritu de la colmena* se anunció como la primera película que describía la tristeza y la frustración generadas por la victoria de Franco y (erróneamente) como la primera película española rodada desde el punto de vista de los vencidos. Sin embargo, lo verdaderamente importante es que, al igual que *Habla, mudita,* de Gutiérrez Aragón, y su única precursora, *El hombre oculto* (1970), de Ungría, fue el primer largometraje de uno de los miembros de la generación de cineastas posteriores a Saura que iban a sentar las bases del cine posfranquista. *El espíritu de la colmena* marcó nuevos rumbos a la elaboración formal e inspiró obras de Chávarri (*Los viajes escolares,* 1974), Saura (*Cría cuervos,* 1975), Enrique Brasó (*In memoriam,* 1977), Ricardo Franco (*Los restos del naufragio,* 1978), Gutiérrez Aragón (*Demonios en el jardín,* 1982) y José Luis Guerín (*Los motivos de Berta,* 1984)[46].

---

[44] Riley, «The Story of Ana», pág. 495.

[45] Cuando Ana mira al estanque (acto que sugiere una búsqueda de identidad), su rostro se disuelve en el del monstruo: Ana contempla inconscientemente la muerte en su interior.

[46] Véanse los comentarios de Ricardo Franco, en *El cine de autor en España,* y la entrevista a Enrique Brasó, en *Fotogramas,* núm. 1.499, julio de 1977.

Durante el tiempo transcurrido entre *el Espíritu de la colmena* y *El sur* (1983), Erice se dedicó a reflexionar sobre la posición que ocupaba en calidad de director dentro de la industria cinematográfica española. En vez de *El sur,* hubiera preferido hacer algo más introspectivo, más en relación con «el universo moderno donde ya se pone en cuestión el hecho de hablar». De hecho, había bosquejado un proyecto de diario en cine, pero lo abandonó por diversas razones: su propia timidez, el peso de toda una adolescencia viendo películas clásicas americanas, las presiones comerciales del mercado para que volviese al mundo de *El espíritu de la colmena* y el hecho de que «no se han quemado una serie de etapas al nivel práctico», por lo que una cosa era haber recibido una educación teórica sobre cine modernista y otra muy distinta practicar como director tal cine[47].

El sur se concibió expresamente, como afirma Erice, para «los circuitos de carácter mayoritario» y posee mucho más sentido de la narrativa que *El espíritu de la colmena*. Ambientada en un lugar frío y lluvioso del norte de España en el periodo comprendido entre 1950, aproximadamente, y 1957, la película narra la relación entre un médico y zahorí ex republicano, Agustín, con su hija, Estrella. Cuando la niña tenía ocho años, estaba muy unida a su padre: aprende a manejar el péndulo que utiliza éste para adivinar dónde hay agua, le acompaña cuando alguien le encarga que busque manantiales subterráneos, le espera a la salida del trabajo para volver juntos a casa. Y Estrella identifica a Agustín, que es de Sevilla, con una existencia más cálida, sensual y libre en el sur de España.

La víspera de la Primera Comunión de Estrella, llegan del sur la alegre nodriza de Agustín, Milagros, y su madre, una mujer más bien severa. Por la noche, cuando están acostándose, Milagros le cuenta a la niña que Agustín discutió con su padre, que era un hombre muy reaccionario, y dejó el sur para siempre. Al día siguiente, en la comida que organizan después de la ceremonia religiosa, padre e hija bailan juntos, como si fueran dos novios. Nunca más volverán a estar tan unidos. Poco después, Es-

---

[47] Vicente Molina Foix, «Víctor Erice: El cine de los supervivientes», mayo, núm. 12, septiembre de 1983. Hay otra versión de la entrevista en *Fotogramas,* núm. 1.688, julio de 1983, págs. 12-17.

trella encuentra unos retratos dibujados por Agustín de una actriz llamada Irene Ríos y, más tarde, ve que su padre entra a un cine en el que ponen una película protagonizada por esta mujer. Otro día, le descubre escribiendo una carta de amor a la actriz, de quien parece ser que fue novio o amante. En la carta le propone reanudar aquella relación, pero Irene Ríos le contesta negativamente, y Agustín, después de un frustrado intento de viajar al sur, se refugia en una lúgubre desesperación.

Después de una elegante elípsis, la película nos presenta a Estrella con quince años. Agustín continúa apartado de los demás y pasa la mayor parte del tiempo encerrado en su estudio. Un día invita a Estrella a comer en un hotel del lugar, y mientras están allí, oyen una música proveniente de una boda que se celebra en un salón contiguo al restaurante. Se trata del mismo pasodoble que bailaron el día de la Primera Comunión de Estrella, pero ésta no lo recuerda, y, aunque su padre hace todo lo posible para reanudar la antigua complicidad que había entre los dos, ella se muestra distante. Esa noche, Agustín se suicida pegándose un tiro a la orilla del río. Al final de la película, Estrella se dispone a viajar al sur, encontrar a Irene Ríos y descubrir por sí misma la atracción de la tierra donde nació su padre.

Como observan Peter Evans y Robin Fiddian, *El sur* es, en cierto modo, un drama freudiano[48]. Para Agustín, Estrella e Irene Ríos significan lo mismo: su correspondencia con la actriz revela que dejó de ver a ésta no cuando se casó, sino cuando nació su hija, y reanuda esa correspondencia después de la Primera Comunión de Estrella, es decir, cuando la niña comienza a ser mujer y a romper con los lazos que la unen a su padre. Por su parte, Estrella declara, refiriéndose a ella misma cuando tenía ocho años: «Me bastaba entonces su presencia a mi lado para que todo lo demás dejara de preocuparme.» La *mise en scène* del día de su Primera Comunión revela las similitudes entre esta ceremonia y la de una boda. En una deliciosa escena de interior (con suaves

[48] Robin W. Fiddian y Peter Evans, «Erice's *El Sur:* a Narrative of Star Cross'd Lovers», *Bulletin of Hispanic Studies,* LXIV, 3 (1987), págs. 127-35. Los mismos autores acaban de publicar un excelente estudio académico sobre cinco novelistas y directores de cine contemporáneos, *Challenges to Authority: Fiction and Film in Contemporary Spain,* Londres, Tamesis, 1988.

tonos azules, un suelo de losetas cuadradas y una actividad doméstica contenida que recuerdan las pinturas de Vermeer), las mujeres de la familia van y vienen por la casa con esa mezcla de nerviosismo y felicidad propia de un día de boda. Estrella, vestida de blanco, es el centro de atención.

Erice establece frecuentes analogías entre Estrella e Irene Ríos. El nombre de la primera recuerda el hecho de que la otra sea una estrella de cine. La cartelera del cine donde se proyecta la película de Irene muestra el rostro de ésta en un cielo estrellado. La película se titula *Flor en la sombra:* ambas mujeres son «estrellas» o flores en la oscuridad emocional de Agustín, aspecto que Erice pone de relieve en numerosas escenas iluminando el rostro de Estrella y dejando todo lo demás en penumbra. Por último, en la película que Estrella se imagina que está viendo su padre, Irene Ríos escucha una melodía sin advertir que se trata de «nuestra canción», de ella y de su amante, después de lo cual éste la mata de un disparo. Como sugieren Evans y Fiddian, esta escena imaginada haría partícipe a Irene de la culpa que siente Estrella por haberse mostrado distante con Agustín la última vez que comió con él.

Erice vincula la infancia de Estrella a un proceso general de desarrollo que está descrito con un tacto, una profundidad y una sensibilidad presentes en todas y cada una de las escenas de la película. Un momento clave es aquel en que la niña aprende a manejar el péndulo. Tiene lugar en el desván de Agustín. Estrella, cuya vida gira en torno a su padre, camina literalmente alrededor de éste, con el péndulo en la mano y haciendo en todo momento lo que se le ordena. La escena comienza mostrando a Agustín sentado en el centro y a la niña en una posición de subordinación, arrodillada ante él; pero Estrella está empezando a independizarse de su padre, así que al final es ella la que queda encuadrada en el centro, mirando embelesada cómo empieza a girar el péndulo que sostiene en la mano. Asimismo, como relaciona los poderes aparentemente sobrenaturales de Agustín con los orígenes de éste en el cálido y sensual sur, Estrella recuerda la escena con una luz especial que, reflejada en la pendiente del tejado que sirve de fondo a las figuras del padre y la hija, posee la luminosidad propia de los paisajes del sur.

La secuencia central de la película, la de la fiesta de la Primera Comunión, es igualmente memorable. Comienza con un primer plano del velo y el ramo de flores de Estrella colocados sobre una silla a la cabecera de la mesa; se desplaza con brío a lo largo de la mesa para enfocar a padre e hija, y sigue en un *travelling* a Agustín y Estrella que bailan juntos y vuelve a mostrarnos las prendas de la Primera Comunión del principio. Este plano secuencia capta muy bien la alegría espontánea y bullente de Estrella, pero traza un círculo que empieza y termina con un símbolo de madurez social. De alguna manera, Erice parece considerar la madurez como la ascensión a un mundo de símbolos sociales que distancian a las personas, anulando la espontaneidad emocional de la juventud o, al menos, forzando a expresar las emociones mediante una serie de correlativos bastante limitada. El muchacho que corteja a Estrella cuando ésta tiene ya quince años se queja de que a veces da muestras de sentirse atraída por él, pero luego le trata con frialdad. En ese momento, Estrella no había aprendido todavía la semiótica del amor.

Pero, en *El sur,* la madurez equivale más que nada a una renuncia parcial al mito, y es el mito —sus motivos, imágenes y dominios— lo que constituya el tema principal de la película. Agustín mitifica a Irene Ríos. Su nombre real es Laura, pero él pone «Irene Ríos» bajo los dibujos que hace de ella, y cuando le escribe la carta después de ver su película está pensando en la mujer de la pantalla (así lo señala la propia Irene Ríos) más que en la real. Estrella mitifica a su padre. En la puesta en escena de lo que supone que es su primer recuerdo, que tiene lugar al principio de la película, se ve a Agustín utilizando el péndulo para adivinar si su esposa, Julia, que está embarazada de Estrella, va a tener un niño o una niña. Para ella, esta escena expresa «una imagen muy intensa que, en realidad, yo inventé». Todas las escenas o ambientes relacionados con Agustín tienen una luz o color amarillos como la arena: la habitación de Estrella cuando ésta toma el péndulo la mañana siguiente a la muerte de su padre; el hospital de provincias, constituido de arenisca, donde Agustín trabaja; los muros amarillentos de la casa. De manera similar, la gaviota de la veleta que corona la casa aparece siempre destacada contra un cielo azul claro. Los efectos de luz destacan tanto —por ejemplo, en la escena en que Estrella aprende a manejar el péndulo en el desván—, que no cabe duda de que son artificiales, producto de la ficción. Todos estos factores indican que, para Estrella, Agustín constituye una especie de religión particular: el péndulo es su icono, el hospital está poblado de monjas y, en una determinada secuencia, Agustín camina por un pasillo que, iluminado por los rayos de luz que se filtran a través de la ventana, parece la nave de una iglesia. La idea que tiene Estrella del pasado de su padre se ajusta al mito religioso. Agustín fue expulsado de Sevilla por un «padre» y, por lo que la niña ve en las tarjetas postales, esta ciudad es una especie de paraíso terrenal lleno de jardines, fuentes y gente feliz que siempre está bailando.

En algunos aspectos, estos mitos tienen su origen en la historia de España. El pasado republicano de Agustín, que fue encarcelado después de la guerra, explicaría sus dificultades para encontrar un «trabajo fijo» y, junto con las discusiones con su padre, la necesidad que tiene de asentarse en algún sitio, la cual le lleva a abandonar a Irene por la mucho más serena Julia y a pasar toda la infancia de Estrella yendo «de un lugar a otro» en busca de un empleo estable. Asimismo, la anormal intimidad de Estrella con su padre se derivaría de la inseguridad vivida en los primeros años de su vida. No obstante, *El sur*, al igual que *El espíritu de la colmena,* trasciende los problemas específicos de España y relaciona el mito con la necesidad universal de estabilidad en una existencia fugaz y trastornada. Las referencias artísticas de *El sur* —*Cumbres borrascosas, Romeo y Julieta* y la obra de Hitchock *La sombra de una duda*— generalizan las implicaciones de la película relacionándolas con las de otras obras de ficción[49]. La referencia más utilizada —implícitamente, en la imagen del sur, y explícitamente, en las escenas finales del guión, que no se rodaron— es, no obstante, el diario de viajes de Robert Louis Stevenson *En los mares del sur*[50].

---

[49] Tales como *Tess of the d'Urbervilles,* donde Hardy muestra cómo se ve afectada la sensibilidad de Tess por diferentes ambientes.

[50] El productor, Elías Querejeta, detuvo el rodaje porque, al parecer, había problemas financieros. Para la explicación de Erice, véase «Los males de *El sur*», en *Cambio 16,* núm. 601, 6 de junio de 1983. Ángel Fernández Santos, que contribuyó a escribir el guión, expuso lo que se eliminó de éste en «33 preguntas eruditas sobre *El sur*», *Casablanca,* núms, 31-32, julio-agosto de 1983, páginas 55-58.

El guión de *El sur* comienza con una cita de Stevenson: «El coral brota, la palmera crece, pero el hombre se va.» Irene Ríos toca un tema relacionado con esto en la carta que escribe a Agustín, y que el espectador lee a la vez que el personaje: «El tiempo, Agustín, es el más implacable justiciero que he conocido, y aunque ya soy mejor, a veces, sobre todo de noche, tengo miedo.» La película está llena de efectos que aluden a la naturaleza efímera de la vida y a la imposibilidad de cambiar nuestro destino. Por ejemplo, muchas escenas son como el comienzo de la siguiente. Cuando Agustín adivina que Julia va a dar a luz a una niña, la cámara, hasta entonces estática, empieza a sacudirse ligeramente, imitando el traqueteo de un tren, y de repente nos vemos viajando en tren por España. Al final de la escena, Agustín mira a Estrella dormida y un rayo de luz cruza el rostro de la niña dando paso a la escena siguiente, que comienza con la luz del sol brillando en el río. Confirmando este efecto de flujo, hay muchas imágenes vistas desde perspectivas que confluyen: las hileras de velas de la iglesia durante la ceremonia de la Primera Comunión, la larga mesa de la sala donde se celebra ésta, el camino recto por donde Estrella se aleja de la cámara en bicicleta cuando tiene ocho años y por el que se aproxima a la cámara (después de un fundido que sugiere una vez más la naturaleza fugaz del tiempo) cuando tiene quince. La sensación del tiempo que se escapa es expresada mediante una imagen casi clásica: Julia, sumamente turbada cuando Agustín decide dejarlas para irse a Andalucía, aparece ante nosotros enrollando muy deprisa una madeja de lana, como si fuera una Parca de nuestros días. El destino inevitable de los personajes queda reflejado en una serie de acciones compulsivas que Freud relaciona con el instinto de muerte: Estrella columpiándose; Agustín dando vueltas a sus recuerdos de Irene Ríos o golpeando incesantemente el suelo del desván con su bastón.

El sur estudia también la validez de los mitos. Agustín comete dos errores: creer que un romance pasajero, el amor que le tuvo Irene Ríos, duraría siempre; y considerar la indiferencia que muestra Estrella hacia su nostalgia como un signo de que no se ha perpetuado en su hija, que es lo que él pretendía[51]. Laura /

[51] Estrella lo deja bastante claro cuando le dice a Agustín que «no se puede comparar» cómo era ella de pequeña con cómo es con quince años.

Irene Ríos desmiente ese tipo de mitos paradisíacos entre los que se encuentra el del sur: «He estado de la Zeca a la Meca», le escribe a Agustín. «Pero no he encontrado este sitio de que ya nunca se quiere regresar... El pasado ya no me conmueve como antes... Mucho me temo que, por fin, me he hecho mayor.»

Desgraciadamente, es en el final no filmado de la película cuando la sutil reflexión sobre el mito que hace Erice en *El sur* alcanza su punto culminante. En estas escenas no rodadas, Estrella confirma esencialmente la experiencia de Laura / Irene. Viaja a Sevilla; conoce a Laura y al hijo que tuvo con Agustín, un muchacho de catorce años llamado Octavio; acaba viendo a estos personajes y al sur desde una perspectiva más realista, y vuelve al norte convertida en una mujer madura. El mito encuentra un terreno más propicio en Octavio, que quiere ser escritor. En la última escena del guión, se ve al muchacho en un campo, sosteniendo en la mano el péndulo de su padre (que ha aprendido a manejar, satisfaciendo así la necesidad de perpetuarse que Agustín pretendía ver cumplida en Estrella), con los ojos cerrados e imaginándose que las tierras en barbecho que le rodean se convierten en maizales y, luego, en un mar salpicado de islas. Para Octavio, ávido lector de Stevenson, estas islas son su propio sur. Algunos mitos —el sueño de un caballero errante, el anhelo de una tierra lejana donde todo sea mejor— quizá no sirvan más que para crear ficciones, pero no por ello dejan de fascinar.

VIII

Un nuevo cine europeo, 1983-1988

UNA transición es como una gran novela decimóniaca: tiene un comienzo, un desarrollo y un (por lo menos previsible) final. Cuando algunos curiosos han preguntado a los cineastas españoles «progresistas» dónde les estaba llevando su progreso—o, en otras palabras, de qué a qué estaba haciendo una transición el cine español—, el modelo o visión que con más frecuencia se ha mencionado para acallar su impertinente *quo vadis* podría resumirse en una palabra carismática: Europa.

El 28 de octubre de 1982, los socialistas obtuvieron una aplastante y abrumadora victoria electoral. En algunos de los más circunspectos chalets de los alrededores de Madrid se colocaron guardias a la puerta por miedo a una revolución. La campaña del PSOE —crear una sociedad más justa, pero sin introducir cambios radicales— ha asignado al PSOE un papel sociodemocrático en el que no caben las innovaciones demasiado dramáticas. Aunque como ha señalado Paul Preston, a los ojos de algunos socialistas «la transición había acabado. Ya se podía empezar el verdadero cambio»[1], el mismo hecho de que los sistemas de financiación cinematográfica estuvieran incompletos —en comparación con los de otros modelos europeos— hizo que la transición del cine no acabase a la vez que la política. La principal transición cinematográfica española es un intento europeizante de modernizar el cine español. Su origen más evidente es una película liberal, para clase media y dirigida a un público internacional, *Muerte de un ciclista;* tiene su continuación en el

[1] Son las últimas frases de *The Triumph of Democracy in Spain,* que se ha convertido en el libro de inglés sobre la transición más conocido.

«nuevo cine español»; se acelera considerablemente durante la transición política, y queda consumada con Pilar Miró. El fin de esta transición estuvo marcada por el estreno (en septiembre de 1985) de la primera tanda de películas financiadas de acuerdo con lo estipulado en el «decreto Miró». Ahora son los mismos modelos de la cinematografía europea los que están en proceso de transición.

Películas de mayor presupuesto: El «Decreto Miró» (1983)

Las razones del intento de implantar en España el denominado «estilo europeo» de producción son, en parte, económicas. A. Promio se desesperó una y mil veces cuando, en 1896, trató de vender el invento de los Lumière al sur de los Pirineos. Sólo su tenacidad y el aliento de sus amigos impidieron que cejara en el empeño. Durante los últimos noventa años (con la posible excepción de la época de la República), el cine español ha estado siempre en crisis. Pero en 1979, esa crisis era gravísima. En ese momento, las películas producidas en España acaparaban sólo el 16 por 100 del mercado nacional, frente al casi 30 por 100 de dos años antes; y en junio, mes en que la industria debería haber alcanzado ya su punto álgido anual, sólo dos películas se estaban revelando en Fotofilm, el principal laboratorio cinematográfico español[2].

En enero de 1980, el gobierno de UCD volvió a situar la cuota de pantalla en 3:1 y fijó una cuota de distribución escalonada que se calculaba de acuerdo con el éxito de taquilla de las películas. Pero la nueva ley no dio en el clavo: una producción de bajo presupuesto y mala calidad estrenada en veinte ciudades a la vez durante una semana, proporcionaba a su distribuidor tres permisos de distribución de películas extranjeras; un éxito de taquilla de «calidad» tal como *El nido* permitía adquirir, por haber recaudado más de 85 millones de pesetas, la cantidad máxima de cinco permisos. La diferencia era demasiado insignifican-

---

[2] Cfr. José Luis Guarner en la *International Film Guide,* Londres, Tantivy, 1980, pág. 277.

te como para incitar a los distribuidores a emprender proyectos ambiciosos[3]. Al igual que tantas otras leyes de UCD, la de 1980 no hizo frente a los grandes problemas estructurales de la industria cinematográfica. El más importante era la financiación. Los créditos concedidos al cine a través del Banco de Crédito Industrial eran muy escasos, el presupuesto del Fondo de Protección llevaba años sin superar los 1.200 millones de pesetas, el fraude de taquilla estaba a la orden del día y los premios especiales eran insuficientes[4].

Contrario a la intervención en el mercado, el gobierno de UCD intentó poner en práctica una medida indirecta. En agosto de 1979, TVE anunció que invertiría 1.300 millones de pesetas en seriales o películas para televisión que pudiesen estrenarse antes en cines; se daría preferencia a los proyectos basados en las grandes obras de la literatura española. La medida no tenía, en realidad, mucho más objetivo que el de guardar las apariencias: el gobierno de UCD pretendía salvar la reputación de Televisión Española en un momento en que la prensa estaba denunciando graves casos de corrupción en el Ente[5].

No obstante, a pesar de tan poco favorables orígenes, muchos de los proyectos producidos fueron competentes y populares. La serie semanal *Los gozos y las sombras* tuvo una popularidad mayor aún que la de *Dallas*. Alentada por este éxito, TVE invirtió otros 1.400 millones de pesetas en seriales y películas entre 1983 y 1984. Por otro lado, un decreto pionero de junio de 1981 estableció una escala móvil de subvenciones adicionales que se calculaban según el presupuesto de las películas y su recaudación de taquilla[6]. Otro decreto facilitó la concesión de créditos al cine

[3] Véase Angel Fernández Santos, «El cine español se debate entre la expansión y la bancarrota», *El País,* 18 de mayo de 1982.

[4] Los premios especiales alcanzaban la cifra de millón y medio de pesetas, lo que, repartido entre el productor, los actores y técnicos que habían intervenido en la película, era una cantidad ridícula.

[5] Una revisión de las cuentas de RTVE realizada en 1978 reveló «un grado de ineficacia y fraude inconcebible» (John Hooper, *The Spaniards,* pág. 138).

[6] La relación del presupuesto de una película con la subvención (calculada como suma equivalente a un determinado porcentaje de la recaudación de taquilla) era: 35 millones de pesetas, una subvención del 10 por 100; 45 millones, el 12,5 por 100; 50 millones, el 15 por 100. *Cineinforme,* núm. 98, 11 de enero de

a medio plazo, los que ascendieron de 541 millones de pesetas, en 1980, a 953, en 1981.

En diciembre de 1982, Pilar Miró se hizo cargo de la Dirección General de Cinematografía prometiendo «una verdadera revolución dentro de la industria del cine español»[7]. La principal prueba a la que hubo de someterse consistió en reducir el ascendiente que tenía Estados Unidos en el mercado cinematográfico español. En 1979, el público pagaba lo mismo por ver las producciones nacionales que *Superman*, de lo que José Luis García Sánchez se burló diciendo que era como poder comprar por el mismo precio un Seat 600 o un Mercedes.

El problema no estaba sólo en la cuantía del presupuesto de las películas norteamericanas, sino el dominio que tenían de la taquilla española. El cine nacional hacía un porcentaje muy pequeño de la total recaudación en taquilla (el 20,4 por 100 de los 141 millones de entradas en 1983), y con tan poco dinero sólo se podían financiar películas de muy bajo presupuesto. Este dominio no varió durante la transición (en 1978 hubo una oleada de estrenos norteamericanos que provocaron un descenso del procentaje de taquilla de 29,8, en 1977, a 20,1, tres años después), y tampoco lo ha hecho desde entonces. Un vistazo al quién es quién de las subdistribuidoras de España puede resultar muy revelador. UIP (el 16,83 por 100 de la recaudación de taquilla de enero a agosto de 1987) trata con Paramount, Universal y MGM (que se hizo con United Artists en 1982). Filmayer, que utilizaba a Nueva como fachada de Columbia (hasta la formación de Columbia Films en España, en 1988) se hallaba en el segundo puesto del *ranking* de distribuidores, con el 8,9 por 100 de taquilla. Incine, de Alfredo Matas y representante de 20th Century Fox hasta abril de 1988, ocupaba el tercer lugar (8,7 por 100); Warner Española, el quinto (8,5 por 100) e Izaro (que dirige Cannon), el sexto (5,5 por 100).

1983. Sobre los objetivos de Miró, véanse también *Fotogramas,* núm. 1.682, enero de 1984, y *Casablanca,* núm. 25, enero de 1983, págs. 12-16.

[7] La verdadera diferencia existe entre UCD y el PSOE desde el punto de vista de la política cinematográfica es en gran medida una cuestión de compromiso. El segundo asume realmente los presupuestos económicos, ideológicos e, implícitamente, políticos que hay en el fondo de toda política de protección estatal del cine.

Las únicas distribuidoras españolas que tenían cabida en el *ranking* eran el conjunto de Antonio Llorens[8] Lauren-Film / Lauren Films (segundo y cuarto puesto, con el 8,66 y el 5,05 por 100 de la recaudación de taquilla); Araba (octavo puesto, con el 5 por 100), de Iñaki Núñez, y Trifilms (décimo lugar, con el 3,23 por 100), de Manuel Salvador y José Hueva. Sin embargo, con la excepción de Araba, que empezó a portar grandes estandartes europeos como Goldcrest y Gaumont, estos independientes tienden a hacer beneficios por medio de acuerdos con los *Mini-Majors* norteamericanos como Orion, en el caso de Antonio Llorens, y Vestrom, en el de Trifilms.

En los ocho primeros meses de 1987, las producciones estadounidenses hicieron el 56 por 100 de la recaudación total de taquilla, que fue de 15.302 millones de pesetas. Las grandes distribuciones norteamericanas trataron incluso de hacerse con algunas de las películas españolas más rentables —4 de las 10 más taquilleras de 1987, por ejemplo— a fin de cumplir con la cuota de distribución. Los exhibidores españoles prefieren los ingresos seguros de los productos norteamericanos (a pesar de que el distribuidor se queda a veces con nada menos que el 70 por 100 de la recaudación) a poner películas españolas con las que, las más de las veces, yerran el tiro.

Pero a los productores españoles no sólo se les excluye de los buenos cines en las fechas clave; en el fondo, la más clara muestra de cuán obtuso es el triunfalismo con que se contempla la salud del cine español es el hecho de que éste ni siquiera se vea. «En los últimos años, ha habido cerca de sesenta películas que nunca se estrenaron en Madrid», escribió Boquerini en 1988. Y no todas son pura bazofia, pues entre ellas figuran la excelente *Los motivos de Berta,* dirigida por José Luis Guerín y estrenada sólo en Barcelona; la fresca película de carretera con que debutó José Miguel Ganga, *Rumbo norte* (1986), e incluso *Teo el pelirrojo*

---

[8] Representante en España de Orión y reconocido como uno de los productores más dinámicos y con mayor orientación comercial de España, Antonio Llorens fundó Laurens Films en 1980 y ahora coproduce películas españolas (*Mujeres al borde de un ataque de nervios*) o catalanas (*El complot de los anillos,* Francesc Bellmunt, 1987) a la vez que distribuye producciones españolas tan significativas como *Tras el cristal.*

(Paco Lucio), que representó a España en Berlín en 1986[9].

Pilar Miró reaccionó contra el dominio que ejercía Estados Unidos en el mercado español utilizando dos estrategias clásicas: limitar la exhibición de películas norteamericanas manteniendo la cuota de distribución en 4:1 y encauzar hacia la producción sumas de dinero equivalentes a un determinado porcentaje de la recaudación de taquilla de cada película. Ésta fue parte del «decreto Miró» de diciembre de 1983 que tan substancialmente aumentó la protección estatal. De acuerdo con lo estipulado en él, se podía adelantar a las películas una subvención de hasta el 50 por 100 del presupuesto estimado. Pero la palabra «subvención» no es del todo exacta: estas sumas estaban concebidas como créditos concedidos por adelantado y sin intereses para mitigar los problemas de movimientos de efectivos y se devolvían descontándolas de las verdaderas subvenciones, concedidas después, de acuerdo con determinados porcentajes de la recaudación de taquilla en bruto: el 15 por 100 para toda película española (salvo las «X»), un 25 por 100 más para las de «calidad especial» y otro 25 por 100 para aquellas cuyo presupuesto superara los 55 millones de pesetas. Dado, sin embargo, las mínimas recaudaciones de películas españolas, estas subvenciones anticipadas se convirtieron rápidamente en la base de la financiación del cine español.

En la legislación cinematográfica del PSOE creada durante el mandato de Pilar Miró, figuraba también una ley de exhibición, de 1983, que determinó por fin las condiciones que habían de reunir las salas «X»[10], y en marzo del año siguiente se abrieron veintidós de éstas. En septiembre de 1983 se firmó un acuerdo entre TVE y la industria cinematográfica española, que contribuyó a racionalizar las relaciones entre ambas, estableciendo un pago mínimo de 18 millones de pesetas por los derechos de TV,

---

[9] Véase la espeluznante crónica de Boquerini, «Ese maldito cine español», en *Fan Fatal,* núm. 1, abril de 1988, págs. 22-23.

[10] Estas salas tienen ahora problemas económicos, debido, entre otras cosas, a que debían pagar un impuesto equivalente al 46 por 100 de la recaudación de taquilla (reducido ahora al 33 por 100). Además, su público ha disminuido nada menos que en un 70 por 100 entre 1984 y 1986. Véase *Fotogramas,* número 1.718, abril de 1986.

con una cuota de pequeña pantalla de cuatro películas extranjeras por una nacional.

Tras la entrada de España en la CE en enero de 1986, Fernando Méndez-Leite, sucesor de Pilar Miró en calidad de director general del Instituto de la Cinematografía y las Artes Audio visuales (ICAA), situó la cuota de pantalla en la proporción de 2:1 para las películas de países miembros de la CE (incluida España) frente a «terceros» países. La cuota de distribución continuó en 4:1 para las películas españolas, y las películas de países de la CE no necesitan permisos de doblaje[11].

Pero no fueron sólo meras razones económicas las que determinaron el «decreto Miró». Nick Roddick señala a este respecto:

> ... tendería a haber sólo dos modelos de producción de películas: el norteamericano y el subvencionado. El modelo de los estudios norteamericanos, firmemente implantado durante tres cuartos de siglo, es un paradigma de organización capitalista: un sistema de fábrica, que integra la producción a gran escala, la distribución y la exhibición, con muchas salidas en el mercado nacional y una penetración muy desarrollada en los extranjeros.

El modelo subvencionado de producción cinematográfica es, por el contrario,

> ... básicamente un fenómeno europeo que funciona con premisas muy diferentes que cabría calificar de «imperativos culturales». Desde mediados de los años 20, cuando comenzó a considerarse el cine como una forma de arte, diversos países implantaron sistemas de subvención y protección con el fin de que el público nacional pudiese ver películas habladas en el idioma del país y que reflejaran cuestiones culturales y sociales del país[12].

Roddick cita a Francia, Suecia y, en los últimos veinte años,

[11] Méndez-Leite no se limitó a moler el trigo de Miró. Revitalizó la producción catalana y dio preferencia a los guiones originales sobre las adaptaciones de obras literarias.

[12] N. Roddick, *British Cinema Now*, págs. 3-4.

Alemania e Italia (por medio de acuerdos con TV) como ejemplos del «modelo subvencionado». El gobierno del PSOE se atiene muy claramente a tales premisas, como demuestra el informe que puso en circulación la Comisión de Cine del partido antes de las elecciones de 1982. En él se decía que «el cine no puede ser definido sólo como producto industrial, sino que es necesario subrayar su valor como bien cultural, y, por pertenecer al patrimonio del pueblo, no deberá nunca ser objeto de manipulación, sino instrumento de liberación»[13].

Dicho informe se abstiene de recomendar explícitamente un aumento de la protección estatal, aunque la insinuación es evidente: si el patrimonio está en peligro, hay que protegerlo. Pero tal protección era también una cuestión política. Como señaló el último ganador del premio Príncipe de Asturias a las Ciencias Sociales:

> Los españoles ven en el ocio el sentido de la vida, en una sociedad en la que hay una gran presión que lleva a la gente a hacer grandes esfuerzos por ganar más dinero: el resultado es una sociedad consumista y ostentosa, más que en otros países del mundo[14].

Si los españoles consideran que la práctica ostentosa de actividades lúdicas es el aspecto decisivo de su vida, proporcionar con similar ostentación tales actividades ha de convertirse en el aspecto decisivo de la práctica política de un partido. Un cine dirigido por el estado es un llamativo anuncio de un estado dirigido por un partido.

En diciembre de 1984, Pilar Miró se jugó 3,5 millones de dólares en veintidós películas que se iban a rodar el año siguiente, y catorce de las cuales eran de directores nuevos. En 1988, el presupuesto anual destinado a las subvenciones pagadas por adelantado se sitúa en los 2.500 millones de pesetas. El «decreto Miró» mejoró casi de inmediato el nivel técnico de las producciones, las

---

[13] «Principios básicos para una política global de la cinematografía», citado en *4 años de cine español,* pág. 16.

[14] Véase «Juan José Linz, "Los españoles ven en el ocio todo el sentido de su vida"», *Diario 16,* 22 de octubre de 1987.

condiciones de trabajo, los sueldos, la duración de los rodajes, la variedad de exteriores, los decorados (como demuestra la revelación de Gerardo Vega, como un excelente director artístico en películas como *La noche más hermosa),* etc. Asimismo, muchos más directores, casi todos ellos talentos del «nuevo cine español» desperdiciados, han podido reanudar su carrera. Dadas las reducidas proporciones del mercado de las películas españolas y la consiguiente imposibilidad de ejercer una producción *laissez-faire,* el sistema de subvenciones impuesto por el «decreto Miró» se ha convertido, como señaló Houseman con respecto a la precisión en la historia, no tanto en una virtud como una necesidad.

Pero el «decreto Miró» ha suscitado más críticas que cualquier otra de las legislaciones habidas en la historia del cine español. En primer lugar, no cabe duda de que no es una panacea. No incluye *tax-breaks*, que, en las industrias cinematográficas en que la producción carece de rentabilidad inherente, se han convertido en una medida de capitalización clave que da cuenta de, por ejemplo, una inversión de unos 6.000 millones de pesetas en películas alemanas en 1978.

Los críticos del «decreto Miró» han destacado con singular regocijo que así como las subvenciones experimentaron un aumento espectacular, el público de las películas españolas ha disminuido con similar espectacularidad. Las razones de este hecho han dado lugar a un acalorado debate. Más simplemente, el mismo sistema que deja que exista un cine español, también permite a los productores españoles hacer películas a espaldas de los espectadores. No cabe duda de que el Instituto Español de Cine ha ejercido tal influencia desde 1983 y que, para muchos productores, los deseos de su director son órdenes. Al poco de ser nombrada directora del Instituto, Pilar Miró dijo que «si de aquí a un año o año y medio hay dieciocho películas tipo *La colmena,* la industria cinematográfica iría mucho mejor»[15]. En 1986, los productores españoles habían lanzado ya una buena tanda de semejantes películas *(Réquiem por un campesino español, Luces de Bohemia, Bearn):* sólidas e imperturbables adaptaciones literarias, serias

---

[15] En una entrevista con Santiago Pozo, *Casablanca,* núm. 26 de febrero de 1983.

más que entretenidas, y (a diferencia de *La colmena)* fracasos en la taquilla.

Pero los estrenos de una temporada no pueden explicar diez años de decadencia. Así como el público cinematográfico se había ido reduciendo en general desde 1966, la parte de la recaudación de taquilla correspondiente a las películas españolas descendió, en particular, del 29, 76 por 100 de 1977 al 21,76 del año siguiente, y del 20,98 de 1984 al 16,24 de 1985 y el 14,1 de 1986. El descenso de 1978, se debió a que, en palabras de Kathleen Kovacs, «desde la abolición de la censura, el mercado se ha visto inundado de películas extranjeras —principalmente americanas e italianas—», y «entre 1978 y 1979, aparecieron indicios de que la explosión creativa de la actividad cinematográfica (española) estaba llegando a su fin»[16].

Los factores que, más a largo plazo y en el marco del descenso del número de espectadores en general, provocan la reducción del mercado nacional de las películas españolas son, no obstante, el vertiginoso aumento de los costes de producción y los cambios que se han producido en la composición del público cinematográfico de España. El quid de la cuestión podría estar en que los espectadores de cine español han sido mucho más tradicionales de lo que se suponía. Según las estadísticas de un informe publicado en 1986 por el Festival de Cine de Murcia, la proporción de espectadores que ven películas españolas es significativamente mayor en las regiones más atrasadas del país que en los centros urbanos. En Almería (el 35 por 100 del número total de espectadores de la provincia) o Álava (el 26 por 100) es más alta que en, por ejemplo, Madrid (el 22 por 100), Barcelona (el 18 por 100), o la contaminada por el turismo Tenerife (el 17 por 100). El plato del día del cine español, especialmente consumido en las provincias más chapadas a la antigua y menos influidas por la televisión, han sido siempre las escenas de tetas y culos condimentadas con referencias a figuras o hechos de actualidad que tan bien sabía preparar Mariano Ozores, por ejemplo. La afición tardía del público de provincias a la televisión ha hecho que

---

[16] Kathleen Kovacs, «Background on the New Spanish Cinema», *QRFS*, primavera de 1983, pág. 3. La anulación de la cuota de distribución también fue decisiva.

sea precisamente en las zonas rurales donde han estado desapareciendo casi todos los cines en los años 80. El floreciente negocio del alquiler de vídeos, que en 1986 se había hecho ya con un 17,1 por 100 del número total de aparatos de televisión del país, ha asestado un golpe mortal a los cines rurales[17].

Mientras tanto, los costes de producción han ido aumentando vertiginosamente. Solamente en el periodo comprendido entre 1984 y 1987, el coste de las películas subvencionadas por adelantado por el Instituto Español de Cine se elevó de 62,7 millones de pesetas en 1984 a 81,5 millones en 1985, 93,5 en 1986 y 126 en 1987. Este aumento se ha extendido por toda la industria a medida que los responsables artísticos y técnicos de las películas han ido pidiendo sueldos mayores y más justos. Las producciones comerciales, o bien no han tenido nada que hacer por cuestiones de presupuesto (una película media de Ozores de 1987 parte ya de los 40 millones de pesetas), o bien se han visto obligadas a aumentarlo justo cuando su público natural estaba desapareciendo. Lógicamente, no les ha quedado más remedio que cerrar el negocio. Y como a las películas españolas les falta el sostén que les proporcionaban antes los espectadores de películas comerciales, la parte del mercado nacional que les correspondía también se ha reducido inevitablemente. En 1988, la mayoría de las películas realizadas en España son permutaciones del estilo utilizado entre los años 50 y 70 según la fórmula del cine de arte. Evidentemente, casi todas ellas son vistas por mucho más público que en los 60. Entre enero y agosto de 1987, cinco de las producciones españolas con mayor recaudación en bruto tenían un estilo derivado del cine de arte (*La ley del deseo, El año de las luces, La casa de Bernarda Alba, Tata mía* y *Mi general*). Sin embargo, también es evidente que España carece de esa *grande bourgeoisie* adinerada que hace las veces de mecenas de las «películas de arte» del estilo de los 80, en otros países.

Una segunda e importante acusación que se le ha hecho a la legislación cinematográfica del PSOE es que se trata de una potente y patente forma de censura política.

En 1987, era muy difícil hacer una película española, cuales-

[17] Según José Luis Borau, algunos pueblos españoles se avergüenzan de tener todavía un cine (¡qué anticuado!).

quiera que fuesen las ambiciones del director, sin contar con una subvención estatal por adelantado. En 1985 se produjeron 53 películas sin protección oficial, pero esta cifra descendió a 25 en 1986 y a 18 en 1987[18]. Y aunque las subvenciones se calculan de acuerdo con el rendimiento en taquilla, los cineastas españoles admiten sin la menor reserva que necesitan los adelantos estatales y, a ser posible, derechos de antena de TVE para poder poner en marcha un proyecto.

«La administración es la administración», declara un burócrata en la película de Basilio M. Patino *Los paraísos perdidos* (1985), «Las únicas mejoras posibles vendrán de nosotros, porque aquí no hay más cera que la que arde». Desde el punto de vista cinematográfico, ahora más que en ningún otro momento desde mediados de los años 60, la piedra de toque del estado de la cultura es la cultura del estado. Los problemas que arrastra un cine financiado por el estado (y al que por el momento no se ofrece ninguna alternativa) son endémicos en toda industria nacionalizada: complacencia, falta de interés por las estrategias de mercado, lentitud burocrática frustrante, políticas concebidas para promover a los promotores más que a los promovidos, incompetencia crónica, caos absoluto.

Los problemas a los que se enfrenta la Comisión de películas del Instituto de Cine, que es la que se encarga de conceder las subvenciones, son comunes a muchos organismos públicos con funciones similares. Los miembros de la Comisión no tienen que rendir cuentas de sus decisiones. Y ninguno de ellos está dispuesto a ofender a su casta oponiéndose a las concesiones acordadas por los demás, porque sabe que favor con favor se paga. Con un presupuesto limitado que repartir, está claro que no hay dinero suficiente como para conceder grandes sumas a quien no tenga ni voz ni influencia en la industria.

Al considerar la protección estatal del cine, nos viene a la memoria la analogía que se establece entre el Estado y las figuras paternas en *Camada negra*. En la película de Gutiérrez Aragón, la fogosa fanática que hace de madre proporciona, al igual que el

[18] Once de las de 1985, 9 de las de 1986 y 6 de las de 1987 eran coproducciones. (Cifras proporcionadas —como todas las de este capítulo— por el Instituto de la Cinematografía y las Artes Audiovisuales (I.C.A.A.).

Estado, alojamiento e higiene a sus hijos (limpia para ellos y les da jabón y tónica), pero les impone estrictos deberes morales (ordena al pequeño «sacrificar lo más sagrado» para poder ingresar en la banda neofascista de su hermano). ¿No trata así a sus hijos el Estado español de 1988?

La cuestión es muy compleja. En primer lugar, se ejercen otras coacciones sobre la cinematografía española además de la que supone tener que devolver las subvenciones estatales. Lo que parece estar en juego en la España actual es el valor del pasado del país. Hay quien sostiene que la película española más importante de la presente década se rodó la tarde del 23 de febrero de 1981, cuando una cámara de televisión grabó la irrupción del teniente coronel Tejero en las Cortes. El rey Juan Carlos se ganó la gratitud eterna de todos los españoles por oponerse a la intentona golpista[19].

La política de consenso seguida desde 1981 por el *establishment,* especialmente por el PSOE, quizá sea un signo de su madurez política, pero cabe también la posibilidad de que esté motivada por ambiciones políticas y por la influencia desmesurada que continúa ejerciendo en las cuestiones públicas una minoría no representativa, los militares, que defienden los intereses de la derecha española. De cualquier modo, es indudable que Vicente Aranda estaba en lo cierto cuando, después de 1975, dijo refiriéndose a España: «Hemos vivido una situación de consenso y esto es lo más aburrido que le puede pasar al país... Nos hemos convertido en nuestros propios censores y lo único que queremos es olvidar, callar, no decir»[20]. Cuando los directores han dejado oír su voz, las consecuencias han sido muy conocidas de todos. *El caso de Almería* (Pedro Costa, 1984) recrea con singular audacia el proceso y condena por asesinato de tres guardias civiles que mataron a tres hombres a sangre fría creyendo que eran terroristas de ETA. En 1984, se prendió fuego al cine de Granada donde se proyectaba la película.

En tales circunstancias, la industria cinematográfica española continúa actuando con cautela. «Escribí un guión hace cosa de

---

[19] Cfr. *The Triumph of Democracy in Spain,* págs. 203-204, para el golpe.

[20] José Luis Guarner y Peter Besas, *El inquietante cine de Vicente Aranda,* página 39.

año y medio», declaró Jaime Chávarri en 1982, «pero como trataba de terrorismo, ningún exhibidor ni distribuidor lo aceptó»[21]. El hecho de desviar la atención del presente al pasado permite a los directores tratar temas aparentemente importantes —la Guerra Civil, la violencia, el autoritarismo, etc.—; pero sus instintos críticos están desorientados, pues el régimen actual cuenta con el apoyo de una inmensa mayoría[22]. «No queda claro dónde está ahora el enemigo», afirma Berlanga[23]. La película de Gutiérrez Aragón *La noche más hermosa* (1984) es una especie de comedia de alienación ambientada en los estudios de Televisión Española y en un país de ensueños formados por la colonia de chalets donde viven Federico, un productor, y su jefe, Luis. Todos los personajes que pueblan este mundo anhelan una experiencia realmente auténtica, algo que trascienda su vida cotidiana —en el caso de Luis, contemplar un cometa que cruza el cielo de Madrid una vez cada cien años. La comedia de confusiones a que da lugar el deseo de Federico de averiguar si su mujer le es fiel (pide a un amigo que se quede a solas con ella y le haga proposiciones deshonestas) ilustra cuán difícil es saber lo que los demás piensan o sienten de verdad. En este mundo, al igual que en *Los ojos vendados,* de Saura, la representación es una forma de expresión. Además, se utiliza para hacer un comentario social sobre la España posfranquista. En la oficina de Federico hay maquetas de un templo antiguo, su casa tiene un rayo de luz de neón. «No ha pasado nada», dice, sentándose en una grúa que le levanta hasta un decorado que semeja el cielo, justo cuando Luis ha accedido a conceder un inmenso aumento salarial a los trabajadores de televisión. «Televisión es una gran familia. ¡El país funciona!» Para el escéptico Gutiérrez Aragón, el patriarcado y la televisión estatales no son más que dos versiones de las jerar-

[21] En una entrevista publicada en *Fotogramas,* núm. 1.680, noviembre de 1982.

[22] La desviación hacia el pasado refleja un sentimiento de que el presente en comparación es aburrido.

[23] Las actitudes de los españoles hacia la guerra civil siguen siendo contradictorias. Gran número de ellos (quizá, uno de cada cuatro) tuvieron parientes cercanos que murieron en el conflicto. Pero, aunque muchos reconocen que la guerra tuvo consecuencias que perduran en el presente, la siguen considerando como «parte del pasado».

quías de poder que han sobrevivido a la muerte de Franco. De hecho, a Televisión Española se la llamó una vez el último Palacio de Invierno que le queda a la democracia por conquistar[24].

Para muchos críticos, lo más preocupante de esta situación es la creciente identificación del Estado con los intereses de un único partido, el PSOE. Con Alianza Popular marcada todavía por el estigma del franquismo, la mayoría de los españoles no ven grupos políticos alternativos al socialista, de ahí la nueva rotunda victoria de Felipe González en las elecciones de junio de 1986. Es muy poco probable que el gobierno socialista, sin rivales electorales peligrosos y con muy buena imagen en el extranjero, genere una oposición cinematográfica similar a la del «nuevo cine español» del régimen de Franco. Claro que no hay ninguna presión política directa sobre la Comisión de Evaluación de proyectos en la I.C.A.A. Sin embargo, muchos productores españoles de buena fe o como política comercial, parecen empeñados en hacer películas que gusten al Estado. Gran parte del futuro cine español evitará tratar temas de actualidad (como el del paro, que en 1986 afectaba al 20 por 100 de la población activa) y se centrará en el pasado, atacando, de un modo algo superficial, al supuestamente inequívoco blanco del franquismo. Este cine hará hincapié en el papel desempeñado por la oposición durante la transición y procurará hacer ver que nunca España ha estado mejor que con la democracia (y, en especial, con los socialistas). Las películas de la «movida» prestan un buen servicio a esta última causa. Y el cine hará gala de una casi esclerosada corrección.

Sin embargo, no será un cine siempre conformista. La situación actual de la cinematografía española trae a la memoria una escena de *Sonámbulos* en la que Gutiérrez Aragón nos muestra a un grupo de manifestantes que, huyendo de la policía, se refugian en la Biblioteca Nacional y descuelgan un cuadro de Goya para protegerse detrás de él; la policía no sabe si continuar su

---

[24] Un nuevo estatuto de 1977 ha asegurado que el partido en el poder siempre tenga más representantes que la oposición en los órganos de gobierno de RTVE. La principal fuente de información para dos tercios de la población (según las encuestas de opinión) se ha convertido así en un eficaz instrumento del partido en el poder.

ataque. La razón por la que todo Estado apoya el cine radica en que las películas constituyen un patrimonio cultural. La disidencia en el cine español se tolerará por el simple hecho de que, en la mayoría de los casos, también es creadora de cultura. Su cultura es su escudo. De todos los anticipos concedidos en el periodo comprendido entre 1985 y 1986, el mayor de ellos fue para *La mitad del cielo,* de Gutiérrez Aragón. No hay contradicción alguna en el hecho de que este escaparate de la cultura española ofrezca, al mismo tiempo, una visión de la posguerra que no es precisamente la que hubieran querido dar los socialistas acérrimos (incluye por ejemplo, un falangista de buen corazón).

Fernando Méndez-Leite ha promovido personalmente películas radicales que no se atenían al «estilo de arte» normal (en el caso de *Mientras haya luz,* por ejemplo, dirigida por Felipe Vega en 1987) ni al optimismo del PSOE (la desapacible *Viaje a ninguna parte,* de Fernando Fernán-Gómez). Desde los tiempos de Cervantes, la mejor cultura española siempre ha contradicho los puntos de vista del *establishment*. Ahora, el destino de la cultura cinematográfica de España depende de la capacidad de ese mismo *establishment* para crear, desde arriba, un cine dinámico, diverso y (a veces) disidente. Es un difícil desafío[25].

La continuación de la gran tradición: «Los santos inocentes»

Así como hay un cine español de antes y de después de *La caza* y de *El espíritu de la colmena,* también hay uno de antes y de después de *Los santos inocentes*. Esta película de Mario Camus, estrenada en 1984 y victoriosa en Cannes (Francisco Rabal y Alfredo Landa compartieron el premio al mejor actor), hizo la mayor recaudación en bruto de la historia del cine español hasta la fecha (510 millones de pesetas en la taquilla nacional a finales de 1985 y un millón de dólares en ventas al extranjero) y pareció

[25] El gobierno del PSOE ofrece ahora tres concesiones de televisión privada. Aunque no haya dinero de por medio, una concesión siempre comportará alguna especie de trato entre el Estado y los intereses privados, y no hay razón para pensar que en España no ocurra así.

confirmar el potencial comercial de las películas españolas actuales.

Ambientada en un paisaje rural neofeudal de la España de los años 60, tiene como personajes principales a Paco el Bajo (Alfredo Landa en una excelente interpretación); su servil mujer, la Régula (a la que de Terele Pávez dota de un conmovedor sentido de la dignidad), y a los tres hijos del matrimonio, dos chicas (una de ellas, la deficiente «niña chica») y un varón, Quique, que da comienzo a la película viniendo a visitar a sus padres en un permiso que le dan en la mili. Verdaderos parias, Paco el Bajo y su familia viven en una ruinosa casucha en medio del páramo. El capataz del cortijo para el que trabajan, don Pedro (Agustín González) les pide que se muden a una casa de piedra situada justo a la entrada de la mansión de su señora, la marquesa. A cambio de ello, Quique trabajará en el cortijo y la hija mayor, Nieves, entrará al servicio de la mujer del capataz. Aunque es poco más que una choza, la nueva casa tiene luz eléctrica: un insignificante avance a cambio de la sumisión social. Paco el Bajo disfruta de una falsa gloria por ser el ayudante del señorito Iván cuando sale de caza con otros poderosos. El hermano de la Régula, Azarías, se une a la familia, y un día ahorca al señorito por haberle matado un pájaro que había domesticado. Paco y su mujer son devueltos entonces al páramo, mientras que sus hijos se mudan a la capital para buscar suerte en un mundo menos autoritario.

Gracias, en cierto modo, a la novela de Miguel Delibes en la que está basada, *Los santos inocentes* recrea con gran expresividad una estricta jerarquía social al inscribir a todos los personajes, desde la marquesa hasta el pobre Azarías, en el cortijo. Hace un retrato mordaz de la mentalidad autoritaria española en la figura del señorito, el hijo de la marquesa. Como la habilidad de Paco cobrando las piezas le convierte al señorito siempre en ganador indiscutible de las competiciones de tiro que organiza con sus amigos, le obliga a acompañarle a una de ellas y a andar de un lado para otro cobrando las aves cazadas, aun cuando Paco tiene la pierna rota.

Al igual que muchas películas españolas recientes, *Los santos inocentes* saca provecho de un pequeño número de efectos cargados de expresividad. El estado casi animal de la familia de Paco se pone continuamente de relieve: los gritos de la «niña chica» parecen el gruñido de un cerdo que llevan a la matanza; en la caza Alfredo Landa se pone a cuatro patas y va olfateando el aire como perdiguero en tensión.

Asimismo, la narración conforma un correlato físico de la posición social. Si los personajes de clase superior tratan con sus inferiores, lo hacen desde posiciones de autoridad física. Cuando el capataz pregunta a la Régula si ha visto a Purita yéndose con el señorito, está de pie en el marco de la puerta, mientras que la mujer se halla por debajo de él, sentada en una silla.

En el estilo de planificación en general, Camus expresa la inmovilidad e impotencia sociales mediante una sensación de detención visual conseguida con imágenes estáticas (como en el memorable fundido que se produce en la secuencia de los títulos de crédito dando paso a una fotografía ennegrecida de la familia, lo cual parece decir que la película nos va a mostrar un periodo ya desechado de la historia de España), movimientos lentos en el campo (el tren que entra pesadamente en la estación en la primera escena), o inmovilidad absoluta de la escena.

Aparte de esto, la importancia de *Los santos inocentes* radica en el lugar que tanto ella como las demás películas parecidas financiadas por el PSOE ocupan en una visión progresiva de la historia del cine español. En toda cultura hay una serie de supuestos a los que se recurre para medir su pretendido progreso. Así, la historia del cine mundial está representada por una sucesión cronológica de acontecimientos conducentes a la perfección estética y tecnológica. La singularísima historia política de España, ensombrecida por cuarenta años de dictadura, hace que la historia del cine español suela representarse como una sucesión cronológica de acontecimientos conducentes a la perfección *política*, que se mide con el patrón liberal de la libertad de expresión.

Por eso, la historia del cine de posguerra, en relación con las películas «importantes», con las que «realmente cuentan», se origina con *Raza* y la censura franquista; cambia de dirección con el primer tándem Bardem / Berlanga, y llega prematuramente a su punto álgido con *Muerte de un ciclista,* el premio de esta película en Cannes, las Conversaciones de Salamanca, la detención de Bardem cuando filmaba *Calle Mayor,* la aparición de Saura con *Los golfos* y el comienzo del «nuevo cine español», todo lo cual se reanuda en *La prima Angélica,* sigue en *Furtivos,* se aumenta en *Asignatura pendiente* y se continúa en *El crimen de Cuenca.*

Esta visión general de la historia del cine español es un mito en dos sentidos: en primer lugar, resta importancia a la calidad de algunas películas de los años 40; hace caso omiso del esplendoroso periodo comprendido entre 1958 y 1964, pues le considera como de transición, y lo que es más importante, no juzga las películas desde un punto de vista no contenidista. En segundo lugar, es, como dijo Joseph Margolis al definir el mito, «un esquema de la imaginación capaz de organizar nuestra forma de ver el mundo». La política cinematográfica del PSOE —consecuencia de la política de productores españoles— ha configurado a las películas realizadas en España a partir de 1982, como herederas del cine liberal antifranquista.

Recurrir a la gran tradición cinematográfica antifranquista permite a los cineastas españoles articularse una posición significativa en la cultura actual, inspirarse en el valor añadido del antifranquismo, que tanta influencia ejerció en la taquilla durante la transición, y granjearse el apoyo nacional e internacional para la todavía inacabada tarea de implantar verdaderas libertades en España.

Por eso, uno de los primeros actos simbólicos ejecutados por el PSOE cuando llegó al poder consistió en conceder a *Viridiana* el título de «película de calidad especial» y en otorgar a su director la Gran Cruz de Isabel la Católica. Muchas películas realizadas después de 1982 recurren al mismo liberalismo cinematográfico que influyó a Bardem (y al cine americano) en los años 50. En ellos se supone, por ejemplo, que, al igual que el héroe, el espectador adquirirá madurez moral gracias a la educación que recibe viéndolas. En la más emblemática de las películas liberales españolas de los años 50, *Muerte de un ciclista,* el protagonista, Juan, corre esta suerte, sobre todo después de conocer a la Matilde, la estudiante *engagée.* La película / serial de televisión de Bardem *Lorca, muerte de un poeta* parece a veces una lección de historia debido a una didáctica voz en *off* que enlaza los detalles importantes de la vida de Lorca y les dota de contexto.

Asimismo, en las películas liberales el héroe es trágicamente inocente en intención y en entendimiento, sobre él actúan fuerzas que escapan a su control y que al final provocan su caída. Este sentido idealizado de la inocencia dota a algunas películas actuales de un peligroso maniqueísmo que resulta distorsionante si se le compara con las sutilezas intertonales de la descripción de personajes de Buñuel o Berlanga[26].

El cine realizado después de 1983 es continuador de la tradición cinematográfica liberal del franquismo no tanto por el número (decididamente limitado) de películas liberales (en el sentido expuesto en el capítulo II), como por el constante, aunque variado, empeño con que se destacan la libertad con la cual estaban realizadas. Tanto la cinematografía liberal de la época franquista como la realizada después, se basan en el supuesto de que quedan todavía muchos trapos sucios por poner en la lavadora del debate público. Para Fernando Méndez-Leite, *Bienvenido, Mr. Marshall* fue «la primera muestra en toda la historia del cine español de análisis crítico de las circunstancias políticas y económicas contemporáneas al momento de su realización»[27]. Y en una crítica de *La rusa* publicada en *El País* en mayo de 1988 se decía que es una película donde «se muestra por primera vez el funcionamiento de los servicios secretos españoles».

Por encima de todo, la administración del PSOE trata de asegurar el pluralismo democrático del cine español no cultivando una pluralidad de formas cinematográficas (el contracine, el cine de arte, el cine narrativo dominante, etc.), sino más bien —y aquí se hace patente una vez más su liberalismo cultural esencial— patrocinando el pluralismo del talento creativo individual. El beneficio neto arrojado por esta postura desde 1984 ha sido la reaparición de los *auteurs*. Camus, que sólo hizo una pelí-

[26] Así, mientras que Delibes distingue entre el «inocente» Azarías y los bastantes menos inocentes jornaleros, que forman parte de la jerarquía social y practican, por tanto, sus represiones del mismo modo que las padecen, Camus presenta una clase trabajadora algo idealizada que padece indiscriminadamente. En este sentido, revela el supuesto liberal básico de la cinematografía socialista: que la represión es ajena al pueblo español y que, una vez eliminada, éste recogerá los frutos de su propia bondad.

[27] Fernando Méndez-Leite, *Historia del cine español*, pág. 134. Cabe pensar que a un extranjero le tiene que costar mucho comprender cuán importante sigue siendo el disfrute de la libertad para muchos españoles de las generaciones mayores. La importancia fundamental que le da en la cinematografía posfranquista no es tanto una reflexión sociológica o una imposición ideológica como le resulta de la necesidad visceral de expresarse que sienten muchos cineastas.

cula entre 1976 y 1981 —*Los días del pasado,* 1977—, ha rodado ya cinco. Con *Padre nuestro* (1985), Regueiro puso fin a los diez años de inactividad. Y Patino hizo su reaparición con *Los paraísos perdidos,* donde narra el regreso a España de la hija de un exiliado y su reencuentro con los amigos de la infancia, con la misma cadencia lírica, sutil ironía y observación social con que hizo en 1965 *Nueve cartas a Berta.*

A LA RECHERCHE D'UN AUTEUR PERDU: GONZALO SUÁREZ

La más refrescante recuperación de los «nuevos» cineastas de los años 60 ha sido la protagonizada por Gonzalo Suárez. Singularísima personalidad del cine y la literatura españoles, Suárez escribió varias novelas —los *thrillers* de acción-ficción *De cuerpo presente* (1963), *El roedor de Fortimbras* (1965) y *Rocabruno bate a ditirambo* (1966), y la crónica de fútbol *Los once y uno* (1964)— e hizo una «sorprendente entrada en la literatura de lo fantástico», los relatos breves de *Trece veces trece* (1965). Deliciosamente *naïf* al estilo de Boris Vian, sus supuestos enlazan con *Rayuela,* de Cortázar, y, menos estrechamente, con John Barths y Borges. ¿Historias nuevas? Pero todas las historias han sido contadas, aseguró Barths, proclamando la muerte de la novela. ¿Psicoanálisis? Eso habría que dejárselo a los psicoanalistas preparados, dijeron los psicoanalistas preparados. ¿Realismo descriptivo externo? En los años 60 esta materia ya no le pertenecía a la novela, sino al cine. Por consiguiente, la literatura de tan cosmopolitas escritores emprendió la retirada desorganizada a los únicos dominios que le quedaban: el uso original de la palabra.

El problema central que se le planteaba a Gonzálo Suárez era: ¿qué tipo de carrera podía hacer un cineasta dados este bagaje de ideas y las facetas industriales y económicas de hacer cine?

La primera solución puramente cinematográfica que dio fue *Ditirambo* (1967), película de acción-ficción o, como la definió el propio Suárez, «un género de géneros» tales como el *film-noir* (la película comienza con el sin suerte y sin un duro Ditirambo aceptando el encargo de una viuda que le manda destruir a Ana Cardona, la mujer que acabó con su marido), el *spaghetti western* (siguiendo la pista a Ana, el intrépido, aunque solitario, Ditirambo va a parar a una especie de hacienda mexicana a la vez que se oye rasgar lentamente una guitarra) y el cine mudo expresionista (uno de los ex amantes de Cardona se lleva el dinero a la cama, igual que hace Trina en *Avaricia,* de Von Stroheim). Pero, por encima de todo, *Ditirambo* rechaza las principales técnicas de la verosimilitud cinematográfica: montaje «invisible» (en el de Suárez no se disimula el paso de un plano a otro), decorados realistas (los de Suárez dejan ver claramente lo que son: un plató), personajes creíbles (un ex boxeador cita a Demócrito) y narración completa, solucionada[28].

Concebida como película comercial, *Ditirambo* hizo muy mala taquilla. La carrera de su director puede ser considerada como una reacción contra este fracaso. Al anunciar *Diez películas de hierro,* Suárez insistió en que se diera una respuesta «creativa» a la problemática contemporánea»[29].

Rodada en diez días, sin guión, con Teresa Gimpera en el papel de la burlona Margarita y con una magnífica fotografía, *El extraño caso del doctor Fausto* (1969) resultó ser una de las mejores películas de Suárez, una reconstrucción del mito de Fausto.

Pero fue otro fracaso de taquilla.

Aoom intentó llegar a un término medio entre *Ditirambo* y *El extraño caso...* Pero la productora quebró, la película nunca llegó a estrenarse y Suárez se vio obligado a adoptar una ortodoxia cada vez mayor: el sub *Psycho, Morbo* (1971), con las estrellas *hippies* Víctor Manuel y Ana Belén; el destete de Carmen Sevilla, *La loba y la paloma* (1973) y, lo peor de todo, las adaptaciones de obras literarias *La Regenta* (1974) y *Beatriz* (basada en *Jardín Umbrío,* de Valle-Inclán).

La película contestataria y de la «tercera vía» *Parranda* (1977) y la acción-ficción de *Reina zanahoria* (1978) nos muestran ya a Suárez recuperando algo de su antiguo vigor, pero es en *Epílogo* (1984) donde se manifiesta en todo su esplendor, recapitulando sus anteriores ficciones y habilidades en un folleto cinematográfico destinado a demostrar su credibilidad industrial. En este

---

[28] El final de *Ditirambo* es uno de los más deliciosamente contradictorios de la historia del cine español.

[29] Citado por Vicente Molina Foix, en *New Cinema in Spain,* pág. 43.

sentido, el éxito fue total. Por un lado es un Gonzalo Suárez «clásico». Ditirambo (Pepe Sacristán) trata de convencer al escritor Rocabruno (Paco Rabal) de que escriban una última historia juntos. Aunque reacio, éste acepta, a cambio de los favores de la esposa de aquél (Charo López). La historia es la película de Suárez. «Somos los últimos dinosaurios y nos mordemos la cola», dice Rocabruno, lamentándose de la suerte de los escritores de la película. *Epílogo* también es un pez que se muerde la cola. Es la historia de un escritor que busca a un escritor para escribir una historia de un escritor que busca a un escritor y así hasta el infinito. Y es también una muñeca rusa: la narración de la criada de cómo encontró la gorra del padre muerto en la piscina es una historia dentro de una historia (la extraña versión actualizada de *Hamlet* que hacen los escritores) dentro de un recuerdo (el de los «viejos tiempos» de Ditirambo) dentro de un posible relato (el que le hace la esposa al estudiante de literatura de cómo Ditirambo trata de persuadir a Rocabruno para que vuelva a escribir) dentro de una ficción (la historia de Rocabruno contada a la criada) dentro de otra ficción (la película de Suárez). Y *Epílogo* describe la ficción no como representación realista, sino como placer: la broma brillante, *bon bon mots*, el enigma de la autoría definitiva, las cualidades especialmente cinematográficas del combate de boxeo en el mar, con su ralentada pugna de dos antiguos pugilistas.

Si Suárez abrió un negocio con *Epílogo,* su principal cliente fue Andrés Vicente Gómez, a la sazón el productor más emprendedor de España. Con él hizo la elegante adaptación para televisión de *Los pazos de Ulloa* (calificada en 1985 por la prestigiosa Semana de Cine de Valladolid como la serie de TVE del año) y *Remando al viento,* conmovedor y costoso (2 millones de dólares) retrato de la letanía de ahogamientos y muertes varias que rodean a la creación de *Frankenstein,* de Mary Shelley, centrado en el encuentro de Shelley y Byron en Lac Leman. Suárez utilizó en esta película un elenco de actores internacionales entre los que destacaba Hugh Grant personificando a un sardónico, aunque en el fondo entrañable, Byron.

Lo que distingue las películas de Suárez es el profundo cañón que separa su seriedad de la desconcertante jocosidad que muestran en el tono. Así, *Remando al viento* es notable por lo que no es.

No se trata de un retrato de época histórico en el que absolutamente todo va dirigido a persuadir al espectador de que «así, no de otra forma, es como en realidad debió de ocurrir». Suárez hace, si acaso, lo contrario, pues se imagina una jirafa en la entrada de la residencia romana de Byron y convierte a Bibí Anderson en amante del poeta. La presencia de dos seres tan largos en un mismo plano, sinceramente, resta credibilidad. Tampoco es la película un *biopic,* que permitiría al espectador simpatizar con la movilidad ascendente del genio, relacionando así al artista con la misma actitud social contra la que es posible que estuviera rebelándose.

¿Qué es, entonces, *Remando al viento?* Hay una anécdota —muy importante, además— según la cual su director, en vez de buscar un intérprete que le permitiera comprobar lo que decían los actores, prefirió escuchar el ritmo de los diálogos. Ante todo, Suárez estaba interesado en Byron y Shelley en tanto que personalidades literarias. De ahí que aparta la cámara y rueda escenas dramáticas con planos generales, pero en las que el diálogo se oye perfectamente. Oímos como si estuviéramos al lado, pero vemos desde lejos. En segundo lugar, las conversaciones de *Remando al viento* están colmadas de ingenio, de bromas, de juegos de palabras, como en las conversaciones de salón de Byron y Shelley. La literatura se nos presenta como un juego —de ahí que los personajes jueguen al ajedrez y al billar o vayan en barco— y como un circo: por eso Byron viaja con un juglar y tiene un oso. Por último, *Remando al viento* trata el mito de Frankenstein no como aclaración, sino más bien como respuesta emocional, en particular en relación con el sentido de culpabilidad de Mary cuando, después de haber concebido el monstruo de Frankenstein, ve que su hijo, la hija de Byron y, finalmente, Shelley, mueren. Ayudado por la música de la película, un flujo de pena y dolor va creciendo poco a poco hasta desbordarse en la escena final, cuando Byron se adentra vestido en el mar, con la pira funeraria de Shelley destacándose en la playa y las palabras mortíferas del monstruo todavía resonando en sus oídos, diciendo que los dos se encontrarán otra vez, ¡Milord!, en Grecia. A Suárez se le plantea siempre la misma cuestión. ¿Qué ortodoxia está dispuesto a aceptar a fin de que se vean sus películas? En *Remando al viento* encuentra la respuesta: emoción.

Remando al viento, Gonzalo Suárez, 1988. Canto albanés, actores británicos, lago suizo, producción española: película europea

Películas para ojos americanos

«Nos repugna John Ford», sentenció en cierta ocasión Antxon Eceiza, al exponer los principios básicos de la revista neorrealista de los años 60 *Nuestro cine*.

Ahora, al cabo de veinte años, bien pudiera ser que se hayan invertido las tornas. El problema de los que intentan combatir el cine norteamericano en España es que están librando una batalla perdida. Tras cuarenta y cinco años tragando películas de Hollywood dobladas, el cine norteamericano está mucho más arraigado en la cultura española que el producto nacional. Pasado de moda en otros países, el *star-system* de Hollywood aún continúa en España, y por eso el tándem Beatty-Hoffman puede vender aquí *Ishtar* mucho mejor que en Francia, por ejemplo, y *Gloria, Gloria,* protagonizada por Kathleen Turner, la actriz preferida de España, puede hacer una considerable taquilla. Los grandes videoclubs, tales como El Corte Inglés, utilizan clasificaciones basadas en el sistema de géneros norteamericanos para orientar a sus clientes: «comedias dramáticas», «bélicas», etc. Y los jóvenes españoles, cuando ven una película, aunque sea europea, lo hacen con ojos norteamericanoespañoles. «Las creaciones de Trueba», ha escrito un estudiante de cine español, «son tan intensas, que no puedes perder ni un momento el hilo de la película, porque si no no sabes de qué va, ya que todo puede pasar en cuestión de dos minutos... De repente me di cuenta de por qué me ocurría eso. Estaba acostumbrado a ver películas americanas y ni una europea. Por tanto, me gustaban mucho las películas americanas, y relacionaba las de Trueba con ellas»[30].

Actualmente, el aumento de los costes de producción es tal, que las subvenciones oficiales se están quedando cortas. Mientras que el presupuesto de las películas españolas ha aumentado de una media de 81,5 millones de pesetas en 1985 a 93,5 en 1986 y 126 en 1987, los adelantos estatales sólo lo han hecho de una media de 28,5 millones de pesetas por película en 1985 a 37 millones en 1986 y 45 en 1987. «Las subvenciones oficiales», declaró Fernando Méndez-Leite en el Festival de Cine de San Sebas-

---

[30] El alumno Borja Jáuregui de la clase de cine español del Center for International Studies, Madrid.

tián de 1987, «no son un chicle que se pueda ir estirando indefinidamente»[31]. Los cineastas españoles no tienen más remedio que satisfacer las demandas de un mercado nacional americanizado para poder cubrir gastos. Ya sea por entusiasmo o por necesidad, el caso es que en muchas de las últimas producciones se han incorporado estilos americanos. El uso del género en la nueva comedia española fue un primer ejemplo de ello. Ahora se está haciendo también un despliegue de técnicas propias de Hollywood.

El intento más común de igualarse al cine norteamericano ha consistido en aumentar la espectacularidad. En las «nuevas» películas españolas no se advierte ninguna señal de la pobreza de la producción. La prueba decisiva serán siempre las secuencias de cataclismos y las escenas multitudinarias. La cacería de *Los santos inocentes,* por ejemplo, está perfectamente conseguida —múltiples cazadores, detalles de época correctos y naturales, ningún corte seco de planos generales a primeros planos y toda una jauría jadeando en la banda sonora en *off.*

«Una posible interpretación del cine europeo», explica el productor Andrés Vicente Gómez, «es sencillamente espectáculo más cine de *auteur*»[32]. Así, uno de los rasgos distintivos del *western* español de Carlos Saura *El Dorado* han resultado ser sus escenas de multitudes (no sólo Aguirre, sino todo un pueblo baja por el Marañón en el bergantín) y su exótico escenario. El estilo intimista de Saura hace que la epopeya de *El Dorado* se encuentre en las condiciones de su producción tanto como en el tema tratado. El espectáculo que ofrece —como pondría de manifiesto la tendencia de la crítica nacional a añadir al título la inevitable coleti-

[31] Puestos al caso, lo mismo le ocurre al chicle: quizá dijo «son como un chicle, que no se puede...».

[32] Nacido en 1943, Andrés Vicente Gómez fue botones, trabajó con Niels Larsen y con Alexander y Michael Salkind en los años 60, fundó su propia productora en 1965 y distribuyó películas de arte en España. Más tarde conoció a Welles y produjo la magnífica *Fake* (1973). Volvió con fuerza a la producción, con el éxito de Trueba, *Sé infiel y no mires con quién* (1985), y ha estado produciendo una serie de películas (*El Dorado; Rowing With the Wind; The Mad Monkey,* Fernando Trueba, 1989), en las que se da expresión a los deseos naturales del gobierno de que se haga un cine que no sólo se vea, sino que también se venda en el extranjero.

lla de «la película más cara del cine español»— no es tanto el de un acontecimiento de ficción —propio del cine de Hollywood— como el de una creación artística, el espectáculo del *auteur* trabajando. En las reseñas de la prensa se ha tendido a dejar de lado las cualidades cinematográficas de *El Dorado.* Más que como película, la obra de Saura se aprecia como acontecimiento cultural.

Cualesquiera que sean sus reservas ideológicas, la mayoría de los cineastas españoles han visto tanto cine norteamericano, que por fuerza tienen que estar influidos por él. Sin embargo, más que aceptando la burda elección entre cine de Hollywood o cine europeo derivada de la polémica que enfrentó en los años 60 a *Nuevo cine* y *Film Ideal,* los directores han revelado la influencia de Hollywood de la manera más ecléctica: el modelo del «recién llegado» en que se basa *Padre nuestro;* las resonancias del *method-acting* —toda masoquismo y falta de articulación— presentes en la actuación de Paco Rabal en el papel del Azarías de *Los santos inocentes;* los ribetes de melodrama de una «película de mujeres», estilo *Mildred Pierce* en *La mitad del cielo;* las alusiones posmodernistas de Pedro Almodóvar; el concepto de entretener y conectar con los intereses comunes del hombre medio que, más que el humor excéntrico, da forma a la actitud americanizada con que contempla Fernando Trueba la cinematografía.

A veces, la vinculación con una determinada tradición cinematográfica norteamericana queda clara y perfectamente plasmada. En una escena de *El Lute II* (*«Mañana seré libre»*, 1988), por ejemplo, el Lute (Imanol Arias en la mejor actuación de toda su carrera) se encuentra en un coche rodeado de policías armados con metralletas y fusiles. El automóvil es acribillado a balazos. Entonces se hace el silencio; pero, de pronto, el Lute salta del asiento, ileso y blandiendo un arma. «¡Cuidado, tiene una pistola!», grita alguien, y todos los policías ponen pies en polvorosa. Como «relato de cómo un hombre se adapta a su propio mito», *El Lute II* incorpora el ubicuo modelo hollywoodiano del inocente que huye de una policía corrupta personificado por Clint Eastwood, por ejemplo, en *Ruta suicida.* Como relato objetivo, *El Lute* resulta increíble; como relato de lo que ocurrió, contado por un Eleuterio Sánchez que se ha hartado a ver cine de Hollywood, es demasiado convincente.

Pero el intento de adoptar los estilos norteamericanos puede extrañar considerables contradicciones. Desde el punto de vista internacional, una de ellas está en el mismo concepto de «película española de alto presupuesto». En 1984, una producción norteamericana media rondaba los 14,4 millones de dólares; la española *El caballero del dragón* (Fernando Colomo, 1985) se consideró casi escandalosa por costar 300 millones de pesetas. Sin embargo, quedó claro que su presupuesto o su mercado nacional habían sido insuficiente; la indiferente taquilla que hizo ha cerrado casi todas las puertas del género de ciencia-ficción a los cineastas españoles.

La creación de un «*star-system* español» (intentada en las películas clave de 1985 mediante el procedimiento de utilizar siempre a un pequeño número de actores) podría ser una segunda contradicción[33]. Por un lado, la base de la popularidad de los actores españoles no ha sido su personalidad carismática o pretendida, sino su adecuación a determinados tipos: una comedia de Alfredo Landa se refiere a éste en su papel de obseso sexual celtibérico, no a su personalidad extracinematográfica. Por otro lado, en una cultura como la española, donde se hace tanto hincapié en el amor propio, ¿cómo va a aceptar un espectador que otro español sea, de acuerdo con la definición de estrellas, como tú y yo, sólo que mejor? Asimismo, se supone que las estrellas americanas han sido «elegidas por la suerte» para dar expresión a los sueños de abundancia material del espectador. «¿Elegidas por la suerte?», replicará el espectador español. «¡No!, ¡elegidas por sus enchufes y amistades, y no digamos ya lo que han tenido que hacer por las noches para conseguir ese papel!» Además, el *star-system* americano fue «el principal instrumento con el que la narración individualista consiguió su posición dominante en la estructura narrativa del cine de Hollywood»[34]. Sin embargo, los argumentos de las películas españolas, tienden a frustrar el indivi-

[33] No obstante, no se puede decir que en España exista un *star-system:* según una encuesta realizada por *Fotogramas* y publicada en junio de 1988, de los 53 actores preferidos por los lectores sólo seis son españoles, y de las 50 actrices favoritas sólo lo son siete. Esto no resta excelencia, sin embargo, a algunos intérpretes españoles: George Cukor dijo en cierta ocasión que José Luis López Vázquez era uno de los mejores actores que había visto nunca.

[34] Richard Maltby, Harmless Entertainment.

dualismo y a reemplazar un yo ideal con el cabe identificarse por una voluntad frustrada que, si acaso, despierta simpatía. Por último, la estrella es una especie de persona corriente perfecta. En el politizado cine español, tal concepto ha resultado siempre muy problemático. Con Franco, si la estrella —o su papel— provenía del pueblo, olía a populismo, mientras que si era un dechado de buenas maneras, se le tachaba de señoritango. La fuerza de las actrices y de los papeles femeninos de las películas realizadas durante el franquismo radicaba, en parte, en la posición social, mucho menos problemática de la mujer como guardiana de la virtud personal (la figura de la madre), social (el género folklórico) o nacional (Agustina de Aragón).

Un último riesgo que corren las películas españolas que pretenden situarse al nivel europeo o norteamericano es el de destacar injustificadamente el valor de la producción. *Los santos inocentes,* por ejemplo, retrata a una familia que vive en la miseria, pero el pulido trabajo de la cámara nos presenta una visión muy pintoresca de la pobreza. Una de las principales razones aducidas para justificar la protección estatal es que el cine es «cultura»; pero a menos que los cineastas puedan convencer al público corriente —que es al que las películas del tipo de *Los santos inocentes* van dirigidas— de que la «cultura» incluye también lo feo y lo desapacible, la tendencia a ser visualmente agradable a toda costa irá en aumento.

Un nuevo cine español nacional

Aun cuando se hayan asimilado las características del cine norteamericano de un modo muy ecléctico, sigue habiendo muy buenas razones para hacer un cine español con conciencia de tal y que evoque y explore zonas específicas de la experiencia nacional. Como observa Alain Finkielkraut en *La derrota del pensamiento,* desde que Herder expuso el concepto de *volktgeist* en *Otra filosofía de la historia* (1774) se ha tendido a vincular «la actividad espiritual y creativa del hombre» con «el espíritu del pueblo» al que pertenece[35]. En España, esta relación ha adquirido una impor-

[35] A. Finkielkraut, *La derrota del pensamiento,* Barcelona, Anagrama, 1987, páginas 9-10.

tancia política crucial. En otras partes, preguntarse ¿qué es América? o ¿qué es Francia? resulta absolutamente adsurdo, porque, entre otras razones, se da por sentado que un país ha de ser una pluralidad de cosas. Quizá no sea tanto la crisis de 1898 como el hecho de que a muchos filósofos y sabihondos de andar por casa les parezca que España nunca ha cambiado lo que hace que la pregunta de «¿qué es España?» siga siendo, como señala Ian Gibson, «un asunto peliagudo y morrocotudo». Algunas películas españolas —y, quizá, *El Dorado,* en particular— constituyen un intento genuino de dilucidar facetas típicas (para Saura, al menos) del carácter español revelado en una situación histórica límite.

David Puttman ha declarado que un cine británico «debe reflejar el deseo de ver Gran Bretaña y el mundo con ojos y actitudes británicas y *de comunicar* lo que vemos a los espectadores de todo el mundo de una manera entretenida y global, de modo que las imágenes y estereotipos cinemáticas "hechicen el insconciente"»[36]. El cine posfranquista ofrece a España uno de los únicos medios realmente influyentes de corregir los falsos estereotipos del país y sus habitantes que los intereses políticos del régimen franquista consiguieron inculcar en el resto del mundo. Según ellos, España era la tierra del sol y del duende, una experiencia exótica y distinta para los extranjeros, la tierra de Don Juan y Don Quijote, y los amables, cariñosos, pero, desgraciadamente, anárquicos, españoles —que, por cierto, acabaron creyéndose esto— quienes necesitaban una mano dura que velase por ellos. Así como durante el franquismo el PSOE, al igual que el PCE, se ocupó principalmente de conseguir «parcelas de libertad», desde 1982 uno de sus intereses básicos ha sido la recuperación de «parcelas de cultura» perjudicadas, deformadas o reprimidas durante cuarenta años por una dictadura absolutamente vulgar.

Un modo de conseguir esto es la adaptación de textos literarios que presenten una visión alternativa de la España del franquismo y, no menos importante, que muestren al artista español como un liberal sensible e ilustrado. La más clara muestra de este procedimiento son las primeras adaptaciones de la novela de Sender *Crónica del alba.*

---

[36] Citado en *British Cinema Now,* pág. 49.

Sin embargo, el interés del gobierno no serviría de nada si las películas que exploran la cultura nacional no pudiesen obtener ciertas ganancias económicas. En lo que a los espectadores se refiere, la adaptación de una obra literaria funciona —de modo similar al procedimiento del *star-system,* el género o la personalidad de *auteur*— como un precedente precinematográfico bien acogido por el público y que permite preparar el interés de éste o, al menos, indica que tal interés existe. En las épocas de crisis industrial, un cine nacional siempre ha echado mano, claro está, de las adaptaciones de obras literarias, ya fuesen los «especiales» producidos por Hollywood a medida que aumentó la competencia entre las productoras *(The Covered Wagon,* Paramount/Famous Players-Lasky, 1923; *The Lost World,* First National, 1924; *Sunrise,* Fox, 1927); las adaptaciones teatrales con que se atrajo al nuevo público de clase media después de la aparición de la televisión en Estados Unidos, o las versiones cinematográficas y televisivas de la literatura española a las que RTVE destinó 1.300 millones de pesetas en 1979. Tras las adaptaciones respaldadas mientras Pilar Miró estuvo en el Ministerio de Cultura también había claros motivos económicos, además del entusiasmo personal de aquélla, que, desde 1963, fue una prolífica realizadora de televisión especializada en dramas y adaptaciones de obras literarias.

Cabría sostener también que, en el extranjero, la gente va a ver películas de otros países por el mismo motivo que acude a restaurantes exóticos: con la esperanza de descubrir el sabor auténtico de la cultura extranjera, de paladear su singularidad, de situarla cultural y personalmente y de escapar a un mundo distinto. A los *auteurs* se les valora no sólo por su talento personal, sino también por su capacidad para actuar como guías turísticos culturales.

Las culturas nacionales han adquirido, además, una importancia especial, dada la sensación de dislocación cultural que embarga a los artistas actualmente. Si hemos de dejarnos guiar por las películas españolas actuales, entonces la época que más se acercan los años 80 es la de principios del siglo XIX, cuando gran parte de Europa arrastraba su primera revolución industrial. Enfrentados ahora a una revolución tecnológica y a la inmersión en la masa uniformadora de Europa, los artistas están volviendo otra vez a destacar lo individual —en figuras tan internacionales como Bertolucci y Saura—, a interesarse por lo neurótico y el *amour fou* —en películas españolas como *Lola* (Bigas Luna, 1985) o *Matador*— o a agrupar a los individuos con el fin de plasmar la trascendencia del grupo, ya sea ésta la familia, la nación o una colectividad incluso de actores, que es en parte donde radica el atractivo emocional de obras corales tales como *Sal gorda* (1984) o *Sé infiel y no mires con quién* (1985), ambas de Fernando Trueba.

Ganadora de la Concha de Oro en 1986, la película de Gutiérrez Aragón *La mitad del cielo* se inspira en este malestar común a todo el cine español para plasmar la conciencia del bagaje cultural, la relación con el pasado rural de los españoles. Ambientada en el periodo comprendido entre 1959 y principios de los años 70, la película está protagonizada por Ángela Molina en el papel de Rosa, rolliza y sensual moza del campo santanderino que llega a Madrid para trabajar de ama de leche, pone un puesto en el mercado y abre después un restaurante que acaba siendo uno de los locales más frecuentados por la clase alta.

En *La mitad del cielo,* el suministro de alimentos se utiliza como metafórica política. Al describirlo se proponen tres metáforas diferentes del modo en que el Estado trata de controlar al trabajador, que es el que produce y suministra los medios de subsistencia: incluyéndole en una unidad neofamiliar paternalista (cuando Rosa llega a Madrid, trabaja en la casa de un falangista ya viejo —interpretado por Fernando Fernán-Gómez— que le ofrece un puesto en el mercado, pero que la trata como a una seudoesposa, encargada de amamantar a su hijo), proponiéndole una alianza y su inclusión en una élite tecnocrática (un burócrata opusdeísta —interpretado por Nacho Martínez— llama a Rosa a su despacho e, invitándola a sentarse en su propio sillón, le ofrece el permiso para abrir el restaurante a cambio de su apoyo y, se supone, sus favores sexuales), o mediante una igualdad teórica en una sociedad viciada por las relaciones de clase y económicas (un estudiante *progre* trata a Rosa como a una amiga, pero, como buen niño de derechas, no se casa con ella, sino con alguien de su propia clase, y en las últimas escenas de la película le vemos pagando a Rosa para que prepare el convite en su restaurante).

Al proponer tres modelos personales de control político y

económico, *La mitad del cielo* da a entender que ningún sistema político cambia nunca completamente: todos tienen sus reintegros, sus réplicas. En realidad, la película de Gutiérrez Aragón estudia hasta qué punto se modificó España desde finales de los años 50 hasta principios de los 70.

Algunas cosas cambian, como, por ejemplo, los modelos narrativos de integración social propuestos. Las primeras escenas de la infancia de Rosa en los montes de Santander adoptan algunas de facetas propias de un estilo oral y rural tradicional: hay elipsis, la relación causa-efecto es sustituida por la de predicción-realización y, como advierte Kathleen S. Kovacs, «las vidas individuales están subordinadas a modelos más generales: nacimiento, muerte y renovación»[37].

Desde el momento en que Rosa aparece sentada con su novio en un cine de Santander, viendo la escena de la boda de *¿Dónde vas, Alfonso XII?* (César Amadori, 1958), y se pasa a una fotografía de ambos, casados, la película adopta los iconos y la narrativa de las películas al estilo de *Mildred Pierce.*

Hay también un intento de volver al pasado que está personificado por Olvido, la hija de Rosa, que forma una estrecha relación con su abuela. Al morir la abuela, Olvido recibe los zapatos y el saber rural de la difunta y, a modo de protesta por la poca atención que le presta su madre, que parece dispuesta a casarse con el *progre,* intenta restablecer la orden matriarcal y envenena la especialidad de la casa del restaurante. Pero todo es en vano: Rosa retira de la carta el plato en cuestión. En una economía evolucionada donde la oferta de alimentos es muy variada, los medios que utiliza Olvido para conseguir el poder no sirven de nada. Cuando se hace mujer (al final de la película le viene por primera vez la regla), Olvido decide dejar atrás el pasado. En la última secuencia, la vemos mirando hacia afuera del restaurante y entonces se pasa a un plano general de la abuela caminando por la nieve del norte de España (aunque el restaurante está en pleno Madrid), y diciendo adiós con la mano hasta perderse en la distancia. Olvido ha apartado de sí su pasado. No obstante, sigue habiendo una ambivalencia, muy típica de Gutiérrez Aragón.

---

[37] En «Half of Heaven», *Film Quarterly,* vol. XLI, núm. 3, primavera de 1988, págs. 34-37.

¿La niña se está imaginando la despedida de su abuela? ¿O cree de verdad que la está viendo? En este caso, ¿hasta qué punto puede Olvido —que representa a los jóvenes españoles nacidos en los años 60— desprenderse de la vieja España cuando en su mente están tan estrechamente ligadas la fantasía y la realidad?

El concepto de tradición cinematográfica nacional sigue siendo un factor esencial a la hora de entrar en el hipermercado de productos culturales de Europa. Además devenga varios beneficios más perfectamente definidos.

Con *Padre nuestro* (1985), Francisco Regueiro se nos revela como un cineasta español capaz de adoptar ciertas tradiciones y momentos clave de la historia del cine español, pero creando a la vez una película con autonomía artística propia. En *Padre nuestro,* un cardenal español al que queda poco tiempo de vida regresa a su pueblo natal para arreglar los asuntos de su familia y, al hacerlo, siembra sin darse cuenta la muerte y la destrucción. Todo esto suena mucho a *Nazarín* o a *Viridiana.* Es el escepticismo de Buñuel que empuja las ironías narrativas de la película. Además, la estructura utilizada por Regueiro, que estriba en las relaciones entre los personajes, recupera la figura central del cine español: la familia. Como en *Viridiana,* la familia rota no connota pérdida, sino anormalidad. La familia, que se supone que es perfecta, implica el control de las relaciones sexuales y su correcta canalización, la subordinación del egoísmo a una imagen de armonía social institucionalizada. Sin embargo, *Viridiana* y otras películas españolas muestran que la represión física e institucional genera desviaciones, particulares e institucionalizadas. Así, en dicha obra de Buñuel, don Jaime se trae a Viridiana en calidad de sobrina, recurre a ella como hija para tratarla como a una esposa y se la deja a su hijo como si fuese una ex amante. Asimismo en *Padre nuestro,* el cardenal, después de tratar a una feligresa como si fuese una esposa, manteniendo relaciones con ella en su juventud, trata ahora a la hija que tuvo con ella y a su propio hermano como a feligreses, valiéndose de su autoridad religiosa para obligarles a casarse.

La existencia de tradiciones cinematrográficas nacionales tiene, no obstante, varios obstáculos y escollos que salvar. Esas tradiciones todavía han de ser descubiertas. Por irónico que pueda parecer, la rigurosa erudición cinematográfica promovida desde las páginas de *Contracampo* (desde 1979) o los seminarios de los festivales de cine de Valencia (sobre Cifesa en 1980, y sobre Berlanga en 1981) y Valladolid (sobre Edgar Neville en 1982, y sobre Luis Marquina y Carlos Serrano de Osma en 1983) se han visto interrumpidos precisamente cuando el PSOE ha ocupado los puestos clave de los festivales de cine y de la Filmoteca Española[38]. Más significativo, desde el punto de vista de la acogida popular, es el caso de *La noche del cine español*. Escrito y presentado por Fernando Méndez Leite de 1984 a 1986, este programa de TVE acabó cuando su autor fue nombrado director del I.C.A.A. Existe ya un peligro que el cine español se estudia con más seriedad en el extranjero que en España[39].

En segundo lugar, mientras que en las películas se advierte la influencia del esperpento y las versiones cinematográficas del sainete continúan atrayendo a numeroso público *(El bosque animado* ha estado más de un año en el cine Avenida de la Gran Vía), las bases sociales del género —el barrio, el pueblo, España como deformación de Europa— están desapareciendo irremediablemente. Cuatro de las últimas películas con guión de Rafael Azcona, principal sostén de esta vena nacional y uno de los bienes más rentables del cine español, están ambientadas en el pasado *(La vaquilla)*, en un bosque de ensueños *(El bosque animado)*, en un museo atestado de *objets trouvés (Pasodoble,* José Luis García Sánchez, 1988), o en un Madrid que recibe la visita de una familia de la que parece ser la región más escatológica de España: Valencia *(Moros y cristianos,* Luis Berlanga, 1987). Tales películas tocan lo que se supone que son acordes del temperamento nacional. El peligro radica en que a medida que este temperamento

[38] Esto no ha de restar importancia a las grandes mejoras realizadas en algunos festivales de cine, especialmente en el de Valladolid, uno de los mejores de Europa, y en el de San Sebastián, que recuperó su competitiva categoría «A» en 1985.

[39] En California Marsha Kinder y Marvin D'Lugo están preparando libros sobre el cine español, al que se dedican también críticas y artículos con cierta regularidad en *Film Quarterly*. Las diversas obras sobre cine español que se están escribiendo en España (sobre Borau, Almodóvar o los directores de fotografía, por ejemplo), podrían ser señal de un renacimiento parcial de los estudios sobre el mismo.

cambie y desaparezca, los personajes dejarán de ser estereotipos y resultarán irreconocibles.

El intento de adaptar a la pantalla a los clásicos de la literatura española también ha resultado ser bastante desastroso. Muchas de las adaptaciones se han limitado a presentar una visión externa de narraciones en cuya versión literaria predomina la descripción detallada de sentimientos internos. En todas ellas, la fidelidad al texto original está, como dijo Brian McFarlane refiriéndose a las adaptaciones australianas, «basada en un supuesto totalmente extraordinario, es decir, en la creencia infundada de que siquiera en un caso se puede tomar la esencia de una forma de arte y recrearla en otra *sin* producir alteraciones graves»[40]. Pero por encima de todo, la mayoría de las adaptaciones españolas no utilizan para nada los recursos específicamente cinematográficos para traducir el material literario original.

El quid de las adaptaciones de obras literarias sigue siendo, no obstante, el punto de vista. De ahí la excelencia de *El sur,* de Víctor Erice, o de *El túnel* (Antonio Drove, 1988), donde un punto de vista subjetivo encuentra representación externa en las imágenes de la película. *El túnel,* por ejemplo, hace la crónica del amor cada vez más delirante del narrador, Juan Pablo Castel, por una mujer casada de la clase alta argentina, María Iribarne, un amor que le lleva a matar a ésta. «You're senseless» («¡Insensato!»), le grita a Castel el marido ciego de su amada al final de la película, y en efecto ésta (toda la película es un *flashback* desde la celda en que se encuentra el protagonista) explora los recuerdos cada vez más fantasmagóricos que tiene Castel de sus amoríos con María. Incluso sus propios recuerdos dan idea de su incapacidad para interpretar la realidad correctamente. En una sintomática escena, por ejemplo, Castel va a la casa de campo de María con la intención de descubrir si ésta tiene relaciones con su cuñado, Hunter. Ve a los dos entrando en la casa; se fija en que se enciende la luz en la habitación de Hunter, para apagarse al poco rato, y que luego ocurre lo mismo en la de María. Para una persona normal, estos detalles indicarían que, después de dar las buenas noches a su cuñado, la mujer se ha retirado a su cuarto. Sin embargo, Castel ve en ellos la prueba conclusiva de la infide-

[40] B. McFarlane, *Words and Images,* Victoria, Heinemann, 1983, pág. 1.

lidad de su amada, por lo que entra en la casa sin pensarlo dos veces, sube las escaleras y, aun encontrando a María sola en su habitación, la mata a puñaladas.

Por último, a medida que el mercado internacional vaya adquiriendo más y más importancia para los productores españoles, se corre el peligro de que sus películas queden limitadas a una especie de cine de arte internacional en el que la cultura del país se reduzca a algo así como a un contenidismo folklórico, a una serie de referencias —específicas del país, pero superficiales y generadoras de estereotipos— que le resulten comprensibles a un público internacional probablemente incapaz de captar otros aspectos más profundos que atañen a cuestiones de estructura, género, tono, tradición o narrativa. Se crearía así una pluralidad de cines europeos superficial —en la que las referencias nacionales serían una mera cuestión de diferencias de reparto o exteriores en un estilo de cine de arte internacional que, de lo contrario, resultaría monótono— que podría reemplazar a la verdadera pluralidad de tradiciones cinematográficas de todos y cada uno de los cines nacionales.

Es evidente, por ejemplo, que los espectadores, e incluso los críticos mal informados, extranjeros no pueden asimilar ni siquiera las películas de Carlos Saura. Esto se debe en parte a la falta de modelos con que juzgar estas que no sean las comparaciones de *auteur* y los supuestos de la crítica internacional. Así el plano que da comienzo a *El amor brujo* (donde la cámara nos hace atravesar la entrada de un enorme estudio de cine —hasta que oímos el sonido metálico de las enormes puertas cerrándose detrás de nosotros— y, ganando altura, nos lleva por un laberinto de cables, vigas y andamios para pasarlos lentamente en un plató donde se recrea el ambiente de un patio rural en el que unos niños escarban en la tierra) fue interpretado por los críticos intelectuales como un mecanismo de distanciamiento brechtiano en una película que era (y aquí es donde tales críticos establecieron la relación de *auteur* con el cine antifranquista de Saura) una crítica velada a la marginalización de que son objeto los gitanos en España.

Lo malo de tales interpretaciones no es que sean incorrectas, sino que resultan limitadas y conducen a falsas conclusiones: toman unos cuantos elementos de la película y nos la presentan como una crítica social templada que resulta demasiado indirecta como para sacar provecho de ello.

Lo que hace falta es un modelo crítico que presente la obra como permutación no de una serie de obsesiones individuales, sino de obsesiones artísticas inscritas en el contexto de una cultura nacional. El punto de referencia clave no es la carrera de Saura durante el franquismo, sino las ambiciones artísticas del *El amor brujo,* original de Manuel de Falla. En 1914, éste volvió a España esperando encontrar un estilo musical genuinamente internacional en la historia y en las lenguas populares del país. Entonces escribió *El amor brujo,* que obtuvo un clamoroso éxito internacional cuando Vicente Escudero lo bailó por primera vez en 1925, en París. Sesenta años después, Antonio Gades, discípulo de Escudero (según él mismo admite en *Bodas de sangre),* interpretó el papel principal en la versión cinematográfica del ballet. Todo esto dota a la película de un valor emocional. Pero, lo que es más importante, las intenciones de Saura son comparables a las de Falla, pues en realidad constituyen un intento de acercar *El amor brujo* a una cultura popular española moderna. De ahí: la secuencia del principio, que define a la película como espectáculo artístico, más que como narración realista y verosímil; esa escena, la mejor de la película, donde, al sonido del *pop* andaluz, las parejas se animan a bailar un garboso pasodoble; los ecos de *West Side Story* que se revelan en las formaciones de bailarines maniobrando de un lado a otro, desplazándose por el suelo con la estrecha cohesión de las cohortes romanas, y en telón de foro del enorme estudio, pintado como un cielo infinito cuya paleta pasa del azul mediterráneo al naranja de la pasión y la turquesa del ocaso, que convierte el decorado en un paisaje lunar sorprendido por la noche.

Un segundo, y en muchos aspectos complementario, peligro es el de condenar al ostracismo internacional a aquellas películas que no recurran de un modo patente al sentido de la cultura nacional del director. Tal ha sido el vía crucis de José Luis Borau y su *Río abajo/On the Line*[41].

---

[41] Sobre *Río abajo,* véase, en especial, el excelente ensayo de Marsha Kinder, «José Luis Borau, *On the Line* of the National International Interface in the Post-Franco Cinema», en *Film Quarterly,* vol. XL, núm. 2, invierno de 1986, págs. 35-48.

Tal como están las cosas, *Río abajo* se centra en una historia de amor entre el típico buen chico americano, Chuck, y una prostituta, Engracia, que trabaja en el paupérrimo barrio chino de la orilla mexicana de Río Grande. Cuando comienza la película, estos dos personajes están separados por la frontera simbólica del río y por las diferencias de nacionalidad, clase, lengua y profesión. Pero se enamoran, se casan y se van a vivir a Estados Unidos, donde ella se dedica a cuidar de su casa hasta que la devuelven a México. Chuck se hace entonces guía de espaldas mojadas; pero le descubren y le meten en la cárcel. Esperando a que salga, Engracia se pone mientras tanto a aprender inglés. En esta conmovedora película, se eliminan una por una todas las barreras de la incomprensión: el compromiso se describe como adhesión no a ideas, sino a otra persona. Mitch, el duro y cínico guardia fronterizo que detiene a Chuck, vuela en avioneta sobre los espaldas mojadas como un dios todopoderoso, trata de convencer a aquél de que su mujer no es más que una puta, y pone fin a la película muriendo a manos de Engracia. Su cadáver flota río abajo, ilustración gráfica del destino de un hombre cuyo único compromiso es él mismo.

No es así como Borau se imaginó la película. Con tres años de producción (1980-1983), siete editores, cinco directores de fotografía, y el rodaje detenido durante casi un año, se trata de una obra inacabada, le faltan planos concretos que destaquen la importancia de la relación Engracia-Mitch y den profundidad a la acción ahondando en la línea narrativa superficial.

Peor aún fueron los problemas de distribución de la película. *Río abajo* es una audaz producción antipatriótica que, para recuperar los 500 millones de pesetas que se invirtieron en ella, tenía que venderse en el más patriótico de los mercados: Estados Unidos. Lo malo fue, como señaló Marsha Kinder, que no se la permitiera entrar a concurso en el Festival de Cine de Berlín de 1985, al parecer porque los seleccionadores consideraron que no era española.

En un lúcido y apasionado ensayo, «Without Weapons» («Desarmados») el propio Borau expone los problemas que se le plantean a todo cineasta español que quiera hacer películas internacionales. Citando a Buñuel, dice que «es el poder de un país lo que determina quiénes son grandes escritores»[42]. Pero España no es una nación poderosa. Hay también, añade, «una increíble falta de conocimiento de la cultura hispánica y de interés por ella». Además, desde la muerte de Franco «nuestros libros y nuestras películas ya no llegan al extranjero engalanados con la palma del martirio». Al cineasta se le encarga que hable de lo que conoce, de lo que se considera que es su país, al cual traicionará si trata temas internacionales. Sin embargo, para Borau «yéndose fuera tal vez traicione a su pueblo, pero quedándose en casa y enterrando su capacidad creativa está traicionando al resto de la humanidad». La idea de que el director debería tratar de «alcanzar la universidad ahondando en lo particular» es un «chupete con el que se pretenden calmar las ansias creativas de los autores desheredados (los de los países desarmados)». Lo que está propugnando Borau es un pluralismo cinematográfico esencial. En España, donde el apoyo del gobierno al cine radical (ya sea en forma cinematográfica o en vídeo) no es mucho, la supervivencia de películas que traten temas y estilos internacionales sin abordar lo nacional o que inviertan esta fórmula constituye un elemento esencial de la polisemia de expresión cinematográfica, que es una de las piedras angulares de toda cultura democrática moderna.

¿Nuevos directores? ¿Qué nuevos directores?

Un rasgo positivo de la cinematografía española es que dota a sus directores de una juventud casi eterna. Como dijo Manolo Gutiérrez Aragón, un cineasta puede estar ya peinando canas y, no obstante, la crítica seguirá refiriéndose a él como a un «joven director español».

La razón de esto es que son muy pocos los cineastas realmente jóvenes. El verdadero problema radica en que, para poder poner en marcha sus películas, todos los directores españoles de-

[42] J. L. Borau, «Without Weapons», *Quarterly Review of Film Studies,* vol. 8, número 2, primavera de 1983. Yo no he visto la última película de Borau *Tata mía* (1986), pero, por citar una opinión extranjera, Peter Evans la calificó de «espléndida».

penden de las limitadas subvenciones por adelantado del fondo de protección del I.C.A.A. Con tan finitos recursos sólo se puede ayudar a dar continuidad a la carrera de un número igualmente finito de directores. Por el momento es la generación de cineastas que se abrieron camino durante la transición cinematográfica de España la que más se beneficia de esos fondos. Cualquier joven que entre en la industria del cine empujará hacia afuera a alguien mayor que él, y no sólo en el caso de los directores, sino también en el de los técnicos, artistas y demás. El hecho de que algún joven director haga un corto, no garantiza en absoluto que pueda hacer un largo. E incluso si logra hacerlo y recibe el aplauso de la crítica, todavía puede pasar que lo estrene demasiado tarde (*Tras el cristal,* Agustín Villaronga, 1986) o nunca (*Los motivos de Berta,* José Luis Guerin, 1984). Y puede ocurrir que una película reciba el aplauso internacional —la piedra de toque de la aceptabilidad cultural en España— y que la prensa nacional no lo mencione. Tal fue el caso del premio Alexander Scotti concedido al director debutante Vicente Domingo por el corto *Historias de hombres con gabardina,* del que no se hizo mención aun cuando el galardón en cuestión provenía del prestigioso Festival de Cine de Oberhausen. España, que se supone que es una de las culturas más modernas de Europa, corre el peligro de tener una de las culturas cinematográficas más anticuadas. Particularmente preocupante es su incapacidad para darse cuenta de la transición que ha tenido lugar en la mayor parte de Europa del concepto de «cine» al de «filme», de «escritura audiovisual» en la que los largometrajes cinematográficos son sólo una parte más del total. Los proyectos de vídeo, en especial, reciben muy poco apoyo por parte del gobierno.

Según un sondeo relizado por el Ministerio de Cultura en otoño de 1986, el espectador español medio es menor de treinta años, soltero, varón (aunque con poca diferencia), de clase media y con estudios superiores. La mayoría de los directores españoles activos actualmente nacieron antes de 1950. Más que la diferencia de edad son los cambios radicales que han tenido lugar en España desde entonces, lo que amenaza con convertir la distancia generacional que separa a los cineastas del público en una verdadera sima. Los primeros relacionan el nombre de «Madonna» con la Virgen; el segundo lo identifica con una cantante *pop* norteamericana. ¿Cómo puede una generación cuyos modelos formativos son Tom Cruise y Michael Jackson relacionarse con otra formada por la experiencia de la guerra civil y sus secuelas represivas?

La lista de los debuts notables habidos desde 1984 es, por tanto, bastante corta. En *Los motivos de Berta* (1984), José Luis Guerin refleja, en cierto modo, el interés de Erice por el mito de la infancia en un ambiente rural. Berta, una adolescente solitaria e impresionante, se aferra a un nuevo vecino que, vestido con una deslumbrante levita y rodeado de una aureola de poeta romántico, hace creer a la chiquilla que su esposa murió en un accidente de coche. Impulsado, al parecer, por un amor inconsolable, el poeta se pega un tiro. Berta presencia su suicidio. No obstante, en otros aspectos, la película de Guerin difiere de la obra de Erice. En primer lugar, la protagonista supera el trauma. Al principio guarda el sombrero del suicida; pero cuando la mujer de éste viene, vivita y coleando, a buscar sus pertenencias, se desprende de él. Después de tantas películas pobladas de neurosis, la aceptación de la realidad por parte de Berta es como una bocanada de aire nuevo. Además, mientras que, en *El espíritu de la colmena,* el mundo desconocido que explora Ana se nos muestra como un producto de la historia de España, en *Los motivos de Berta,* el ambiente misterioso de las experiencias de la protagonista está mucho menos definido. Guerin ambienta su película en la España de Franco, pero evita las reflexiones políticas, centrándose más bien en la fascinación de los objetos individuales y en la unicidad de cada momento vivido por el individuo. Pero, por encima de todo, destaca los espacios abiertos que se hallan más allá de Berta, para lo cual se sirve de los gestos y movimientos de los personajes, que están saliéndose continuamente del encuadre o lanzando miradas fuera de campo, así como de la intrusión en el mundo de Berta de personas y de objetos procedentes de un mundo más moderno (por ejemplo, un ventilador eléctrico). En *Los motivos de Berta,* la adolescencia es una etapa receptiva al espacio abierto de la imaginación y el mundo en general[43].

---

[43] Nacido en Barcelona en 1960, Guerin había hecho ya una carrera bastante larga en el cortometraje y el subformato. En los años 80, la experimenta-

Producido por el joven y emprendedor Gerardo Herrero (responsable también de *Mientras haya luz,* Felipe Vega, 1988), el primer largometraje de José Miguel Ganga, *Rumbo norte,* mete en un camión lleno de jerez a un borrachín (Omero Antonutti), a un joven enamorado (Carlos Zabala) y a una *punk* sin pizca de seso (Kitti Manver) y emprende el viaje que la da título. El profundo interés de Ganga por la completa naturaleza de la personalidad humana se refleja en los múltiples giros del argumento, y en el esmero con que está dirigida la excelente interpretación de los actores. La película de Agusti Villaronga *Tras el cristal* (1986) también obtuvo un merecido *success d'escandale,* pero una tardía e inadecuada exibición. Historia desnuda y, para muchos espectadores, insoportablemente brutal de un enfermero que somete al médico ex nazi para el que trabaja a las mismas torturas que ha estado aplicando éste a niños, la película es sumamente perturbadora (al principio, vemos el cuerpo de un niño desnudo colgado de una viga; algo se mueve en la ventana, entonces el médico toma el hacha y despacha a su atormentada víctima con un golpe en el cuello). La facilidad con que una víctima potencial (el enfermo, un imperturbable David Sust) se transforma en verdugo, sugiere la tendencia sadomasoquista presente en todo ser humano.

En la película del veterano guionista Manolo Matji *La guerra de los locos* (1987) también se advierte una fascinación oculta con la violencia. A comienzos de la guerra civil, los internos de un manicomio escapan del centro y, por una desafortunada vuelta del destino, se unen a un grupo de anarquistas que quieren vengarse del terrateniente del lugar. Con guión excelente, en el que se alternan el humor esperpéntico, la bruma de la leyenda y la violencia ciega, *La guerra de los locos* parte de lo particular para acabar sugiriendo que la guerra y la revolución son locura.

Por último, Felipe Vega dirigió *Mientras haya luz,* extraordinaria película, dado el contexto de la cada vez más conservadora industria cinematográfica española, rodada en blanco y negro y con un sistema de autorreferencias casi godardiano inscrito en

---

ción en el largometraje se está haciendo cada vez más rara. Un ejemplo de ella es *Cuerpo a cuerpo,* de Paulino Viota. *Contracampo,* núm. 36, tiene críticas sobre Guerin y Viota y entrevistas con ellos.

una trama de *thriller* que recrea la imaginativa fotografía del cuasi joven José Luis López Linares.

Pero no bastan cinco películas para completar una temporada cinematográfica española. Los demás debuts han sido excesivamente modestos, aunque inteligentes (*Soldados de plomo,* 1983, donde José Sacristán hizo una especie de cruce entre la «tercera vía» y Gutiérrez Aragón); entretenidas tarjetas de visita industrial (*Pares y nones,* José Luis Cuerda, 1985; *Tripas corazón,* Julio Sánchez Valdés, 1985), poco convincentes (*La reina del mate,* Fermín Cabal, 1985), menores (*Tú solo,* Teo Escamilla, 1983) o de escasa envergadura (*Freddy, el croupier,* Álvaro Sáenz de Heredia, 1982)[44].

Los únicos directores que, debutando en los años 80, han conseguido seguir una carrera continuada son Pedro Almodóvar y Fernando Trueba.

El placer y el cine de Fernando Trueba

Lo primero que atrae de *Ópera prima* es el escape de los personajes de la pesadez cotidiana a un mundo de romances, interpretación de papeles e imaginación. Al comienzo de la película, Matías (Óscar Ladoire) sale de la estación de metro Ópera. La situación es perfectamente reconocible, familiar: tras él hay un anuncio de la tarjeta Visa, y a un lado se encuentra el inevitable quiosco de periódicos. Entonces, oportunamente, se interrumpe esta monotonía, pasamos a una realidad más llena, más divertida, «la vida sin los ratos aburridos», como definía Hitchcock al cine; vemos pasar una chica que, con esa ambigüedad típica de lo cómico, tiene cuerpo de mujer, pero el aire juguetón y algo desaliñado de una niña. La chica se para, da la vuelta, se acerca a Matías y, tapándole los ojos con las manos, le dice: «¿Adivina quién soy?» Él entra en el juego: «Rosa..., Almudena... Espera, espera, espera... No me digas nada. Lo sé... Eres... Milagros... Mmm... Mari Puri... Mari Pili... María Luisa... Ana Mari... Lola, Manuela, Antoñita... Bernarda... Mmm... Julita...» Ésta es una de esas ingeniosas salidas más propias de Hollywood que de las costum-

[44] Su obra posterior *La hoz y la Martínez* (1984) es mucho más notable.

bres de Madrid[45]. Una vez establecida con la chica una relación de placer mutuo y fantasías compartidas, Matías adopta el papel de niñito indefenso: «Me rindo, me rindo, me rindo.» Su reacción posterior, expresada por un plano en el que le vemos contemplando a la chica mientras se va, contribuye a afianzar nuestra identificación con él y nuestra inmersión en ese mundo suyo que transcurre a un ritmo (sexual y verbal) más digno de un film que de la realidad cotidiana.

La magia cinematográfica se prolonga en el romance a que da lugar, en la conversación de Matías y en su vida, que está poblada de arquetipos modernos, una reina del porno ninfómana, un novelista americano alcoholizado, etc. Amenazando esta suspensión de la realidad se encuentran el profesor *hippy* de violín de Violeta, que quiere llevársela a Perú; la mujer de Matías, que pretende prohibirle que vea a su hijo, y los celos, cada vez más manifiestos, del protagonista. Al final de la película, se acumulan las ironías. Violeta hace el equipaje para marcharse a Perú; Matías se va del piso de ésta, de pronto decide volver, pero llega justo cuando ella acaba de salir. Con el pie casi en el avión, Violeta se arrepiente y regresa a casa, sin darse cuenta de que Matías entra en ese momento en el aeropuerto. La pareja se vuelve a encontrar, por casualidad y porque el guión decididamente romántico de Trueba y Ladoire así lo pide, en la plaza del barrio, y se besan a la luz de las estrellas mientras un saxofonista toca una melodía llena de sentimiento.

En 1982, Trueba rodó *Mientras el cuerpo aguante,* donde presenta un retrato espontáneo y simpático del cantante Chicho Sánchez Ferlosio mediante conversaciones con él y muestras de su canción protesta, y luego hizo *Sal gorda* (1983) y *Sé infiel y no mires con quién* (1985). Su carrera fue objeto entonces de dos simplificaciones: Trueba era un cineasta revolucionario que había roto con el pasado, y su estilo de rodaje era completamente «americano». Su ruptura tiene que ver esencialmente con las referencias sociales: «Opera prima», le dijo a Peter Besas, «es una película en

[45] R. Maltby señala en *Hamless Entertainment* que la perfección de una estrella es cuestión «no sólo de apariencia, sino también de habilidades físicas, ingenio y, sobre todo, ritmo». La mejor introducción a Trueba es un expediente con críticas y entrevistas que se conserva en la Filmoteca Española, Madrid.

la que decidí específicamente no poner a nadie de la generación de mis padres... Me dije: «los padres no existen, es decir, los padres en el sentido psicoanalítico. Aquí vamos a enfrentar a las cosas por nosotros mismos y a ignorar el resto»[46].

El recuperativo estilo cinematográfico de Trueba se inspira, en efecto, en Hollywood. Pero hay muchos Hollywoods; el suyo en particular es la comedia de enredo americana de los años 30 y 40, que, basada a menudo en éxitos de Broadway, era urbana, ingeniosa, juerguista, bastante despreocupada de los problemas sociales, un trozo de buena vida en la que imperaba una inquietud sexual aludida con decepciones, pecadillos, divorcios y flirteos que se resolvían a golpes de ingenio en el salón más que con escenitas en la alcoba.

Las películas de Trueba comparten el supuesto taquillero de Hollywood de que una película, cualquiera que sea sus otros objetivos, tiene que entretener. El cine de Trueba procura granjearse el favor de los espectadores recurriendo a valores comunes, reconocibles y de sentido común. Al igual que la comedia screwball, giran en torno a la batalla de los sexos, la lucha entre la naturaleza y la racionalidad, el orden y el caos, el superego y el ello. Y su mensaje también es el mismo: confía en tus sentimientos, no te reprimas, sé tú mismo.

Así, el recorrido argumental de *Sal gorda* pasa por *Ninotchka* (Ernst Lubitsch, 1939) e *Historias de Filadelfia* (George Cukor, 1940). El pianista ruso Natalio R. Petroff (Oscar Ladoire) dispone de cuarenta y ocho horas para escribir las canciones de su último LP. Pero como Dexter T. Haven, el insensato ex marido encarnado por Cary Grant en *Historias de Filadelfia,* lo que en realidad le interesa es volver con su ex mujer, Palmira (Silvia Munt). Y aquí es donde entran en juego las antinomias: Natalio es apasionado, impulsivo y ruso; Palmira es adicta al trabajo y reprime sus sentimientos, mientras que su actual marido es racional, frío y norteamericano. Pero la chica acaba rindiéndose a los encantos de su ex, cuando se echa a reír, al ver que el muy insensato ha estropeado un Matisse con una llamativa pintada en la que se lee: «Natalio quiere a Palmira».

La principal pega de *Sal Gorda* radica en que es una comedia

[46] Besas, *Behind the Spanish Lens.*

alta con un presupuesto pequeño. Si el fin del desencanto privó a la nueva comedia española de su contexto social, el «decreto Miró» le asestó un golpe mortal al eliminar la indigencia que la caracterizaba. Ya no podía existir como género conciso, y Trueba se adaptó a los nuevos controles y recursos y rodó *Sé infiel y no mires con quién* en los estudios Bronston con un presupuesto mucho más alto.

Estructuralmente, esta película mantiene las formas de la farsa de equívocos y riñas corales. El editor Fede (Santiago Ramos) está casado con la despampanante Rosa (Carmen Maura), que va e encontrarse con un militroncho (el Pirri) en el nuevo piso de Paco (Antonio Resines), el socio de su marido, y Carmen (Ana Belén). Pero Fede, que es un ligón, hace lo mismo con su nueva adquisición. A todo esto, llega al piso una famosa escritora de literatura infantil con la que los editores necesitan firmar un contrato para salvar el negocio. Paco cree entonces que su mujer tiene una aventura. Y Carmen le pilla a él casi *in fraganti* con una chica. Al final, todos acaban en la comisaría, donde, entre gritos de unos y otros, se pondrán las cosas claras.

El logro de *Sé infiel y no mires con quién* radica en su capacidad para narrar con medios cinematográficos un argumento teatral. Trueba presta esmerada atención a una animada *mise-en-scene*. Los personajes caminan por espaciosos bulevares en un elegante ambiente primaveral. Los actores parecen comer mejor e ir a peluqueros más caros que los de *Sal gorda*. Acicalados de pies a cabeza, impecables, a la moda, llevan prendas de firma a juego con los decorados. Son la clase *chic* de Madrid, y los escenarios de la película, más que «sacarles de paseo», subrayan coherentemente su estilo de vida, su ocioso ir y venir del gimnasio al frondoso paseo, al frontón o la boutique, con planos cuyo voyeurismo (como el del espejo en que se refleja Ana Belén con un holgado e insinuante vestido) y cálidos y suaves colores recalcan la despreocupada sensualidad ambiental.

En segundo lugar, Trueba traduce los ritmos y el equilibrio mecánico de la farsa a formas cinematográficas equivalentes. Así como en el diálogo una parte hace de contrapeso de otra, él utiliza equilibrados planos de los personajes tomados de dos en dos que se despliegan en una sucesión de campos y contracampos de primeros planos en los momentos de tensión dramática.

Las precauciones de *Sé infiel y no mires con quién* son las de la comedia de enredo: las del hombre común. En esta película, como en *Ópera prima* y en *Sal gorda,* lo que se pone en juego es la «masculinidad», sacada a relucir por la pérdida de una mujer querida cuyo rechazo se pone a prueba mediante la reaparición de los encantos con que se la conquistó. La cuestión es: ¿Cómo hay que comportarse con las mujeres? ¿Habría que ser un ligón, que mostrarse muy macho y andar siempre probando camas, que ser un poco cabrón? ¿Acaso no se hace uno respetar más por los hombres (y por alguna mujer) actuando así? Como reza el título de la película, sé infiel... ¿O se puede ser el buen marido chapado a la antigua que ama a su guapísima esposa y ni se le pasa por la cabeza que puedan existir otras faldas? ¿Acaso puede uno fiarse de su mujer? ¿No es eso ir derechito a la ruina?

Según las últimas escenas de la película, la respuesta es *no.* Paco vuelve al piso. Carmen, herida, acaba ablandándose y le perdona que haya dudado de ella. Todo fue un malentendido, le dice él, y, cómo no, se abrazan. Tales cuestiones y respuestas se exponen, claro está, en la farsa. Pero en ésta, los personajes actúan de un modo demasiado mecánico y la acción es demasiado rápida como para hacernos reflexionar. Trueba, sin embargo, da un ritmo más lento a la segunda y fomenta la interpretación naturalista de los primeros. Los neopaulovianos instintos sexuales de Fede y Rosa imperantes al principios de los película quedan reducidos a la nada con la escena en que Paco y Carmen se declaran su amor. *Sé infiel y no mires con quién* se vuelve así más cálida, más profunda, más humana.

Hurgando en las comedias de Trueba, es fácil descubrir alusiones a Hollywood, encontrar paralelos con él; pero ese mismo registro nos revelará otras influencias: Jean-Marie Straub, Renoir y Truffaut. Como ha señalado Annette Insdorf, el protagonista de *Ópera prima* tiene más en común con Antoine Dionel que con el Woody Allen de *Manhattan. El año de las luces* (1986), la última película realizada por Trueba hasta la fecha, parte de dos supuestos propios de Truffaut: la idea de que el impulso sexual allana todas las diferencias y la de que, con esfuerzo, voluntad, carácter e imaginación, los niños pueden escapar de las hipocresías con que los adultos disfrazan al mundo.

Esto es lo que consigue en la película Manolo, un buen mozo

de quince años que es enviado en 1942, junto a su hermano pequeño, a un sanatorio situado en la frontera con Portugal. Ya en el destartalado autobús que les lleva dando tumbos por Extremadura, el ardiente, nada obeso, pero sí muy obseso Manolo, queda estupefacto al ver a un soldado metiendo mano a una chica. Una vez en el sanatorio, anota escrupulosamente cuántas veces al día consigue hacerse una paja, en especial viendo *striptease* que hace involuntariamente la vivaracha enfermera de su planta cada vez que se pone el camisón detrás de una pantalla transparente. De día ayuda a un ex republicano y libertino de París (excelentemente interpretado por Manuel Alexandre) que anda siempre por ahí arreglando cosillas y que, entre chapuza y chapuza le da a conocer a los grandes de la literatura.

Marsha Kinder observa que, en el cine español, «el discurso sexual fue siempre uno de los mejores medios de tratar temas políticos bajo la represión del régimen de Franco»[47]. *El año de las luces* continúa esta tradición. Se ha acusado a la película de no reflejar en Manolo los traumas sexuales comunes a todos los niños educados en la posguerra. Es posible que adolezca de tal falta de precisión histórica. Pero su verdadera fuerza radica, no en las reflexiones históricas —que no significarían mucho para espectadores de 1989—, sino una faceta mucho más accesible, la de las diferentes actitudes con que los personajes ven el sexo, y en el control que ejerce sobre los placeres de los espectadores.

Así, las represiones de la sociedad franquista se destacan mediante la transformación del impulso sexual en autoritarismo mezquino (doña Tránsito, la seca y pegona maestra cuya figura escapa al maniqueísmo por estar interpretada por Chus Lampreave), desconocimiento de uno mismo (la enfermera Vicenta, que no sabe lo que es el onanismo hasta que Manolo se lo enseña) e hipocresía (el director falangista del sanatorio o el cura, que resulta ser el padre de la nueva enfermera, María Jesús, de la que Manolo se enamora locamente, y que, habiendo roto sus votos, no vacila en tratar de romper la relación de la pareja).

Las películas de Trueba buscan el placer: tanto si se basa en *gags* o en estructuras cómicas, como si lo hacen en la identificación con un ideal masculino, en el suspense o en la contempla-

---

[47] En su ya citado ensayo sobre José Luis Borau, pág. 45.

Bueno, ¿no hubieras hecho tú lo mismo? Maribel Verdú y Jorge Sanz en *El año de las luces,* Fernando Trueba, 1986. La capacidad de este director para involucrar al espectador en sus personajes

ción del cuerpo femenino —como cuando las chicas de *Sé infiel y no mires con quién* hacen ejercicios de calentamiento, se maquillan y se visten. Es precisamente negándonos el placer que esperábamos cómo *El año de las luces* consigue causar impacto. No hay besos de final feliz. Manolo y María Jesús son separados por el padre cura de ella y el hermano militar —alegoría azconiana de los tres pilares del franquismo: la Iglesia, el ejército y el patriarcado. El final es claro y accesible. La oposición al régimen franquista y a lo que representaba se nos muestra no como un deber político intelectualizado, sino como un acto de sentido común.

Pedro Almodóvar, de la posguerra a la posguarra: Posmodernismo, melodrama y deseo

Cuando Almodóvar se aventura a salir por Madrid, las cabezas se vuelven a su paso, la gente se aglomera a su alrededor cada vez que se para, y sus acólitos le contemplan con fervor religioso. El contexto de los primeros trabajos de este director es la *movida* madrileña (pero la histórica, la generada por la tendencia neo *punk* originada en Londres a finales de los años 70, más que la oficial de los actos culturales del PSOE o que la social de la presente nocturnidad madrileña). Autor de relatos breves y de comics (en publicaciones *underground* como *Star* y *Víbora),* actor (con Los Goliardos), creador de fotonovelas (la pornográfica *Toda tuya),* novelista *(Fuego en las entrañas,* ilustrada por Juan Mariscal), columnista (artífice, en *La luna,* de las confesiones de la reina internacional del porno Patty Diphusa), cantante *pop* (desde su debut con Fanny McNamara en *Laberinto de pasiones,* donde, como él mismo señala, hizo «el *pop-rock* más agresivo y grosero, mostrando sus gruesas piernas enfundadas en medias de malla como una prostituta») e inveterado *showman,* Almodóvar hizo su carrera en el subformato inspirándose en las *boutades* de la *movida,* las cuales dieron lugar al doble romance de cambio de sexo *Sexo va, sexo viene* (1977, Super 8), a los *trailers* burlescos y *pastiches* publicitarios de *Complementos* (1977), al largo melodramático en Super 8 *Folle, folle, fólleme, Tim* (1978, «una pobre chica que trabaja en unos grandes almacenes, con un novio ciego que toca la guitarra. Él se hace famoso, ella se queda también ciega... en fin, un melodrama de fotonovela») o a *Salomé* (16 mm, 1978), donde la heroína epónima seduce a Abraham bailando al son de *El gato montés* y luego resulta ser Dios, que estaba «un poco mosqueado al ver que Abraham no pecaba nunca»[48].

Cuando se inspiran en su herencia cultural, es el pasado artístico del país, más que su historia franquista, lo que los jóvenes directores españoles tienden a considerar. Ésta es particularmente evidente en las exhuberantes películas de Almodóvar, quien se quejaba en 1983 de que «la mirada de los cineastas está en el pasado, en la posguerra y esos son fantasmas de los cuales no participamos la mitad del país»[49]. La actitud de Almodóvar hacia el pasado de España no tiene nada que ver con esto. «Entre los 50 y los 60 se dio en España un cierto neorrealismo que a diferencia del italiano era menos sentimental y mucho más feroz y divertido. Te hablo de las películas de Fernán-Gómez *(La vida por delante, El mundo sigue)* y a *El cochecito* y *El pisito*. Es una pena que no se haya continuado por ahí»[50]. Almodóvar ha tratado de dar tal continuidad. Los problemas que comporta la mezcla de tradición y modernidad dotan a su carrera de un claro sentido de la evolución.

Al principio, Almodóvar mezcló lo viejo y lo nuevo con un estilo «posmodernista», creando así un ingenioso arte de lo incongruente en el que se opinan diversas tendencias. En *Pepi, Luci, Bom y otras chicas del montón* (1980) se combinan las culturas popular y moderna con divertidísimos resultados. Como en las mejores tradiciones del cine de explotación español, Pepi (vestida como una adolescente de los años 50, con coletas y traje de volantes) es sumariamente violada por un policía; pero la mezcla de primeros planos muy exagerados y títulos explicativos insertados convierten esta escena en toda una página de fotonovela. Los amigos de Pepi, miembros de un conjunto de *punk-rock*, se

[48] Citado en *Zine-Zine*, 25 de abril de 1980.

[49] *Dirigido por*, núm. 11, enero de 1984, pág. 13.

[50] *Fotogramas*, núm. 1.705, febrero de 1985, pág. 53. Los más notables trabajos sobre Almodóvar son: María Antonia García de León y Teresa Maldonado, *Pedro Almodóvar, la otra España cañí*, Ciudad Real, Biblioteca de autores y temas manchegos, 1989; Nuria Vidal, *El cine de Pedro Almodóvar*, Madrid, , 1988; Marsha Kinder, «Pleasure and the New Spanish Mentality», *Film Quarterly*, noviembre de 1987.

visten entonces como los personajes de *La verbena de la Paloma* y, cantando zarzuela, se acercan al policía en la calle y le dan una soberbia paliza *punky*.

En sus siguientes películas, Almodóvar experimentó con diversas posturas morales. Empezó con la jocosa amoralidad de *Laberinto de pasiones* (1982), que está ambientada en un Madrid poblado de travestidos, ninfómanas, *punks,* fundamentalistas iraníes y otras faunas; y continuó con el melodrama burlesco de *Entre tinieblas* (1983), donde unas monjas encargadas de regenerar mujeres descarriadas toman drogas, tienen un tigre por mascota y escriben *best-sellers*.

Fuera y por encima de la *movida,* Almodóvar hace en sus películas una reelaboración española del posmodernismo tan descarada como refinada. Hablando del *punk* en España señaló que «los jóvenes de los barrios estaban condenados a la mierda, la miseria y el asfalto, y como eran sus elementos, decidieron utilizarlos»[51]. Él anula la distinción clásica entre cultura superior y vulgar incorporando los detritus de la era posindustrial. Así, al comienzo de *Entre tinieblas,* mientras en la banda sonora suena una exquisita música clásica, un acusado picado de una cortina de baño nos muestra a la heroína *punky,* con sus greñas naranja semáforo, haciendo pis en un retrete donde cabe pensar que no faltarán los acostumbrados trozos de papel higiénico usado tirados por el suelo.

Frederick Jameson sostiene, en «Posmodernismo y sociedad de consumo», que, más que innovación estilística, el estilo posmodernista se entrega a los «plagios alusivos»[52]. Así, *¿Qué he hecho yo para merecer esto?* comienza con un *pastiche* de cine *softcore* (Gloria y el policía se revuelcan en la ducha y vemos sus cuerpos a través del cristal translúcido de la mampara) y continúa con la imitación burlesca de un anuncio de café de televisión, con una parodia del romance imperial vivido por Romy Schneider en *Sissi emperatriz* (Almodóvar, vestido de oficial de granaderos, se pavonea por una habitación *pompier* haciendo que canta «la bien pagá», de

---

[51] En una entrevista de *Interviú,* 26 de octubre-1 de noviembre de 1983.

[52] F. Jameson, «Posmodernismo y sociedad de consumo», en Hal Foster (ed.), *La posmodernidad,* Barcelona, Kairos, 1985; uno de los únicos ensayos claros sobre el tema.

Miguel Molina, mientras su amante, la emperifollada Fanny McNamara, pestañea y se retoca la peluca ante el tocador) y con un remedo casero de la parasicología a lo Stephen Spielberg (la hija de la vecina que pone sus poderes telequinésicos al servicio de Gloria, ayudándola a empapelar la casa).

En el cine de Almodóvar se mezclan géneros y estética (el cine, los anuncios publicitarios, los *videoclips*), los significantes pierden su significado (la música de Bernardo Bonezzi de *Matador* es un entretenimiento independiente, además de servir para señalar los momentos de deseo, como cuando al comisario se le van los ojos detrás del paquete de los toreros) y, como en muchos trabajos cinematográficos actuales, cada espacio fílmico posee cierto grado de autonomía artística y hay una ausencia ocasional, como en los comics o vídeo-pop, de planos de transición entre un espacio y otro[53].

El resultado global tiende —aunque nunca llega— a la «experiencia esquizofrénica... de significantes materiales aislados, desconectados, discontinuos». Así, en una secuencia de *Matador*, el maestro retirado Diego Montes asiste a un desfile de modelos (que Almodóvar aprovecha para hacer el papel del diseñador Francisco Montesinos), pero la parodia se torna en drama cuando divisa a María Montesinos al otro lado de la pasarela, y en melodrama a lo Hitchcock cuando ella huye precipitadamente para adquirir un toque fellinesco cuando entra en una fiesta de jubilados y Diego sale tras ella hasta que, en un plano que tiene todo el estilo esplendoroso de un anuncio publicitario, la ven en lo alto de un puente, con su suntuosa capa de torero ondeando al viento y destacándose contra el azul de pantalones vaqueros del cielo.

El problema del posmodernismo de principios de los años 80 es el mismo que el del surrealismo de medio siglo antes: ambos son técnicas de representación que no parecen prescribir ninguna estética. El surrealismo se bifurcó en la disputa entre Bretón y Aragón. Aquél también se ha dividido: «En la política

[53] Cfr. la descripción del corto en vídeo de Xavier F. Villaverde, *Veneno puro* (1984), en la inapreciable *La imagen sublime,* Manuel Palacio, Madrid, Centro de Arte Reina Sofía, 1987, pág. 123. La camisa de *La ley del deseo* es, por supuesto, un McGuffin hitchcockiano.

cultural», escribe Hal Forster en *La posmodernidad,* «existe hoy una oposición básica entre un posmodernismo que se propone deconstruir el modernismo y oponerse al *status quo* y un posmodernismo que repudia el primero y elogia al segundo: un posmodernismo de resistencia y otro de reacción»[54]. *¿Qué he hecho yo...?* no sólo supone un aumento presupuestario[55] y el primer éxito de Almodóvar con respecto al público internacional y a la crítica[56], sino también un significativo cambio de tono. La comedia sigue estando ahí —en el pisito de la inmensa colmena elegida como escenario viven, aparte del ama de casa: una abuela que almacena botellas de agua de Vichy pensando en la última guerra y que está siempre con la cantinela de su pueblo, un taxista encaprichado todavía con una *chanteuse* que conoció en sus años de emigrante, y un hijo *gay* y otro drogadicto; en la puerta de al lado vive una prostituta, y en el piso de arriba una niña con poderes telequinésicos—, pero al ubicar el estilo posmodernista en su supuesto contexto social —las contradicciones de una sociedad posindustrial o de consumo— el cine de Almodóvar adquiere un carácter más punzante, se convierte en una crítica social más precisa. Esta película es su primer intento evidente de poner en práctica un posmodernismo de resistencia.

La crítica social de *¿Qué he hecho yo...?* queda realizada por el hecho de que el uso del género —del melodrama, en general, y de «película de mujeres», en particular— va ahora más allá del mero *pastiche* jocoso. O más sencillamente, la película se centra en el épico trajín diario de una fregona, Gloria, que vive en un monstruoso rascacielos del barrio madrileño de la Concepción con una excelente vista de la M-30. Esta mujer hace gala de los mismos recursos que la heroína de los melodramas de Hollywood. Se droga, pasa terribles apuros (hasta el punto de tener que vender a su hijo pequeño a un dentista homosexual), vive en la miseria (tiene que trabajar de asistenta en casa de un escritor

---

[54] Hal Forster, *op. cit.,* pág. 11.

[55] *Pepi, Luci, Bom...* costó 5 ó 6 millones de pesetas y tardó más de un año y medio en rodarse. Almodóvar dice que, para hacerla, inventó «un nuevo sistema de producción: la limosna». *Que he hecho yo...* costó casi 70 millones de pesetas, y *Mujeres...* 165.

[56] Por ejemplo, el *New York Times* sobre *Que he hecho yo...*: «Simplemente una pequeña obra maestra.»

paralelo (en la persecución final) y el procedimiento de colocar a los personajes en el centro del encuadre y limitar el campo focal a sus caras para intensificar el impacto concentrado de sus emociones.

En *Matador* los colores combinan sensual y temáticamente. El rojo de la capa de María y de su lápiz de labios se repite en la capa de torero de Diego (el sexo unido a la muerte), y el color oscuro de su cabello, la palidez de sus rostros y los estampados blancos y negros de sus ropas —contrastes exagerados por la iluminación— dotan a la oposición blanco-negro de un simbolismo que sugiere misterio, algo escondido, y el lado irracional de la mente. La relación entre el sexo y la muerte que se establece en los personajes de Almodóvar continúa una tradición que, recogida por Buñuel en *Ensayo de un crimen* (1955), donde la primera experiencia sexual de Archibaldo consiste en ver las piernas desnudas de su criada muerta, se remonta a la obra de Jardiel Poncela *Eloísa está debajo de un almendro,* donde la atracción que siente la heroína por el galán se deriva de su creencia en el pasado homicida de él. En todo esto se percibe un romanticismo tenso, el inconsciente, como dijo Otto Rank (hablando de los románticos alemanes), es un elemento irracional de la naturaleza humana y se manifiesta en la tradición folklórica racial. El buen humor de Almodóvar, que deja que los personajes disfruten de esta fijación con la muerte tan española, no elimina del todo la sensación de psicosis que gravita alrededor de la película.

En *La Ley del deseo,* el deseo tiene un doble sentido. Uno es claramente sexual. En el calor sofocante del verano madrileño, un abatido director de cine, Pablo, prepara la actuación de su hermana Tina en *La voz humana,* de Cocteau, y tiene una breve aventura con el joven Antonio (Antonio Banderas) aprovechando que su amante, Juan, se ha ido a trabajar a la costa. Devorado por los celos, Antonio mata a Juan, seduce a Tina para sentirse cerca de Pablo, se atrinchera en casa de la chica, hace el amor con su hermano cuando viene a rescatarla y se pega un tiro.

La ley social queda absolutamente subvertida por el deseo sexual. Una ingeniosa *reductio ad absurdum* sexual y clara muestra, además, de reprobación de la familia y el género, es el caso de Tina, quien resulta ser, no una hermana, sino un hermano de Pablo que cambió de sexo para convertirse en la mujer de su padre. Pero más polémico aún es el intento de Almodóvar de hacer que el espectador haga suyo el deseo homosexual, para lo cual o bien fomenta la identificación con las figuras de Pablo y Antonio o bien controlando el punto de vista. La película empieza, por ejemplo, con Juan (Miguel Molina) en cuclillas, captado de atrás, masturbándose. Fuera de campo, mirando desde el punto de vista físico del espectador, un *voyeur* le observa e indica a Juan cómo debe tocarse. El homosexual así se convierte en el objeto y sujeto del deseo.

El segundo sentido que tiene el deseo en la película posee un carácter más narrativo y, como explica Stephen Neale, refiriéndose al melodrama en particular, también es doble: «el deseo de que continúe la narración está estructurado de manera que se halle en conflicto directo con un deseo de ver representada la satisfacción del deseo sexual, mientras que el deseo de que la narración acabe coherentemente está organizado de modo que se halle en conflicto con el placer del deseo en sí mismo»[57]. Tras las elegantes secuencias de Pablo escribiendo cartas de amor a Juan y de la refinada escena de cama entre Antonio y Pablo, el resto de la película es una especie de poscoito sexual y narrativo.

Desde *¿Qué he hecho yo...?*, Almodóvar ha hecho siempre una excelente taquilla, recaudándose millones de pesetas en esta película, con *Matador,* con *La Ley del deseo* y alrededor de 900 millones con *Mujeres al borde de un ataque de nervios,* la película más taquillera en la historia del cine español. Junto con Saura, es el director español más famoso del mundo. El *New York Post* calificó a *¿Qué hecho yo...?* de «extraordinaria obra maestra», y los derechos internacionales de *Mujeres* fueron adquiridos por Orion por dos millones de dólares, lo que significa que Almodóvar no tiene que preocuparse mucho por la cuestión económica a la hora de hacer su próxima película. ¿Cuál es el secreto de su éxito?

Mujeres podría darnos algunas pistas. Su punto de partida es comedia: Pepa vive en un mundo perfecto (su piso, por ejemplo, es una especie de granja urbana repleta de conejos y desde cuya terraza se divisa todo Madrid bajo un cielo azul de tarjeta postal), excepto por una cosa: los hombres abandonan a las mujeres. Y a ella la acaba de dejar Iván, su pareja con quien trabaja en unos estu-

---

[57] Steven Neale, *Genre,* pág. 30.

Mujeres al borde de un ataque de nervios, Pedro Almodóvar, 1988. Y Almodóvar al borde de una taquilla de mil millones de pesetas

dios de doblaje. Pepa pasa toda la película tratando de comunicarse con él por teléfono, principalmente desde su piso. A éste van a parar: una amiga que sale con un guapo chico que resulta ser un terrorista chiíta; la novia mandona y el hijo con frenillo de Iván, así como su loca y retrógrada mujer, que lleva veinte años encerrada en un manicomio; dos policías, y un electricista.

Sin embargo, *Mujeres...* es más que una comedia. Ha confesado Almodóvar: «En cuanto al humor, yo lo utilizo siempre, incluso en los momentos más dramáticos y es el resultado directo de mi espontaneidad que es justamente lo que a veces choca y sorprende a los demás... Lo que intuyo es que ese humor puede resultar desconcertante, al contrastar una situación dramática con otra divertida que viene inmediatamente después, sin tregua, lo cual puede dar lugar a un efecto bastante siniestro, cosa que de ser así me encantaría»[58].

Analizando los registros sociológicos y estéticos de su obra, María Antonia García de León y Teresa Maldonado llegan a descubrir una de las bases de sentido de humor de Almodóvar en el cambio de un registro a otro o en su combinación juntos en un personaje, situación o película[59].

Almodóvar, por ejemplo, mezcla lo urbano y lo rural: el piso de Pepa tiene los últimos electrodomésticos, pero su terraza parece un corral repleto con conejos. *Mujeres...* es una comedia melodramática (el enredo acumulativo en el piso) y un melodrama cómico (la persecución que termina en Barajas). Los personajes expresan sentimientos ordinarios en las situaciones más extraordinarias: lo único que quieren las mujeres de *Mujeres...* al fin y al cabo es no perder a su hombre. Almodóvar mezcla asesinatos con detergentes, gazpacho con somníferos, chiítas con andaluzas, y cuestiona arquetipos: pululan por sus pelis un peplum de

---

[58] Almodóvar parece mucho más relajado, quizá por haberles ganado la batalla a los críticos que aseguraban que no sabía dirigir películas, los cuales nunca fueron muy de su agrado. Cfr. su consejo para tener éxito como cineasta («No hay derecho», *Diario 16*): «Los críticos coinciden que es un espanto (la última película). Y esto supone la mejor publicidad. Todo el mundo va a verla; unos vomitan y otros se mean de risa.»

[59] Cfr. M. A. García de León y Teresa Maldonado, *Pedro Almodóvar, la otra España cañí*, el primer análisis crítico del cine de Almodóvar. Parte de las observaciones mías que siguen son extraídas de mi prólogo a su libro.

monjas drogadictas, punkies zarzueleras y ¡extraordinario! un taxista simpático. En una democracia consumista, Almodóvar aboga por el más descuidado de los pluralismos: el pluralismo de la imaginación.

Almodóvar no desdeña, sino diseña lo bello. En un lento *travelling* de sensualidad aterciopelada, la cámara sigue por encima del rayo de luz emitido por el proyector y acaba en la pantalla. En otros se traen a primer plano objetos de diseño como una batidora, un teléfono, un contestador, una televisión... Tales detalles no son, sin embargo, una mera decoración. *Mujeres* tiene algo que ver con *Tiempos modernos,* de Chaplin. Pepa no tiene mucha suerte con las máquinas. No acierta con el contestador cuando llama Iván y el gazpacho que prepara en la batidora con un puñado de pastillas para dormir se lo bebe la novia marimandona.

¿Qué valor tienen los sentimientos en un mundo de consumo? Para Iván, doblador profesional, las palabras de amor son objetos de consumo. Para Pepa, la heroína de Almodóvar por excelencia, los sentimientos son todo, aunque sabe que «es mucho más fácil aprender mecánica que psicología masculina. A una moto puedes llegar a conocerla a fondo, a un hombre jamás, jamás».

Tras salvar la vida de Iván, Pepa regresa a casa y se encuentra a la marimandona despertándose del sueño producido por las pastillas. «Acabo de perder la virginidad», le dice. «Mucho mejor que con un hombre», replica Pepa. Y empiezan a charlar sobre esta última experiencia mientras que la cámara se retira lentamente. Pepa es una sentimental reincidente. Y Almodóvar lo aprueba.

En una escena clave de *Entre tinieblas,* Yolanda y la Madre Superiora, que ama a Yolanda, escuchan juntas un bolero:

> *Yolanda:* Adoro toda la música que habla de los sentimientos, boleros, tangos, merengues, salsa, rancheras...
>
> *Madre Superiora:* Es que es la música que habla y dice la verdad de la vida, porque quien más quien menos, siempre ha tenido algún amor o desengaño.

En una sociedad cada vez más homogeneizada Almodóvar cuestiona y ataca los estereotipos. Y en un mundo cada vez más mecanizado les otorga a sus personajes el derecho más hermoso, el de desear.

Epílogo

Toda transición es como la vida: sólo adquiere un sentido global cuando se acaba. Normalmente, se piensa que una transición posee la estructura de un puente que se tiende sobre las aguas turbulentas del cambio para pasar de un periodo al siguiente. Pero, más que una obra de alta tecnología diseñada por la ingeniería histórica —una especie de Golden Gate tendido con premeditación histórica—, la mayoría de las transiciones son puentes de pontones que se van extendiendo hacia una orilla vaga e imprecisa al dictado de corrientes imprevistas y profundas nunca sondeadas. La mayoría de los zapadores están tan ocupados colocando cada nuevo pontón, que no tienen tiempo ni capacidad para calcular cómo afectará a los restantes.

Los cineastas españoles no tuvieron muy en cuenta el diseño global cuando colocaron los pontones de la transición del cine. Pero tenían muy buenas razones para no hacerlo. Un director de cine no es un fabricante de productos en serie. Cada película es un proyecto irrepetible, parte quizá, de una carpeta de producciones (aunque este tipo de organización es raro en España), pero concebido artísticamente como pieza única. Los cineastas españoles no han trabajado día a día, pero lo han hecho película a película.

Y un director de cine no es tampoco un político. La transición política española no ha coincidido con la cinematografía ni en la práctica ni en teoría.

En *Transitions from Authoritarian Rule,* Guillermo O'Donnell y Philippe C. Schmitter sugieren que las transiciones pasan por dos fases, una de liberalización y otra de democratización[1]. No hay duda de que las películas españolas han experimentado la primera, pero cuesta conciliar el segundo concepto con la cinematografía. ¿Cine español *del* pueblo? Pero, en 1989, las películas nacionales sólo hacen un 12 por 100 de la taquilla del país ¿Cine español hecho *por* el pueblo? Pero a los directores de cine no se les elige ni tienen que rendir cuentas a nadie (salvo a su productor). ¿Cine español *para* el pueblo? Es cierto que las películas españolas se hacen con miras a los espectadores, pero el grado exacto en que esto es así sigue siendo una cuestión muy discutible.

Los conceptos de «dictadura» y «democracia», que constituyen el punto de partida y la meta, respectivamente, de la carrera del cambio político, son normativos y generales. Se da por supuesto que todo país ha de estar gobernado democráticamente y que una dictadura afecta a todos los ciudadanos. Sin embargo, pocos cineastas se atreverían a proponer un único modelo cinematográfico para un conjunto completo de producciones.

Como observa Julio Pérez Perucha[2], los factores que determinan y articulan el cambio en el cine son múltiples: el estilo cinematográfico, una revolución de las ideas estéticas, los cambios de las infraestructuras económicas o legales, la carrera de uno o más ***auteurs,*** el contenido de las películas, la ideología o las referencias sociológicas. Ninguno de ellos parece suficiente ni necesario para decir cuándo una transición comienza, despega y acaba. ¿A cuál habría que dar preferencia? ¿Y de cuántas transiciones menores está compuesta una gran transición? ¿De tres? ¿De tres y media? ¿Por qué no? ¿Por qué?

A modo de sugerencia provisional, cabría decir que una transición significativa (se entienda lo que se entienda por esto) habría que tener: a), un rasgo significativo; b), una combinación significativa de rasgos; c), un número significativo de películas.

También con las transiciones el futuro determina el presente. El cambio cinematográfico imperante en España en 1978 podría haber conducido del cine de arte a la cinematografía radical:

[1] Guillermo O'Donnell y Philippe C. Shmitter, Transitions from Authoritarian Rule.

[2] En *El cine y la transición política española,* pág. 34.

pero ni los profesionales ni el público del país querían que fuera así. Ahora podría conducir de una cinematografía modernista a una posmodernista. Pero las bajas serían enormes para el gobierno (y las posibles bajas no quieren que ocurra eso).

Así que la transición cinematográfica «significativa» que ha triunfado en España ha sido la aparición, desarrollo y hegemonía definitiva de un cine de estilo europeo liberal.

Adoptando la metáfora del despegue, digamos que esta transición sale del hangar con *Muerte de un ciclista* (1955), chisporrotea ya por la pista de despegue con el «nuevo cine español» y se queda parada en 1969; arranca otra vez con *La prima Angélica,* se detiene un momento, toma velocidad con las películas liberales realizadas entre 1974 y 1976 y, de pronto, entre 1976 y 1977, cuando parecía carecer todavía de suficiente impulso, despega por fin. La transición cinematográfica liberal pierde altura con el cine comercial del desencanto, pero vuelve a elevarse con la llegada de los socialistas al poder y la entrada en vigor del decreto Miró para aterrizar y acabar su singular vuelo, al estrenarse la primera tanda de películas financiadas por esta legislatura, en alguna altiplanicie de la cinematografía moderna y de estilo europeo. Desde 1985, la idea de lo que supone tal estilo ha cambiado. El aeropuerto se está reestructurando, y el modelo liberal no es la única máquina del enorme hangar de metálico de la cinematografía española. No obstante, es la más importante.

La «cinematografía liberal» está muy bien, pero siempre hay que preguntar *qué* cinematografía liberal. Las películas liberales son reconocibles por sí mismas. Se las puede distinguir por su argumento (el héroe que se rebela contra una sociedad atrasada), su concepto del personaje (débil, desconfiado), su narrativa (el desarrollo de una historia que describe la evolución moral de un adolescente), su público (que se identifica con este héroe), su objeto (el entretenimiento humanístico), su ideología (el cine es arte, patrimonio nacional y creación individual e inspirada), su idealismo (se pueden obtener mayores libertades) e incluso su trasfondo (el artista luchando contra «el sistema», ya sea éste el estudio, el censor o las grandes productoras norteamericanas, que dominan el panorama cinematográfico europeo).

Pero como práctica gubernamental, la cinematografía liberal ha significado algo más, ha sentado las bases de una libertad de expresión mediante la abolición de la censura y, puesto que las películas de calidad cuestan tanto y pueden ser rechazadas por las fuerzas del mercado, ha supuesto también un cine subvencionado por el Estado.

A veces, estos dos conceptos de cinematografía liberal chirrían. Las mismas libertades fomentadas por la desaparición de la censura generaron un radicalismo político y un pluralismo cinematográfico que constituían una amenaza para las películas liberales en tanto que forma principal del cine de oposición. Irónicamente, el liberalismo económico contemplado en la supresión de la cuota de distribución efectuada por UCD en 1977 ayudó a hundir el radicalismo cinematográfico. No se puede hablar de una transición sencilla.

Los principales factores que han determinado la industria cinematográfica española no han cambiado a lo largo de su historia. Uno de ellos es el retraso relativo con que tuvo lugar la revolución industrial en España. Sin una clase media adinerada ni una sola escala social continua y perfectamente calibrada, las diferencias de clases existentes a principios de siglo adquirieron proporciones abismales. Al cabo de ochenta años, el cine español sigue alumbrado, al menos a los ojos de los observadores de *haute,* si no con focos de burdel, sí con lámparas de casa de citas: es un mundo *risqué,* licencioso, de pelanduscas. El grito de «¡mamá, quiero ser artista!» no es uno de los que más suenan en los discriminantes salones de la clase alta española.

La arraigada preferencia que muestran los españoles por el estilo norteamericano del cine de entretenimiento no es sólo el resultado de una cateta ley del doblaje, sino que se basa también en un rencor visceral contra cualquier empeño en demostrar que el cine sea más que entretenimiento superficial. ¡Maldita sea; el que quiera ilustración, *haute culture,* que se vaya a la Ópera! ¿A qué porras se creía que estaba jugando la Miró?

Así pues, el estilo liberal de cinematografía que domina ahora la producción nunca se ha popularizado realmente en España. Elías Querejeta tiene una buena anécdota que contar al respecto. Delantero de la Real Sociedad a finales de los años 50 (y muy bueno por cierto), volvió a San Sebastián al cabo de algún tiempo para recoger el premio de una de sus películas. Cuando salía del hotel María Cristina hacia el teatro Victoria Eugenia pasó por su lado un hombre ya mayor con su hijo. «¡Mira, mira», dijo el hombre, entusiasmado, a la vez que sacudía el hombro del niño. ¿Por fin disfrutaba Querejeta de un reconocimiento popular tras años y años haciendo películas? ¿La vuelta del hijo pródigo cinematográfico? «¡Mira, ese es Querejeta!», continuó el hombre, «¡el que metió el gol contra el Madrid!»[3].

Todavía subsisten en el cine español actitudes preindustriales. Tras la entrada de España en la CE en 1986, los cineastas del país contemplaron la perspectiva de competir con otros cines europeos con las mismas dudas y nerviosismo que el equipo de fútbol nacional cuando se preparaba para la final de la Copa de Europa en 1988. Su grito perenne y algo proteccionista es el de «¡más ayuda estatal!» Y en muchos casos todavía parecen estar dirigiendo sus películas, por encima de los espectadores normales, hacia una camarilla de *intelligentsia* que enseguida les hará una señal de aprobación. Como señaló el revisionista declarado Ricardo Franco: «Por aquellos años (los 60), me interesaba más lo que yo pensaba que los gustos del público.» Su caso no ha sido el único[4].

No obstante, en realidad no es a los cineastas españoles a quienes se debe culpar de haber estropeado el negocio con su timidez comercial. El segundo factor determinante de la historia del cine español ha sido el hecho de que no haya existido nunca un mercado en el que los cineastas pudieran pujar. Para hacer *Un perro andaluz,* Buñuel tuvo que irse a París y pedirle el dinero a mamá. Y para cortar *Tierra sin pan* utilizó la mesa de la cocina. *Plus ça change...* En 1988, la población de España apenas supera la modesta cifra de 38 millones de habitantes. Sobre esta base demográfica a duras penas puede levantarse una industria algo más que modesta. Incluso el consumo que se hace en España de películas norteamericanas (49,4 millones de dólares en ventas en 1987) está muy por debajo del que se hace en Francia (138,1 mi-

---

[3] En una conversación con el autor, Londres, 1985.

[4] *Cinevídeo 20,* núm. 41, abril de 1988. Siendo la mayoría de los directores en España *niños bien* están acostumbrados a recibir dinero de papá, sea su padre o el estado. De allí su espeluznante falta de interés en contactar con mercados o en el marketing. Las excepciones suelen ser de orígenes sociales más humildes: Vicente Gómez, Trueba, Almodóvar.

llones), en Alemania (98 millones) e, incluso, en Italia (70,4 millones). A pesar del vertiginoso aumento de los presupuestos —hasta una media de 126 millones de pesetas en 1987 para el cine subvencionado—, contemplada con el catalejo europeo, la producción española todavía está en pañales. En 1988, la definición de una película de arte europea de bajo presupuesto elaborada por el programa M. E. D. I. A. de la CEE se fija en los 2,7 millones de dólares. ¿Qué definición cabría aplicar a la producción cinematográfica española cuando se puede dar por contenta con tener tres películas al año con presupuestos superiores a dicha cifra?

El Centro del Porno Duro de Madrid (antaño el cine Arniches) intentó vender *Frente al mar* (Gonzalo Garciapelayo) sorteando un viaje entre los espectadores que permitiría al afortunado ganador y a su pareja hacer *swinging* en Mallorca con los actores de la película. «Junto a la pareja protagonista vivirán horas de placer y recibirán una introducción a la psicodinámica del sexo» que culminará con una visita a «la mansión del famoso sexólogo Julian Edwards, en cuyas dependencias se mantendrá una charla informal sobre diferentes aspectos del sexo —teoría y práctica»[5]. Éste no es más que un ejemplo extremo. Desde los años 40 el cine español ha tenido que apelar a factores extremos más que a su encanto innato, para atraer. Ha sido la chica fea de los artistas españoles. La búsqueda de gancho ha hecho que las películas españolas sean a menudo adaptaciones de novelas famosas u obras de teatro de éxito reconocido, meros medios de conseguir licencias de importación o para satisfacer cuotas de distribución; o el hecho de verlas se consideró como un acto de oposición a Franco. La estrategia comercial de bastantes películas de la oposición ha sido (inconscientemente) no tanto «el pueblo, unido, jamás será vencido», como, «el pueblo, unido, resulta más sufrido».

Sin embargo, el uso de tales estrategias ha sido como jugar con fuego. Como señala Juan Benet en *En ciernes:*

> En cambio, la literatura no perdona: evoluciona por distintos caminos que la sociedad; tiene sus propios dioses y cultos y nada le gusta menos que sus oficios rituales se utilicen

[5] Citado en *Contracampo,* núm. 6, pág. 5.

> con otros fines que los meramente literarios; la dama blanca es bastante rencorosa y tarde o temprano cobra su venganza sobre aquellos que dicen amarla o rendirle culto, pero que en realidad tienen sus pensamientos puestos en otra diosa[6].

La diosa blanca tampoco perdona las faltas de los cineastas. Si hay una tradición cinematográfica española ampliamente aceptada en el extrajero es la de los cineastas españoles como miembros clave de un frente antifranquista. Tal tradición murió en casi todas partes a la vez que Franco. Así que los cineastas españoles han perdido su mayor factor de venta internacional justo en la década en que cabía esperar que hiciesen por primera vez una buena venta en ese mercado. La diosa blanca debe de estar sonriéndose.

¿De dónde viene el dinero? Ésa es la principal cuestión que se les plantea ahora a las industrias nacionales. En el caso de España, no hay muchas respuestas seguras que dar. ¿De ventas en el extranjero? El ICAA tiene todavía que pasar de sus valientes semanas de cine español a una importante red de distribución internacional. ¿De la inversión extranjera? ¡Por favor...! ¿De los *tax breaks*? En España no hay ninguno. ¿De los acuerdos con los distribuidores de vídeo? Todavía no son lo suficientemente importantes como para entrar en los cálculos iniciales de financiación de un productor. ¿De los créditos bancarios? Normalmente el crédito se concede con intereses altos (14 %). Y la televisión privada está todavía para 1990. Por consiguiente, *faute de mieux*, el futuro inmediato del cine español lo decidirán sus dueños políticos: el ICAA, y (cada vez más) TVE y las televisiones autonómicas.

Pero, valiéndose del *bon mot* de Fernando Méndez-Leite, la ayuda estatal no es un chicle que se pueda estirar indefinidamente. Para las productoras ambiciosas, el presente mercado doméstico español no permite montar más que proyectos pequeños. Varias son las estrategias de financiación que podrían adoptar las empresas cinematográficas emprendedoras: la producción de varias películas a la vez para mitigar riesgos; los acuerdos de distribución mutua entre productoras de varios países, y la integra-

[6] Juan Benet, *En ciernes*, Madrid, Taurus Ediciones, 1976, pág. 101.

ción vertical, que supone dar a una empresa el control general en la producción, la distribución y la exhibición[7].

Las empresas con ánimos de progreso, ya sean productoras cinematográficas o futuras televisiones privadas de España, es muy posible que no tengan más remedio que formar grupos de independientes —que es lo que hacen las televisiones catalana, gallega y vasca cuando adquieren un producto—, o apoyarse en bases de capital sólidas fuera de España. La facilidad con que Robert Maxwell y el Canal Plus han comprado un alto porcentaje de la primera televisión privada del país, el Canal 10, indica que este último camino puede resultar muy peligroso. Lo que los cineastas españoles ganen en seguridad industrial lo pueden perder en independencia cultural, dado el proceso de homogeneización que ha de sufrir por fuerza la producción para satisfacer la demanda de un público cada vez más homogeneizado. Cutre, aburrida e ineficaz, la cinematografía española ha estado caracterizada, no obstante, por películas que no son meros productos de consumo. Y su punzante particularidad cultural ha formado parte de la rica polisemia artística de Europa. Tales tradiciones son ahora especies en peligro de extinción[8]. Es necesario buscar criterios y métodos de evaluación con los que poder llevar un control de lo que está convirtiéndose a pasos agigantados en una cultura cinematográfica basada principalmente en la televisión. Mientras escribo estas páginas, los promotores de tal transición están trazando el mapa de la futura industria televisiva europea

---

[7] Futuras estrategias de financiación evaluadas por John Hazleton y Nick Roddick, en «Time for Togetherness», en un expediente sobre financiación cinematográfica, *Screen International,* 14-28 de mayo de 1988.

[8] «Igualar modernización a americanización y viceversa puede ser el último prejuicio eurocéntrico», ha observado muy sabiamente Susan Sontag («Una idea cierta idea de Europa», *El Europeo,* núm. 1, mayo de 1988, págs. 42-45). La ley de televisiones privadas del gobierno, aprobada en mayo de 1988, limita la inversión extranjera al 25 por 100 del total invertido en los futuros canales de televisión. Sin embargo, en vista de la falta de producción televisiva independiente en España, el mínimo del 15 por 100 señalado para la producción propia amenaza con provocar una inundación de programas concurso y seriales baratos procedentes de Latinoamérica y Europa. Dada la uniformidad casi absoluta de tales productos internacionales, la cuestión de cuál es el país de origen de los mismos o de quién es el verdadero dueño de las televisiones privadas en España no parece que tenga demasiada importancia.

con la misma impunidad con que las grandes potencias fijaron una vez las fronteras del Viejo Continente. Esta demostración de poder es una cuestión que no compite solamente a los gobiernos. Esas redes de televisión representan el futuro del film, ya sea éste, el vídeo o el celuloide[9], la producción o la exhibición, los largometrajes o los *clips,* los anuncios comerciales, las fotonovelas o los programas concurso. Para la mayoría de los nuevos europeos, el futuro del film es el futuro de su cultura, ya que, prácticamente, es el film la única cultura que resta[10].

[9] Para una introducción esencial al vídeo en España, véase «Un acercamiento al vídeo de creación en España», Manuel Palacio, 1.ª Mostra de Vídeo de Valencia, Els Quaderns de la Mostra, 9, 1987, págs. 9-20.

[10] Cfr. un excelente panorama de quién está comprando televisiones en Europa. William Fisher, «Passing Go: Europe's Media Moguls Play Monopoly», *Sight and Sound,* invierno 1988/89, vol. 58 núm. 1.

Diccionario de directores

ALMODÓVAR, Pedro

Nacido en Calzada de Calatrava (Ciudad Real) en 1949. Actor en compañías de vanguardia. Realizador de películas en Super-8 desde 1974, entre las que figuran los cortos *Dos putas, o Historia de amor que termina en boda* (1974), *La caída de Sodoma* (1975) y *El sueño* (1976); ha hecho también *trailers* burlescos y publicidad en *Complementos* (1977) y el largo *Folle, folle, fólleme, Tim* (1978). En 1985 realizó un mediometraje para televisión, *Trayler para amantes de lo prohibido.*

Filmografía: *Salomé* (16 mm, corto, 1978), *Pepi, Luci, Bom y otras chicas del montón* (1980), *Laberinto de pasiones* (1982), *Entre tinieblas* (1983), *¿Qué he hecho yo para merecer esto?* (1984), *Matador* (1986), *La ley del deseo* (1987), Mujeres al borde de un ataque de nervios (1988) y *Átame* (1989).

ARANDA, Vicente

Nacido en Barcelona en 1926. Vivió en Venezuela de 1952 a 1959. Formó su propia productora en Barcelona en 1964. Miembro central, aunque escéptico, de la Escuela de Barcelona. Desde *Cambio de sexo,* trabajó en estrecha colaboración con Carlos Durán.

Filmografía: *Brillante porvenir* (con Román Gubern, 1964), *Fata Morgana* (1966), *Las crueles* (1969), *La novia ensangrentada* (1972), *Clara es el precio* (1974), *Cambio de sexo* (1977), *La muchacha de las bragas de oro* (1980), *Asesinato en el comité central* (1982), *Fanny Pelopaja* (1984), *Tiempo de silencio* (1986), *El Lute* («Camina o revienta», 1987), *El Lute II* («Mañana seré libre», 1988) y *Si te dicen que caí* (1989).

ARMENDÁRIZ, Montxo

Nacido en Olleta (Navarra) en 1949. Profesor de electrónica en la escuela politécnica de Pamplona. Ha hecho cortos sobre temas navarros, como, por ejemplo, *Rivera navarra* (estrenado como Ikuska 11) y *Nafarroako ikaskinak* («Carboneros de Navarra», 1984). Recientemente ha trabajado en estrecha colaboración con el productor Elías Querejeta.

FILMOGRAFÍA: *Tasio* (1984) y *27 horas* (1986).

ARMIÑÁN, Jaime de

Nacido en Madrid en 1927. Miembro de una conocida familia de escritores y políticos. Prolífico director y guionista de televisión, incluyendo la notable serie *Juncal* (1989). Entre sus guiones figuran *El secreto de Mónica* (José María Forqué, 1961), *La becerrada* (Forqué, 1962), *Sólo para dos* (Luis Lucia, 1968) y *El Bengador Gusticiero y su pastelera madre* (Forges, 1976).

FILMOGRAFÍA: *Carola de día, Carola de noche* (1969), *La Lola dicen que no vive sola* (1970), *Mi querida señorita* (1971), *Un casto varón español* (1973), *El amor del capitán Brando* (1974), *¡Jo, papá!* (1975), *Nunca es tarde* (1977), *Al servicio de la mujer española* (1978), *El nido* (1980), *En septiembre* (1981), *Stico* (1984), *La hora bruja* (1985) y *Mi general* (1987).

BARDEM, Juan Antonio

Nacido en Madrid en 1922. Hijo del actor Rafael Bardem y de la actriz Matilde Muñoz Sampedro. Miembro del PCE desde 1943. Detenido por la policía en diversas ocasiones y encarcelado en 1976. Ingresó en el IIEC en 1947. Destacada figura de las Conversaciones de Salamanca. Presidente del UNINCI. Presidente del sindicato de directores españoles, ASDREC. Tras la indiferente acogida que dio la crítica a *Siete días de enero,* Bardem fue incapaz de emprender nuevos proyectos con ningún productor español y se vio obligado a trabajar en el extranjero. Volvió a ocupar un lugar destacado en la cinematografía española cuando dirigió *Lorca, muerte de un poeta.*

FILMOGRAFÍA: *Esa pareja feliz* (con Berlanga, 1951), *Cómicos* (1953), *Felices pascuas* (1954), *Muerte de un ciclista* (1955), *Calle Mayor* (1956), *La venganza* (1957), *Sonatas* (1959), *A las cinco de la tarde* (1960), *Los inocentes* (1962), *Nunca pasa nada* (1963), *Los pianos mecánicos* (1965), *El último de la guerra* (1968), *Varietés* (1970), *La isla misteriosa* (1971), *La corrupción de Chris Miller* (1972), *El poder del deseo* (1975), *El puente* (1976), *Siete días de enero* (1978), *La advertencia* (1982, realizada en Bulgaria) y *Lorca, muerte de un poeta* (serie de televisión y película, 1987).

BELLMUNT, Francesc

Nacido en Sabadell (Barcelona) en 1947. Dirigió varios cortos, a manera de respuesta aislada de Barcelona al Cine Independiente de Madrid, entre los que figuran *Catherine* (1970), *Semejante a Pedro* (1971) y *La mano de Belgrado* (1971). Ha realizado también *La Tonra,* (1977), filmación de una representación del grupo de teatro Els Joglars, así como varios vídeos, cortos industriales y cuatro Noticiari de Barcelona: *C.O.P.E.L. presos en lluita* (1977), *Les festes de la Merce, Vaga de Gasoliners* (1978) y *Port de pescadors de Barcelona* (1979).

FILMOGRAFÍA: *Pastel de sangre* (1972, un episodio), *Robin Hood nunca muere* (1974), *La Nova Cançó* (1976), *Canet Rock* (1976), *L'orgia* (1978), *Salut i força al canut* (1979), *La quinta del porro* (1980), *Pa d'angel* (1984), *Un par de huevos* (1985), *La radio folla* (1986), *El complot de los anillos* (1988) y *Un negro con un saxo* (1988). *No sé qué tiene* (en rodaje).

BERLANGA, Luis

Nacido en Valencia en 1921. Encargado del botiquín en la retaguardia republicana durante la guerra civil y voluntario de la División Azul. Alumno del IIEC de 1947 a 1950. Colaboró con Bardem (en los guiones de *Esa pareja feliz* y *Bienvenido, Mr. Marshall),* Miguel Miura, Edgar Neville y Rafael Azcona (a partir de 1959, cuando escribieron el guión de *Se vende un tranvía,* película de medio metraje, en cuya dirección también participó). Profesor de la EOC. Presidente de la Filmoteca Nacional. Lúcida autoridad en cine durante el franquismo y, desde *La escopeta nacional,* el director más firmemente popular de España. Editor de una colección de literatura erótica, *La sonrisa vertical,* y co-presentador de un programa de radio sobre erotismo. Ganador del premio Príncipe de Asturias y miembro de la Academia de Bellas Artes.

FILMOGRAFÍA: *Esa pareja feliz* (con Bardem, 1951), *Bienvenido, Mr. Marshall* (1952), *Novio a la vista* (1953), *Calabuch* (1956), *Los jueves, milagro* (1957), *Plácido* (1961), *Las cuatro verdades* (el episodio «La muerte y el leñador», 1962), *El verdugo* (1964), *La boutique* (en Argentina, 1967), *¡Vi-*

van los novios! (1969), *Tamaño natural* (rodada en Francia, 1973), *La escopeta nacional* (1977), *Patrimonio nacional* (1980), *Nacional III* (1982), *La vaquilla* (1985) y *Moros y cristianos* (1988).

BETRIU, Francesc

Nacido en Orgaño (Lérida) en 1940. Fue director de teatro haciendo el servicio militar en África. Alumno de la EOC. Numerosos proyectos frustrados, entre los que figura una película (prohibida por Fraga) sobre la visita a España de los Beatles. Creador de la productora Inscram, entre cuyos cortos de ficción figuran *¿Qué se puede hacer con una chica?* (1969), de Drove; *El último día de la humanidad* (1969), de Gutiérrez Aragón; *Gente de metro* y *Gente de baile* (1969), de Carlos Morales, y *Gente de mesón* (1969), del propio Betriu. Su corto *Bolero de amor* (1970) fue en un principio un proyecto de Inscram. Trabajó en la redacción del Noticiari de Barcelona. Produjo *Los fieles sirvientes* en la cooperativa Cop-Nou.

FILMOGRAFÍA: *Corazón solitario* (1972), *Furia española* (1974), *La viuda andaluza* (1976), *Los fieles sirvientes* (1980), *La Plaça del Diamant* (1982), *Réquiem por un campesino español* (1985) y *Sinatra* (1988).

BIGAS LUNA, José Juan

Nacido en Barcelona en 1946. Trabajó en el campo del diseño gráfico hasta 1970. Realizó numerosos cortos entre 1972 y 1976. Escritor de relatos de ficción, *Bilbao* y *Caniche* están basadas en obras suyas. Presidente del Col-legi de Directors de Cinema de Catalunya.

FILMOGRAFÍA: *Tatuaje* (1976), *Bilbao* (1978), *Caniche* (1979), *Renacer* (realizada en EE.UU., 1981), *Lola* (1986) y *Angustia* (1987).

BODEGAS, Roberto

Nacido en Madrid en 1933. Inició su carrera trabajando de ayudante de dirección en Francia. Escribió el guión de la película de Christian de Chalonge *O Salto* (1969). Productor de *Picasso,* de Rossif, y de *Siete días de enero,* de Bardem. Militante del PCE. Ayudante de dirección de la película de Garci ganadora de un Óscar *Volver a empezar.*

FILMOGRAFÍA: *Españolas en París* (1970), *Vida conyugal sana* (1973), *Los nuevos españoles* (1974), *La adúltera* (1975), *Libertad provisional* (1976), *Corazón de papel* (1982) y *Matar al Nani* (1987).

BORAU, José Luis

Nacido en Zaragoza en 1929. Crítico de cine de *El Heraldo de Aragón.* Alumno del IIEC de 1957 a 1960, donde se licenció con *El río* (1960). Profesor de la EOC. Produjo películas de Zulueta, Chávarri, Armiñán, Gutiérrez Aragón (*Camada negra*) y el norteamericano Ray Rivas (*El monosabio,* 1977). Ganó la Concha de Oro en el Festival de Cine de San Sebastián de 1975 con *Furtivos.*

FILMOGRAFÍA: *Brandy* (1964), *Crimen de doble filo* (1965), *Hay que matar a B* (1974), *Furtivos* (1975), *La Sabina* (1979), *Río abajo/On the Line* (realizada en EE.UU., 1984) y *Tata mía* (1986).

BUÑUEL, Luis

Nacido en Calanda (Teruel) en 1900, muerto en 1983 en Méjico. Vivió en París, de 1925 a 1930; en Hollywood, de 1930 a 1931; en España, de 1931 a 1933; en París nuevamente, de 1933 a 1934; otra vez en España, a partir de 1934, donde dobló películas para la Warner Bros y trabajó como productor jefe de Filmófono; en París de nuevo, de 1936 a 1937, trabajando para la República española, y en EE.UU., de 1938 a 1946. En 1946 fijó su residencia en México y realizó frecuentes visitas a España desde los años 60. Después de *Ese oscuro objeto del deseo,* escribió el guión de *Agon* o *Haga la guerra y no el amor,* que iba a ser una coproducción franco-española, pero que se pospuso debido a la mala salud de Buñuel.

FILMOGRAFÍA ESPAÑOLA: *Tierra sin pan* (1932), *Don Quintín el amargao* (1935, codirigida con Luis Marquina), *La hija de Juan Simón* (1935, codirigida por él), *¡Centinela alerta!* (1935, dirigió algunas escenas), *Viridiana* (1961), *Tristana* (1970), *Ese oscuro objeto del deseo* (1977, coproducción hispano-francesa, aunque la aportación española fue mínima).

CAMUS, Mario

Nacido en Santander en 1935. Alumno del IIEC de 1957 a 1962, licenciándose con *El borracho.* Trabajó con Saura en los guiones de *Los golfos, Llanto por un bandido* y *Muere una mujer.* Director de televisión desde 1968. Colaboró en el guión de la película de Pilar Miró *Werther.*

FILMOGRAFÍA: *Los farsantes* (1963), *Young Sánchez* (1963), *Muere una mujer* (1964), *La visita que no tocó el timbre* (1965), *Con el viento solano* (1965), *Cuando tú no estás* (1966), *Volver a vivir* (1966), *Al ponerse el sol (1968), Digan lo que digan* (1968), *Esa mujer* (1969), *La cólera del viento* (1970), *Los pájaros de Baden-Baden* (1975), *La joven casada* (1975), *Los días del pasado* (1977), *La colmena* (1982), *Los santos inocentes* (1984), *La vieja música* (1985), *La casa de Bernarda Alba* (1986) y *La rusa* (1987).

COLOMO, Fernando

Nacido en Madrid en 1946. Fue el último alumno de la EOC, graduándose en decoración. Productor (del corto *Lola, Paz y yo,* Miguel Ángel Díes, 1974), co-guionista (de *De fresa, limón y menta,* Díez, 1977) y director (de cortos como *En un París imaginario,* 1975, y *Pomporrutas imperiales,* 1976). Fundador de la compañía cinematográfica La Salamandra y productor de la película de Trueba *Ópera prima.*

FILMOGRAFÍA: *Tigres de papel* (1977), *¿Qué hace una chica como tú en un sitio como éste?* (1978), *Cuentos eróticos* (el episodio «Köñensonatten», 1979), *La mano negra* (1980), *Estoy en crisis* (1982), *La línea del cielo* (1983), *El caballero del dragón* (1985), *La vida alegre* (1987), *Miss Caribe* (1988) y *Bajarse al moro* (1989).

CHÁVARRI, Jaime

Nacido en Madrid en 1943. Alumno de la EOC de 1968 a 1979. Realizó diversos cortos, entre los que figuran *Blanche Perkins o vida atormentada* (1964), *El cuarto sobre el jardín* (1966) y *Estado de sitio* (1970). Entre sus películas en Super-8 figuran *Run, Blancanieves, Run* (1967) y *Ginebra en los infiernos* (1969). Crítico de cine (en *Film Ideal),* diseñador de decorados (por ejemplo, en *El espíritu de la colmena),* ayudante de dirección (en *Me enveneno de azules,* de Regueiro) y director de televisión (en adaptaciones de obras de Carroll y Wilde, y en la película de 16 mm., *Luis y Virginia,* 1982). Es también actor, destacándose como tal en *¿Qué he hecho yo para* *merecer esto?*, y guionista, de películas como *Un, dos, tres... al escondite inglés.*

FILMOGRAFÍA: *Pastel de sangre* (1971, un episodio), *Los viajes escolares* (1974), *El desencanto* (1976), *A un dios desconocido* (1977), *Cuentos eróticos* (un episodio: «El pequeño planeta», 1979), *Cuentos para una escapada* (un episodio: «La mujer sorda», 1979), *Dedicatoria* (1980), *Bearn o la sala de las muñecas* (1983), *Las bicicletas son para el verano* (1984), *El río de oro* (1986) y *Las cosas del querer* (1989).

DE LA IGLESIA, Eloy

Nacido en Zarauz (Guipúzcoa) en 1944. Dirigió el Teatro Popular Infantil antes de trabajar en TVE en una serie de películas sobre cuentos infantiles. Miembro del PCE.

FILMOGRAFÍA: *Fantasía... 3* (1966), *Algo amargo en la boca* (1967), *Cuadrilátero* (1969), *El techo de cristal* (1971), *La semana del asesino* (1972), *Nadie oyó gritar* (1972), *Una gota de sangre para dormir amando* (1973), *La otra alcoba* (1975), *Los placeres ocultos* (1976), *La criatura* (1977), *El sacerdote* (1977), *El diputado* (1978), *Miedo a salir de noche* (1979), *Navajeros* (1980), *La mujer del ministro* (1981), *Colegas* (1982), *El pico* (1983), *El pico II* (1984), *Otra vuelta de tuerca* (1985) y *La estanquera de Vallecas* (1987).

DROVE, Antonio

Nacido en Madrid en 1942. Licenciado en la EOC con la película prohibida *La caza de brujas* (1968). Realizó el mediometraje *¿Qué se puede hacer con una chica?* (1969). Escribió el guión de la producción de Camus para televisión *La leyenda del Alcalde de Zalamea* (1972) y colaboró en el de *Hay que matar a B* (1974), de Borau. Ha dirigido también programas dramáticos para televisión.

FILMOGRAFÍA: *Tocata y fuga de Lolita* (1974), *Mi mujer es muy decente dentro de lo que cabe* (1974), *Nosotros que fuimos tan felices* (1976), *La verdad sobre el caso Savolta* (1978) y *El túnel* (1988).

ERICE, Víctor

Nacido en San Sebastián en 1940. En 1960 ingresó en el IIEC, donde hizo los cortos en 66 mm, *En la terraza* (1961), *Entrevías* (1961) y *Páginas de un diario* (1962). Se licenció en 1963 con *Los días perdidos* (35 mm). Colaboró con las revistas *Cuadernos de Arte y Pensamiento* y *Nuestro cine,* y en los guiones de *El próximo otoño* (Anxón Eceiza, 1963) y *Oscuros sueños de otoño* (Miguel Picazo, 1967). En los años 70 y trabajó en publicidad.

FILMOGRAFÍA: *Los desafíos* (1969, un episodio), *El espíritu de la colmena* (1973) y *El sur* (1983).

FERNÁN-GÓMEZ, Fernando

Nacido en Lima, Perú, en 1921. Residente en España desde los tres años. La guerra civil interrumpió sus estudios y decidió hacerse actor. En 1984 había actuado ya en al menos 138 películas, ganándo el Premio al Mejor Actor del Festival de Berlín por *El anacoreta* (Juan Estelrich, 1976) y por *Stico* (Jaime de Armiñán, 1984). Novelista (*El vendedor de naranjas* es una sátira sobre el negocio del cine en España), dramaturgo (su obra *Las bicicletas son para el verano* ganó el premio Lope de Vega en 1977), director de teatro, poeta, columnista y director de televisión.

FILMOGRAFÍA (como director): *Manicomio* (1952, con L. M. Delgado), *El mensaje* (1953), *El malvado Carabel* (1955), *La vida por delante* (1958), *La vida alrededor* (1959), *Sólo para hombres* (1960), *La venganza de don Mendo* (1961), *El mundo sigue* (1963), *El extraño viaje* (1964), *Los palomos* (1964), *Ninette y un señor de Murcia* (1965), *Mayores sin reparos* (1966), *Cómo casarse en 7 días* (1969), *Crimen imperfecto* (1970), *Yo la vi primero* (1974), *La querida* (1975), *Bruja, más que bruja* (1976), *Mi hija Hildegart* (1977), *Cinco tenedores* (1979), *Mambrú se fue a la guerra* (1986), *Viaje a ninguna parte* (1986) y *El mar y el tiempo* (1989).

FRANCO, Ricardo

Nacido en Madrid en 1949. Fue ayudante de dirección de su tío Jesús Franco. En 1969 formó Búho Films, que produjo varios cortos de Martínez-Lázaro y el propio Franco. Ganador del primer premio del Festival de Cine de Benalmádena por el corto *Gospel* (1969). Encarcelado al año siguiente por un incidente político ocurrido en ese mismo festival.

Ballenero, actor y reportero de RTVE en Africa, a principios de los años 80 pasó mucho tiempo desarrollando *El sueño de Tánger*. Ha dirigido para televisión.

FILMOGRAFÍA: *El desastre de Annual* (1970), *Los crímenes de la tita María* (inacabada, 1972), *El increíble aumento del coste de la vida* (corto, 1974), *Pascual Duarte* (1975), *Los restos del naufragio* (1978), *San Judas de la Frontera* (hecha en México, 1984), *El sueño de Tánger* (1985) y *Berlín Blues* (1988).

GARCI, José Luis

Nacido en Madrid en 1944. Crítico de cine para *Signo, Aún* y *Cinestudio,* y jefe de redacción de *Reseña* y *Revista SP*. Escritor *(Ray Bradbury, humanista del futuro, Cine de ciencia-ficción* y *La Gioconda está triste)*. Desde 1970, co-guionista para el productor José Luis Dibildos. Escribió el guión del famoso corto realizado por Antonio Mercero para televisión *La cabina* (1972), que ganó un premio Emmy. Entre sus cortos figuran *Al fútbol, Mi Marilyn* y *Tiempo de gente acobardada,* realizados todos ellos en 1975. En 1983 ganó el Óscar a la mejor película extranjera con *Volver a empezar*.

FILMOGRAFÍA: *Asignatura pendiente* (1977), *Solos en la madrugada* (1978), *Las verdes praderas* (1979), *El crack* (1980), *Volver a empezar* (1982), *El crack II* (1983), *Sesión continua* (1984) y *Asignatura aprobada* (1987).

GARCÍA SÁNCHEZ, José Luis

Nacido en Salamanca en 1941. Alumno de la EOC y militante del PCE. Trabajó en Inscram y ayudó a Patino en *Canciones para después de una guerra*. Colaboró en el guión de *Corazón solitario* y *Furia española,* de Betriu; en el de *Habla mudita,* de Gutiérrez Aragón, y en el de *Queridísimos verdugos,* de Patino. Prolífico escritor de cuentos para niños y autor de guiones para televisión. *Las truchas* compartió el Oso de Oro en el Festival de Cine de Berlín de 1978.

FILMOGRAFÍA: *El love feroz* (1972), *Colorín colorado* (1976), *Las truchas* (1977), *Cuentos para una escapada (el episodio «Un regalo multicolor», 1979), Dolores* (1980), *La corte del Faraón* (1985), *Hay que deshacer la casa* (1986), *Pasodoble* (1988) y *El vuelo de la paloma* (1989).

GUTIÉRREZ ARAGÓN, Manuel

Nacido en Torrelavega (Santander) en 1942. Militante del PCE de 1962 a 1977. Alumno de la EOC de 1962 a 1970. Se licenció con *Hansel y Gretel* (1970), habiendo hecho ya *El último día de la humanidad* (1969) para Inscram. Colaboró en los guiones de *El love feroz,* de García Sánchez; *Corazón solitario,* de Betriu; *Furtivos,* de Borau; *Las largas vacaciones del 36,* de Camino; *Las truchas,* de García Sánchez, y el serial de TVE *Los pazos de Ulloa* (Gonzalo Suárez, 1985). Desde *El corazón del bosque* ha trabajado con el productor y co-guionista Luis Megino (excepto en *Feroz,* que fue producida y escrita conjuntamente con él por Elías Querejeta). Ha ganado numerosos premios internacionales, entre los que figura el de dirección del Festival de Cine de Berlín de 1979 por *Camada negra.*

FILMOGRAFÍA: *Habla, mudita* (1973), *Camada negra* (1977), *Sonámbulos* (1977), *El corazón del bosque* (1978), *Cuentos para una escapada* (el episodio «Prueba para niños», 1979), *Maravillas* (1980), *Demonios en el jardín* (1982), *Feroz* (1984), *La noche más hermosa* (1984), *La mitad del cielo* (1986) y *Malaventura* (1988).

HERRALDE, Gonzalo

Nacido en Barcelona en 1949. Tras estudiar arte dramático, hizo su primer corto, *El cartel* (1970), y produjo varios más.

FILMOGRAFÍA: *La muerte del escorpión* (1975), *Raza, el espíritu de Franco* (1977), *El asesino de Pedralbes, Vértigo en Manhattan/Jet Lag* (realizada en EE.UU., 1980), *Últimas tardes con Teresa* (1984) y *Laura* (1987).

MARTÍNEZ-LÁZARO, Emilio

Nacido en Madrid en 1945. Crítico de cine para *Griffith y Nuestro cine.* Como miembro del cine independiente de Madrid, rodó el corto de 16 mm. *El camino al cielo* y el mediometraje de 16 mm *Amo mi cama rica.* Co-guionista de *Pascual Duarte.* Desde 1976, ha combinado una versátil carrera cinematográfica con una amplia obra para televisión, en la que figura un largometraje *Todo va mal* (1984). *Las palabras de Max* compartió el Oso de Oro de Berlín en 1978.

FILMOGRAFÍA: *Pastel de sangre* (el episodio «Víctor Frankenstein», 1971),

Las palabras de Max (1976), *Sus años dorados* (1980), *Lulú de noche* (1985) y *El juego más divertido* (1988).

MIRA, Carles

Nacido en Valencia en 1947. Alumno de la EOC. Ayudante de José Luis Gómez en varias producciones teatrales. Entre sus cortos figuran el documental ecológico *Biotopo* (1974), *Michana* (1974) y *Viure sense viure*.

FILMOGRAFÍA: *La portentosa vida del padre Vicente* (1978), *Cuentos para una escapada* (el episodio «Recuerdos del mar», 1979), *Con el culo al aire* (1980), *Jalea real* (1981), *Que nos quiten lo bailao* (1983), *Karnabal* (1985), *Daniya* (1988) y *El rey del mambo* (1989).

MIRÓ, Pilar

Nacida en Madrid en 1940. Trabajó en TVE desde 1960 y fue la primera realizadora en TVE, con el programa *Revista para la mujer* (1963). A partir de entonces fue una prolífica realizadora de televisión, especializándose en dramas y adaptaciones literarias. Se licenció en la EOC en 1968 con un diploma en guiones, que es lo que enseñó más tarde en la Escuela de Cine. Entre sus guiones figuran el de *La niña de luto* (Manuel Summers, 1964), que escribió conjuntamente con el director, y el de *El juego de la oca* (1964). Fue directora general de Cinematografía entre 1982 y 1986, dimitiendo del cargo para preparar una película basada en el *Werther* de Goethe. Entre 1986 y 1989 es directora general de RTVE.

FILMOGRAFÍA: *La petición* (1976), *El crimen de Cuenca* (1979), *Gary Cooper que estás en los cielos* (1980), *Hablemos esta noche* (1982) y *Werther* (1986).

MOLINA, Josefina

Nacida en Córdoba en 1936. Primera mujer que se licenció con un diploma en dirección en la EOC. Dirigió numerosas obras dramáticas de televisión, en especial la serie *Teresa de Jesús*. Es también directora de teatro.

Filmografía: *Vera..., un cuento cruel* (1973), *Cuentos eróticos* (el episodio «La tila», 1979), *Función de noche* (1981) y *Esquilache* (1989).

OLEA, Pedro

Nacido en Bilbao en 1938. Alumno de la EOC, licenciándose con *Anabel.* Crítico para *Nuestro cine.* Trabajó en publicidad. Ha trabajado para TVE haciendo documentales sobre las regiones de España (por ejemplo, *La ría de Bilbao),* obras dramáticas y programas de música *pop (Último grito).* Productor de algunas de sus propias películas.

Filmografía: *Días de viejo color* (1967), *Juan Junior en un mundo diferente* (1969), *El bosque del lobo* (1970), *La casa sin fronteras* (1972), *No es bueno que el hombre esté solo* (1973), *Tormento* (1974), *¡Pim, pam, pum... fuego!* (1975), *La Corea* (1976), *Un hombre llamado «Flor de otoño»* (1977), *Akelarre* (1984), *Bandera negra* (1986) y *La leyenda del cura de Bargota* (1989).

PATINO, Basilio M.

Nacido en Lumbrales (Salamanca) en 1930. Fundador del Cineclub de la Universidad de Salamanca que ayudó a organizar las Conversaciones de Salamanca. Crítico de cine en *Cinema Universitario.* Licenciado en el IIEC en 1961 con *Tarde de domingo.* Hizo anuncios publicitarios y dos cortos documentales, *El noveno* y *Torerillos.* Su único trabajo para televisión, una adaptación de *Rinconete y Cortadillo,* fue prohibido por motivos políticos. Desde 1975, ha trabajado en publicidad y haciendo documentales en vídeo.

Filmografía: *Nueve cartas a Berta* (1965), *Del amor y otras soledades* (1969), *Canciones para después de una guerra* (1971), *Queridísimos verdugos* (1973), *Caudillo* (1975), *Los paraísos perdidos* (1985) y *Madrid* (1985).

REGUEIRO, Francisco

Nacido en Valladolid en 1934. Jugador de fútbol, periodista, realizador de dibujos animados, escritor. Se licenció en el IIEC con *Sor Angelina, virgen* (1961). Entre sus trabajos para televisión destaca *La niña que se convirtió en rata.* Desde 1975, sus proyectos fueron rechazados repetidas veces por los productores; pero continuó escribiendo guiones. Se dedica también a la pintura.

FILMOGRAFÍA: *El buen amor* (1963), *Amador* (1965), *Si volvemos a vernos* (1967), *Me enveneno de azules* (1969), *Carta de amor de un asesino* (1973), *Duerme, duerme, mi amor* (1974), *Las bodas de Blanca* (1975), *Padre nuestro* (1985) y *Diario de invierno* (1988).

RIBAS, Antoni

Nacido en Barcelona en 1935. Fue secretario de rodaje y ayudante de dirección, de 1959 a 1964, para Isasi, Torado, Lucía y Amadori. Miembro del Institut de Cinema Catalá. Hizo un documental, *Catalans universals* (1978), para TVE. Vicepresidente del Col-legi de Directors de Cinema de Catalunya.

FILMOGRAFÍA: *Las salvajes en Puente San Gil* (1966), *Tren de madrugada* (1968, no reconocida como suya por Ribas), *Medias y calcetines* (1969), *La otra imagen* (1972), *La ciutat cremada* (1976), *¡Victoria! La gran aventura d'un poble* (1983), *¡Victoria! II. La disbauxa del 17* (1983), *¡Victoria! III. El seny i la rauxa* (1984) y *El primer torero porno* (1985). *Dalí* (en posproducción).

SAURA, Carlos

Nacido en Huesca en 1932. Fotógrafo profesional de 1950 a 1953. Ingresó en el IIEC en 1953. Ayudante de dirección en la inacabada *Carta de Sanabria* (Eduardo Ducay, 1955). Hizo los cortos *El tiovivo, Pax* y *El pequeño río Manzanares.* Se licenció en 1957 con *La tarde del domingo.* Actor (como espectador en *Los golfos,* como cura en *El cochecito,* como él mismo en *Nueve cartas a Berta).* Profesor del IIEC de 1957 a 1964. Autor de varios guiones frustrados con Mario Camus, así como del de *Muere una mujer,* de Camus. Numerosos premios internacionales, entre los que figuran el Oso de Oro en el Festival de Cine de Berlín por *Deprisa, deprisa.*

FILMOGRAFÍA: *Cuenca* (mediometraje, 1958), *Los golfos* (1959), *Llanto por un bandido* (1963), *La caza* (1965), *Peppermint frappé* (1967), *Stress es tres, tres* (1968), *La madriguera* (1969), *El jardín de las delicias* (1970), *Ana y los lobos* (1972), *La prima Angélica* (1973), *Cría cuervos...* (1975), *Elisa, vida mía* (1977), *Los ojos vendados* (1978), *Mamá cumple cien años* (1979), *Deprisa, deprisa* (1980), *Bodas de sangre* (1980), *Dulces horas* (1981), *Antonieta* (1982), *Carmen* (1983), *Los zancos* (1984), *El amor brujo* (1986) y *El Dorado* (1988), *¡Ay, Carmela!* (en rodaje).

SUÁREZ, Gonzalo

Nacido en Oviedo en 1934. Fue actor y periodista deportivo. Novelista y escritor de relatos cortos. Hizo anuncios publicitarios y cortos durante la crisis de la industria cinematográfica de finales de los años 70 (*Una leyenda asturiana,* 1980) y trabajó en televisión.

FILMOGRAFÍA: *Ditirambo vela por nosotros* (1966, corto en 16 mm), *El horrible ser nunca visto* (1966, corto en 16 mm), *Ditirambo* (1967), *El extraño caso del doctor Fausto* (1969), *Aoom* (1970), *Morbo* (1971), *Al diablo con amor* (1972), *La loba y la paloma* (1973), *La regenta* (1974), *Beatriz* (1976), *Parranda* (1977), *Reina zanahoria* (1978), *Cuentos para una escapada* (el episodio «Miniman y Super-wolf», 1979), *Epílogo* (1984) y *Rowing With the Wind* (1988).

TRUEBA, Fernando

Nacido en Madrid en 1955. Crítico de cine en *El País, La guía del ocio* y *Casablanca.* Realizó diversos cortos, casi todos ellos con guión suyo y de Óscar Ladoire (quien ganó el premio al mejor actor en el Festival de Venecia por su interpretación como protagonista en *Ópera prima*): *Óscar y Carlos* (1974), *Urculo, En legítima defensa* (1978), *El león enamorado* (1979), *Homenaje a trois* y *Óscar y Carlos 82* (1982). Colaboró en los guiones de *La mano negra* y *Köñensonatten,* de Colomo; *A contratiempo,* de Ladoire, y *De tripas corazón,* de Sánchez Valdés, que también produjo.

FILMOGRAFÍA: *Ópera prima* (1980), *Mientras el cuerpo aguante* (1982), *Sal gorda* (1984), *Sé infiel y no mires con quién* (1985), *El año de las luces* (1986) y *The Mad Monkey* (1989).

UNGRÍA, Alfonso

Nacido en Madrid en 1946. Hizo el mediometraje *Querido Abraham* (1968). Prolífico director de noticiarios del NO-DO, fue despedido tras su controvertido mediometraje *La vida en los teleclubs* (1969). Director de televisión desde 1971.

FILMOGRAFÍA: *El hombre oculto* (1970), *Tirarse al monte* (1971), *Gulliver* (1976), *Soldados* (1978), *Cuentos eróticos (el episodio «El amor es maravilloso», 1979) y La conquista de Albania* (1983).

URIBE, Imanol

Nacido en San Salvador (El Salvador) en 1950. Llegó a España de pequeño. Se licenció en la EOC en 1974. Junto con Fernando Colomo y Miguel Ángel Díez, fundó Zeppo films. Hizo dos cortos, *Off* (1976) y *Ez* (1977) y colaboró en el guión de *De fresa, limón y menta* (Díes, 1977), que también produjo. Destacada figura de la industria cinematográfica vasca, hizo el corto *La canción vasca* (Ikuska núm. 13) y produjo *Fuego eterno* (José Ángel Rebolledo, 1984).

FILMOGRAFÍA: *El proceso de Burgos* (1979), *La fuga de Segovia* (1981), *La muerte de Mikel* (1984), *Adiós, pequeña* (1986) y *La luna negra* (1989).

VIOTA, Paulino

Nacido en Santander en 1948. Crítico de cine de Radio Popular y *El diario Montañés*. Hizo tres mediometrajes en Super-8 entre 1966 y 1967 y, después, *Fin del invierno* (1968). Residente en Madrid desde 1969, ha trabajado mucho con la actriz Guadalupe G. Güemes.

FILMOGRAFÍA: *Contactos* (1970), *Jaula de todos* (1975), *Con uñas y dientes* (1978) y *Cuerpo a cuerpo* (1982).

ZULUETA, Iván

Nacido en San Sebastián en 1943. Alumno de la EOC. Trabajó en *Último grito*, programa de música *pop* de televisión, con Drove y Chávarri. Diseñó portadas de discos y carteleras de películas (por ejemplo, de *Furtivos, El corazón del bosque* y *Laberinto de pasiones*). Ha realizado numerosos cortos y películas en Super-8, producción desarrollada entre 1970 y 1975 y en la que destacan *Masaje* (35 mm), *Frank Stein* (35 mm), *Souvenir* (Super-8), *Babia* (Super-8), *Mi ego está en Babia* (largometraje, Super-8), *Acuarium* (Super-8), *Kin Kon* (Super-8), *Marilyn* (Super-8), *Will More seduciendo a Taylor Mead* (Super-8), *Leo es pardo* (16 mm, 1976), *En la ciudad* (1977, fragmento de una película colectiva) y *A Mal Gam A* (mediometraje, Super-8).

FILMOGRAFÍA: *Un, dos, tres... al escondite inglés* (1969) y *Arrebato* (1979).

Índice